Texte zum Neuen Testament

3

Texte zum Neuen Testament

Das Neue Testament Deutsch · Textreihe

Herausgegeben von Gerhard Friedrich

Band 3

Auslegungen der Reformatoren

Göttingen · Vandenhoeck & Ruprecht · 1984

Auslegungen der Reformatoren

Gemeinsam mit Ulrich Asendorf, Samuel Lutz
und Wilhelm Neuser herausgegeben

von

Gerhard Friedrich

Göttingen · Vandenhoeck & Ruprecht · 1984

CIP-Kurztitelaufnahme der Deutschen Bibliothek

Auslegungen der Reformatoren / gemeinsam mit
Ulrich Asendorf ... hrsg. von Gerhard Friedrich.
– Göttingen : Vandenhoeck und Ruprecht, 1984. –
(Texte zum Neuen Testament ; Bd. 3)
ISBN 3-525-51365-8
NE: Friedrich, Gerhard [Hrsg.]; GT

INHALT

---

* L = Luther, Z = Zwingli, C = Calvin

Apostelgeschichte

Römer

Galater

Hebräer

Vorwort

Die dargebotenen Texte bieten einen kleinen Ausschnitt aus den zahlreichen exegetischen Veröffentlichungen der Reformatoren. Die Auswahl wurde unter einem doppelten Aspekt vorgenommen: Es sollten solche Äußerungen der Reformatoren zu neutestamentlichen Stellen herausgesucht werden, die für die Erörterung exegetischer Fragen der Gegenwart von Wichtigkeit sind und die bei der Meditation über biblische Texte, etwa zur Vorbereitung der Predigt, Anregungen geben. Ausgeschieden wurde die Polemik gegen die römisch-katholische Kirche, weil viele Angriffe aus der damaligen Zeit heute keine Bedeutung mehr haben. Vornehmliches Ziel der Auswahl war es nicht, die theologische Eigenart der drei Reformatoren, die sich gerade auch bei der Auslegung biblischer Texte deutlich zeigt, herauszustellen, weil dadurch – so interessant das auch sein mag – zur Erklärung der Bibelstelle wenig beigetragen und die Besonderheit des Textes nicht sichtbar gemacht wird. Trotz dieser bewußt durchgeführten Einschränkung macht sich das theologische Interesse der einzelnen Reformatoren und die Verschiedenheit ihrer Interpretation bei den ausgewählten Texten bemerkbar und lädt zu interessanten Vergleichen ein.

Eine besondere Schwierigkeit für die Bearbeiter bestand darin, zu entscheiden, welche Stellen sie aus der Fülle des Materials den Lesern bieten sollten. Da der Band besonders bei der Vorbereitung von Predigt und Bibelarbeit eine Hilfe sein soll, wurde mit allgemeiner Zustimmung der Beteiligten U. Asendorf gebeten, wichtige Abschnitte aus dem Neuen Testament zur Bearbeitung vorzuschlagen. Obwohl keiner der Mitarbeiter an dessen Entscheidung gebunden war, haben sie sich meist daran gehalten.

Die Auswahl aus Luther traf U. Asendorf, aus Zwingli S. Lutz, aus Calvin W. Neuser. Die „Einleitung: Reformatoren als Ausleger der Schrift" verfaßte der Herausgeber.

ABKÜRZUNGSVERZEICHNIS

C O   Joannis Calvini opera quae supersunt omnia, ed. G. Baum, E. Cu-
nitz, E. Reuß, Corpus Reformatorum 29–87 (1863–1900)

C R   Corpus Reformatorum, Berlin (1834 ff.)

S   Huldreich Zwinglis sämtliche Werke, ed. M. Schuler und J. Schulthess, Zürich (1828–1842)

WA   D. Martin Luthers Werke, Kritische Gesamtausgabe, Weimar
(1883 ff.)

WA DB   D. Martin Luthers Werke, Die Deutsche Bibel, Weimar (1906 ff.)

WA TR   D. Martin Luthers Werke, Tischreden, Weimar (1912 ff.)

Z   Huldreich Zwinglis sämtliche Werke, ed. E. Egli, G. Finsler,
W. Köhler, O. Farner, F. Blanke, L. von Muralt, E. Künzli, R. Pfi-
ster, J. Staedtke, F. Büsser, Berlin, Leipzig und Zürich, (1905 ff.)
C R 88 ff.

Einleitung: Reformatoren als Ausleger der Schrift

A. Martin Luther

1. *Professor der Bibelwissenschaft.* M. Luther hat keine kirchenleitenden Funktionen gehabt, er hat keine Lehrbücher über Dogmatik, Ethik oder Dogmengeschichte geschrieben, sondern er ist, nachdem er 1512 als Nachfolger von Staupitz an der Universität Wittenberg die Professur für Auslegung der Bibel erhalten hatte, zeitlebens Professor der Bibelwissenschaft gewesen. In seiner ersten Vorlesung 1513 behandelte er die Psalmen, 1515 folgte die Auslegung des Römerbriefes, 1516 die des Galaterbriefes und 1517 die des Briefes an die Hebräer. Andere Vorlesungen über neutestamentliche Schriften schlossen sich an, so z.B. 1531 noch einmal die Interpretation des Galaterbriefes. Nach den uns vorliegenden Zeugnissen hat Luther dreizehn verschiedene Bücher der Bibel erklärt, wobei sich manchmal die Auslegung einer einzelnen Schrift über mehrere Jahre erstreckte. Das Erstaunliche ist, daß er häufiger über das Alte Testament als über das Neue Testament gelesen hat, so daß wir ihn nach unserm heutigen Sprachgebrauch als Alttestamentler bezeichnen würden. Während seiner zweiunddreißigjährigen akademischen Tätigkeit hat Luther kein einziges Kolleg über die Evangelien gehalten, sondern dies Melanchthon überlassen. Diese hat er in seinen Predigten ausgelegt, bei denen er die Anwesenheit seiner Studenten erwartete, so daß er sie manchmal direkt angesprochen hat. Für Luther bestand zwischen Vorlesung und Verkündigung nur ein gradueller, aber kein wesentlicher Unterschied. Predigten beruhten auf exegetischer Arbeit, wenn das auch nicht immer sogleich erkennbar ist, und in den Vorlesungen wurden Prediger ausgebildet, die später einmal selbst auf der Kanzel stehen sollten. Weil die Predigten sich an die ganze Gemeinde richteten, waren sie volkstümlicher gestaltet, mit vielen Bildern ausgeschmückt, während die Vorlesungen an Studenten Exkurse über dogmatische und ethische Fragen enthielten.

2. *Die reformatorische Entdeckung.* Die entscheidende reformatorische Entdeckung, daß es in der Bibel um die Rechtfertigung des Sünders aus Gnade geht, war Luther durch das Lesen und Studieren der Schrift aufgegangen. Wir haben aus dem Jahre 1545 eine ausführliche Schilderung, wie ihm durch das Nachdenken über Röm. 1,17, wo Paulus schreibt, daß im Evange-

lium die Gottesgerechtigkeit offenbart wird, blitzartig aufgeleuchtet ist, was Gerechtigkeit Gottes bei Paulus bedeutet. Bis zu diesem Augenblick hatte Luther unter Gerechtigkeit immer die die Sünde der Menschen strafende Gerechtigkeit Gottes verstanden. Darum konnte er nicht begreifen, daß die Gerechtigkeit des zürnenden Gottes ein Bestandteil des Evangeliums sein solle. „Ich war von einer gewiß wunderbaren Glut ergriffen gewesen, Paulus im Römerbrief zu verstehen. Allein dem war bisher im Wege gestanden, nicht die Kälte meines Herzens, sondern ein einziges Wort in Kap. 1,17: Die Gerechtigkeit Gottes wird im Evangelium offenbar. Ich haßte dieses Wort ‚Gerechtigkeit Gottes‘; denn durch den Brauch und die Übung aller Kirchenlehrer war ich unterwiesen worden, es philosophisch zu verstehen von der sogenannten formalen oder aktiven Gerechtigkeit, wonach Gott gerecht ist und die Sünder und Ungerechten straft. Ich aber konnte den gerechten, den Sünder strafenden Gott nicht leiden, ja, ich haßte ihn; denn ich fühlte mich, so sehr ich auch immer als untadeliger Mönch lebte, vor Gott als Sünder mit einem ganz und gar ruhelosen Gewissen. [...] So raste ich mit wütendem, verstörten Gewissen, und doch schlug ich mich an jener Stelle rücksichtslos mit Paulus herum, da ich mich glühend danach sehnte zu wissen, was St. Paulus wolle. Da erbarmte sich Gott meiner. Unablässig sann ich Tage und Nächte, bis ich auf den inneren Zusammenhang der Worte merkte, nämlich: Gottes Gerechtigkeit wird im Evangelium offenbar, wie geschrieben steht: Der Gerechte lebt aus Glauben. Da begann ich die Gerechtigkeit Gottes als solche Gerechtigkeit zu verstehen, durch die der Gerechte durch Gottes Geschenk lebt, d.h. aus dem Glauben. [...] Hier fühlte ich mich völlig neugeboren. Die Tür hatte sich mir aufgetan. Ich war in das Paradies selbst eingedrungen. [...] So groß vorher mein Haß war, womit ich das Wort ‚Gerechtigkeit Gottes‘ gehaßt hatte, so groß war jetzt die Liebe, mit der ich es als allersüßestes Wort rühmte. So ist mir diese Stelle des Paulus wahrhaftig zu einer Pforte des Himmels geworden." (WA 54,185,14ff.) Durch Meditation über Röm. 1,17 ist Luther zur reformatorischen Erkenntnis der Glaubensgerechtigkeit durchgedrungen. Diese Stelle ist für ihn der Schlüssel zum Verstehen der Bibel geworden.

3. *Der vierfache Schriftsinn.* Luther ist in gewisser Weise zum Bahnbrecher der modernen Exegese geworden: Manches, was er ausführte, hatten andere auch schon gesagt, ohne daß ihre Gedanken methodisch und inhaltlich allgemeine Gültigkeit erlangten. Indem Luther nicht nur Christus, sondern solus Christus, nicht nur fides, sondern sola fides, nicht nur gratia, sondern sola gratia konsequent in den Mittelpunkt seiner Exegese stellte, führte seine Reduktion und Konzentration auf diese Grundlagen der Theologie zu einer Revolution der Theologie. Im folgenden wird deutlich werden, wie Luthers methodische Interpretationsweise – Altes aufnehmend, dieses dann aber auch

stark kritisierend und neue Gedanken einfügend – eine Durchschlagskraft erhalten hat, die nicht mehr zu ignorieren war.

In der Kirche hatte sich die Lehre von dem vierfachen Schriftsinn herausgebildet. Der erste Grundsatz der Auslegung bestand darin, die Fakten zu beschreiben. Diese buchstäbliche, grammatische Befragung des Textes erörterte die dargestellten Dinge und historischen Ereignisse. Eine solche wörtliche Deutung genügte vielen Interpreten nicht. Durch geistreiche Auslegung gab man den biblischen Stellen einen tieferen Sinn. Diese allegorische Kommentierung zeigte nach der Lehre des Mittelalters, was der Christ auf Grund der Schrift zu glauben hatte. Der moralische Schriftsinn gab darüber Aufschluß, wie sich der einzelne Christ verhalten sollte. Er enthielt die ethischen Anweisungen für eine christliche Lebensführung. Schließlich öffnete der sog. analogische, auf die Zukunft weisende Schriftsinn die Augen für das Ziel, auf das alles zugeht. Er handelte von dem, was der Christ erhoffen kann. Er enthielt also die Lehre von den letzten Dingen, von der biblischen Eschatologie.

Luther kannte diesen vierfachen Schriftsinn. Als scholastisch gebildeter Theologe hat er ihn zu handhaben gelernt. Er äußert sich selbst darüber, daß er als Mönch geradezu ein Künstler in der allegorischen Schriftauslegung gewesen sei und alles allegorisiert habe (WA TR 1, 136, 14 ff. Nr. 335). Sie sei ein geistliches Gaukelspiel des Origenes gewesen. Durch den vierfachen Schriftsinn werde aber dem armen Volk Christus vorenthalten und ihm die Lehre des Papstes und des Aristoteles eingebläut (WA 5, 650, 19). „Weil ich jung war, da war ich gelehrt. [...] Da ging ich mit Allegorie, Tropologie und Analogie um und machte lauter Kunst. [...] Ich weiß, daß das ein lauter Dreck ist, den ich nun habe fahren lassen. [...] Der Literalsinn, der tut's. Da ist Leben, Trost, Kraft, Lehr und Kunst inne. Das andere ist Narrenwerk, wiewohl es hoch gleißt" (WA TR 5, 45, 10 Nr. 5285). Je mehr Luther sich mit der Exegese der Schrift beschäftigte, desto stärker wandte er sich von der Allegorie ab, ohne sie allerdings ganz aufzugeben.

4. *Bedeutung des Griechischen.* Luther gehörte nicht zu den Humanisten, die mit ihrem Ruf „Zurück zu den Quellen" mit großem Eifer die griechische und hebräische Sprache erlernten, um die alten Schriften im ursprünglichen Wortlaut lesen zu können. Er hat als Student in Erfurt den Humanisten Nikolaus Marschalk kennengelernt, der sich um die Verbreitung der griechischen und hebräischen Sprachkenntnisse sehr verdient gemacht hatte. Von ihm erhielt er die Anregung für die Kritik an der Scholastik. Aber ein wirkliches Studium der griechischen Sprache hat Luther zunächst nicht getrieben, obwohl sein Freund Johann Lang, Prior des Augustiner-Konvents, ein eifriger Vertreter des Humanismus und ein exzellenter Kenner der griechischen Sprache war, bei dem Justus Jonas Griechisch gelernt hatte. Luther hatte

zwar ohne besonders große philologische Kenntnisse den Sinn einiger theologischer Hauptbegriffe wie Evangelium, Kraft oder Buße aus dem Griechischen zu verstehen gesucht. Aber erst als Melanchthon nach Wittenberg kam, hat Luther sich mit der griechischen Sprache etwas stärker beschäftigt. Da Luther von Jugend auf mit der Vulgata, der Übersetzung der Bibel durch Hieronymus in das Lateinische, vertraut war, blieb ihm diese der Ausgangspunkt für seine Schriftauslegung, die er dann aber am griechischen Text überprüfte. Als 1516 bei dem Baseler Buchhändler Froben von Erasmus das Neue Testament in griechischer Sprache herausgebracht war, hat Luther es, wie die Römerbriefauslegung zeigt (s. zu 9,10.15) sogleich zur Erklärung des Paulusbriefes herangezogen. Auch bei der Übersetzung des Neuen Testamentes ins Deutsche hat Luther es benutzt. Aber die Grundlage für die Übertragung ins Deutsche war für ihn zunächst noch nicht der griechische Wortlaut, sondern das von Erasmus aus dem Griechischen neu ins Lateinische übersetzte Neue Testament. Nachdem Luther von der Wartburg nach Wittenberg zurückgekehrt war, ging er mit Melanchthon den deutschen Text durch, um Fehler auszumerzen.

Obwohl Luther selbst kein perfekter Gräzist war, legte er den größten Wert darauf, daß die Jugend Griechisch lernte. Das Erlernen der griechischen Sprache war für ihn nicht ein bildungsmäßiges, sondern ein theologisches Postulat. In seiner Schrift „An die Ratsherren aller Städte deutschen Landes" ruft er diesen zu: „So lieb nun uns allen das Evangelium ist, so hart laßt uns über die Sprachen halten." Luther ist überzeugt, „daß wir das Evangelium nicht wohl werden erhalten ohne die Sprachen". Er stellt fest: „Weil jetzt die Sprachen hervorgekommen sind, bringen sie ein solches Licht mit sich und tun solche großen Dinge, daß sich alle Welt verwundert und muß bekennen, daß wir das Evangelium so lauter und rein haben, fast wie es die Apostel gehabt haben" (WA 15,37,17–39,8). Luther ist kein Philologe, sondern Theologe gewesen. Aber gerade als Theologe hat er einen großen Nachdruck auf die Bedeutung der Ursprache gelegt und die Wichtigkeit der Grammatik hervorgehoben, so daß hinfort ohne Beachtung dieser Faktoren eine sachgemäße Erklärung der Schrift nicht mehr möglich ist.

Weil es Luther um den Literalsinn der Bibel ging, bemühte er sich um die Klärung einzelner Begriffe. Bei der Auslegung von Röm. 4,7 behandelte er die verschiedenen hebräischen Wörter, die das Alte Testament zur Charakterisierung von Sünde verwendet, und polemisierte gegen die Vulgata, weil in ihr die Unterschiede verwischt würden. Zu ‚Evangelium' führt er aus, es sei „ein griechisches Wort und heißt auf Deutsch gute Botschaft, gute Mär, gute Zeitung, gut Geschrei, davon man singet, saget und fröhlich ist" (WA DB 6,223). Er nahm Anstoß an den üblichen Ausführungen über ‚Buße', die nach dem lateinischen Wort eine Sühneleistung sein soll. Als er feststellte, daß poenitentia im Griechischen metanoia heißt, wurde ihm klar, daß nach dem Neuen Testament Buße nicht ein Beitrag des Menschen zur Erlangung des Heils ist, sondern daß Buße eine Sinnesänderung, eine Umwandlung des Menschen bedeutet, die Gott herbeigeführt. Während er früher das Wort Buße ebenso wie das Wort Gerechtigkeit Gottes gehaßt hatte, kannte er hinfort keinen süßeren und vollkommeneren Klang als poenitentia (WA 1,525,15ff.). Der Rückgriff auf den griechischen Wortlaut des Neuen Testamentes erschloß ihm dieses ganz neu.

5. *Persönliche Erfahrung.* Um einen Text vollkommen zu verstehen, genügte Luther die grammatisch-philologische Klarstellung des Wortlautes nicht. Jeder, der einen Text exegesiert, muß eine klare Vorstellung von dem im Text Ausgeführten haben und eine persönliche Erfahrung von den im Text behandelten Dingen mitbringen, sonst redet er über sie wie ein Blinder über die Pracht der Natur und die Schönheit der Farben. Als Luther bei der Übersetzung der Offenbarung des Johannes zur Schilderung des Neuen Jerusalems kam, dessen Mauern und Tore mit Edelsteinen geschmückt sind, ließ er sich aus der kurfürstlichen Schatzkammer die Edelsteine zeigen, um einen persönlichen Eindruck von der Herrlichkeit der neuen Stadt zu gewinnen. Bevor Luther seinen Studenten den Propheten Jesaja auslegte, verschaffte er sich und seinen Hörern an Hand einer Landkarte einen Überblick, welche Völker an Israel grenzen, mit denen es Jesaja und seine Generation zu tun hatten.

Luther berief sich für die konkrete Einstellung zum Text auf den römischen Dichter Horaz, der schon gesagt hatte, daß sich die rechten Wörter schnell einstellten, wenn man die Sache erfaßt hat (WA 42,597,17). Das im Text Gesagte darf dem Exegeten nicht als ein Fremdkörper erscheinen, sondern es muß ihm durch persönliche Erfahrung vertraut sein. Luther schrieb zwei Tage vor seinem Tode auf einem Blatt die bemerkenswerten Worte nieder: „Den Vergil kann in seinen bucolicis und georgicis niemand verstehen, er sei denn 5 Jahre Hirt oder Bauer gewesen. Den Cicero in seinen Briefen versteht niemand, wenn er nicht 20 Jahre in einem hervorragenden Staatswesen sich betätigt hat. Die Heilige Schrift meine niemand verschmeckt zu haben, er habe denn 100 Jahre mit den Propheten Kirchen geleitet" (WA 48,241,2). Ein Text ist demnach noch lange nicht richtig verstanden, wenn man ihn nur formal zur Kenntnis nimmt. Nur der spricht sachgemäß über die Schrift, bei dem eine innere Beziehung zu ihrem Inhalt besteht.

6. *Interpretation der Schrift durch die Schrift.* Voraussetzung für die persönliche Erfahrung mit den in der Bibel beschriebenen Vorgängen ist, daß man nicht bei der Einzelstelle stehenbleibt, sondern die Gesamtbotschaft der Schrift berücksichtigt. Schon Aristoteles hatte die Forderung aufgestellt, daß es die Aufgabe des Exegeten sei, die Komposition des ganzen Werkes zu analysieren. Von der Gesamtbotschaft der Schrift aus muß man dann wieder

zum Einzelsatz zurückkehren. Die Schrift ist aus der Schrift heraus zu erklären, weil sie ihr bester Interpret ist. Der Theologe darf auf keinen Fall mit aus
dem Zusammenhang gerissenen Worten argumentieren und aus isolierten
Stellen dogmatischen, sozialen oder politischen Thesen den Anschein einer
biblischen Begründung verleihen wollen. Für den Ausleger der Schrift ist es
erforderlich, mit dem Inhalt der ganzen Schrift vertraut zu sein. Darum muß
er die Bibel von Anfang bis Ende durchgelesen und ihre Gesamtbotschaft vor
Augen haben, wenn er eine Einzelstelle erklären will (WA 2, 361, 19). Luther
verglich die Schrift mit einem Wald. In diesem gäbe es keinen einzigen Baum,
den er nicht mit eigener Hand geschüttelt habe (WA TR 1, 320, 9f. Nr. 674).

Durch seine Forderung, den Einzeltext aus dem Gesamtcorpus der Schrift
zu erklären, stellte Luther sehr deutlich heraus, daß man seine eigenen Fragen
nicht an den Text herantragen darf, sondern daß jede Schrift ihr Eigenrecht,
ihre eigene Aussagekraft und ihre eigene Autoriät besitzt. So hat Luther mit
seiner Interpretation der Bibel von der Bibel her der Geistesgeschichte An-
stöße gegeben, die bis heute Gültigkeit haben.

7. *Christus Mittelpunkt der Schrift.* Weil Luther bei der Auslegung der
Einzelstelle die Schrift in ihrer Ganzheit berücksichtigen wollte, fragte er nach
dem Mittelpunkt, dem zentralen Anliegen, der Summe der biblischen Botschaft. Bereits im Mittelalter hatte man diese und jene Stelle christologisch
gedeutet. Aber Luther ist radikaler. „Welcher die Bibel lesen will, der muß
eben darauf schauen, daß er nicht irre, denn die Schrift läßt sich wohl dehnen
und leiten, aber keiner leitet sie nach seinem Affekt, sondern er führe sie zu
dem Brunnen, das ist zu dem Kreuz Christi, so wird er's gewißlich treffen
und nicht fehlen" (WA 1, 52, 15ff.). Christus und zwar der Gekreuzigte
ist der Gesamtscopus der Schrift. Er ist der punctus mathematicus
(WA TR 2, 439, 25f. Nr. 2383). Tolle Christum e scripturis quid amplius in
illis inveniet (WA 18, 606, 29). Die ganze Schrift hat ausschließlich Christus
zum Inhalt (zu Mt. 9, s. S. 64), wenn dies auch äußerlich betrachtet nicht
immer sogleich erkennbar ist. Auch das Alte Testament handelt von Christus.
In ihm findet man die Windeln und Krippen, in denen Christus liegt. Christus
ist der Schlüssel, der die Tür zum Verstehen der Bibel aufschließt. Darum
muß der rechte Exeget die Schrift nach ihrem Christuszeugnis befragen. Luther bekannte von sich: „Andere machen Umwege … ich aber, wenn ich eine
Nuß im Texte finde, deren Schale mir zu hart ist, ich werfe sie alsbald an den
Felsen Christus und finde den süßesten Kern" (WA 3, 12, 32).

Luther glaubte durchaus nicht willkürlich zu handeln, wenn er Christus als
Auslegungsprinzip praktizierte. In der Vorrede zum Jakobusbrief schrieb er
die bekannten Worte: „Darin stimmen alle rechtschaffenen heiligen Bücher
überein, daß sie allesamt Christum predigen und treiben. Auch das ist der
rechte Prüfstein, alle Bücher zu tadeln, wenn man siehet, ob sie Christum

treiben oder nicht, sintemal alle Schrift Christum zeiget und St. Paulus nichts anderes als Christum wissen will. Was Christum nicht lehret, das ist nicht apostolisch, wenn's gleich St. Petrus und St. Paulus lehrte. Wiederum, was Christum predigt, das ist apostolisch, wenn's gleich Judas, Hannas, Pilatus oder Herodes tät" (WA DB 7, 384, 25 ff.).

Weil Luther Christus zum Maßstab für die Beurteilung aller theologischen Aussagen nahm, darum waren für ihn nicht alle Bücher des Neuen Testaments gleichwertig. Luther übte nicht wie die heutige neutestamentliche Wissenschaft eine historisch, sondern eine christologisch begründete Kritik aus. Da der Hebräerbrief, Jakobus-, Judasbrief und die Offenbarung des Johannes wenig von Christus sprechen, hätte Luther sie am liebsten aus dem Neuen Testament entfernt. Dagegen zeigen das Johannesevangelium, der Römerbrief und der 1. Petrusbrief, wie der Glaube an Christus Sünde, Tod und Hölle überwindet und Leben, Gerechtigkeit und Seligkeit geben (WA DB 6, 10, 16 f.). Auch sonst betrachtete Luther die Bibel mit kritischen Augen. Er stellte fest, daß es sich bei den Reden Jesu in den Evangelien um eine Zusammenstellung von verstreuten Worten Jesu handelt (WA 45, 450, 6). Er fand in der Bibel durchaus manche Ungereimtheiten und Widersprüche, so z. B.: beim Taufbericht (WA 20, 223, 22 ff.), bei der chronologischen Festlegung der Tempelreinigung bei den Synoptikern und im Johannesevangelium (WA 46, 726, 11) oder bei den Auferstehungserzählungen (WA 17 I, 183, 14 ff.). Das beunruhigte ihn nicht weiter, weil dadurch das Zentrale, die Christusbotschaft, nicht verändert wird. Darum war er an einer Auflösung der Widersprüche nicht interessiert.

Da für Luther die ganze Bibel Christuszeugnis war und es ihm auf den Ruf des Evangeliums ankam, besprach er bei der Auslegung der Texte häufig gar nicht die Besonderheit der einzelnen Aussagen. Er ging nicht Wort für Wort und Satz für Satz der jeweiligen Stelle durch, sondern er hob den im Text enthaltenen Schwerpunkt der Christusbezeugung hervor und behandelte diese. Das veranlaßte Calvin zu dem Vorwurf, Luther halte sich nicht ängstlich genug an die wirklichen Aussagen der Bibel. Er berücksichtige nicht die geschichtlichen Verhältnisse. Darum gehe es ihm nicht um die Erschließung des vorliegenden Wortlautes, sondern um das Finden einer fruchtbaren Wahrheit (C O 11, 36). Luther gab dieses in gewisser Weise zu, wenn er Melanchthon, sich selbst und Karlstadt in folgender Weise charakterisierte: Die Sache und die Wörter finde man bei Philipp, die Wörter ohne die Sache bei Erasmus, die Sache ohne die Wörter bei ihm selbst, weder die Sache noch die Wörter bei Karlstadt (WA TR 3, 460, 38 Nr. 3619). Weil es Luther bei der Auslegung um die Sache ging, darum enthalten seine Ausführungen zu Einzelstellen häufig wenig Konkretes. Sie sind eine Mischung von Exegese, Dogmatik und Predigt. Manches, was er zu einer Stelle sagt, wird dort expressis verbis gar nicht zum Ausdruck gebracht. Was er sagt, ist nicht falsch, weil es biblisch ist; aber manche Einzelzüge des Textes werden von Luther übergangen.

8. *Wort und Geist.* Die Schrift ist in sich klar, so daß jedermann sie verstehen kann und sie der Auslegung durch das Lehramt der Kirche nicht bedarf. Exakte grammatische Exegese des Textes und äußerliches Hören der Verkündigung genügen zum Erfassen des Gelesenen und Gehörten nicht. Schrift und Wort sind nicht mit magischer Kraft geladen, so daß sie automatisch wirksam werden, sobald sie durch das Auge oder das Ohr wahrgenommen werden. Gott selbst muß vielmehr reden, damit sein Wort in das Herz des Menschen eindringt und es umgestaltet. „Das Wort kann man mir wohl predigen. Aber das Wort in den Grund des Herzens kann mir niemand geben denn Gott." „Wenn er schweigt, so ist es unausgesprochen" (WA 10 III, 260, 20). Wort Gottes und Geist Gottes gehören untrennbar zusammen. Nur durch das Wort erhält man den Geist, und ohne ihn ist das Wort nicht Wort Gottes, sondern Menschenwort und damit Schall und Rauch.

Von dieser Einstellung her wandte sich Luther gegen den Intellektualismus und Rationalismus der Philosophen, die meinten, den majestätischen Willen Gottes verklären und sich zum Richter über das Handeln Gottes in Wort und Werk aufschwingen zu können (WA 18, 707, 23).

Mit großer Schärfe polemisierte Luther gegen die Schwärmer, die die Bedeutung des Geistes überschätzten und ihn dem Wort überordneten. „Das Wort, das Wort, das Wort, hörst du Lügengeist auch, das Wort tut's" (WA 18, 202, 27). Luther betonte immer wieder, daß dem Wort Priorität zukommt. „Gott gibt uns am ersten das Wort, womit er uns erleuchtet, danach den Geist, der in uns wirkt und den Glauben anzündet" (WA 9, 632, 32). Das Wirken des Geistes im Herzen ist an das vorausgehende Hören des Wortes gebunden. In den Schmalkaldischen Artikeln forderte Luther dazu auf, fest darauf zu bestehen, „daß Gott niemand seinen Geist oder Gnade gibt ohne durch oder mit dem vorhergehenden äußerlichen Wort". Er lehnte die Enthusiasten ab, die sich „rühmen, ohne und vor dem Wort den Geist zu haben" (WA 50, 245, 1). „Es gibt nichts, unsere Lehre und Glauben zu erhalten, denn das leibliche oder schriftliche Wort, in Buchstaben gefasset und durch ihn oder andere mündlich gepredigt. Denn es stehet hie klar: Schrift, Schrift. [...] Darum rühme nur nicht viel vom Geist, wenn du nicht das offenbare äußerliche Wort hast. Denn es wird gewißlich nicht ein guter Geist sein, sondern der leidige Teufel aus der Hölle. Denn der heilige Geist hat ja seine Weisheit und Rat und alle Geheimnisse in das Wort gefasset und in der Schrift offenbart" (WA 36, 500, 29 ff.). Der heilige Geist gehört zum Wort. Ihn findet man nirgendwo gewaltsamer und lebendiger als in den von ihm verfaßten Texten der Bibel. In ihr hört man Gott selbst reden (WA 3, 342, 26).

Weil der Geist an das Wort gebunden ist, darum kann man ihn nur aus der Bibel erhalten.

Daraus ergibt sich, daß rechte Exegese, die die Schrift erschließen soll, nicht nur eine Sache der sprachlichen Bildung und des Intellekts ist. Durch Denken und Reflektieren allein ist das Verstehen der Schrift nicht zu erreichen. Weil sie sich erst durch den heiligen Geist dem Exegeten erschließt, ist das Verstehen nicht nur ein noetischer, sondern ein die ganze Existenz des Menschen erfassender Vorgang. Die Worte der Bibel sprechen nicht nur von Menschen vergangener Jahrhunderte (WA 37,118,20), sondern sie sind eine lebendige Botschaft, die sich an den Lesenden der Gegenwart wendet (WA 26,295f.). Die Schrift bleibt nicht mehr nur ein passives Objekt, an dem der Exeget seine Untersuchungen anstellt, sondern sie wird durch den in ihr zur Wirkung kommenden Geist Gottes zum handelnden Subjekt (WA 3,397,9f.15f.). Aus dem Forschenden wird so der Erforschte, aus dem Fragenden der Gefragte, aus dem Ausleger des Textes der Ausgelegte. Nicht der Exeget beherrscht die Schrift, sondern die Schrift prägt ihm ihren Willen auf. Eine solche Schriftauslegung ist nicht mehr ein Problem der Methode oder die spezielle Gabe eines Charismatikers, sondern Ausfluß des Wirkens Gottes. „Dies ist die erste Gnade und wunderwirkende Barmherzigkeit Gottes, daß es einem gegeben wird, so die Worte der Schrift zu lesen und zu hören, als ob man meine, sie von Gott selbst zu hören" (WA 3,342,26f.).

Von dieser theologischen Position aus kommen sich Schrift und Wort, Bibelauslegung und Predigt sehr nahe. Die Schrift ist jedenfalls nicht eine Art von Tiefkühltruhe, in der heilige Worte, vor jeder Veränderung geschützt, durch Jahrhunderte hindurch aufbewahrt werden, sondern sie ist ihrem Wesen nach viva vox evangelii für die Menschen der Gegenwart. Darum will sie nicht gelehrt, sondern verkündet werden. Wissenschaft und Frömmigkeit, exakte Denkbarkeit und gläubiges Hören auf die Schrift sind für Luther keine Gegensätze.

B. Huldreich Zwingli

1. *Die Quellen.* Zwingli als Exegeten des Neuen Testamentes sachgemäß darzustellen, ist bei der gegenwärtigen Lage der Forschung kaum möglich. Noch gibt es keine zufriedenstellende und vor allem keine umfassende Arbeit von Sachkennern, die sich mit dem Thema eingehend befaßt. Diese Situation hat ihre Gründe: entweder fehlen nämlich die notwendigen und wünschbaren Quellen, oder aber sie stammen aus Editionen nach Zwinglis Tod. Was ihre Erschließung anbelangt, so sind die neutestamentlichen Exegetica in der neuen kritischen Ausgabe von Zwinglis Werken im Corpus Reformatorum

noch nicht enthalten. M. Schuler und J. Schulthess bieten zwar Evangelien-auslegungen, die Brevis Commemoratio von Tod und Auferstehung Christi, sowie exegetische Bemerkungen zu den Briefen. Diese Auslegungen und Bemerkungen, Annotationes genannt, beruhen auf einer Edition von Zwinglis Freund Leo Jud, die dieser auf Bitten von Bekannten herausgebracht hatte. Es handelt sich dabei um eine Auswahl, wobei Leo Jud Bibelerklärungen und Abschnitte von in deutscher Sprache gehaltenen Predigten, die er ins Latei-nische übersetzt hat, zu einer Einheit zusammengefügt hat. Zur Durchfüh-rung seiner Arbeit hat er eigene und andere Nachschriften benutzt. Aus den Annotationes und der Commemoratio läßt sich also nicht eindeutig ausma-chen, was Zwingli jeweils wirklich gesagt hat, auch wenn die Nachschriften als durchaus zuverlässig gelten dürfen.

M. Schuler und J. Schulthess stand noch handschriftlich eine Auslegung des Matthäusevangeliums zur Verfügung, die aber inzwischen verloren gegangen ist. Einiges haben die Herausgeber unter der Bezeichnung Additamenta in ihrer Ausgabe veröffentlicht.

In der Zürcher Zentralbibliothek hat man außerdem ein Manuskript über Predigten der Evangelien von Zwingli gefunden. Ein Urenkel, dem der Manu-skriptband gehörte, behauptete, es seien Niederschriften, die Zwingli selbst verfaßt habe. Darin täuschte er sich allerdings. Wahrscheinlich stammt die Wiedergabe aus einer Arbeitsgemeinschaft mit Leo Jud. O. Farner hat diese erst in unserem Jahrhundert entdeckte Nachschrift von Evangelienauslegun-gen in Auswahl übersetzt und 1957 veröffentlicht.

Dieser Überblick zeigt, unter welchen Bedingungen Zwingli als Ausleger des Neuen Testamentes zu charakterisieren ist. Ergänzend zu allen erhaltenen Nachschriften ist deshalb auch den exegetischen Abschnitten, wie sie sich im dogmatischen Opus des Reformators finden, Beachtung zu schenken. Hier finden wir zahlreiche Auslegungen, die aus seiner Feder stammen.

2. *Humanismus.* Während Luther durch seinen Beruf als Professor der Bibelwissenschaften und aus persönlichen Erfahrungen zur reformatorischen Schriftauslegung gelangt war, wurde Zwingli durch den Ruf des Humanismus „Zu den Quellen!" zum Erforschen des Neuen Testamentes geführt. Die ersten Berührungen mit der klassischen Bildung hat er bereits als Schüler erlebt, als er in Basel mit dreizehn Jahren durch den Humanisten Wölfflin unterrichtet wurde. Als Student war er dann aber von Thomas von Aquin geprägt worden, so daß seine Freunde ihn den Aristoteliker nannten. Den eigentlichen Kontakt mit dem Humanismus gewann er erst als Pfarrer in Glarus. Um „die allerheiligsten Schriften" nicht nur in der lateinischen Über-setzung, sondern im Urtext lesen zu können, begann er 1513 mit dem Erler-nen der griechischen Sprache. Auf Grund seiner vollen Zuwendung zum Humanismus brach er mit der Scholastik. 1515 wurde er in den Freundes-

kreis von Erasmus aufgenommen. Als Erasmus das Neue Testament in griechischer Sprache herausgegeben hatte, schrieb Zwingli den Römerbrief ab und machte am Rande seine Bemerkungen. Er pries Erasmus als den Mann, der imstande sei, in die Weisheit und Geheimnisse der Schrift einzuführen und die heilige Schrift von der Barbarei der Scholastik zu befreien. Von den drei großen Reformatoren ist er wohl der gebildetste gewesen. In seiner Bibliothek standen neben Demosthenes, Herodot, Homer, Thukydides, Xenophon und andern griechischen Schriftstellern auch die Lateiner Cäsar, Catull, Cicero, Horaz, Livius, Plinius, Sallust, Seneca, Tacitus, Vergil und andere antike Autoren. Mit einigen Freunden bildete Zwingli eine Graeca, einen literarischen Zirkel, bei dem man nach dem Vorbild der Antike auch Festmähler abhielt. Die humanistische Beeinflussung Zwinglis zeigt sich in seinen Schriften, bei denen er antike Redeformen aus Homer, Ovid und Cicero verwendet hat. Als er in Marburg auf Luther wartete, hielt er vor dem Landgrafen Philipp von Hessen eine Predigt, in der er sich auf Plato und die Pythagoreer, die Stoa, Seneca und Plinius berief. Er versuchte, Antike und Christentum, Humanismus und biblische Erkenntnis miteinander zu verbinden. Das führte ihn später zu der für ihn kennzeichnenden Einheit von historischem Wissen und theologischem Denken.

So ist Zwingli zunächst ohne den direkten Einfluß von Luther zum Reformator geworden. Maßgeblich für seine innere Entwicklung war die spürbare Abwendung von Erasmus. Er rang selbständig um das rechte Verständnis der Heiligen Schrift, wie er es rückblickend bezeugt hat: Ich „kam zum letzten dahin, daß ich dachte: du mußt [...] die Meinung Gottes rein aus seinem einfältigen Wort lernen. Da hub ich an, Gott zu bitten um sein Licht, und die Schrift fing an, mir klarer zu werden, obwohl ich sie nur las" (Z I 379, 25 ff.). Zwingli und Luther lasen also beide zu Beginn ihrer reformatorischen Tätigkeit das Neue Testament. Sie taten es aber unter verschiedenen Gesichtspunkten. Luther fragte nach dem gnädigen Gott und fand die Rechtfertigung des Sünders. Zwingli fragte nach der Wahrheit und fand sie in Christus als dem authentischen Autor der Schrift. Alles, was nicht unmittelbar auf Jesus Christus als Urheber zurückgeht, ist durch menschliche Irrtümer verdunkelt und kann darum nicht die Wahrheit sein. Zwingli war rationaler als Luther. Christus war für ihn Vorbild und Lehrer. Darum sprach er nicht so sehr von der Verkündigung des Evangeliums, sondern mit Erasmus von der evangelischen Lehre, von der Philosophie Christi, weshalb man ihn auch als den Aufklärer unter den Reformatoren bezeichnet hat. Vom Humanismus hat er das Anliegen der Reform durch Säuberung von Mißständen in der Kirche aufgenommen, von der Christuserkenntnis her wurde er der Reformator der Kirche.

3. *Exegese und Predigt.* Zwingli war nicht Professor der Theologie wie Luther, und war dennoch als theologischer Lehrer tätig. Er hatte 1525 zur

Aus- und Weiterbildung der Pfarrer die „Prophezey" gegründet, ein Seminar für Übersetzung und Auslegung der Bibel mit anschließender Gemeindepredigt. Sämtliche Prediger der Stadt Zürich waren zur Teilnahme verpflichtet, fünfmal in der Woche. Besonderen Wert legte man bei diesen gemeinsamen Bibelstudien auf sprachliches Wissen und Genauigkeit, damit der natürliche Schriftsinn klar erkannt und herausgestellt werde. Da aber die Schrift nicht nur ein historisches Dokument ist, sondern sich belehrend, mahnend, erziehend und tröstend an Leser und Hörer der Gegenwart wendet, wurde anschließend ans Schriftstudium der Pfarrer über den gemeinsam besprochenen Text öffentlich gepredigt. Gearbeitet wurde in der Prophezey vor allem am Alten Testament. Hierauf gründet denn auch Zwinglis alttestamentliches exegetisches Werk.

Neben seiner Lehrtätigkeit war Zwingli aber vor allem Pfarrer und Prediger. Fast täglich stand er auf der Kanzel. Als er sein Amt am Zürcher Großmünster übernahm, brach er sofort mit der Perikopenordnung und erklärte, er werde über das Matthäusevangelium fortlaufend predigen. Es war nicht Zufall, daß Zwingli sich für den Beginn seiner Reihenpredigten das Matthäusevangelium erwählt hatte. Die Bergpredigt mit ihrem ethischen Gehalt lag ihm am Herzen. Das erste Evangelium sollte auch anzeigen, daß eine Fortsetzung zu erwarten sei. Tatsächlich hatte er bis 1525 das ganze Neue Testament im Gottesdienst behandelt. In regelmäßiger Folge hatte er dann ein zweites Mal das Neue Testament durchgepredigt. Diese Predigten, die auch von Mitarbeitern Zwinglis besucht wurden, waren zunächst exegetische Vorlesungen auf Grund des griechischen Textes, wahrscheinlich in lateinischer Sprache. Danach erfolgte die eigentliche Predigt. Zwingli wollte eben die Kontinuität von wissenschaftlicher Exegese und Predigt gewahrt wissen. Auslegung und Verkündigung gehörten für ihn zusammen. Die Predigt entsteht unmittelbar aus der Arbeit an der Schrift. Hier liegt mit ein Grund dafür, weswegen Zwinglis Reihenpredigten nicht im Wortlaut überliefert worden sind. Wahrscheinlich hat er sie nämlich vorher auch gar nicht schriftlich festgelegt, sondern hat die erarbeiteten wissenschaftlichen Bemerkungen mit auf die Kanzel genommen und sie dann homiletisch ausgewertet.

4. *Das Schriftprinzip.* Zwingli war und blieb zeitlebens Schrifttheologe. Beim Religionsgespräch von 1523, zu dem der Rat von Zürich Freunde und Gegner aus Behörden und Pfarrerschaft einlud, hatte Zwingli ostentativ die hebräische, griechische und lateinische Bibel vor sich aufgeschlagen liegen. Wie Luther sich in Worms auf die Schrift berief, so ließ Zwingli in Zürich Angriffe auf seine Lehre nur dann gelten, wenn diese sich aus der Schrift belegen ließen. Selber anerbot er stets seine Bereitschaft zur besseren Belehrung durch die Schrift, sollte er selber irren. Den 67 Schlußreden (Thesen), deren erfolgreiche Verteidigung durch Zwingli selbst den Auftakt der Refor-

mation in Zürich bedeuteten, schickt er voraus: „Ich, Huldrych Zwingli, bekenne, daß ich die nachher aufgeführten Artikel und Meinungen in der löblichen Stadt Zürich gepredigt habe, auf Grund der heiligen Schrift, die ‚von Gott inspiriert' heißt, und ich anerbiete mich, gemäß der heiligen Schrift diese Artikel zu verteidigen und mich, falls ich die heilige Schrift nicht recht verstünde, eines andern belehren zu lassen, doch nur aus der heiligen Schrift" (Z I 458, 3–10).

Die von ihm verfaßten Bücher zeigen in der Fülle der ausgelegten und zitierten Bibelstellen, wie sehr er in der Bibel lebte und mit ihr argumentierte. Auch in der Aneignung der Schrift berühren sich Luther und Zwingli in ihren Anschauungen. Wie Luther in der Vorrede zum Römerbrief gefordert hatte, daß ein Christenmensch ihn nicht nur wörtlich auswendig lernen, sondern mit ihm als dem Brot des Lebens umgehen müsse, so trug bereits der junge Zwingli nach dem Ratschlag von Erasmus die paulinischen Briefe mit sich herum, um sich jederzeit, bei Tag und bei Nacht, mit ihnen vertraut zu machen und sie auswendig zu lernen.

Für die Exegese forderte Zwingli in großer Eindeutigkeit und Schärfe die Beachtung grammatischer und historischer Grundregeln der Auslegung. Entscheidend ist es, den wörtlichen Sinn des Textes herauszustellen, der mit allen zur Verfügung stehenden wissenschaftlichen Hilfsmitteln zu erschließen ist. Denn der literarische Schriftsinn ist nach Zwingli der geistliche Schriftsinn.

Stellen, deren Sinn klar ist, können durch solche Auslegung an Klarheit noch gewinnen, wie manche Blumen um so mehr duften, je mehr man sie mit den Händen zerreibt (Mt. 18, 21 ff. s. S. 95). Jeder Vers der Bibel ist für sich und in seinem Kontext zu betrachten, und jedes Wort ist zu beachten. Bei der Auslegung von Joh. 1, 1 gibt Zwingli die ganze Bandbreite der Bedeutung von Logos an, der von dem hebräischen ‚dabar' her zu verstehen ist und mehr bedeutet als ‚verbum' im Lateinischen (s. S. 143). Wenn der Sinn einer Stelle hingegen dunkel bleibt, so sind zur Interpretation andere Bibelworte heranzuziehen, deren Sinn heller ist. Auf keinen Fall darf man Sätze aus dem Zusammenhang herauslösen und aus ihnen, isoliert betrachtet, dogmatische Schlüsse ziehen. Eine solche zusammenhangslose Einzelauslegung führt zur Häresie. Man muß die Gesamtaussage der Bibel berücksichtigen und von den klaren Aussagen ausgehend die schwierigen zu verstehen suchen. Die Schrift ist ihr eigener Interpret; sie legt sich selbst aus.

5. *Evangelium und Gesetz*. Bei Zwingli stehen sich nicht wie bei Luther Gesetz und Evangelium als zwei einander ausschließende Gegensätze gegenüber. Luther bekannte, daß er zunächst, abgesehen von der zeitlichen Distanz und dem Grad der Vollkommenheit, keinen grundsätzlichen Unterschied zwischen Gesetz und Evangelium gemacht habe (WA TR 5, 210, 12 Nr. 5518). Dann aber habe er eingesehen, daß sich Christus und Gesetz nicht vereinigen

lassen (WA 40 I, 114, 2). Eine ganz andere Ansicht vertrat Zwingli. Er faßte Evangelium viel weiter, als Paulus und Luther es tun. Evangelium war für ihn mit der christlichen Lehre, ja mit Gottes Wort identisch. Nicht nur, was vom gekreuzigten und auferstandenen Christus (Röm. 1, 3 f. und 1. Kor. 15, 3 f.) handelt, ist Evangelium, sondern alles, was Gott den Menschen als seinen Willen kundgetan hat, so daß auch das Gesetz mit seinen Imperativen zum Evangelium gehört. Nicht erst bei Karl Barth, sondern bereits bei Zwingli ergibt sich die Reihenfolge Evangelium und Gesetz. Das Evangelium ist das Primäre, auf dem das Gesetz aufbaut. Weil das Gesetz Offenbarung Gottes ist und seinen guten Willen verkündigt, darum ist es als solches gut und heilig, und man sollte es besser nicht Gesetz, sondern Evangelium heißen. Für den, der Gott liebt, ist das Gesetz jedenfalls Evangelium (zu Röm. 7, 12. 14 s. S. 268). Wie Thurneysen, so verstand auch Zwingli die Imperative der Bergpredigt: Du sollst nicht zürnen (Mt. 5, 22), nicht ehebrechen, ja selbst nicht begehren (Mt. 5, 28 f.) als Evangelium (zu Mt. 5, 39 s. S. 42). Christus hat das Gesetz also nicht beseitigt, sondern es erneuert, seine Forderungen noch deutlicher ausgesprochen und es so zu ewiger Gültigkeit erhoben: Summe des Evangeliums ist für Zwingli das Doppelgebot der Liebe. Was die Freiheit vom Gesetz betrifft, so handelt es sich um die Befreiung von den Zeremonialbestimmungen, nicht aber von den moralischen Forderungen. Evangelium ist in dieser Hinsicht das vollkommene Gesetz. Es vermittelt zwar nicht das Heil – das tut allein Christus –, wohl aber enthält es Vorschriften für ein geheiligtes Leben, wie es in Jesus Christus verheißen und von ihm selbst vorgebildet ist.

6. *Erwählung und Glaube.* Zwingli kann zwar schreiben: Wer dem Evangelium glaubt, wird von seinen Sünden frei; wer nicht glaubt, wird verdammt (Mt. 16, 19 s. S. 88, vgl. auch Joh. 14, 26 s. S. 194). Aber das gepredigte Wort erzeugt nicht den Glauben, sondern es hat kognitive Bedeutung. Die Kirche kann das Evangelium lehren, sie kann aber mit der Verkündigung den Menschen nicht die Errettung darbieten, die durch Erwählung und den Tod Jesu Christi bereits erfolgt ist. Darum realisiert das Evangelium nicht das Heil, sondern es bringt dem einzelnen, wenn er glaubt, zum Bewußtsein, daß er ein Erretteter ist. Die Erwählung ist nicht eine Folge des durch die Verkündigung erweckten Glaubens, sondern sie geht dem Glauben voraus (S IV 121–124). Glauben kann niemand, es sei denn, daß der Vater ihn zieht. Wer glaubt und gute Werke tut, bezeugt damit, daß er ein Erwählter ist. Daraus ergibt sich, daß alle Glaubenden Erwählte sind. Aber nicht alle Erwählten müssen durchaus Glaubende sein. Gottes Gnade der Erwählung setzt den Glauben nicht voraus, sondern ist unabhängig von ihm.

7. *Wort und Geist.* Weil Gott der Schöpfer und Herr aller Menschen ist, und weil alle Wahrheit und Gerechtigkeit von ihm kommt, ist das Wirken seines Geistes nicht auf Palästina beschränkt. Auch Heiden haben die Möglichkeit,

zur Erkenntnis der Wahrheit zu kommen, sofern sie von Gott selbst gelehrt und erleuchtet werden. Christus ist nicht nur für Glaubende gestorben, sondern er hat für die ganze Welt die Sühne vollbracht. Die Universalität Gottes erlaubt es den Menschen nicht, nach eigenem Ermessen der Wirksamkeit des Opfers Christi Grenzen zu setzen. Das Heil in Christus gilt allen. Christus wäre Adam unterlegen, wenn die Erlösungstat Jesu nicht allen Menschen zugute kommen würde. Wenn Adam durch sein Sündigen das gesamte Menschengeschlecht verderben konnte, dann kann Christus erst recht durch sein Sterben und Auferstehen den Menschen das Leben und Erkenntnis schenken. Zur „Tafelrunde aller Heiligen" gehören nicht nur Adam, Henoch, Noah, die Patriarchen, die Propheten, die Mutter Jesu und die Apostel, sondern auch die großen Männer der Antike wie Herkules, Theseus, Sokrates, Plato, Scipio und andere. Bei Gott wird man jeden Frommen und Glaubensvollen finden, ob er nun zur sichtbaren Kirche gehört oder nicht.

Hier liegen die Differenzen zwischen Zwinglis und Luthers Beurteilung des Verhältnisses von Wort und Geist zueinander. Während es Luther auf das Wort ankommt und der Geist an das Wort der Schrift gebunden ist, so daß Luther in den Schmalkaldischen Artikeln schreiben kann, Gott gebe niemandem seinen Geist oder Gnade ohne das vorhergehende äußere Wort (WA X 3, 210, 11f.), weiß Zwingli das Wort an den Geist gebunden und betont die Eigenständigkeit des Geistes (zu 14, 26 s. S. 194). Nicht die Schrift vermittelt den Geist, sondern man bedarf des Geistes, wenn man die Schrift recht verstehen will. Darin liegt allerdings dann auch und gerade die Würde der heiligen Schrift, daß der Mensch des Geistes Gottes bedarf, um sie auch recht zu verstehen. Die Freiheit des Geistes wäre eingeschränkt, wenn Gott ihn nicht nach seinem Willen schenken könnte, wem, wann und wo er es will.

8. *Theologie und Politik.* Für Zwingli hatte die Bibel und damit auch die Verkündigung ihre christologische Bedeutung nicht nur für den Einzelnen. Da das Evangelium bei ihm sehr viel weiter gefaßt ist, war das Heil ein Geschenk der Gnade Gottes an alle und umschloß immer auch das Wohl der Gesellschaft. Zwingli wendete die Schrift, die alle Bereiche des menschlichen Lebens umgreift, viel umfassender an, als Luther es tat. Auf Grund seiner biblischen Erkenntnis und seiner nationalen Bindung fühlte er sehr viel stärker als Luther die politische Verantwortung des Einzelnen für die Gesamtheit. Die Theologie läßt sich aus der Politik nicht herauslösen. Sie muß Anteil nehmen an dem, was in der Gesellschaft, in der der Christ lebt, geschieht. Alle politischen und sozialen Probleme sind unter das Evangelium als „Richtschnur" zu stellen. Gott verlangt von den Christen, daß sie sich für die Realisierung des göttlichen Willens in allen Bereichen des menschlichen Zusammenlebens einsetzen. Zwingli geht es nicht nur um die Reformation der Kirche, sondern auch der Öffentlichkeit, ja um die Umgestaltung des ganzen Volkslebens, bis

hin zur Kleiderordnung oder der Festsetzung der Polizeistunde, vor allem aber um die Verbesserung der zwar stets mangelhaften, aber doch verbesserungswürdigen menschlichen Gerechtigkeit. Zur reinen Lehre gehört auch ein reines Leben.

Aus dieser biblischen Verpflichtung erwächst dem Pfarrer die Aufgabe des Wächteramtes für die Durchführung der kirchlichen Ordnungen im Staat. Der Pfarrer darf das soziale Unrecht nicht verschweigen. Durch den Amtsdienst des Propheten werden in Verbindung mit der Obrigkeit Frieden und Eintracht in Kirche, Staat und Volk angestrebt und gesichert. Gott verlangt von den Propheten als seinen Werkzeugen nicht Ruhe und süßes, allen Menschen angenehmes Reden (zu Mt. 7, 15 s. S. 58) – tut er das, dann gehen Gerechtigkeit und Freiheit im öffentlichen Leben verloren –, sondern Dienst. Durch seinen Einsatz nimmt der Prophet am Werk Gottes der Welterneuerung teil. Wenn die Pfarrer mit den Beschlüssen und Aktionen des Rates von Zürich nicht einverstanden waren, wenn sie auf Grund des prophetischen Wächteramtes der Kirche der Meinung waren, über den Staat Beschwerde führen zu müssen, dann versammelten sie sich im Talar im Großmünster und zogen mit der Bibel unter dem Arm zum Rathaus, um dort ihre Anliegen vorzutragen.

Luther war nicht unpolitisch. Aber die Motive seines Handelns waren anderer Art: Er lehnte direkte Eingriffe der Kirche in das staatliche Leben mit biblischer Begründung ab. Nach seiner Meinung hätte er in Worms eine Aktion inszenieren können, daß selbst der Kaiser nicht sicher gewesen wäre. Während über Aktionen der Teufel seine helle Freude hat, ergreift das Wort die Menschen, so daß es zu Veränderungen in der Welt kommt (WA 10 III, 18, 12 ff.). Auch Zwingli geht bei allen theologischen und politischen Fragen von der Schrift und biblischer Begründung aus. Er versteht jedoch das Amt des Pfarrers nie losgelöst von dessen Verantwortung auch der Bürgergemeinde gegenüber.

Zu Krieg und Frieden ist Zwinglis konkrete Einstellung nicht zu allen Zeiten die gleiche gewesen. Mit dem Jahr 1515 wandte er sich ganz den pazifistischen Überlegungen von Erasmus zu, daß man sich in einem Krieg sowohl gegen Gott wie gegen den Nächsten versündige. Sein Freund Leo Jud hatte die Querela pacis von Erasmus ins Deutsche übertragen, und Zwingli forderte die Pfarrer auf, sie sollten Friedensfreunde sein und ohne Unterlaß vom Frieden, von der Eintracht und vom Daheimbleiben der Reisläufer predigen. Ein Krieg sei widergöttlich und ein Verderben für das ganze Volk. Dann aber ändert sich aus mancherlei Gründen seine Einstellung. 1524/25 arbeitete er für den geheimen Rat einen Plan für einen Feldzug bis in alle Einzelheiten aus: Dieser müsse um des Schutzes des Evangeliums willen durchgeführt werden, so daß er ein christlicher Krieg werde. Der Krieg ist nicht immer die

Äußerung eines totalen Machtwillens, durch den der Stärkere die Schwächeren unterdrückt, sondern er kann durchaus ein geeignetes Mittel zur Errichtung einer neuen Friedensordnung sein. In einem Brief an die Berner Praedicanten schrieb Zwingli: „Der Krieg, den ich anstrebe, dient dem Frieden; der Frieden, für den sich manche einsetzen, muß zum Krieg führen."

Zwingli vertrat in gewisser Weise eine Gegenwartseschatologie. Die Reformation war für ihn ein sichtbarer Einbruch Gottes in das Diesseits, durch den die Erneuerung der gegenwärtigen Verhältnisse erfolgt. Kirchliche und politische Reformation fallen zusammen. Von daher ist sein politischer Einsatz zu verstehen.

C. JOHANNES CALVIN

1. *Humanismus.* Calvin wurde bereits als Student durch seine juristischen Lehrer mit dem Humanismus bekannt. Zunächst lernte auch er die Scholastik kennen. Als er aber dann nicht Theologie studierte, sondern auf Veranlassung seines Vaters zum Studium der Rechte überwechselte, wurde an der Universität Orleans der aus Deutschland stammende Humanist Melchior Volmar sein Lehrer, bei dem er Griechisch lernte. Calvin folgte ihm, als er nach Bourges ging. Dort schloß sich Calvin eng an solche Lehrer an, die im humanistischen Sinne römisches Recht lehrten. Nach dem Tode seines Vaters unterzog er sich einer gründlichen humanistischen Ausbildung, so daß er ein hervorragender Kenner der alten Sprachen wurde. Ertrag seines Studiums war die Arbeit über „De clementia" von Seneca, die ganz im Sinne des französischen Humanismus verfaßt war. Von Humanisten hat Calvin gelernt, daß es bei der Auslegung darum geht, grammatisch-philologisch genau festzustellen, was im Text wirklich gesagt ist. Calvin bewunderte die kunstvollen Werke von Demosthenes, Plato und Aristoteles. Aber er erkannte, daß die Heilige Schrift mit ihrer Wirkung auf die Leser mit den Büchern der Philosophen und Rhetoren nicht zu vergleichen ist.

2. *Kommentare.* Als der Mediziner Cop wegen seiner reformatorischen Rektoratsrede aus Paris fliehen mußte, ging auch Calvin, der mit Cop befreundet war, außer Landes, weil er gesucht wurde. Nach Aufenthalt in verschiedenen Städten der Schweiz wurde er Flüchtlingspfarrer der französischen Gemeinde in Straßburg. Dort begann er Vorträge über biblische Texte zu halten. 1539 wurde die Akademie in Genf gegründet, wo Calvin seine exegetischen Vorlesungen über die Bibel hielt, aus denen dann seine Kommentare entstanden sind. Zuerst hat er den Römerbrief ausgelegt. Es folgten der erste Korintherbrief und die andern Schriften. Calvin hat seine Ausführungen nicht schriftlich konzipiert. Auf Grund seines guten Gedächtnisses

sprach er völlig frei, und mehrere Schnellschreiber zeichneten das Gehörte auf. Nach Beendigung der Vorlesung sammelte Calvins Sekretär die verschiedenen Nachschriften ein, um sie aufeinander abzustimmen. Das so entstandene, möglichst wortgetreue Manuskript wurde am nächsten Morgen Calvin vorgelegt, damit er eventuelle Korrekturen oder Ergänzungen hinzufügen konnte. Auf diese Weise sind die Kommentare Calvins entstanden.

Lange Zeit hindurch sind sie unbeachtet geblieben. Als man sie in der ersten Hälfte des vorigen Jahrhunderts wiederentdeckte, war man erstaunt, was Calvin in seinen Auslegungen bereits alles gesagt und wie er das aus dem Studium der Schrift Erkannte seinen Hörern mitgeteilt hatte. Nicht nur reformierte Theologen, sondern Wissenschaftler verschiedener Richtungen fanden Lob und Anerkennung für ihn. August Tholuck, der 1831 die Kommentare Calvins in lateinischer Sprache herausgegeben hat, schrieb in der Einleitung, er habe die Veröffentlichung für erforderlich gehalten, damit dieser große Lehrer eines wahren und tiefen Schriftverständnisses Freunde finde. Spurgeon, der berühmte Prediger, hat Calvins Kommentare als eine der wichtigsten Quellen für die Verkündigung der biblischen Botschaft bezeichnet. C. von Orelli, der Alttestamentler in Basel, führt in der Einleitung zur deutschen Übersetzung von Calvins alttestamentlichen Kommentaren aus, daß dieser „anerkanntermaßen unter den großen Lehrern seiner Zeit der unübertroffene Meister in diesem heiligen Werk der Schriftauslegung gewesen ist". Eine ganz ähnliche Ansicht vertritt Martin Kähler im Vorwort zu Calvins ins Deutsche übertragenen Kommentaren des Neuen Testaments. Von Karl Holl wird die Äußerung berichtet, er habe, wenn er den Sinn einer Bibelstelle nicht verstanden habe, zuerst zu Calvin gegriffen und sei dabei selten enttäuscht worden. Adolf Jülicher kommt zu dem Resultat, Calvin habe Paulus besser verstanden als der Durchschnitt der modernen Interpreten.

In gewisser Weise hat Calvin es leichter gehabt als die andern Reformatoren, weil er sich auf Vorgänger berufen konnte. Das Erstaunliche ist, daß er nicht auf Luther, den reformatorischen Professor der Bibelwissenschaften, zurückgreift, sondern nach dem Widmungsbrief an Simon Grynaeus in der Einleitung zum Römerbriefkommentar hat er den Auslegungen von Melanchthon, Bullinger und vor allem Bucer viel zu danken. In der Vorrede zu den Evangelien nennt er diesen den großen Lehrer der Kinder Gottes, der ihm ein Vorbild gewesen sei.

3. *Der Exeget.* Calvin ist ein hervorragender Exeget gewesen. Er fragte nach dem grammatischen, ursprünglichen Sinn der Schrift, den er mit seiner soliden Kenntnis der griechischen Sprache zu erkennen suchte. Mit aller Schärfe verwarf er die Allegorie des Origenes, die der Teufel mit großer List in die Kirche eingeschleust habe, damit die Schrift ihre Eindeutigkeit verliere und den Lesern keine Gewißheit mehr biete (CO 23,37). Calvin wandte

konsequent die ihm aus dem Humanismus bekannten Hilfsmittel zur Interpretation von Texten an und führte seine biblischen Untersuchungen mit methodischer Exaktheit durch.

Calvin übernahm nicht kritiklos einen beliebigen griechischen Text des Neuen Testaments, der ihm gerade zur Verfügung stand, sondern er beachtete die Abweichungen in den Handschriften, soweit ihm diese damals zur Verfügung standen. Zu Joh. 1,3 (s. S. 146) bemerkte er: „Darin stimmen fast alle griechischen Handschriften überein, wenigstens die von großer Bedeutung", und Joh. 4,46 (s. S. 168) wandte er sich gegen den von Erasmus gebotenen Text.

Calvin interpretierte nicht wie Luther die einzelne Stelle von der Gesamtbotschaft des Evangeliums von Christus her, sondern es ging ihm um den konkreten Text in seinem näheren Umkreis. Stärker als Luther beachtete er die einzelnen Wörter und suchte ihre Bedeutung herauszustellen. So führte er zu Joh. 1, 14 (s. S. 153 f.) aus, daß mit dem Wort „Fleisch" ein Teil für das Ganze gebraucht wird, so daß an dieser Stelle nicht die verderbliche Natur gemeint sei, wie das Wort bei Paulus oft gebraucht wird, sondern der sterbliche Mensch in seiner Gesamtheit (vgl. auch zu Joh. 3,6 s. S. 162). Joh. 16,25 (s. S. 212) belehrt er, daß das dort verwendete Wort eine Doppelbedeutung hat. ‚maschal' im Hebräischen kann mit „Sprichwort" wieder-gegeben werden. Da Sprichwörter aber oft einen übertragenen Sinn haben, kann damit auch die Bedeutung „Rätsel" gemeint sein. So stark Calvin für das sachgemäße Verständnis der einzelnen Wörter eintrat, so scharf wandte er sich immer wieder gegen wertlose Wortklaubereien mit den damit verbundenen Spekulationen. Er warnte davor, nach Silben zu haschen und Silbenstecherei zu treiben (Joh. 1, 12 s. S. 152 und 1, 14 s. S. 153). Ein solches Verhalten sei eines vernünftigen Auslegers nicht würdig (Mt. 5,39 s. S 44). Da man auf den Zusammenhang achten muß, darf man bei dem einzelnen Wort nicht stehenbleiben und es isoliert betrachten, vielmehr kommt es auf die Sache an, von der die Schrift redet. So muß man die Absicht Jesu im Auge behalten, die dieser mit den in der Schrift formulierten Worten verfolgt (Joh. 3,5 s. S. 162).

Calvin hielt es für unbedingt erforderlich, bei der Interpretation der biblischen Texte die historischen, geographischen und religionsgeschichtlichen Verhältnisse zur Zeit der Abfassung der betreffenden Schrift zu kennen. So ging er bei der Auslegung von Mt. 16,13 (s. S.89) darauf ein, daß es damals zwei Cäsarea gegeben hat, einmal das alte vornehme, dann aber auch das am Fuße des Libanon gelegene, das nicht weit vom Jordan entfernt war. Auch über die geographische Lage von Emmaus (Lk. 24, 13 s. S. 136) macht er genaue Angaben.

Beim Zitieren von alttestamentlichen Worten wies Calvin auf die historische Situation hin. Er legte klar, welchen Sinn die Stelle im alttestamentli-

chen Zusammenhang hat. Erst danach erfolgte die Erörterung, in welcher
Bedeutung die Evangelien sie zitieren (Mt. 5,38 s. S.43 und Mt. 21,9 s. S.104f.).
Er erkannte richtig, daß die Evangelien nicht nur originale Worte Jesu bieten,
sondern, abgesehen von Stellen aus dem Alten Testament auch bekannte
Sprichwörter anführen, wie z.B. das von den Trauben (Mt. 7,16 s. S.60).

Calvin zog Beispiele aus der griechischen Dichtung heran, um dann die
Aussagen des Neuen Testaments davon meist abzusetzen. Bei der Schilderung
der Sonnenfinsternis während des Sterbens Jesu verwies er auf die griechischen Tragödien, in denen die Verfinsterung der Sonne als ein Zeichen göttlichen Zornes wegen begangener Freveltaten angesehen wird (Mt. 27,45 s.
S.117), und bei der Begegnung Jesu mit den Emmausjüngern machte er darauf
aufmerksam, daß Jesus seine Gestalt nicht verändert hat, wie es Homer von
dem Meergreis Proteus berichtet, der sich in allerlei Tiergestalten verwandeln
konnte (Lk. 24,31 s. S.138f.). Catos Mäßigkeit, Scipios Freundlichkeit und
Güte, Fabius' Geduld sind nach dem Maßstab bürgerlicher Ehrbarkeit treffliche Beispiele menschlicher Tugenden, aber mit der Frucht des Geistes sind
sie nicht zu vergleichen (Gal. 5,22 s. S.282).

So findet man bei Calvin bereits Ansätze von Textkritik, Wortgeschichte,
historischer Erklärung und religionsgeschichtlichem Vergleich.

Wie Adolf Schlatter in seinen Erläuterungen zum Neuen Testament breitete
Calvin in seinen Kommentaren vor den Lesern nicht das gesamte gelehrte
Rüstzeug aus, mit dem er bei der Vorbereitung gearbeitet hatte. Er schrieb
nicht für gelehrte Theologen, sondern für einen weiteren Kreis gebildeter
Laien, die tiefer in das Verständnis der Bibel eindringen und wissen wollten,
was sie ihnen zu sagen hatte. In der Widmung des Römerbriefs an seinen
Freund Grynaeus betonte Calvin, die einzige Pflicht des Interpreten sei es, in
durchsichtiger Kürze den Sinn klarzulegen. Vernachlässige er dieses, schweife
er ab, so gehe er in die Irre. Der Text ist nicht um des Exegeten willen da,
sondern der Exeget hat mit seiner Arbeit dem Text zu dienen. Er soll nicht
sagen, was er sich beim Lesen der betreffenden Stellen denkt, sondern die Ansicht des Verfassers herausstellen, vom Scopus der Schrift nicht abweichen und
den Hörern den Geist der Schrift vermitteln. Calvin verband exakte wissen-
schaftliche Interpretation und praktisch-theologische Auslegung miteinander.

4. *Der seelsorgerliche Kritiker.* Calvin war der Schrift gegenüber durchaus
kritisch eingestellt, aber er war in keiner Weise ein historisch-kritischer Theologe, sondern er übte eine theologisch-seelsorgerliche Kritik aus. Nach Calvin
ist nicht jedes Wort der Bibel für alle Zeiten in gleicher Weise verbindlich.
Manches in den Evangelien Erwähnte, selbst wenn es dort und damals durch
den Heiligen Geist veranlaßt war, darf man nicht als allgemeingültige Verhal-
tensregel für Christen zu allen Zeiten und an allen Orten hinstellen. Solche
Worte und Handlungen haben exemplarische Bedeutung und müssen in ihrer

Einmaligkeit respektiert werden. Wenn jemand solchen an gewisse Personen in einer bestimmten Situation gerichteten Anweisungen nacheifert, so ist solches Tun nicht vom Heiligen Geist gewirkt, sondern Aberglaube. Wer so handelt, ist nicht ein Nachahmer der urchristlichen Heiligen, sondern ihr Affe (Mt. 9,20 s. S. 67).

Calvin sah die Widersprüche, die sich im Neuen Testament finden. Er deckte sie auch auf, suchte dann aber nach Möglichkeit sie in Einklang miteinander zu bringen, weil sie nach seiner Meinung keine gegensätzlichen Aussagen enthalten (Joh. 16,26 s. S. 218). Er hat die ersten drei Evangelien nicht eines nach dem andern ausgelegt, sondern ging vom Matthäusevangelium aus und arbeitete die Worte und Geschichten Jesu aus den andern Evangelien in den Aufriß des Matthäusevangeliums ein. Da er mit einem scharfen Verstand ausgezeichnet war, stellte er fest, daß z.B. das Gespräch Jesu mit seinen Jüngern über den Menschensohn nach dem Markusevangelium unterwegs erfolgte, bei Lukas dagegen, als Jesus betete, während Matthäus keine Zeitangaben macht (Mt. 16,13 s. S. 89). Calvin sah, daß die Evangelien oft nicht eine die Zeitfolge genau beachtende Darstellung der Geschichte Jesu bieten (Mt. 27,50 s. S. 119). Es fiel ihm bereits auf, daß Matthäus die Wundergeschichten oft in verkürzter Form überliefert. Während die andern Evangelien die Heilung der blutflüssigen Frau und die Erweckung der Tochter des Jairus in den einzelnen Phasen genau beschreiben, faßt Matthäus das Ganze kurz zusammen (Mt. 9,18 f. s. S. 67).

Wenn Calvin in der zeitlichen Abfolge oder sonst Widersprüche fand, bemühte er sich, sie auszugleichen und die Texte zu harmonisieren. Kleine Unstimmigkeiten haben keine Bedeutung. Indem die Evangelien das Hauptanliegen im jeweiligen Bericht herausstellen, geben sie zu verstehen, was ihrer Meinung nach jeder Christ von Jesus unbedingt wissen muß. Die verschiedenen Orts- und Zeitangaben im Markus- und Lukasevangelium beim Gespräch Jesu mit seinen Jüngern über den Menschensohn erklärte Calvin so, daß Jesus zunächst, wie es bei Lukas berichtet wird, an der Raststätte gebetet habe, daß er dann aber bei der anschließenden Wanderung an die Jünger die Frage nach dem Menschensohn gerichtet habe (Mt. 16,13 s. S. 89). Die Worte „Laßt sehen, ob Elia komme" in der Passionsgeschichte sprechen nach Mk. 15,34 die Soldaten, nach Matthäus die andern. Calvin empfand darin keinen Widerspruch. Wahrscheinlich habe einer mit dem Spott angefangen, und die andern hätten dann mit eingestimmt. Auf diese Weise ließen sich am besten die Unstimmigkeiten erklären (Mt. 27,49 s. S. 119). Unterschiedliche Darstellungen haben für Calvin keine theologische Relevanz (Mt. 4,5 s. S. 37). Wenn manches in der Schrift nicht klar und eindeutig ausgedrückt ist, dann ist das geschehen, weil Jesus bei seinen Predigten sich dem Fassungsvermögen seiner Jünger anpaßte (Mt. 22,21 s. S. 111).

Bezeichnend ist für die Einstellung Calvins seine Betrachtung über die Auferstehung der Toten in der Passionsgeschichte. Er bezweifelte, ob Mt. 27,52 (s. S. 120f.) theologisch richtig berichtet wird, daß sich beim Sterben Jesu die Gräber öffnen und verstorbene Heilige auferstehen. Seine kritische Stellungnahme war nicht durch rationale Überlegungen veranlaßt, sondern hatte theologische Gründe. Die eschatologische Auferweckung der Toten könne doch nicht bereits vor der Auferstehung Jesu erfolgt sein; denn dieser wird der Erstgeborene von den Toten genannt (Kol. 1,18). Ist er „der Erstling" der Auferstehenden (1. Kor. 15,20), dann können nicht bereits vor ihm andere die Gräber verlassen haben. Calvin bewegte auch das Problem, was dann später aus den auferstandenen Heiligen geworden ist. Seine Antwort auf diese beiden Fragen lautete: Um die Frommen in ihrer Hoffnung zuversichtlicher zu machen, wurde die Auferstehung aller an einigen wenigen im voraus dargestellt. Wie es den Auferweckten später ergangen ist, ist zu wissen nicht unbedingt nötig. Darum soll man sich nicht ängstlich irgendwelche Gedanken darüber machen. Wenn jemand echte Fragen an die Schrift hat, dann gibt Gott die Antwort und schenkt dem Suchenden die Gewißheit. Wer die Wahrheit verachtet und aus Mutwillen Fragen stellt, treibt Christus weit von sich weg (Lk. 24,14 s. S. 136).

Eine ablehnende Stellung nahm Calvin auch bei der Frage nach dem Verfasser des 2. Petrusbriefes ein. In der Einleitung zum 2. Petrusbrief stimmte er der These von Hieronymus zu, daß zwischen beiden Petrusbriefen ein handgreiflicher Unterschied besteht, so daß die beiden Briefe nicht von demselben Autor stammen können. Auch andere Anzeichen machen es wahrscheinlich, daß der 2. Petrusbrief nicht vom Apostel Petrus verfaßt ist. Dann aber schränkte Calvin seine Bedenken ein, indem er darauf hinwies, daß in dem Brief nichts gesagt ist, was eines Petrus unwürdig wäre. Akzeptiert man den 2. Petrusbrief als heilige Schrift, dann muß man auch Petrus als Verfasser in Betracht ziehen. Sich als Petrus auszugeben, ohne Petrus zu sein, wäre eine für einen Diener Christi unwürdige Täuschung. Wie kommt man aus dem Dilemma heraus, daß der Stil des Briefes gegen Petrus, der Inhalt für Petrus spricht? Die Antwort Calvins lautete: Petrus habe den Brief nicht selbst geschrieben, sondern einer seiner Schüler habe ihn in seinem Auftrag verfaßt. Die Sekretärshypothese half ihm aus den Schwierigkeiten heraus.

Calvin wußte etwas von der historischen Bedingtheit der Schrift. Er sah die Widersprüchlichkeit in den Evangelien und die Unterschiede bei den Briefen des Neuen Testaments, aber er war nicht so kritisch wie Luther. Während dieser bereit war, Teile der Schrift aus dem Kanon auszuscheiden, schreckte Calvin wegen der Inspirationslehre davor zurück. Trotz seiner hervorragenden philologischen Kenntnisse und seines kritischen Verstandes war er nicht wertender Historiker, sondern Theologe, der mit dem, was er schrieb, sich der Gemeinde verpflichtet fühlte.

5. *Die Schrift als Offenbarung Gottes.* Inhalt der Bibel ist auch bei Calvin Christus. Nur aus der Schrift kann man die richtige Erkenntnis Christi gewinnen. Nur durch ihn erschließt sich auch die Bedeutung des Gesetzes. Darum ist es Aufgabe des Exegeten, Christus in der Schrift zu suchen. Wer dieses nicht tut, wird bei allem Eifern um die Schrift nicht zur Erkenntnis der Wahrheit gelangen. Trotz dieses Gleichklanges mit Luther besteht doch ein Unterschied zwischen beiden. Während es bei Luther um das Evangelium und darum um ,solus Christus' geht, ist es das Anliegen Calvins, die Lehre von der wahren Glaubenserkenntnis herauszustellen und die Souveränität und absolute Herrschaft Gottes zu betonen. Er konzentrierte die Bedeutung der Schrift nicht auf die Botschaft von der Vergebung und der Rechtfertigung des Sünders. Für ihn war es wichtig, daß die ganze Schrift die Offenbarung der göttlichen Weisheit, Gerechtigkeit und Liebe enthält und darum in ganz umfassender Weise Wort Gottes ist. Er betonte die formale Autorität der Schrift und daher auch das ,sola scriptura', während Luther immer wieder von der ,viva vox evangelii' sprach.

6. *Wort und Geist.* In der Frage, wie sich Wort und Geist zueinander verhalten, vertrat Calvin eine andere Position als Zwingli und Luther. Für Calvin kam eine Ausdehnung der Offenbarung über die Bibel hinaus nicht in Betracht. Darum wandte er sich gegen die Schwärmer, die mit geheimen Offenbarungen und Verzückungen prahlten und die Predigt verachteten. Der Geist, der der Autor der Schrift ist, zeigt sich außerhalb der Schrift nicht anders, als er sich in der Schrift bezeugt. Der Satan schleust unter dem Decknamen des Geistes seine Erfindungen in die Kirche ein (Joh. 14, 25 s. S. 195). Sobald man den Geist von den Worten Christi trennt, ist der Verfälschung Tür und Tor geöffnet (Joh. 16, 14 s. S. 209).

Calvin unterschied sich aber auch von Luther, der von der heilschaffenden Wirkung des Wortes, der viva vox evangelii, sprach, während Calvin stärker die Bedeutung des Geistes betonte. Auch Calvin ist von der Wichtigkeit der Wortverkündigung überzeugt (Joh. 17, 17 s. S. 231). Aber ohne das Wirken des Geistes geschieht nichts. Selbst die Predigt Jesu kann ohne Erleuchtung durch den Geist nichts ausrichten. Der Glaube entsteht keineswegs mit einer gewissen Naturnotwendigkeit aus der Predigt allein (Joh. 15, 27 s. S. 199). Ihr bleibt der Erfolg versagt, wenn nicht die Belehrung durch den Geist hinzutritt (Joh. 14, 25 s. S. 195). Durch das bloße Wort ohne die innerlich wirkende Kraft des Geistes wird das Reich Gottes nicht aufgerichtet (Mt. 6, 10 s. S. 53). Da das Wort ohne den Geist ohnmächtig ist, der „Schall der Stimme" nicht ausreicht, um dem Menschen Gott kundzutun, bedarf es einer verborgenen Offenbarung durch den Geist (Joh. 17, 26 s. S. 234).

Ähnliches hatte auch Luther gesagt. Aber die Akzente sind bei Calvin und Luther etwas anders gesetzt. Calvin differenzierte etwas stärker zwischen Wort und Geist, während Luther alles im Wort konzentrierte. „Das Wort, sag' ich, nur das Wort ist das Gefährt der Gnade" (WA 2,509). Nach Calvin dagegen sind Glaube, Wiedergeburt und Leben Wirkungen des Geistes (Joh. 3,5 s. S.161f.). Erst wenn der Geist den Sinn des Menschen erleuchtet hat, kann dieser zum Glauben kommen (Joh. 15,27 s. S.199). Da er nicht fähig ist, das Evangelium aufzunehmen, muß der Geist ihm die Augen öffnen und den Verstand reinigen. Der durch den Geist Gottes Erfaßte gewinnt ein positives Verhältnis zur Schrift, so daß er mit ihr vertraut wird (Joh.16,25 s. S.217). So erzeugt der Geist die Gewißheit von der Göttlichkeit der Schrift und macht ihren Inhalt als Wort Gottes offenbar. Andererseits redet der Heilige Geist durch das Evangelium (Joh. 16,10 s. S.207). Durch ihn wird das Evangelium lebendig, dringt in die Herzen der Menschen und bewirkt, daß sie sich der Herrschaft Gottes unterwerfen (Joh.16,8 s. S.205f.). Wort und Geist sind Mittel zur Errettung der Menschen: durch sie entfaltet Gott seine Macht. Ohne den Geist geschieht nichts, aber ohne das Wort gibt es auch keinen Heiligen Geist.

Wort und Geist gehören bei Calvin und Luther zusammen, allerdings in verschiedener Weise. Überspitzt könnte man formulieren: bei Luther ist der Geist an das Wort gebunden, das Wort absorbiert den Geist. Bei Calvin ist das Wort Gottes an den Geist gebunden, der Geist inkorporiert das Wort.

Gerhard Friedrich

Matthäus 4,1–11: Die Versuchung Jesu

LUTHER

WA 17 II, 186–197: Evangelium am Sonntag Invokavit, Fastenpostille, 1525
WA 15,438–453: Predigt am Sonntag Invokavit, 14.2.1524

V. 1: 17 II, 188,29: Wir sollen nicht suchen Mangel und Anfechtungen, die werden wohl von selbst kommen, daß wir dann das Beste tun und uns redlich halten. Es heißt: ‚Jesus wurde vom Geist in die Wüste geführt' und nicht: ‚Jesus wählte sich selbst die Wüste'.

V. 5: 17 II, 196,5: So sind nun diese drei Anfechtungen alle schwer und hart. Aber die mittlere ist die größte; denn sie ficht die Lehre des Glaubens selbst im Geist an und ist geistlich und in geistlichen Dingen. Die anderen zwei fechten den Glauben an in äußerlichen Dingen.

15, 450,15: Christus gibt hier ein starkes Beispiel, auf welche Weise der Teufel überwunden werden soll. Christus vertreibt ihn auf keine andere Weise, weder durch Gebet noch durch Fasten, sondern allein durch das Wort. Nicht gibt er ihm ein Menschenwort. [...] Christus wendet den Teufel auf Gott hin. Wenn er geschlagen werden soll, so ist es nötig, daß wir eine größere Macht haben, als er selbst ist. Meine Kräfte vermögen das nicht, sondern das Wort Gottes. Das Wort scheint zwar nicht so mächtig zu sein, sondern sobald er es hört, weiß er nicht, wo er bleiben soll. Er fürchtet das Schwert nicht und kommt durch ein Spinnengewebe, aber das Schwert des Wortes treibt ihn zurück. Darum lerne, daß du gegen den Teufel nichts ausrichten kannst, außer durch das Wort allein.

ZWINGLI

S 6,1. 203–394: Annotationes in Evangelium Matthaei, 1529/30
Z I 210–248: Eine freundliche Bitte und Ermahnung an die Eidgenossen, 13.7.1522

V. 1: S 6,1.214: Niemand halte es unter der Würde, daß Christus vom Teufel versucht wird, und dieser ihn dahin und dorthin führt. Denn in allen Dingen wollte er uns ähnlich werden, außer der Sünde (Hebr. 4,15). [...] Er gibt damit das Beispiel, daß Gott, wie er auch bei seinem Sohn war, denen beisteht, die versucht und betrübt zu werden Er zuläßt; denn auch wir sind Söhne Gottes durch Christus.

V. 3: S 6,1.214: Wir werden nicht nur versucht vom Satan, der uns von außen her bedrängt, sondern – wie man sagt: ‚Im Herzen brennt, was Lust man nennt'. [...] Von außen herkommend facht der Satan den innerlich-verborgen glimmenden Funken an, wie man mit dem Blasebalg ein fast erloschenes Feuer wieder zum Brennen bringt. [...] Die Glut der Versuchungen liegt also latent in uns, und der Satan entfacht sie von außen her zur offenen Flamme. Deshalb ist es uns unmöglich, selber kämpfend zu siegen; es ist das Werk des von oben her kommenden himmlischen Geistes, der uns den Sieg gibt durch Jesus Christus.

V. 4: Z I 224,21–27: Niemand anders vermag hungrige Seelen und verunsicherte Gewissen besser zu trösten als das Wort Gottes, wie David im 73. Psalm zeigt (Ps. 73,3f.): ‚Meine Seele wollte sich nicht trösten lassen. Da dachte ich an Gott und fand wieder Lust.' So auch Christus selbst, Matth. 4: ‚Der Mensch lebt in jedem Wort, das aus dem Mund Gottes kommt.' Gottes Wort jemandem vorenthalten wäre darum gleichbedeutend wie: die Seelen um ihren Trost bringen.

V. 4; 6f.; 10: S 6,1.216: Es ist zu beachten, daß das Wort Gottes hier von beiden, sowohl von Christus als auch vom Satan, zitiert und beansprucht wird, allerdings zu unterschiedlichem Zweck: Dieser führt die Schrift zum Verderben an, jener zur Ehre Gottes und zum Heil der Menschen. Daraus lernen wir, daß man nicht bloß auf den Buchstaben oder auf den Klang der Wörter hören darf, sondern auf den Inhalt achten muß und in welchem Sinn ein Wort auch sonst in den Schriften gebraucht wird. Denn das bedeutet richtiger Gebrauch der Heiligen Schriften: daß sie zur recht verstandenen Ehre Gottes und unseres Heils dienen.

CALVIN

CO 45,128–137

V. 1: *Da ward Jesus vom Geist in die Wüste geführt.* Aus zwei Gründen zog Christus sich in die Wüste zurück: einmal wollte er aus dem vierzigtägigen Fasten gleichsam wie ein neuer Mensch, ja, wie ein himmlischer Mensch hervorgehen, um sein Amt auszuführen; zum zweiten konnte er sich nur zu einem so schweren wie auch herrlichen Amt rüsten, wenn er sich in Versuchungen bewährt und seine Anfängerzeit durchstanden hatte. [...]

Christus enthielt sich nicht des Essens und Trinkens, um einen Beweis seiner Enthaltsamkeit zu geben, sondern um mehr Vollmacht zu gewinnen, wenn er, dem allgemeinen Menschenlos enthoben, gleichsam wie ein Engel aus dem Himmel und nicht wie ein Mensch von der Erde auftauchte. Denn diesen Sinn hatte die Tugend seiner Enthaltsamkeit von aller Speise, zu deren Aufnahme ihn nicht der Hunger getrieben hätte; er verhielt sich, wie wenn er nicht im Fleisch gewesen wäre. Darum war es reine Torheit, ein vierzigtägiges Fasten einzurichten, um darin Christus nachzuahmen. [...]

Gott tat ein einzigartiges Wunder, wenn er seinen Sohn der Notwendigkeit des Essens entnahm. Wer das gleiche aus eigener Kraft zu vollbringen sucht, wetteifert der nicht in wahnwitziger Tollkühnheit mit Gott? Christus wurde durch das Fasten mit göttlicher Herrlichkeit ausgezeichnet. Wird er nicht um seine Herrlichkeit betrogen und mit uns auf eine Stufe gestellt, wenn sich alle sterblichen Menschen ihm als Genossen zugesellen? Mit diesem Fasten Christi wollte Gott das Evangelium versiegeln. [...]

Nun nimmt Satan das Hungern Christi zum Anlaß, *ihn zu versuchen*, was ein wenig später breiter erzählt wird. Jetzt müssen wir erst ganz allgemein sehen, warum Gott ihn versuchen wollte. Denn sicherlich meinen die Worte des Matthäus und Markus, daß Gott ihn absichtlich in diesen Kampf verwikkelte, denn sie sagen, er wäre dazu *vom Geist in die Wüste geführt* worden. Für mich steht fest, daß Gott in der Person seines Sohnes wie in einem hellen Spiegel zeigen wollte, wie feindlich und mißgünstig der Widersacher Satan dem menschlichen Heil gesinnt ist. Denn woher kommt es, daß er Christus so heftig angreift und in diesem Augenblick all seine Kraft und Leidenschaft gegen ihn entwickelt, wie es die Evangelisten schildern, wenn nicht daher, daß er sieht, wie sich Christus auf Geheiß des Vaters anschickt, die Menschen zu erlösen? Darum griff er damals in der Person Christi unser Heil an, wie er täglich die Diener der gleichen Erlösung feindselig verfolgt, deren Ursprung Christus ist. Weiter ist zu beachten, daß der Sohn Gottes sich den Versuchungen, um die es sich jetzt handelt, aus freien Stücken unterzog und mit dem Teufel gewissermaßen im Nahkampf stritt, damit er durch seinen Sieg uns den Triumph verschaffe. Darum wollen wir, immer wenn uns der Satan angreift, daran denken, daß seine Anläufe nicht anders ausgehalten und abgefangen werden können, als indem wir diesen Schild vorhalten. Denn natürlich erlitt der Sohn Gottes die Versuchung auch deshalb, damit er ins Mittel treten könne, sooft der Satan bei uns irgendeinen Versuchungskampf anregt. Wir lesen nichts von einer Versuchung, als er noch zurückgezogen zu Hause lebte; aber als er sein Erlöseramt antrat, stieg er im Namen seiner gesamten Gemeinde in die Arena hinab. Wenn Christus auf diese Weise auch die Versuchung für alle Gläubigen erlitt, so wissen wir doch, daß die Versuchungen, die uns widerfahren, nicht zufällig oder nach dem Belieben Satans ohne die Zustimmung Gottes entstehen, sondern daß Gottes Geist unsere Kämpfe lenkt, mit denen unser Glaube geschult wird. Daraus dürfen wir die gewisse Hoffnung schöpfen, daß Gott als der höchste Kampfrichter uns nicht vergessen wird und unseren Schwierigkeiten zu Hilfe kommt, wenn er sieht, daß wir ihnen nicht gewachsen sind.

V. 3: *Und der Versucher trat zu ihm.* Der Geist gibt Satan absichtlich diesen Namen, damit sich die Gläubigen um so sorgsamer vor ihm hüten. Daraus ersehen wir auch, daß die Versuchungen, die uns zum Bösen aufstacheln, nur von ihm kommen. Denn wenn es anderwärts heißt, Gott versuche, so hat das ein anderes Ziel: er will damit den Glauben der Seinen prüfen, die Ungläubigen strafen oder die Heuchelei derer aufdecken, die der Wahrheit nicht von Herzen gehorchen (vgl. Gen. 22, 1; Dtn. 13, 4).

Daß diese Steine Brot werden. Hier haben auch die Theologen der Alten Kirche mit wenig gesicherten Spitzfindigkeiten gespielt. Sie sagten, die erste Versuchung sei die zur Schlemmerei gewesen, die zweite eine zum Ehrgeiz und die dritte zur Habsucht. Aber es ist lächerlich, es als Leidenschaft zur Schlemmerei zu deuten, wenn ein Hungriger Speise begehrt, um seiner Natur Genüge zu tun. Was soll es gar heißen, wenn sie aus dem Brot eine Leckerei machen, so daß einer als allzu verwöhnt angesehen werden muß, der mit trockenem Brot zufrieden ist! [...]

Wenn der Satan also versucht hätte, ihn zum Genuß der Schlemmerei zu verlocken, hätte Christus schon Zeugnisse der Schrift zur Hand gehabt, um ihn abzuweisen. Aber er hält ihm nichts dieser Art entgegen, sondern nimmt den Satz auf, daß der Mensch nicht vom Brot lebe, sondern von dem geheimnisvollen Segen Gottes. Daraus schließen wir, daß Satan geradewegs Christi Glauben angegriffen hat, um ihn auszulöschen und Christus dann dazu zu drängen, sich auf unerlaubte und verkehrte Art Nahrung zu suchen. Er griff damals nach dem Herzstück des Glaubens, wenn er zu bewirken versucht, daß wir Gott mißtrauen und uns auf andere Weise versorgen, als das Wort Gottes uns erlaubt. Darum bedeuten die Worte: Du siehst doch, daß Gott dich verlassen hat; darum zwingt schon die Notwendigkeit dich dazu, dich selbst zu versorgen. Beschaff dir also selber Nahrung, wenn Gott sie dir nicht gibt! Wenn er auch die göttliche Macht Christi als Vorwand ins Feld führt, die Steine in Brot verwandeln konnte, so ist er doch nur auf das eine aus: er will, daß Christus von Gottes Wort abfällt und dem Geheiß des Unglaubens folgt. Darum antwortet Christus ihm sehr geschickt, der Mensch lebe nicht vom Brot allein. Er hätte auch sagen können: Du heißt mich, irgendein Hilfsmittel zu suchen, um mir gegen die Erlaubnis Gottes zu helfen. Aber das bedeutet Mißtrauen, zu dem kein Grund ist, solange Gott verheißt, daß er mich ernähren will. Du, Satan, bindest seine Gnade an das Brot. Er aber bezeugt das Gegenteil, daß, wenn alle Nahrung fehlt, sein Segen allein genügt, um uns zu ernähren. Nun begreifen wir, welcher Art diese Versuchung war; denn täglich greift uns der Satan so an. Der Sohn Gottes wollte keinen ungewöhnlichen Kampf auf sich nehmen, sondern er wollte gemeinsame Schlachten mit uns schlagen, damit wir mit den gleichen Waffen gerüstet sind und nicht zweifeln, daß die Siegespalme in unserer Hand ist.

V. 4: *Es steht geschrieben.* Es ist erstens bemerkenswert, daß Christus die Schrift wie einen Schild vor sich hält. Denn das ist die richtige Art zu kämpfen, wenn wir einen sicheren Sieg erringen wollen. Denn nicht von ungefähr nennt Paulus das Wort Gottes ein geistliches Schwert und heißt uns, den Schild des Glaubens zu ergreifen (vgl. Eph. 6, 16 f.). […]

Nun müssen wir das Wort des Mose untersuchen, das Christus aufnimmt: *Der Mensch lebt nicht vom Brot allein* (Dtn. 8, 3). […] Dieses Wort des Mose verurteilt den Stumpfsinn der Leute, die Sattheit und Überfluß mit Leben verwechseln. Zweitens weist es das Mißtrauen und die falsche Besorgnis zurecht, die uns dazu treibt, unerlaubte Mittel zu suchen. Dahin richtet sich im eigentlichen auch die Antwort Christi: Wir sollen Gott in bezug auf Ernährung und die übrigen Hilfsmittel unseres irdischen Lebens so vertrauen, daß keiner von uns die Grenzen überschreitet, die er uns gesetzt hat. Wenn Christus es für Frevel hielt, ohne den Auftrag Gottes aus Steinen Brot zu machen, wieviel weniger dürfen dann wir uns an Hand von Betrug, Raub, Gewalttat und Mord Nahrung verschaffen.

V. 5: *Da führte ihn der Teufel.* Es macht keinen großen Unterschied, daß Lukas als zweite Versuchung wiedergibt, was bei Matthäus an die letzte Stelle gerückt ist. Denn die Evangelisten verfolgten nicht die Absicht, einen fortlaufenden Geschichtsfaden zu spinnen, so daß sie die Zeitfolge immer genau einhielten, sondern sie wollten die Geschehnisse in ihren Hauptsachen zusammenfassen, um uns wie in einem Spiegel oder einem Bild zu zeigen, was das Wichtigste ist, das man von Christus wissen muß. Welches nun der zweite oder der dritte Kampf war, braucht nicht ängstliches Kopfzerbrechen zu bereiten. In der Auslegung folge ich der Anordnung bei Matthäus.

Es heißt, Christus sei auf die Zinne des Tempels gestellt worden. Man fragt, ob er wirklich dahinauf entführt worden ist oder ob es nicht vielmehr in einer Vision geschah. Die meisten bleiben hartnäckig dabei, daß er wirklich und leibhaftig entführt wurde, wie sie sich ausdrücken; denn sie halten es für unwürdig, daß Christus dem Blendwerk Satans ausgesetzt gewesen sein soll. Dieser Einwand wird leicht zerstreut. In der Zustimmung Gottes zu dieser Versuchung und der freiwilligen Unterwerfung Christi liegt nichts Widersinniges, solange wir nicht meinen, er sei innerlich, das heißt in seinen Gedanken und seinem Herzen, angetastet worden. Und wenn es später heißt, alle Reiche der Welt seien Christus in einem Augenblick, wie Lukas schreibt, gezeigt worden, so deutet das eher auf eine Vision. Doch ziehe ich es vor, in einer so zweifelhaften Sache, die man ohne Schaden nicht zu wissen braucht, das Urteil in der Schwebe zu lassen, um nicht streitsüchtigen Leuten Anlaß zum Zank zu geben. Es kann auch sein, daß die zweite Versuchung zeitlich nicht sofort der ersten gefolgt ist und die dritte nicht der zweiten, sondern es ist sogar wahrscheinlicher, daß ein gewisser Zwischenraum sie trennte. [...] Um der List seines Feindes zu begegnen und seinen Angriff zurückzuschlagen, hält Christus als Schild vor, man dürfe Gott nicht versuchen. Daraus geht hervor, daß der Anschlag Satans sich dahin richtete, daß sich Christus über das rechte Maß hinaus und grundlos gegen Gott erheben sollte. Bei der ersten Versuchung hatte der Satan geplant, Christus zur Verzweiflung zu treiben, weil ihm der Unterhalt und die gewöhnliche Versorgung fehlten. Jetzt stachelt er ihn zu einem leeren windigen Vertrauen auf. Er soll die Hilfsmittel, die zur Verfügung stehen, verachten und sich, ohne in Not zu sein, in eine offene Gefahr stürzen und dadurch gleichsam über seine Grenzen gehen. Wie wir noch nicht zu verzweifeln brauchen, wenn uns alles mangelt, denn wir leben im Vertrauen zu Gott, so dürfen wir uns auch keine Helmbüsche aufsetzen, um uns höher zu erheben, als Gott es uns erlaubt. Wir begreifen nun die Absicht Satans: Christus sollte einmal einen Versuch über seine Gottheit anstellen und sich in törichter, gottloser Verwegenheit gegen Gott empören.

V. 6: *Er wird seinen Engeln über dir Befehl tun, und sie werden dich auf den Händen tragen.* Diese Bosheit Satans ist bemerkenswert. Denn er mißbraucht das Zeugnis der Schrift, um das, was Leben bedeutet, Christus zum Tod zu gestalten, und das, was Brot heißt, in Gift zu verwandeln. Auch heute gebraucht er noch täglich den gleichen Kniff. Der Sohn Gottes wollte darum diesen Kampf in seiner Person aufnehmen, um allen Gläubigen zusammen ein Vorbild zu sein, damit sie alle lernen, sich eifrig zu hüten, daß sie nicht dem Satan in die Schlingen gehen, wenn er trügerisch die Schrift anführt. [...] Der Satan entheiligt das Wort Gottes und sucht es uns zum Verderben zu verdrehen. Da es uns aber von Gott zum Heil verordnet ist und Gottes Absicht unwiderruflich ist, so liegt es allein an unserer Gleichgültigkeit, wenn uns sein heilsamer Nutzen verlorengeht. [...] Wenn jene Verheißung, „er wird seinen Engeln Befehl tun über dir" usw., sich auch auf alle Gläubigen erstreckt, so gilt sie doch im besonderen Christus, der das Haupt der ganzen Gemeinde ist und nach seinem Recht auch den Engeln vorsteht; ihnen trägt er unseren Schutz auf. Der Satan lügt also noch nicht, wenn er mit diesem Zeugnis erweist, daß die Engel Christus zu Dienern gegeben sind, um ihn zu beschützen und ihn auf den Händen zu tragen; aber darin lügt er, daß er den Schutz der Engel auf eine verantwortungslose, unbesonnene Haltung bezieht, der den Kindern Gottes doch nur verheißen wird, wenn sie sich innerhalb ihrer Grenzen halten und auf ihren Wegen wandeln. Wenn der Ausdruck *auf allen deinen Wegen* (Ps. 91, 11) diese Betonung hat, dann verdirbt und verstümmelt Satan die Weissagung des Propheten in boshafter Art, indem er sie unbesehen und verworren auf ausschweifende Irrwege verdreht. Gott heißt uns, auf unseren Wegen zu bleiben, und dann verheißt er uns auch, die Engel würden unsere Hüter sein. Der Satan nimmt den Schutz der Engel zum Vorwand und fordert Christus auf, sich unbesonnen in Gefahr zu begeben. Er hätte auch sagen können: Wenn du dich gegen Gottes Willen in den Tod stürzt, werden die Engel dein Leben schon beschirmen.

V. 7: *Wiederum steht auch geschrieben: Du sollst Gott, deinen Herrn, nicht versuchen.* Christus antwortet sehr sachgemäß, die Gläubigen dürften nur dann auf die Hilfe Gottes hoffen, die er uns verheißt, wenn sie sich besonnen seiner Führung anheimgeben. Denn wir können uns auf die Verheißungen Gottes nur stützen, wenn wir seinen Befehlen gehorchen. [...]

V. 8: *Wiederum führte ihn der Teufel mit sich auf einen sehr hohen Berg.* [...] Das Besondere dieser Versuchung war, daß Christus das Erbe, das Gott seinen Kindern verheißen hat, nicht von Gott erbitten sollte, sondern von einem andern. Der Teufel kann so frevelhaft tollkühn sein, weil er Gott die Herrschaft über die Erde entrissen und sie in seine Hände gebracht hat. Das ist alles mein, sagt er, und nur auf meine Zustimmung hin kann einer etwas davon besitzen. Tag für Tag müssen wir mit der gleichen Unverschämtheit kämpfen, denn jeder einzelne Gläubige erfährt es an sich, und es wird noch deutlicher am gesamten Leben der Gottlosen. Denn wenn wir auch all unsere Hilfsmittel, Reichtümer und Bequemlichkeiten vom Segen Gottes abhängig machen, so kitzeln und locken uns doch zuweilen unsere Sinne, daß wir die Hilfe Satans anstreben, als ob Gott allein uns nicht genügte. [...]

V. 10: *Hebe dich weg von mir, Satan!* Lukas hat dafür, *Gehe hinter mich, Satan!* Vergeblich philosophieren daher einige über den Zusatz, daß dem Petrus gesagt sei: *Weiche zurück!* (Mt. 16, 23), gleichsam als wenn der Satan nicht (in allen Berichten) dasselbe gehört habe. Jesus befiehlt ihm einfach, sich zu packen. Er fährt mit der gleichen Art Verteidigung fort, indem er die Schrift nicht wie einen Schild aus Binsen vorhält, sondern wie einen ehernen Schild. Zum Zeugnis führt er aus dem Gesetz an, Gott allein sei anzubeten und zu verehren. [...]

V. 11: *Da verließ ihn der Teufel. Und siehe, da traten die Engel zu ihm.* Lukas führt noch mehr an: *Da der Teufel alle Versuchung vollendet hatte.* Er hätte auch sagen können: Christus hatte nicht eher Ruhe oder Waffenstillstand, ehe er sich nicht auch wirklich in jeder Art von Kampf bewährt hatte. Er fügt noch hinzu, er hätte Christus nur für eine Zeitlang verlassen, damit wir wissen, daß sein übriges Leben nicht völlig von Versuchungen verschont war, sondern daß Gott nur die Macht des Satans beschnitten hat, damit sie Christus nicht zu ungelegener Zeit lästig werde. Genauso pflegt Gott mit all den Seinen zu verfahren. [...] Wenn dann folgt: Die Engel dienten ihm, so beziehe ich das auf den Trost, den Christus spürte; er wußte, daß Gott Vater ihn schützte und daß er durch seinen starken Schutz gegen den Satan gewappnet war. [...]

Mt.5,38–42: Von der Wiedervergeltung

LUTHER

WA 11,245–281: Von weltlicher Obrigkeit, wie weit man ihr Gehorsam schuldig sei, 1523
WA 39 II,33–44: Zirkulardisputation über das Recht des Widerstands gegen den Kaiser (Mt 19,21) vom 9.5.1539

11, 249, 24: Hier müssen wir Adams Kinder und alle Menschen teilen in zwei Teile: die ersten zum Reich Gottes, die andern zum Reich der Welt. Die zum Reich Gottes gehören, das sind alle recht Gläubigen in Christus und unter Christus. Denn Christus ist der König und Herr im Reich Gottes, ... und er ist auch darum gekommen, daß er das Reich Gottes anfinge und in der Welt aufrichtete ... Er nennt auch das Evangelium ein Evangelium des Reiches Gottes, darum daß es das Reich Gottes lehrt, regiert und enthält. Nun sieh, diese Leute bedürfen keines weltlichen Schwertes noch Rechtes. Und wenn alle Welt rechte Christen, das ist recht gläubig wäre, so wäre kein Fürst, König, Herr, Schwert noch Recht not oder nütze.

11, 251, 1: Zum Reich der Welt oder unter das Gesetz gehören alle, die nicht Christen sind, denn weil wenige glauben und nur die wenigsten sich nach christlicher Art verhalten und dem Übel nicht widerstreben, ja, daß sie nicht selbst Übles tun, hat Gott für diese außer dem christlichen Stand und Gottes Reich ein anderes Regiment geschaffen und sie dem Schwert unterworfen. [...] Darum hat Gott die zwei Regimente verordnet, das geistliche, welches Christen und fromme Leute macht durch den Heiligen Geist unter Christus, und das weltliche, welches den Unchristen und Bösen wehrt, daß sie äußerlich Frieden halten und still sein müssen [...] Wenn nun jemand die Welt nach dem

Evangelium regieren und alles weltliche Recht und Schwert aufheben und vorgeben wollte, sie wären alle getauft und Christen, unter welchen das Evangelium kein Recht noch Schwert dulden will, es sei auch nicht not, so rate, was derselbe machen würde? Er würde den wilden bösen Tieren die Bande und Ketten auflösen, daß sie jedermann zerrissen.

11, 252, 12: Darum muß man diese beiden Regimente mit Fleiß scheiden und beides für sich bleiben lassen: eins, das fromm macht, das andere, das äußerlichen Frieden schafft und bösen Werken wehrt. Keins ist ohne das andere in der Welt genug. Denn ohne das geistliche Regiment Christi kann niemand vor Gott fromm werden durch das weltliche Regiment. So geht das Regiment Christi nicht über alle Menschen, sondern zu allen Zeiten sind die wenigsten Christen und sind mitten unter den Urchristen. Wo nun weltliches Regiment oder Gesetz allein regiert, da muß eitel Heuchelei sein, wenn's auch Gottes Gebote selbst wären. Denn ohne den Heiligen Geist im Herzen wird niemand recht fromm, er tue soviel gute Werke, wie er mag. Wo aber das geistliche Regiment allein über Land und Leute regiert, da wird der Bosheit der Zaum los und Raum gegeben allem Verbrechen. [...] Darum hat auch Christus kein Schwert geführt, hat auch in seinem Reich keins eingesetzt. Denn er ist ein König über Christen und regiert ohne Gesetz allein durch seinen Heiligen Geist. Und obwohl er das Schwert bestätigt, hat er es doch nicht gebraucht. Denn es dient nicht zu seinem Reich, zu dem nur die Frommen gehören.

11, 253, 21: Ich habe jetzt gesagt, daß die Christen untereinander und bei sich und für sich selbst keines Rechtes noch Schwertes bedürfen; denn es ist ihnen nicht not noch nütze. Aber weil ein rechter Christ auf Erden nicht für sich selbst, sondern für seinen Nächsten lebt und ihm dient, so tut er nach der Art seines Geistes auch das, dessen er nicht bedarf, sondern das seinem Nächsten nütz und not ist. Das Schwert ist aber in aller Welt dringend vonnöten, damit Friede erhalten, Sünde gestraft und den Bösen gewehrt werde. Deswegen fügt er sich willig unter das Regiment des Schwertes, gibt Steuer, ehrt die Obrigkeit, dient und hilft und tut alles, was er kann, das der Gewalt (der Obrigkeit) förderlich ist (zu Mt. 5, 39).

11, 254, 16: Ob du nicht bedarfst, daß man deinen Feind strafe, so bedarf es aber dein kranker Nächster. Dem sollst du helfen, daß er Friede habe und er vor seinem Feind bewahrt werde, welches nicht geschehen mag, es sei denn, daß die Gewalt und Obrigkeit in Ehren und Furcht erhalten werde. Christus spricht nicht: ,Du sollst der Gewalt nicht dienen noch untertan sein', sondern: ,Du sollst dem Übel nicht widerstreben', als wollte er sagen: ,Verhalte dich so, daß du alles leidest, damit du der Gewalt nicht bedürfest, daß sie dir helfe und diene, nutz oder not sei, sondern so, daß du ihr helfest, dienest, nutz und not seist.' [...] Da ist das andere Stück, daß du dem Schwert zu dienen schuldig bist und es fördern sollst, womit du kannst, es sei mit Leib, Gut, Ehre und Seele.

Denn es ist ein Werk, dessen du nicht bedarfst, das aber aller Welt und deinem Nächsten sehr nützlich und nötig ist.

39 II, 40, 18: Denn um der ersten Tafel willen muß man die köstliche Perle des Himmelreichs kaufen und behalten und dafür den Acker und alles verlassen und verlieren (These 22).

Dann mußt du auch, was du nach der zweiten Tafel zu Recht hast und besitzt, für dieses Leben um der ersten Tafel, d.h. um des ewigen Lebens willen, freudig verlieren (These 23).

Außer, wenn es um das Bekennen geht, ist ein Christ ein Bürger dieser Welt und soll tun und tragen nach der zweiten Tafel, was zu seiner Stadt gehört (These 30).

Wenn nun ein Räuber oder Dieb dir gegenüber Gewalt anwenden und dich berauben will, darum daß du ein Christ bist, so ist hier dem Übel zu widerstehen, wenn du ein treuer Bürger dieser Welt sein willst (These 31).

39 II, 41, 11: Wenn dich aber die Obrigkeit, entweder eine heidnische oder eine nur dem Namen nach christliche, um Christi willen verfolgt, so sollst du alles verlassen, verkaufen und verlieren (These 36).

39 II, 41, 36: Denn die zweite Tafel wie auch die Obrigkeit erstrecken sich über dieses Leben in der Welt und sind von Gott gegeben und eingesetzt (These 48).

Darum ist es unsere Sache nicht, ja, es ist verboten, die von Gott gesetzte obrigkeitliche Gewalt mutwillig zu zerstören (These 49).

Darum soll man dem Zorn Gottes Raum geben und nicht sich selbst verteidigen (These 50).

ZWINGLI

Z I 153–188: Eine göttliche Vermahnung an die Eidgenossen zu Schwyz, 16.5.1522
Z II 1–457: Auslegen und Gründe der Schlußreden, 14.7.1523

V. 39: Z II 77, 12–21: Unter Evangelium verstehe ich auch hier alles, was uns Gott kundgetan hat durch seinen eigenen Sohn. Es ist also auch Evangelium, wenn er spricht: ‚Ihr sollt gegeneinander nicht zürnen' (Mt. 5, 22); auch wenn er spricht, daß einer die Ehe bricht, selbst wenn es bloß im Begehren geschieht (Mt. 5, 28); auch wenn er spricht, daß man dem nicht widerstehen soll, der einem Schaden zufügt, und andere Gesetze gleicher Art. Das mag vielen Menschen zweifellos widersinnig scheinen. Ich meine es aber so: der rechtgläubige Mensch freut sich und nährt sich an einem jeglichen Wort Gottes, selbst wenn dieses gegen die Begierden seines Fleisches ist, während der Ungläubige alle Worte Gottes im Falschen aufnimmt und denkt: Es ist kein Verlaß darauf.

V. 39; 41; 45: Z I 179,3–21: Ein altes Sprichwort sagt: ‚Leges silent inter arma', will sagen: ‚Wo die Waffen die Oberhand gewinnen, müssen die Gesetze stillestehen und schweigen.' Schon allein das Wort ‚Kriegsrecht' ist nichts anderes als Gewalt. Brauche es, wie du willst; denke darüber, wie du willst: es ist nichts anderes als Gewalt. Sie werfen zwar ein: Ungehorsame muß man mit Waffengewalt zwingen, wenn sie sich dem Recht nicht unterwerfen wollen. Ich will dir zunächst auf menschliche Weise darauf Antwort geben, nämlich: Sofern man mit den Mitteln des Krieges allein nur diese (die sich dem Recht nicht unterwerfen wollen) treffen würde, dann meinetwegen; oder: wenn jeder nur seine direkten Untertanen, falls diese ihm persönlich nicht gehorchen, zum Gehorsam zwingt, und auch dies nur in Belangen, in welchen die Untertanen Gehorsam tatsächlich auch schuldig sind, ja dann ginge alles seinen Weg. [...] Christlich jedoch (und nicht nur allgemein-menschlich) von der Sache geredet, heißt: daß uns das Führen von Krieg überhaupt nicht geziemt. Wir sollen vielmehr – so lehrt es Christus – Gott bitten für die, welche übel von uns reden und uns verfolgen, und sollen nach einem Backenstreich die andere Seite auch noch hinhalten. So werden wir Söhne des himmlischen Vaters.

CALVIN

CO 45, 183–186

V. 38: *Auge um Auge.* Gott hatte den Richtern und Regierenden in seinem Gesetz befohlen, Vergehen mit gerechter Strafe zu ahnden. Doch maßte sich unter dem Vorwand (dieser alttestamentlichen Bestimmung) jeder die Rache selbst an. So glaubten sie nicht zu sündigen, wenn sie die Oberen gar nicht erst bemühten, sondern wenn die Betroffenen Gleiches mit Gleichem vergalten. Dagegen stellt sich Christus mit seiner Ermahnung: Zwar ist den Richtern die allgemeine Vertretung des Rechts anvertraut, und sie sind dazu bestimmt, die Bösen im Zaum zu halten und ihren Einfluß zu dämmen, doch soll jeder einzelne erlittenes Unrecht geduldig ertragen.

V. 39: *Daß du nicht widerstreben sollst dem Übel.* Es gibt zwei Arten zu widerstehen: mit der einen halten wir uns das Unrecht fern, ohne selbst schuldig zu werden, mit der andern wollen wir Vergeltung üben. Obgleich Christus (im ersten Fall) den Seinen nicht erlaubt, Gewalt mit Gewalt zu erwidern, so verbietet er doch nicht, daß sie unrechtmäßige Gewalttätigkeit von sich abwenden. Diese Stelle kann uns Paulus am besten auslegen, wenn er befiehlt, lieber das Böse mit Gutem zu überwinden, als es mit Feindseligkeiten zu bekämpfen (Röm. 12,21). Man muß den Gegensatz zwischen schuldhaftem und besserndem Tun beachten. Hier handelt es sich um die Vergeltung: die Erlaubnis zu ihr verwehrt er seinen Jüngern; und verbietet, Böses mit Bösem zu vergelten. Sodann dehnt er das Gebot zu erdulden darauf aus, daß wir nicht nur schweigend erfahrenes Unrecht tragen, sondern darüber hinaus bereit sind, noch mehr zu erdulden. Kurz gesagt will die ganze Ermahnung, daß die Gläubigen vergessen lernen, was man ihnen Böses angetan hat, daß sie sich nicht wegen einer Kränkung zu Haß und Mißgunst hinreißen lassen oder zu dem Wunsch, umgekehrt Schaden zu stiften; vielmehr sollen sie sich auf noch geduldigeres Ausharren einrichten, wenn die Unverschämtheit und Gier der Bösen wächst und immer erbitterter wird.

Wenn dir jemand einen Streich gibt. Julian [Apostata] und ähnliche Leute verhöhnten die Lehre Christi, als ob er Gesetz und Gerechtigkeit von Grund aus umkehren wolle. Denn wie Augustin geschickt und kundig ausführt (ep. 5), wollte Christus nichts anderes, als die Gläubigen zu Mäßigung und Billigkeit anleiten, damit sie nicht bei ein oder zwei Beleidigungen gleich den Mut sinken ließen oder verzagten. [...] Wo jemand sich und das Seine ohne Rache vor Unrecht schützen kann, hindern ihn die Worte Christi nicht daran, solange er friedlich und schuldlos einer drängenden Gewalt ausweicht. Sicherlich will Christus die Seinen nicht auffordern, zur Bosheit derer noch beizutragen, deren Lust, Schaden zu stiften, gerade brennend genug ist. Gibt es ein stärkeres Reizmittel, als die andere Backe noch hinzuhalten? Es ist eines rechten und vernünftigen Auslegers nicht würdig, nach Silben zu haschen, sondern er muß auf den achten, der den Ratschlag erteilt. Und Christi Jüngern ziemt nichts weniger, als mit Silbenstecherei zu spielen, wo doch klar ist, was der Meister will. Es ist nicht im geringsten verborgen, worauf Christus abzielt; nämlich das Ende eines Streites würde der Beginn eines neuen sein, und so müssen sich die Gläubigen ihr ganzes Leben lang einer fortlaufenden Kette von Ungerechtigkeiten unterziehen. Deshalb will er sie, sobald sie einmal verletzt sind, mit dieser Lehre zum Ausharren anweisen, daß sie durch Leiden Geduld lernen.

V. 40: *Wenn jemand mit dir rechten will.* Christus berührt eine andere Art Schaden, daß uns nämlich die Frechen mit ihren Prozessen verfolgen. Er befiehlt uns aber in dieser Sache, zur Geduld bereit zu sein, daß wir, wenn uns der Mantel genommen wird, auch bereitwillig den Rock hinterdrein geben. Es wäre albern, auf den Worten zu bestehen. Soll man lieber den Feinden geben, was sie fordern, als vor Gericht gehen? Dann würde solche Bereitschaft die Bösen erst recht zu Diebstahl und Raub anfeuern. Sicher war das nicht Christi Absicht. Was aber heißt dann, dem, der es unter dem Schein des Rechts wagt, den Mantel zu rauben, auch den Rock geben? [...] Das Ganze soll also heißen: Sobald jemand die Christen eines Teiles ihrer Güter zu berauben versucht, müssen sie zu vollständiger Ausplünderung bereit sein. Daraus folgt, daß sie andererseits die Richter nicht von einem gerechten Urteilsspruch abhalten sollen, wenn Gelegenheit dazu besteht. Denn obwohl sie in einem solchen Fall ihr Vermögen nicht preisgeben, so weichen sie doch nicht von der Lehre Christi ab, nach der wir den Verlust unserer Güter geduldig ertragen sollen. [...]

V. 42: *Gib dem, der dich bittet.* Obgleich Christi Worte, wie sie Matthäus überliefert, so klingen, als ob er befehle, ohne Auswahl jedem zu geben, ermitteln wir doch aus Lukas (6,34 f.) einen anderen Sinn, da er die ganze Sache breiter ausführt. Zuerst einmal ist sicher, daß Christus die Absicht hatte, seine Jünger freigebig und nicht verschwenderisch zu machen. Und törichte Verschwendung wäre es, unüberlegt hinauszuschütten, was der Herr gab. Ferner sehen wir, welche Regel für die Wohltätigkeit der Geist an anderen Stellen (der Bibel) vorträgt. Wir wollen also im Sinn behalten, daß Christus als erstes seine Jünger ermuntert, freigebig und wohltätig zu sein. Wieder gilt als Richtschnur, daß sie sich auf keinen Fall am Ziel glauben, wenn sie einigen wenigen geholfen haben, sondern mit Eifer sollen sie allen ihre Wohltätigkeit widmen und darin niemals ermüden, solange ihnen noch eine Möglichkeit zu Gebote steht. [...]

Mt. 6,5–15: Das Vaterunser

LUTHER

WA 30 I, 125–238: Der Große Katechismus, 1529
WA 2, 80–130: Auslegung deutsch des Vaterunser für die einfältigen Laien, 1519

30 I, 193,14: Ehe wir aber das Vaterunser nacheinander auslegen, ist wohl am nötigsten, vorher die Leute zu ermahnen und ihnen Mut zum Gebet zu machen, wie auch Christus und die Apostel getan haben. Es soll nämlich das erste sein, daß man wisse, wie wir um Gottes Gebot willen schuldig sind zu beten. Denn so haben wir im zweiten Gebot gehört: Du sollst den Namen Gottes nicht unnützlich führen, daß darin gefordert werde, den heiligen Namen preisen, in aller Not anrufen oder beten.

30 I, 197,16: Denn das sollen wir wissen, daß all unser Schirm und Schutz allein im Gebet steht. Denn wir sind dem Teufel gegenüber und seiner Macht und seinem Anhang viel zu schwach, die sich wider uns legen, daß sie uns wohl

mit Füßen zertreten könnten. Darum müssen wir es bedenken und zu den Waffen greifen, mit denen die Christen gerüstet sind, um wider den Teufel bestehen zu können. Denn, was meinst du, das bisher so große Dinge ausgerichtet habe, unserer Feinde Ratschlag, Vornehmen, Mord und Aufruhr gewehrt oder gedämpft hat, wodurch uns der Teufel samt dem Evangelium gedacht hat zu unterdrücken, wo nicht etlicher frommer Leute Gebete als eine eiserne Mauer auf unserer Seite dazwischengekommen wären?

30 I, 198,25: Wie wird er nun unter uns heilig? Antwort, so deutlich als man es sagen kann: Wenn beide, unsere Lehre und unser Leben, göttlich und christlich sind (Auslegung der ersten Bitte).

V. 10: 30 I, 200,17: Deshalb bitten wir hier zum ersten, daß dieses bei uns kräftig werde und sein Name durch das heilige Wort Gottes und christliches Leben so gepriesen werde, daß wir, die wir es angenommen haben, dabei bleiben und täglich zunehmen und daß es auch bei anderen Leuten Zustimmung und Anhang gewinne und gewaltig durch die Welt gehe, damit viele zum Gnadenreich kommen, der Erlösung teilhaftig werden, durch den Heiligen Geist herzugebracht, so daß wir allesamt in dem Königreich, das jetzt angefangen hat, ewig bleiben. Denn ‚Gottes Reich zu uns kommen' geschieht auf zweierlei Weise: Einmal hier zeitlich durch das Wort und den Glauben, zum andern ewig durch die Offenbarung (Auslegung der zweiten Bitte).

V. 12: 30 I, 206,24: Nicht, daß er auch ohne uns und vor unserm Bitten nicht die Sünde vergebe, denn er hat uns das Evangelium, darin eitel Vergebung ist, geschenkt, ehe wir darum gebeten oder jemals daran gedacht haben. Es ist aber darum zu tun, daß wir solche Vergebung erkennen und annehmen.

30 I, 207,14: Summa: Wo er nicht ohne Unterlaß vergibt, so sind wir verloren (Auslegung der fünften Bitte).

V. 13: 30 I, 209,22: ‚Nicht in Versuchung führen' heißt nun, wenn er uns Kraft und Stärke gibt zu widerstehen, doch ist die Anfechtung nicht weggenommen noch aufgehoben. Denn Versuchung und Reizung kann niemand umgehen, solange wir im Fleisch leben und den Teufel um uns haben. Da wird nichts anderes draus, wir müssen Anfechtung leiden, ja darin stecken. Aber darum bitten wir, daß wir nicht hineinfallen und darin ertrinken. Darum ist es zweierlei, Anfechtung fühlen und darein willigen oder ja dazu sagen. Fühlen müssen wir die Anfechtung alle, wiewohl nicht auf gleiche Weise, sondern einige mehr und schwerer: die Jugend vornehmlich vom Fleisch, danach was erwachsen und alt wird, von der Welt, die andern aber, die mit geistlichen Dingen umgehen, das sind die starken Christen, vom Teufel (Auslegung der 6. Bitte).

V. 14: 30 I, 106,25: Eine schwere Sache ist es, unserem Feind zu vergeben. Denke aber daran, wie schwer es für Gott ist, uns zu vergeben.

2, 127,6: Also soll ein Mensch, der da beten will sich prüfen und erforschen, ob er auch glaube oder zweifle, daß er erhört werde. Findet er bei sich, daß er daran zweifelt oder es aus einem ungewissen Wahn oder Abenteuer wagt, so ist das Gebet nichts. Denn er hält sein Herz nicht still, sondern zappelt und schlottert hin und her. Darum kann Gott nichts Gewisses darein geben, genausowenig wie du einem Menschen etwas geben kannst, wenn er die Hand nicht stillhält. [...] Darum heißt das Wörtlein Amen ‚wahrlich, fürwahr, gewiß‘ und ist ein Wort des festen, herzlichen Glaubens, als sprächest du: ‚O Gott Vater, diese Dinge, die ich gebeten habe, bezweifle ich nicht, sie sind gewiß wahr und werden geschehen, nicht darum, daß ich sie gebetet habe, sondern darum, daß du sie zu bitten geheißen hast und sie gewißlich zusagst. So bin ich gewiß, daß du, Gott, wahrhaftig bist und nicht lügen kannst. Also bewirkt nicht meines Gebetes Würdigkeit, sondern deiner Wahrheit Gewißheit, daß ich es fest glaube und ist mir kein Zweifel, es wird ein Amen draus werden und ein Amen sein‘ (Beschluß des Vaterunser).

ZWINGLI

S 6,1 203–394: Annotationes in Evangelium Matthaei, 1529/30
Z II 1–457: Auslegen und Gründe der Schlußreden, 14.7.1523
Z III 590–912: De vera et falsa religione commentarius, März 1525
Z IV 35–159: Eine Antwort, Valentin Compar gegeben, 27.4.1525
Z V 109–154: Die andere Schrift an Dr. Johannes Faber, 15.5.1526
Z V 795–977: Daß diese Worte: Das ist mein Leib usw. ewiglich den alten Sinn haben werden, 20.6.1527
Z VIII 108–111: An Burgermeister und Rat zu Konstanz, 5.8.1523

V. 5: Z III 679,35–38; 680,4–6: Viele auch von uns beten, um dabei gesehen zu werden, wie die Heuchler tun, Mat. 6. Wir bitten, der Herr gebe uns viel Geld und Komfort, eine wohlhabende Frau, Ehre, Einfluß und Macht; [...] und dabei wissen wir doch gar nicht, was wir beten sollen Röm. 8 (8,26). [...] So beziehen wir, sage ich, alles auf uns selbst, statt auf den, dem wir ganz und gar gehören und in welchem wir sind (Apg. 17,28).

V. 6: Z II 227,26–30: Wenn das menschliche Gemüt wirklich mit Gott sich besprechen will, so ist es gerne allein. Das hat Christus wohl gewußt. Darum weist er auf den verborgenen Ort hin, wo man in der Stille mit dem himmlischen Vater reden kann, indem er spricht: Gehe in dein Kämmerlein.

Z III 852,22–30: Christus schickt uns in das Kämmerlein, damit das Herz ungehindert seine Sorgen Gott vorbringen kann. Denn das Gebet, die Andacht des Herzens, ist an keinen Ort gebunden, sie ist frei. Allerdings darf das Wort

Christi: ,Gehe in das Kämmerlein' nicht in dem Sinn zitiert werden, als ob man nirgends sonst als nur im Kämmerlein beten dürfte. Paulus nämlich will, daß ,die Männer an jedem Ort beten, vorausgesetzt, daß sie reine Hände zu Gott aufheben' 1. Tim. 2 (2,8). Hier wird übrigens deutlich, wie beim Gebet es nicht unwesentlich ist, daß du reine Hände zu Gott aufhebst. Das bedeutet: der Unschuld sich zu befleißigen.

V. 9: Z V 129,2–3: Alle, die zum himmlischen Vater sprechen: ,Vater unser', die müssen meine Brüder sein.

Z V 954,19–23: Nicht daß Gott nicht überall wäre, außerhalb und innerhalb des Himmels. Aber Christus will mit dem Zusatz ,im Himmel' die Art und Weise zeigen, in der Gott den Seinen, die im Endlichen gefangen sind, die ewigen Freuden und Erquickungen an einem bestimmten Ort, im Himmel nämlich, bereitet hat; er, welcher (im Unterschied zu uns) selber unbegrenzt ist.

Z VIII 110,13–19: Den Namen Christi bloß tragen zu wollen, ohne sich auch für ihn einzusetzen und ihn vor Schmach zu schützen, das wäre leerer Stolz. Wir müssen dafür sorgen, daß der Name Gottes geheiligt werde. Dann wird er geheiligt, wenn wir seinem Wort nachzukommen uns eifrig Mühe geben. Sein Wort ist die Wahrheit; denn er ist die Wahrheit. Daraus folgt: wer die Wahrheit offen ausspricht und ihr ans Licht verhilft, der macht auch die rechte Ehre Gottes manifest und tut sie kund.

V. 10: S 6,1 236: Wir bitten, daß das Reich Gottes zu uns komme, das heißt: daß Gerechtigkeit, Friede und Freude im heiligen Geist zunehmen (Röm. 14,17), daß wir heilig und unsträflich leben (Eph. 1,4), daß möglichst viele von uns ins Reich Gottes kommen (Matth. 8,11), daß wir dieses Reich erkennen (Mk. 4,11) und fördern.

S 6,1 236: Im Himmel gehorcht alles deinem Willen, oh Vater. Laß es gewähren, daß hier, Gleiches auch wir bewähren.

V. 11: S 6,1 236: ,Nicht allein vom Brot lebt der Mensch, sondern in jedem Wort, das aus dem Munde Gottes hervorgeht' (Mt. 4,4). Das heißt: Er lebt in der Kraft Gottes. Dennoch bitten wir hier nichtsdestoweniger den Herrn um die Bedürfnisse unseres Lebens. Der die Seele speist, wie sollte derselbe nicht auch den Körper ernähren? Ja, wir erkennen, daß Gott es ist, der Leib und Seele speist. Er ist der Vater, der für uns sorgt. Ihn also bitten wir für alles, was wir brauchen. Während er nun aber unseren Körper durch tägliche Nahrung speist, dürfen wir nicht meinen, das sei genug. Den Geist sollen wir nach Höherem richten und um ... übersubstantielle Nahrung bitten, mehr besorgt um die Speise der Seele als des Leibes.

V. 12: Z IV 83,4–7: Das hätte er uns nicht zu beten gelehrt, wenn wir nicht Sünder wären, dieweil wir hienieden sind, alle in Sünden empfangen (Ps. 51,7).

So wir uns aber mit der Tat verfehlen und sündigen, wieviel mehr noch mit dem Wort.

V. 13: S 6, 1 236: Versuchung ist menschliches Leben, wie Hiob bezeugt (Hiob 7,18). Gib daher, oh Vater, reine Gedanken! Gib dem Fleische nicht zu viel Raum in uns (Gal. 5,13)! Bewahre uns, daß wir nicht unter die Herrschaft der Begierden fallen (1. Tim. 6,9)! Bewahre vor dem Bösen (Joh. 17,15), dem Teufel, der aller Übel Meister ist (Joh. 8,44).

CALVIN

CO 45, 192–203

V. 5: *Wenn du betest* [...]: Es bedeutet eine überaus grobe und schimpfliche Entheiligung des göttlichen Namens, wenn die *Heuchler* in ihrer Sucht nach Ruhm bei den Menschen in der Öffentlichkeit beten oder vielmehr so tun, als beteten sie. Aber da Heuchelei immer auch ehrsüchtig ist, ist es kein Wunder, daß sie so verblendet ist. [...] An mehreren Stellen (der Schrift) wird uns befohlen, bei feierlicher Versammlung mitten unter den Menschen und vor dem ganzen Volk Gott anzurufen und ihn zu preisen, damit wir unseren Glauben und unsere Dankbarkeit öffentlich bezeugen und durch unser Vorbild andere zum gleichen Tun ermuntern. Von solchem Eifer will uns Christus nicht abbringen; er ermahnt uns nur, Gott vor Augen zu haben, sooft wir uns zum Gebet anschicken.

V. 6: Darum sind die Worte: *Gehe in dein Zimmer* nicht zu pressen; als ob er befehle, die Menschen zu fliehen, oder meine, wir beteten nur richtig, wenn niemand dabei ist. [...] Es ist den Gläubigen nur gut, sich dem Blick der Menschen zu entziehen; sie können dann um so freier ihr Gebet und Seufzen vor Gott ausschütten. Auch aus einem andern Grund nützt die Abgeschiedenheit: die Beter sind allen Zerstreuungen ferner, und ihre Sinne sind gelöster. Darum hat sich auch Christus selbst öfter an einen einsamen Ort zurückgezogen, um zu beten. Aber darum handelt es sich jetzt nicht; hier soll nur die eitle Ruhmsucht zurechtgewiesen werden. Kurz, betet einer allein oder vor andern, immer soll er die Vorstellung haben, er befände sich allein in einem Zimmer und nur Gott sei sein Zeuge.

Wenn Christus sagt, unserem Gebet werde ein *Lohn* zuteil, so drückt er damit genug aus; denn was für einen Lohn uns die Schrift auch überall verheißt, so kann er nicht wie ein Guthaben eingelöst werden, sondern ist völlig unverdient.

V. 7: *Ihr sollt nicht viel plappern:* Als einen weiteren Fehler beim Gebet tadelt er die Geschwätzigkeit. Er gebraucht zwei Worte, aber mit der gleichen Bedeutung: denn „Geplapper" heißt soviel wie überflüssige und gezierte Wiederholung, und „Vielrederei" meint leere Geschwätzigkeit. Ferner rügt Christus ihre Torheit, weil sie viele Worte machen, um Gott zu überreden und durch Bitten zu erweichen. Dieser Belehrung widerstreitet nicht, daß sonst in der Schrift überall fleißiges Beten gerühmt wird. Denn wo das Gebet von einem ernsthaften Anliegen getragen wird, läuft die Zunge dem Herzen nicht voraus. Darum kann man die Gnade Gottes nicht durch leeren Redeschwall erjagen, sondern das fromme Herz sendet seine Bitten wie Pfeile aus, damit sie in den Himmel eindringen. […]

V. 8: *Euer Vater weiß:* Woher kommt denn solche Torheit, daß die Menschen viel zu erreichen meinen, wenn sie Gott mit ihrem Geschwätz ermüden? Sie stellen sich nämlich Gott wie einen sterblichen Menschen vor, den man belehren und erinnern müßte. Wer aber überzeugt ist, daß Gott nicht nur für uns sorgt, sondern auch unsere Nöte kennt und unseren Bitten und Sorgen zuvorkommt, bevor er gebeten wird, der läßt das viele Reden sein und breitet nur sein Anliegen aus, damit er seinen Glauben übt; Gott dagegen mit Redekunst anzugehen, damit dieser sich durch den Wortschwall bewegen lasse, erkennt er als abwegig und lächerlich.

Wenn nun Gott wirklich weiß, was wir nötig haben, bevor wir ihn bitten, so scheint das Beten gar keinen Zweck zu haben. Denn wenn er von sich aus geneigt ist, uns zu helfen, wozu noch weiterhin mit unseren Bitten den selbsttätigen Lauf seiner Vorsehung unterbrechen? Die Antwort ist einfach und liegt im Zweck des Gebetes selbst: die Gläubigen beten nämlich nicht, um Gott unbekannte Dinge anzutragen, ihn zu seiner Pflicht zu bewegen oder den Säumigen zu mahnen, sondern um sich selbst zu ermuntern, ihn aufzusuchen, um ihren Glauben zu üben, indem sie über die Verheißungen nachdenken, um sich zu erleichtern, indem sie ihre Sorgen in seinem Schoß abladen, endlich um zu bezeugen, daß sie alles Gute für sich wie für die andern einzig von ihm erhoffen und erbitten. Und weil er selbst ungebeten und ohne daß wir es verdient hätten, beschlossen hat, uns reichlich zu beschenken, verheißt er zugleich, auf unser Bitten hin zu geben. Darum ist beides festzuhalten: er kommt unseren Bitten von sich aus zuvor, und doch erreichen wir durch unser Gebet, was wir ersehen. […]

V. 9: *Darum sollt ihr also beten.* Dafür hat Lukas (11,2): *Wenn ihr betet, so sprecht.* Christus meint nicht, daß die Seinigen sich beim Gebet streng an gewisse Worte halten sollen, sondern er zeigt bloß, worauf sich alle Wünsche und Gebete beziehen müssen. In sechs Bitten faßt er zusammen, was wir von Gott erbitten dürfen, und wir können nichts Besseres tun als auf seine Anweisung zu achten. Das Gebet ist die vornehmste Übung der Frömmigkeit; aber unser Denken ist nicht imstande, unsere Bitten richtig zu gestalten und unsere Wünsche zu regeln. Daher betet niemand recht, dessen Mund und Herz nicht durch den himmlischen Lehrer gelenkt wird; und darum ist uns dieses Gebet mitgeteilt worden als Maßstab für alle unsere Bitten, wenn sie richtig und Gott wohlgefällig sein sollen. Keine Gebetsformel wollte der Sohn Gottes uns geben, von der abzuweichen nicht erlaubt sei, sondern ein Beispiel, damit unsere Gebete nicht zügellos und schrankenlos würden. Aber er wollte doch unsere Bitten auf diese Weise leiten und zügeln, damit sie nicht außerhalb dieser Grenzen in die Irre gingen. Folglich sind nicht die Worte, sondern der Inhalt des Herrengebets bestimmend für die Weise unseres Betens.

Von den sechs Bitten haben die drei ersten die Ehre Gottes im Auge, ohne Rücksicht auf uns zu nehmen; die drei letzten beschäftigen sich mit dem, was zu unserem Heile dient. Denn wie bei dem Gesetz Gottes zwei Tafeln unterschieden werden, von denen die erste die Pflichten der Frömmigkeit enthält, die andere die Pflichten der Liebe gegen den Nächsten, so befiehlt uns auch Christus beim Gebet einerseits, Gottes Ehre in den Blick zu nehmen und zu suchen, und erlaubt uns andererseits, an uns zu denken. Dann erst vermögen wir also recht zu beten, wenn wir nicht nur um uns und den eignen Nutzen besorgt sind, sondern der Ehre Gottes den ersten Platz einräumen. Denn das wäre das Allerverkehrteste, würden wir lediglich um das Unsrige sorgen und das Reich Gottes zurückstellen, welches doch wichtiger ist.

Unser Vater in dem Himmel. Zwei Dinge müssen wir bedenken, sooft wir uns zum Gebet anschicken: einmal, daß uns der Zugang zu Gott offensteht, zum andern, daß wir uns in ganzem, festem Vertrauen an ihn anlehnen dürfen. Denn seine Liebe gegen uns ist väterlich und seine Macht ist unermeßlich. Deshalb sollen wir nicht zweifeln, daß Gott uns freundlich umfangen will, daß er bereit ist, unsere Bitten zu erhören, und daß er willig ist, uns zu helfen. Christus redet Gott als den *Vater* an. Durch diesen Beinamen gibt er uns schon reichlich Grund zum Vertrauen; aber weil wir uns doch nur zur Hälfte an seiner Güte beruhigen, rühmt er in den folgenden Worten seine Macht. Denn wenn die Schrift sagt, Gott sei *im Himmel,* so bedeutet dies: alles ist seiner Herrschaft unterworfen, die Welt mit allem, was in ihr ist, wird von seiner Hand gehalten, seine Kraft ist überall, und alles besteht durch seine Vorsehung. Ps. 2,4 sagt David: „Der im Himmel wohnet, lachet ihrer", und Ps. 115,3 heißt es: „Unser Gott ist im Himmel, er kann schaffen, was er will." Er wohnt im Himmel, aber er ist nicht dort eingeschlossen, vielmehr lesen wir von ihm 2. Chr. 2,5: „Aller Himmel Himmel mögen ihn nicht fassen." Dagegen hebt solche Redeweise ihn aus der Reihe der Geschöpfe heraus als der nicht niedrig und nicht irdisch ist. Sobald die Schrift von ihm spricht, erinnert sie, daran zu denken, daß er erhabener ist als die ganze Welt. Jetzt erkennen wir, was Christus will: gleich im Anfang des Gebets will er den Glauben der Seinigen fest auf Gottes Güte und Macht gründen, weil nur den Bitten, die im Glauben festgegründet sind, der Erfolg nicht fehlt. Da es nun eine unsinnige Anmaßung wäre, Gott als Vater anzurufen, sofern wir nicht Glieder am Leibe Christi sind und darum als Kinder anerkannt werden, so folgt daraus, daß wir nur dann recht beten, wenn wir im Vertrauen auf den Mittler Gott nahen.

Dein Name werde geheiligt. Dieser Satz macht deutlich, was wir sagten, daß wir in den drei ersten Bitten unsere eignen Anliegen zurückschieben und an Gottes Ehre denken sollen: nicht als ob Gottes Ehre mit unserem Heil gar nichts zu schaffen hätte, sondern weil die Herrlichkeit Gottes allen anderen Sorgen bei weitem vorgezogen werden muß. Es ist für uns heilsam, daß Gott herrscht und die ihm gebührende Ehre empfängt; allein niemand brennt vor Eifer um die Ehre Gottes, wie es sein soll, der nicht seiner selbst gewissermaßen vergessend, sich aufmacht, um Gottes Größe zu suchen. Die drei Bitten weisen große Verwandtschaft und Ähnlichkeit auf. Die Heiligung des Namens Gottes und das Kommen seines Reiches sind immer miteinander verbunden, und zu seiner Herrschaft gehört vor allem dies, daß sein Wille geschehe. [...]

Daß Gottes Name geheiligt werde, bedeutet, daß man ihm die gebührende Ehre erweisen soll, so daß die Menschen nie ohne die höchste Ehrerbietung von ihm reden oder an ihn denken. Das Gegenteil ist Entweihung seines Namens: ihrer macht sich schuldig, wer seine Majestät schmälert oder nicht mit der nötigen Ehrfurcht auf Gottes Majestät schaut. Wiederum hängt die Ehre, mit der Gott geheiligt wird, davon ab, ob seine Weisheit, Güte, Gerechtigkeit und Macht und seine anderen Eigenschaften unter den Menschen anerkannt werden. Denn in sich selbst hat Gott immer seine Heiligkeit: allein die Menschen verdunkeln dieselbe durch ihre Verkehrtheit und Bosheit oder beflecken sie durch schändliche Verachtung. Das Anliegen der Bitte ist also, daß die Herrlichkeit Gottes in der Welt leuchtet und so, wie sie ist, unter den Menschen gerühmt und gepriesen werden möge. Die reine Religion gedeiht dann am besten, wenn die Menschen davon überzeugt sind, daß alles, was von Gott ausgeht, richtig und löblich ist und voll von Gerechtigkeit und Weisheit. [...]

V. 10: *Dein Reich komme.* Wir müssen nun zunächst den Begriff „Reich Gottes" zu bestimmen suchen. Gott herrscht unter den Menschen, wenn sie sich willig seiner Herrschaft hingeben und unterwerfen, indem sie ihr Fleisch unter sein Joch beugen und ihren Lüsten absagen. Denn in unserer verderbten Natur sind alle unsere Sinne Knechte des Teufels, die als solche der Gerechtigkeit Gottes widerstreben und so sein Reich hindern und verwirren. Daher beten wir in dieser Bitte darum, daß Gott jedes Hindernis wegräumen, alle Sterblichen sich untertänig machen und sie bewegen möge, dem ewigen Leben nachzudenken. Dies geschieht teils durch die Predigt des Worts, teils durch das verborgene Wirken des Geistes. Durch sein Wort will der Herr die Menschen regieren; weil aber das bloße Wort ohne die innerlich wirkende Kraft des Geistes nicht bis in die Herzen durchdringt, muß beides zusammengehören und zusammenwirken, damit Gottes Reich aufgerichtet werde. Wir bitten also, daß Gott durch Wort und Geist seine Macht entfalten möge, damit die ganze Welt sich ihm aus freien Stücken unterwerfe. Das Reich Gottes ist das Gegenteil von aller Unordnung und Verwirrung; denn soweit er nicht selbst mit seiner Hand die Pläne und Gesinnungen der Menschen lenkt, ist in der Welt lauter Unordnung. Folglich fängt das Reich Gottes in uns damit an, daß unser alter Mensch stirbt und wir uns selbst verleugnen, damit wir zu einem anderen Leben erneuert werden. Doch herrscht Gott auch noch in einem anderen Sinne, wenn er nämlich seine Feinde zu Boden wirft und samt dem Satan, ihrem Haupt, unter seine Gewalt zwingt, bis sie alle zum Schemel seiner Füße werden (Ps. 110,1). Somit ist der Inhalt dieser Bitte, daß Gott durch das Licht seines Wortes die Welt erleuchten, durch das Wehen seines Geistes die Herzen seiner Gerechtigkeit untertan machen, und was in Unordnung auf Erden ist, durch seine Leitung wieder in rechten Stand bringen möge. Mit der Unterwerfung der Begierden unseres Fleisches fängt er seine Herrschaft an. Weil aber das Reich Gottes in stetem Fortschritt zunehmen muß bis ans Ende der Tage, sollen wir täglich um sein Kommen bitten. Denn soviel Ungerechtigkeit noch auf Erden herrscht, soviel fehlt noch an der vollen Offenbarung des Reiches Gottes, welches eine vollkommene Gerechtigkeit mit sich bringt.

Dein Wille geschehe. [...] Es ist zwar schon ein frommes Gebet, wenn wir uns dem Willen Gottes unterwerfen, allein die Bitte greift weiter: wir beten, daß Gott allen aufrührerischen Trotz der Menschen niederschlage und sie gelehrig und sanft mache, so daß sie nur wollen und wünschen, was ihm gefällt. Hat es aber Zweck, Gott um etwas zu bitten, das, wie er selbst vorhersagt, bis ans Ende der Welt nicht eintreten wird? Ich antworte, daß man nicht notwendig an allen und jeden einzelnen Menschen denken muß, wenn wir wünschen, daß sich die Erde gehorsam dem Wink Gottes fügen möge. Es genügt, daß wir durch diese Bitte bezeugen, wie wir alles, was dem Willen Gottes widerstrebt, von Herzen hassen und beklagen, und wünschen, daß es anders sei. [...]

V. 11: *Unser täglich Brot.* Dies ist nun, wie ich schon gesagt habe, gleichsam die zweite Tafel des Gebets, das Christus uns aufgetragen hat. [...] Wenn auch die Vergebung der Sünden der Nahrung vorzuziehen ist, wie nämlich die Seele dem Leib vorangeht, beginnt Christus doch mit dem Brot und der Erhaltung des irdischen Lebens, um von solchem Anfang uns höher emporzuführen. Denn wir bitten nicht um das tägliche Brot, bevor wir mit Gott ausgesöhnt sind, als ob uns vergängliche Speise für den Bauch mehr bedeuten müßte als das ewige Heil unserer Seele, sondern unsere Sinne steigen wie auf einer Leiter von der Erde zum Himmel hinan. Denn wenn Gott sich herabläßt, unseren Leib zu ernähren, kümmert er sich zweifellos um unser geistliches Leben noch weit mehr. Darum zieht seine gütige Nachsicht unser Vertrauen in die Höhe. Daß manche das „tägliche" Brot für überirdisch halten, ist widersinnig. Der Grund, den Erasmus dafür anführt, ist nicht nur armselig, sondern widerspricht auch der Frömmigkeit. Es erscheint ihm unwahrscheinlich, daß Christus uns gebietet, über Nahrungsmittel Worte zu machen, während wir vor das Angesicht Gottes treten. Als ob wirklich nicht überall in der Schrift uns die Ansicht begegnete, daß wir durch den Genuß irdischer Güter zur Hoffnung auf die himmlischen geführt werden. Dies ist ein rechter Prüfstein unseres Glaubens, daß wir alles nur von Gott erwarten und ihn nicht nur als den einzigen Quell aller Güter erkennen, sondern auch erfahren, daß sich seine väterliche Güte auch an das Geringste verschenkt, so daß er sich nicht einmal weigert, die Sorge für unser Fleisch zu übernehmen. Daß hier Christus aber über die leibliche Nahrung spricht, zeigt uns erst, daß ein Gebet (ohne diese Bitte) überhaupt unvollständig wäre. Denn an vielen Stellen (der Schrift) wird uns geboten, all unsere Sorge in Gottes Schoß abzuladen, und er hat uns reichlich verheißen, uns an keinem Ding fehlen zu lassen. Also gehört es zu der vollkommenen Richtschnur eines rechten Gebets, von den unzähligen irdischen Notwendigkeiten irgendeine herauszugreifen.

Ferner bedeutet das Wörtchen *heute*, daß wir hier nur erbitten sollen, was für den Tag bestimmt ist. Denn zweifellos wollte er die Gier nach irdischem Unterhalt, von der wir alle maßlos besessen sind, eindämmen und mäßigen. Oft wird das Wort „Brot" als gleichbedeutender Begriff für anderes gebraucht. Denn darunter verstanden die Hebräer alle Art Nahrungsmittel. Doch muß es hier noch weiter ausgedehnt werden; denn Gottes Hand reicht uns nicht nur Speise dar, sondern wir dürfen alles, was wir zum Erhalt unseres Lebens brauchen, von ihm erbitten. Jetzt ist der Sinn klar: wir sollen zuerst darum bitten, daß Gott, wie er uns in dieser Welt das Leben geschenkt hat, es auch beschützen und erhalten möge, und weil wir so vieler Hilfsmittel bedürfen, uns zukommen lasse, was immer er für uns als nötig erachtet. Da Gottes Güte in ununterbrochenem Fluß fließt, um uns zu ernähren, wird es „tägliches Brot" genannt. Das griechische Wort für *„täglich"* kann übersetzt werden „das uns unvermutet zukommende". Also bedeutet dieses Wort ebensoviel, wie wenn er sagen würde: Herr, da unser Leben täglich wieder neue Nahrungsmittel braucht, mögest du niemals müde werden, uns sie reichlich zu schenken. [...]

V. 12: *Und vergib uns unsere Schuld.* Hier muß ich daran erinnern, was ich schon oben gesagt habe, daß Christus beim Einteilen der Bitten der Seinen nicht darauf achtete, was der Ordnung nach früher oder später käme. Denn nach der Schrift sind unsere Sünden wie ein Zaun, der uns den Zugang zu Gott versperrt, und wie eine Wolke, so daß unsere Augen ihn nicht sehen können (Jes. 59,2; 44,22; Klgl. 3,44). Darum muß unser Gebet immer mit der (Bitte um) Vergebung der Sünden beginnen, weil wir erst auf Erhörung hoffen können, wenn Gott uns gnädig gesinnt ist; das heißt aber, er versöhnt sich nicht anders mit uns, als daß er uns unsere Sünden umsonst vergibt. [...] Matthäus nennt die Sünden *Schuld,* weil sie uns vor dem Richtstuhl Gottes anklagen und uns als Schuldner hinstellen; ja, sie scheiden uns so völlig von Gott, daß keine Hoffnung besteht, Friede und Gnade zu erlangen, außer durch die Vergebung. So erfüllt sich, was Paulus (Röm. 3,23) bezeugt, daß alle Menschen Angeschuldigte sind und des Ruhmes mangeln, damit jeder Mund verstopft werde und alle Welt Gott schuldig sei. Denn obwohl bei den Heiligen die Gerechtigkeit Gottes teilweise durchscheint, tragen sie doch die Last der Sünde, solange sie im Fleisch leben. Niemand wird so rein erfunden, daß er nicht der göttlichen Barmherzigkeit bedürfte. Wenn wir ihrer teilhaftig werden wollen, müssen wir unser Elend erkennen. [...]

Wie wir vergeben. Diese Bedingung ist zugefügt, damit nicht einer wage, Gott um Vergebung zu bitten, der sich nicht ganz frei von allem Haß fühlt. Doch hängt die Vergebung, die wir für uns erbitten, nicht von der ab, die wir anderen gewähren, sondern Christus wollte uns auf diese Weise ermahnen, alle Kränkungen zu vergeben. Zugleich sollte es, gleichsam wie durch ein aufgedrücktes Siegel, das Vertrauen auf unseren Freispruch bekräftigen. [...]

V. 13: *Und führe uns nicht in Versuchung.* Manche teilen diese Bitte verkehrterweise in zwei auf, obwohl aus der Sache selbst hervorgeht, daß es ein und dieselbe ist, und die Verbindung der Worte das ebenfalls beweist. Denn das Wörtlein „*sondern*" in der Mitte verbindet zugleich beide Glieder miteinander; auch Augustin urteilt in kluger Weise so. Darum muß man die Bitte so verstehen: Erlöse uns von dem Bösen, damit wir nicht in Versuchung geführt werden. Das heißt, wir bitten, daß Gott, der um unsere Schwachheit weiß, uns mit seiner Hilfe schütze, damit wir allen Machenschaften Satans uneinnehmbar standhalten. Wir haben ja schon bei der vorangehenden Bitte gesehen, daß nur der Christ ist, der seine Verstrickung in die Sünde erkennt; nun lernen wir hier, daß unsere Kräfte uns zu einem guten Wandel in gar keiner Weise genügen, solange uns Gott nicht reichlich damit ausstattet. Denn wer immer Gottes Hilfe zur Überwindung der Anfechtungen erfleht, bekennt, daß er den Erretter selbst braucht, um nicht immer wieder zu fallen.

Im übrigen wird das Wort *Versuchung* oft ganz allgemein für jegliche Art Prüfung gebraucht. In diesem Sinn ist Abraham von Gott versucht worden, als Gott dessen Glauben auf die Probe stellte. So werden wir im Unglück wie im Glück versucht, weil bei solchem Anlaß die bis dahin verborgenen Leidenschaften ans Licht kommen. Hier jedoch ist die innere Versuchung gemeint, die man wohl eine Peitsche des Teufels nennen kann, mit der er unsere Begierde aufreizen will. Denn es wäre widersinnig, Gott zu bitten, uns von allen Bezeugungen des Glaubens zu verschonen. Darum versteht man unter *Versuchung* alle bösen Leidenschaften, die uns zur Sünde aufwiegeln. Weil wir aber solche Anreize in unserem Herzen wohl merken können – denn unser ganzes Leben bedeutet für uns beständigen Kampf mit dem Fleisch –, bitten wir Gott, uns den Versuchungen nicht preiszugeben oder nicht zuzulassen, daß wir ihnen unterliegen. Um besser auszudrücken, daß wir fortlaufend in Gefahr sind, Fehltritte zu tun und zu stürzen, wenn Gottes Hand uns nicht trägt, gebraucht Christus diese Form der Rede: „Führe uns nicht in Versuchung" oder, wie andere abwandeln: „Füge uns keine Versuchung zu". Sicher ist jedenfalls, daß hier jeder von seiner eigenen Begierde versucht wird, wie Jakobus (1,14) schreibt. […]

Erlöse uns von dem Bösen. Man kann hier „das Böse" oder „der Böse" verstehen. Chrysostomus bezieht das Wort auf den Teufel, der der Anstifter alles Übels ist und als der bedrohliche Feind unseres Heils uns beständig angreift. Ebenso sinnvoll jedoch könnte das Wort auch auf die Sünde gedeutet werden. Doch ist das keine Ursache zum Streit, weil beide Male fast der gleiche Sinn erhalten bleibt; denn wir sind selbstverständlich Teufel und Sünde preisgegeben, wenn der Herr uns nicht schützt und errettet.

Denn dein ist das Reich. Es ist seltsam, daß dieser Schluß des Gebets, der so geschickt abschließt, bei den lateinischen (Handschriften) fehlt. Denn er ist nicht nur hinzugefügt, um unsere Herzen zu entzünden, nach Gottes Ehre zu trachten und daran zu erinnern, welches das Ziel unserer Bitten sein soll. Er lehrt auch, daß alle unsere Bitten, wie sie uns hier vorgesprochen werden, allein in Gott gründen sollen, damit wir uns nicht auf eigenes Verdienst stützen.

Mt. 7, 15–23: Falsche Propheten

LUTHER

WA 10 III, 257–268: Predigt am 8. Sonntag nach Trinitatis, 10.8.1522
WA 17 I, 354–372: Predigt am Sonntag nach Jakobi, 30.7.1525
WA 15, 657–662: Predigt am 8. Sonntag nach Trinitatis, 17.7.1524
WA 29, 473–482: Predigt am gleichen Sonntag, 18.7.1529
WA 29, 482–488: Predigt am gleichen Sonntag, nachmittags.
WA 37, 493–498: Predigt am gleichen Sonntag in Dessau, 26.7.1534

V. 15: 29, 477, 10: Merke, wenn das Evangelium anfängt, so werden auch falsche Propheten da sein. Wo Gott eine Kirche baut, baut der Teufel eine Kapelle daneben.

29, 477, 23: Sobald ein falscher Prophet kommt, müssen ihrer mehr werden. Das Gesindel vermehrt sich mehr als die Heuschrecken ... Wo das Evangelium angeht, dort feiert der Satan nicht, bis er eine Zwietracht unter den Menschen angerichtet hat.

17 I, 358, 5: Die Plage, daß so viele Bauern erschlagen sind, ist nichts als ein Scherz dagegen, wenn Gott die Welt verblendet und falsche Propheten schickt, sie zu verführen. Dann wird der Himmel zugeschlossen und die Hölle geöffnet.

V. 16: 10 III, 266, 7: Kein Mensch soll denken, daß er's aus den Früchten erkennen kann, er sei denn gläubig. Denn die Ungläubigen zeigen zuzeiten Früchte, die der Vernunft gut und geistlich erscheinen, und die Gläubigen wiederum zeigen auch zuzeiten Früchte, die der Vernunft böse und ungeistlich erscheinen. Darum kann man nichts aus den Werken erkennen, denn die rechten Früchte, daran sie erkannt werden, sind inwendig im Herzen. Also ist die Vernunft und das Auge nicht Richter, sondern Gottes Geist in uns.

10 III, 267, 12: Man erkennt einen wohl an den Früchten, aber allein durch den Geist.

17 I, 367, 10: Das wirst du an den falschen Propheten sehen, du wirst keinen Funken Liebe finden, sondern untereinander sind sie Freunde und nennen sich auch gegenseitig ‚christliche Brüder', gegen andere sind sie voller Gift. Da ist kein Erbarmen und keine Geduld.

V. 18: 29, 483, 10: Sicher ist, wo die christliche Kirche ist, da ist auch die Frucht, daß das Evangelium gepredigt wird und man Christus bekennt. Und daraus folgen die Früchte, den Nächsten zu lieben, ihm zu dienen und zu helfen.

V. 19: 17 I, 371, 6: Wenn wir es nur erwarten können, so wird sich zeigen, daß die Pseudopropheten nicht bleiben werden. Die wahren werden bleiben, weil Gottes Wort in Ewigkeit bleibt. Die Pflanzung des Teufels bleibt nur für eine Zeitlang, wie Psalm 1 sagt: ‚Wie Spreu, die der Wind verweht' ... Nach dem Glauben messen wir die Lehre, nach der Liebe alle Werke. Wer diese beiden nicht hat, täuscht sich leicht.

V. 20: 15, 660, 8: ‚Aus den Früchten sollt ihr sie erkennen'. Das Reich Gottes ist inwendig durch den Glauben. Die Früchte sind die Werke, die aus den Geboten Gottes folgen, nämlich Gott fürchten, das Wort hören und lehren, wie es recht ist: Gott den Sabbat halten, nicht im Glück hochmütig werden, sondern völlig in den Werken Gottes stehen. Durch diese Werke wird erkannt, ob jemand ein wahrer Christ ist.

15, 661, 35: Ein Christ ist nicht Christus. Der Christ wird ein guter Baum, ist es aber nicht. Christus allein ist im Sein.

37, 495, 17: Also, sieh ihre Frucht an und kehre dich nicht an ihren Namen, unterscheide zwischen Name und Frucht … Die christliche Kirche hält es so, daß sie deswegen heilig genannt wird, weil sie Christus gehorcht.

ZWINGLI

S 6,1 395–483: Additamenta ad Zwinglii Commentarium in Evangelium Matthaei, herausgegeben von Leo Jud 1539
Z II 1–457: Auslegen und Gründe der Schlußreden, 14.7.1523.
Z III 355–469: Wer Ursach gebe zu Aufruhr, Dez. 1524.

V. 15: S 6,1,408: Der Prophet soll nicht nur das sagen, was jedermann ohnehin weiß oder gerne hört. Vielmehr soll er über die Wahrheit besser im Bilde sein und mehr wissen als der Mann von der Straße. Auch soll er, was er zu sagen hat, vorbringen, geb Gott ob man es gerne hört oder nicht. Denn wenn der Prophet tändelt oder süß schwätzelt, geht alle Gerechtigkeit und die Freiheit im öffentlichen Leben verloren.

V. 16: Z III 383, 10–12. 18–23: Vor allen Dingen soll unser Leben Gottes Wort entsprechen, dessen wir uns rühmen. […] Es ist wahr: allein um des Glaubens willen erweist uns Gott seine Gnade. Wo aber keine christlichen Werke daraus hervorgehen, fehlt zweifellos auch der Glaube. Denn man erkennt den Baum an den Früchten. Glaube kann ohne Werke gar nicht sein, wie hinwiederum auch die Werke ohne Glauben nicht sein können (Mt. 7).

V. 18: Z II 179,29–30: Wenn du keine gute Frucht bringst, ist dies ein Zeichen dafür, daß du ein kranker Baum bist.

V. 22: Z II 214,8–17: Viele Wunderzeichen geschehen aus Betrug. Ich habe derer eine ganze Menge selber erfahren. Es würde zu lange, davon zu erzählen. Wunderzeichen beweisen noch nichts über die Heiligkeit eines Menschen. Das betont Christus selbst (Mt. 7): Viele werden zur selben Zeit zu mir sprechen. […] Schau, große Gottestaten getan zu haben, sagt nichts aus über eines Menschen Heiligkeit; auf eine christliche Lebensführung kommt es an.

Calvin

CO 45, 224–228

V. 15: *Seht euch vor vor den falschen Propheten.* Mit diesen Worten zeigt Christus, daß seine Gemeinde mancherlei Betrug ausgesetzt werde; denn es bestehe Gefahr, daß viele vom Glauben abfielen, wenn sie nicht auf der Hut seien. Wir wissen, wie leicht die Menschen auf leeres Geschwätz hereinfallen. So trachten sie von Natur aus nicht nur danach, getäuscht zu werden, sondern die einzelnen scheinen auch geradezu geschickt zu sein, sich selbst zu betrügen. Zudem legt Satan, ein außerordentlicher Künstler im Betrug, unablässig Schlingen, um die Einfältigen und Arglosen zu fangen. [...] Darum ermahnt Christus seine Jünger, dem Hinterhalt Satans aus dem Weg zu gehen, wenn sie bestehen wollten. [...] Natürlich ist das etwas Großes, wenn wir uns von rechtschaffenen und treuen Dienern Christi leiten lassen. Aber weil andererseits auch falsche Lehrer auftauchen, wird es ihnen leicht sein, uns von der Herde wegzulocken, wenn wir nicht fleißig wachen und uns mit Beharrlichkeit sichern. Um so mehr gilt auch jenes Wort Christi: Die Schafe hören die Stimme des Hirten; einen Fremden aber hören sie nicht, sondern fliehen vor ihm (vgl. Joh. 10, 3 ff.). Daraus folgt auch, daß die Gläubigen nicht mutlos zu werden oder sich aufzuregen brauchen, wenn sich Wölfe in den Schafstall Christi einschleichen, wenn falsche Propheten versuchen, mit Irrlehren den reinen Glauben zu untergraben. Sie müssen vielmehr geweckt werden zum Wachestehen, denn Christus befiehlt nicht von ungefähr, auf der Hut zu sein. [...] Nun, da wir wissen, daß der Herr nicht duldet, daß wir von dem Andrängen Satans verführt werden, fahren wir unerschrocken fort, ihn um den Geist der Unterscheidung zu bitten, durch den er, wie er unseren Herzen die Treue zu seiner Wahrheit versiegelt, so die Intrigen und Betrügereien Satans aufdeckt, damit wir nicht getäuscht werden. Wenn Christus sagt, sie kämen in *Schafskleidern,* wo sie doch innerlich reißende Wölfe sind, heißt das, wir dürfen uns nicht um den schönen äußerlichen Anstrich kümmern, und nur Klugheit kann sie ganz und gar durchschauen.

V. 16: *An ihren Früchten sollt ihr sie erkennen.* Wenn dies Unterscheidungsmerkmal nicht hinzugefügt wäre, müßte man ohne Ausnahme die ganze Glaubwürdigkeit aller Lehrer prüfen. Denn wenn von irgendwelchen Lehrern her eine unheilvolle Gefahr droht und man keinen Rat weiß, ihr aus dem Weg zu gehen, wird man notwendig bei allen von ihnen Verdacht schöpfen. Der beste Weg wäre dann, gegen sie alle die Ohren zu verstopfen. [...] Um seinem Evangelium und dessen aufrichtigen Dienern und Lehrern nichts an Verehrung zu entziehen, befiehlt Christus, über die falschen Propheten nach ihren Früchten zu entscheiden. [...] Jetzt müssen wir noch überlegen, was für *Früchte* Christus denn meint: Man täuscht sich meiner Ansicht nach, wenn man nur an den Wandel denkt. Denn da oft gerade die übelsten Betrüger mit falscher Heiligkeit und allen möglichen Masken eines gestrengen Wandels prahlen, wäre das ein sehr unsicherer Prüfstein. Ich gestehe allerdings, daß Heuchelei einmal aufgedeckt wird, weil nichts schwieriger ist, als eine Tugend vorzutäuschen. Doch Christus wollte seine Lehre nicht einem so unbilligen und zugleich wenig klaren Urteil unterwerfen, so daß sie am Leben der Menschen abgelesen werden müßte. Darum ist unter den Früchten auch einbegriffen die Art und Weise, wie gelehrt wird; das ist sogar besonders wichtig. Denn auch Christus beweist seine göttliche Sendung damit, daß er nicht sich selbst verherrlicht, sondern den Vater, der ihn gesandt hat (vgl. Joh. 7, 18). Wenn man entgegnet, nur wenige besäßen solchen Scharfsinn, daß sie die guten Früchte von den schlechten unterscheiden könnten, so wiederhole ich, daß den Gläubigen niemals der Geist der Unterscheidung fehlen wird, sooft sie ihn brauchen, wenn sie nur sich selbst mißtrauen, ihrem eigenen Gefühl aufsagen und sich ganz seiner Leitung überliefern. Indessen müssen wir im Gedächtnis behalten, daß alle Lehre am Wort Gottes zu messen ist und daß darum bei der Beurteilung falscher Propheten die Übereinstimmung mit dem Glauben (Röm. 12, 6) den Ausschlag gibt. [...]

Kann man auch Trauben lesen. Mit diesen Sprichwörtern, die damals beim Volk im Umlauf waren und eine allgemeine Ansicht wiedergeben, bestätigt Christus, niemand könne von den falschen Propheten verführt werden, wenn er sich nicht selbst verblende; denn die Früchte enthüllen rechtschaffene Diener Gottes und trügerische Pfuscher ebenso, wie sie einen Baum bezeichnen. [...]

V. 22: *Im Namen Christi* weissagen heißt soviel, wie mit seiner Vollmacht und unter seiner Führung das Lehramt ausüben. Denn „Prophetie" wird meiner Ansicht nach hier in erweitertem Sinn gebraucht, wie auch 1. Kor. 14. Er hätte nämlich einfach von „Predigen" sprechen können; aber er gebraucht (den Ausdruck) mit Absicht, weil er feierlicher klingt und besser ausdrückt, daß das äußerliche Bekenntnis noch nichts bedeutet, mit wieviel Glanz es die Menschen auch umgeben. Ebenso bedeutet *im Namen Christi Taten tun* nichts anderes, als mit seiner Kraft und nach seinem Willen und Auftrag Wunder vollbringen. Zwar wird bisweilen das Wort *Taten* auf eine besondere Art von Wundern beschränkt, doch bezeichnet es an dieser Stelle alle möglichen verschiedenen Wunder.

V. 23: *Dann werde ich ihnen bekennen.* Mit diesem Ausdruck scheint Christus auf die gleißnerischen Worte anzuspielen, die die Heuchler prahlend immer im Mund führen. Gerade, als ob er sagen würde: Sie meinen zwar, wenn sie mich mit der Zunge bekannt haben, ihrer Pflicht Genüge zu leisten; jetzt hört man von ihren Lippen das volltönende Bekenntnis meines Namens, aber ich werde meinerseits umgekehrt bekennen, daß ihr Bekenntnis eitle Lüge ist. Wie lautet aber das Bekenntnis Christi? Er habe sie niemals zu den Seinen gezählt, auch nicht zu der Zeit, in der sie sich rühmten, Säulen der Gemeinde zu sein. Darum befiehlt er ihnen, sich zu packen, die sich damals unter falschem Namen den unrechtmäßigen Besitz seines Hauses erschlichen haben. [...]

Mt. 8,23–27: Die Stillung des Sturmes

LUTHER

WA 32,8–16: Predigt am 4. Sonntag nach Epiphanias, 30.1.1530.

32, 8,2: Hier hört ihr, wie die lieben Jünger in große Angst und Not geführt werden, weil sie dem Herrn gefolgt sind, als er ins Schiff tritt und aufs Meer fährt. Das ist das größte Beispiel der Lehre vom Glauben, die wir lehren und die eine Lehre für fromme Seelen ist und nicht für die anderen. Der ist nichts für alle, nur wenige wissen von ihm. So sehet ihr hier, wie das Unwetter den Jüngern auf den Hals kommt. Darinnen wird ihr Glaube versucht, und jetzt findet es sich, wie stark oder schwach er ist. Bevor sie ins Schiff gingen, konnten sie Berge versetzen, und Herz und Leib waren voller Glaube. So ist die ganze Welt voll von Glauben und Vertrauen. Darum ist die Welt auch störrig und keck. Aber, wenn der Wind anfängt zu blasen und die Wellen ins Schiff schlagen, dann zeigt sich, daß er ein falscher Wahn war. Der Herr sagt nicht, daß sie keinen Glauben hätten, sondern daß er nur schwach wäre. Denn wenn ihr Glaube stark gewesen wäre, dann hätte er Wellen und Wind ins Schifflein schlagen lassen und hätte dennoch nichts gesehen als lauter Leben, Seligkeit und Ruhe. [...] An diesem Exempel können alle Schüler des Glaubens lernen: Wenn der Glaube seine Macht beweisen soll, dann ist er das allerschwächste Ding. Da ist die Verzweiflung, und die empfindet so, wie die Jünger in dieser Geschichte wohl Glauben haben. [...] Wodurch aber wird der Glaube so stark gemacht, da er doch so gering und dem Unglauben und der Verzweiflung ähnlicher ist? Nicht durch irgend etwas anderes, als daß jener kleine Glaube den Herrn und sein Wort ergreift. Sie greifen nicht zu den Rudern, sie schöpfen nicht das Wasser aus dem Schiff oder tun sonst etwas. Das wäre alles umsonst. Aber sie ergreifen dies Wort: ,Herr, hilf'. Und obwohl sie den Namen nennen, sehen sie dennoch nicht, daß er schon der Helfer ist, sondern sie haben nur gehört, daß er ein solcher ist. Also glauben sie: Das ist unser Sieg!

32, 10,11: Aber wenn sich der Glaube ans Wort hängt, dann wird alles still, weil Christus kommt und spricht zu Wind und Meer. Diese Geschichte mußt du auf alle Anfechtungen und Mühen beziehen, in welchen der Glaube arbeitet. Wenn das Gewissen spricht: Es ist verloren – das ist so, als hätten die Jünger gesagt: Was sollen wir rufen? Hier ist keine Rettung. Dann wären sie gewiß untergegangen, und er wäre allein übriggeblieben. Dann wäre nur noch reine Verzweiflung gewesen, kein Funke, weil sie das Wort hätten fahren lassen. So mögen wir denkbar schwach sein, wenn wir das Wort festhalten, dann ist keine Anfechtung so groß, sie muß weichen. Umgekehrt, wenn wir vom Wort abfallen und diese Erkenntnis der Jünger nicht haben, dann ist keine Sünde so gering, daß sie uns zu Fall bringt.

ZWINGLI

S 6,1 263–394: Annotationes in Evangelium Matthaei, 1529/30

S 6,1 253–254: Alles was Christus tut, dient uns entweder zur Lehre, oder es rüttelt uns auf oder tröstet uns, oder es manifestiert Gottes Macht und weist auf diese hin. Wenn er nun das Meer aufwühlt und wieder zur Ruhe bringt, so tut er dies, damit die Menschen erkennen: Er ist Gott. […] Außerdem lehrt er uns, in den Wogen der Widerwärtigkeiten standhaft zu sein und die Hoffnung auf die Hilfe des Herrn nicht zu verlieren. Er selbst ist es ja, der den Stürmen gebietet und die Wogen besänftigt. Gott ist es, der alles bewegt und alles wieder beruhigt; er selbst aber ist unbewegt und unveränderlich (Jak. 1, 17), gleich wie die Sonne über allem steht. Regnet es hier und schneit es dort, bebt hier die Erde, bleibt sie dort ruhig: die Sonne ändert ihren Lauf nicht. Genauso bleibt Gott in allem, was sich um uns herum nicht ohne seine Vorsehung bewegt, selbst unbewegt. Das zwingt uns förmlich zum Erkennen und Bekennen, daß er selbst es ist, der die Stürme zum Schweigen bringt, die zu besänftigen nicht in menschlichem Vermögen stand. Beispiele dieser Art gibt es heutzutage in der Auseinandersetzung um das Evangelium unzählige. Überall brechen Stürme herein und wollen das Schiff des Evangeliums zerschellen. Aber der Herr besänftigt sie nicht nur, sondern macht sie der Förderung des Evangeliums dienstbar. So schläft Christus und weiß trotzdem, was geschieht. Gott aber schläft nicht. Das meinen wir höchstens nur, wenn Gefahren hereinbrechen und Stürme und er mit seiner Hilfe nicht sogleich zur Stelle ist.

CALVIN

CO 45, 224–226

V. 23: *Und er trat in das Schiff.* Zuerst einmal ist sicher, daß es nicht ein zufälliger Sturm war, der den See aufwühlte. Denn wie hätte Gott es zugelassen, daß sein Sohn dem blinden Angriff des Wetters ausgesetzt gewesen wäre? Vielmehr wollte er bei dieser Gelegenheit den Aposteln zeigen, wie schwach und gebrechlich ihr Glaube noch war. Wohl war Christi Schlaf ein natürlicher, aber er diente doch auch dem gleichen Ziel; die Jünger sollten ihre Schwachheit deutlicher erkennen. [...] Wir sehen hieraus, daß der Herr, sooft er uns Widrigkeiten entstehen läßt, unsern Glauben prüft. Wenn aber das Unheil anwächst, so daß es uns fast zugrunde richtet, geschieht das nach demselben Plan Gottes: er will unsere Ausdauer stählen und auf diese Weise unsere verborgene Schwachheit ans Licht ziehen, wie wir sehen, daß, als die Fluten die Apostel bedrängten, ihre Schwachheit aufgedeckt wurde, von der man vorher nichts wußte.

V. 25: *Herr, hilf uns.* Das war anscheinend doch ein frommes Gebet, denn was hätten sie Besseres tun können, als, schon fast verloren, dennoch Christus um Hilfe zu bitten? Aber wenn Christus ihren Unglauben verurteilt, müssen wir zusehen, in welcher Hinsicht sie falsch gehandelt haben. Zweifellos fühlten sie sich zu sehr auf die leibliche Gegenwart des Meisters angewiesen. Denn bei Markus bitten sie nicht einfach, sondern sie beschweren sich bei ihm: „Meister, fragst du nichts danach, daß wir verderben?" Auch Lukas bemerkt ihre Verstörtheit und Unruhe: „Meister, Meister, wir verderben!" Sie hätten fest glauben sollen, daß Christi Gottheit nicht mit in den Schlaf des Fleisches hineingezogen wurde, sie hätten ihre Zuflucht zu ihr nehmen sollen. Sie jedoch warteten ab, bis es zum Äußersten kam; dann gerieten sie durch eine unbändige Furcht in Verwirrung, daß sie sich nur noch Rettung erhofften, wenn sie Christus aufweckten. Das ist der Grund, warum er ihnen Unglauben vorwirft. Denn daß sie ihn um Hilfe baten, war eher ein Zeichen von Glauben; sie hätten eben im Vertrauen auf seine göttliche Macht gelassen und ohne solche Furcht die Hilfe erhoffen sollen, die sie erbaten.

Weiterhin ist hier die Lösung der Frage, die aus seinem Tadel entstehen könnte, ob denn jegliche Furcht mangelhaft sei und dem Glauben widerstreite. Einmal tadelt er sie nicht einfach, weil sie sich fürchten, sondern weil sie (über die Maßen) furchtsam sind. [...] Die Furcht geht in dem Augenblick über das Maß hinaus, in dem sie die Gelassenheit des Glaubens, der seine Ruhe im Wort Gottes finden soll, in Verwirrung bringt und erschüttert. Da es jedoch niemals dazu kommt, daß sich die Gläubigen so in der Gewalt haben, daß ihr Glaube unangefochten wäre, sündigen sie beinahe immer, wenn sie sich fürchten. Allerdings muß man festhalten, daß nicht jegliche Furcht einen Mangel an Glauben aufweist, sondern nur der Schrecken, der den Frieden des Gewissens erschüttert, so daß es sein Vertrauen auf die Verheißung Gottes verliert.

V. 26: *Und bedrohte den Wind.* Markus gibt auch die Worte Christi wieder, mit denen er das Meer zur Ruhe zwingt. Er befiehlt dem See, still zu werden, nicht weil er ihm eine Art von Gehör zutraute, sondern um die Macht seiner Stimme zu zeigen, die sogar auf die stummen Elemente einzuwirken vermochte. [...]

V. 27: *Die Menschen aber verwunderten sich.* Markus und Lukas scheinen dies den Aposteln zuzuweisen. Denn (die beiden Evangelisten) erzählen, (die Jünger) seien von Christus zurechtgewiesen worden und fügen dann zu, sie hätten in ehrfurchtsvoller Scheu ausgerufen: *„Wer ist der?"* Der Satz trifft jedoch auf die andern besser zu, die Christus noch nicht kannten. Halten wir nun das eine oder das andere für richtig, in jedem Fall zeigt sich hier eine Frucht des Wunders, wenn die Herrlichkeit Christi gefeiert wird. Wenn man sich die Apostel als Redende denkt, so ist der Sinn der Worte, daß sich darin, daß ihm Wind und Meer gehorchten, seine göttliche Vollmacht hinreichend unter Beweis stellte. Da es jedoch wahrscheinlicher ist, daß andere so gesprochen haben, so weisen die Evangelisten mit diesen Worten darauf hin, daß das Wunder ihre Herzen traf, so daß die Ehrfurcht gegenüber Christus gewissermaßen zu einer Vorbereitung des Glaubens wurde.

Mt. 9,18–26: Die Tochter des Jairus und die blutflüssige Frau

LUTHER

WA 20,539–543: Predigt am 24. Sonntag nach Trinitatis, 11.11.1526
WA 27,420–432: Predigt am gleichen Sonntag, 22. 11. 1528

20, 539,21: Alle Predigt und alle Evangelien sagen, daß niemand anders zu predigen ist als die eine Person, die Christus ist, und was geschrieben ist in der Schrift, in beiden Testamenten, lenkt sie auf Christus und zeigt ihn.

V. 18: 27, 420,2: Dieses Evangelium stellt uns ein Beispiel des christlichen Glaubens, der Liebe und des heiligen Kreuzes vor Augen, das heißt, es ist ein Bild des ganzen christlichen Lebens.

27, 422,6: Das erste, was dem Glauben folgt, ist das Gebet, das die Frucht des Glaubens ist. Es gibt keinen Glauben ohne das Gebet wie Feuer ohne Hitze. So verhält es sich bei dem Obersten: Er hat eine herzliche Zuversicht und Verlangen, daß seine Tochter gesund werden möchte, und innerlich betet er stärker als alle Worte auf der Erde es könnten, er bittet und betet. So treibt denn der Glaube, unerschrocken zu Christus zu gehen. [...] So tut der Oberste auch hier und spricht: ‚Herr, meine Tochter ist gestorben'. Es sind einfältige Worte, aber höchst verwunderliche. Der Glaube im Herzen des Vaters ist das größere Wunder als die Erweckung des Mädchens.

V. 20: 20, 542,9: Ein Bild davon habt ihr an dieser Frau. Lukas und Markus schildern mehr davon. Jene hat alles an die Ärzte gehängt, und es wurde danach immer schlimmer. Du siehst, wie die zwei hier daniederliegen. Weil das Mädchen tot ist, so gibt es auch keine Kraft, durch die sie zum Leben erweckt werden könnte, aber durch die Berührung der Hand des Herrn wird sie lebendig, das heißt, dadurch, daß er sein Amt gebraucht, durch das er anzeigt, daß er der Herr des Todes ist. [...] Die Ärzte vermögen hier nichts, aber Christus hilft ihr, weil sie seinen Saum anrührt. Daher spricht Christus: ‚Nicht die Berührung, sondern der Glaube hat dir geholfen, der dich zum Berühren getrieben hat', denn sie hatte ja von Christus gehört.

27, 426,6: Siehe, welchen Glauben (die blutflüssige Frau) hatte. Sie ist nicht so keck, daß sie vor ihn hinträte, aber von hinten kommt sie heran. Aber trotzdem ist ihr Glaube so stark, daß sie zu ihm kommt, daß er seine Hand auf sie lege. Im Herzen spricht sie: ‚Wenn ich nur den Saum seines Gewandes anrühre', nicht daß sie seine Haut, sein Fleisch, sondern nur den Saum des Gewandes berühren möchte. Sie muß Christus für einen besonders heiligen Mann gehalten haben. Solches Herz sehet an, weil man den Glauben nicht so betrachten soll wie die große Menge. Sieh, wie das Herz gesonnen ist. [...] Jene gehen dahin wie die Trunkenen, kümmern sich um nichts, als um das, was in ihren Herzen ist, nämlich wozu die Not sie treibt und Christi Hilfe. Es ist eine unmögliche Sache, daß eine Frau zwölf Jahre lang blutflüssig gewesen ist und aus der Berührung geheilt wird. Das ist genauso, als wenn ich sagen würde: Ich will den Stein hier anrühren und eine Handvoll Gold darin finden. So tut sie auch, und es geschieht dennoch um des Glaubens willen. Was nämlich der Glaube glaubt, das muß auch geschehen. Wenn einer glauben würde und griffe hinein in diesen Pfeiler, so nähme er eine Handvoll Gold heraus.

V. 22: 27, 425,1: Christus zeigt ihm sofort an: ‚Wenn du glauben kannst, wenn du beten kannst, so kann ich geben und halten'. Er fügt nicht ein Wort hinzu, sondern eilt auf das Gebet hin, so als wollte er sagen: Ich habe eine große Freude, dir zu helfen.

ZWINGLI

S 6, 1 203–394: Annotationes in Evangelium Matthaei, 1529/30

S 6, 1 260: ‚Und sie wird leben', das heißt: sie wird wieder gesund werden, gerettet. Dies alles umfassend nämlich ist die Bedeutung des hebräischen Wortes ‚chaja'. Der Glaube des Jairus ist noch reichlich schwach, meint er doch, Christus könne seine Tochter nicht heilen, wenn er nicht selber anwesend sei und das Mädchen mit eigener Hand berühre. Als ob die Berührung etwas dazu beitragen würde. Außerdem richtet er sein Augenmerk einzig auf die Gesundheit seiner Tochter, statt auf die Vollmacht und Kraft Christi. Wenn sie nur geheilt wird! Dafür wäre er Gott dankbar gewesen, mit welcher Methode auch immer Christus seine Tochter gesund gemacht hätte.

Genauso machen es heutzutage die meisten von uns. Gesund wollen wir werden und suchen dieses Ziel zu erreichen mit allen möglichen Mitteln und Künsten, selbst wenn uns bewußt ist, daß sie nicht zu verantworten und gegen Gottes Willen sind.

CALVIN

CO 45, 255–260

Matthäus, der eine Kurzfassung anstrebte, bespricht (alles) auf einmal, was die anderen in den einzelnen Zügen genau der Reihe nach erzählen. Weiterhin stimmt alles übrige so gut zusammen, daß so viele Umstände in eine einzige Begebenheit zusammenlaufen und die drei Zeigefinger zugleich ausgerichtet scheinen, um die eine Sache aufzuzeigen, so daß es unbegründet ist, diese Erzählung auf verschiedene Zeiten zu verteilen. Die Evangelisten erwähnen einstimmig, daß, während Christus auf die Bitte des Obersten der Synagoge in sein Haus ging, unterwegs eine Frau durch die heimliche Berührung seines Gewandes vom Blutfluß geheilt worden sei, anschließend, daß Christus im Haus des Obersten das Mädchen vom Tod auferweckt habe. Ich meine, es ist sicher kein langer Redeschwall nötig, damit wir anerkennen, daß die drei das gleiche berichten. Kommen wir nun zum einzelnen.

V. 18: *Da kam einer von den Obersten der Gemeinde.* Aus den beiden anderen (Evangelisten) geht zwar hervor, daß seine Zuversicht nicht so weit gegangen war, daß er gehofft hätte, seiner Tochter könne das Leben wiedergeschenkt werden. Aber zweifellos gewann er durch den Vorwurf Christi eine größere Hoffnung, als er sie von zu Hause mitgebracht hatte. Aber da Matthäus eine Kurzfassung anstrebt, setzt er gleich an den Anfang, was erst im Lauf der Zeit geschah. Die Geschichte muß jedoch so aufgebaut werden, daß Jairus zuerst um die Heilung seiner Tochter von der Krankheit bat und erst dann, nachdem Christus ihn nämlich dazu ermutigt hatte, darum, daß die Tote ins Leben zurückgerufen werden möchte. Das hier gebrauchte Wort für die Ehrfurchtsbezeichnung des Jairus ist als Kniefall zu verstehen, wie aus den Worten des Markus und Lukas zu schließen ist. Denn Jairus hat Christus nicht göttliche Ehre erwiesen, sondern ihn wie einen Propheten Gottes verehrt. Der Kniefall aber, wie er bei den Orientalen allgemein üblich ist, ist genügend bekannt.

Komm und lege deine Hand auf sie. Hier haben wir ein ausgezeichnetes Beispiel für die göttliche Geduld mit uns. Wenn man den Obersten der Synagoge mit dem heidnischen Hauptmann vergleicht, müßte man sagen, daß in diesem der volle Glanz, in jenem kaum ein kleiner Tropfen des Glaubens war. Er hält Christus nur für mächtig, wenn eine Berührung stattfindet; auf die Todesnachricht hin verzagt er in einer Weise, die jede weitere Hilfe ausschließt. Wir sehen also, daß sein Glaube schwach und beinahe armselig war. Wenn Christus seinen Bitten willfährt und ihn zu fröhlicher Hoffnung ermuntert, so ist das ein Zeichen dafür, daß er seinen Glauben, wie klein er immer war, nicht gänzlich abwies. Wenn wir also noch nicht mit dem vollen Glauben ausgerüstet sind, wie es wünschenswert wäre, besteht doch kein Grund, daß unsere Schwachheit uns vom Bitten fernhielte oder uns daran hinderte.

V. 20: *Eine Frau, die zwölf Jahre den Blutfluß gehabt.* Die Evangelisten sprechen ausdrücklich davon, daß der Blutfluß zwölf Jahre lang unablässig angedauert habe und daß die Frau in der Suche nach Heilmitteln nicht müßig gewesen sei, daß sie sogar ihr gesamtes Vermögen an Ärzte gewandt hatte. Dadurch hebt sich die Herrlichkeit des Wunders um so strahlender ab. Denn es zeigt sich deutlich, daß die unheilbare Krankheit nicht durch menschliche Kunst so plötzlich und durch die alleinige Berührung des Gewandes verschwand. Wenn die Frau im übrigen erwog, sie werde unverzüglich gesund, wenn sie nur Christi Gewand berührte, so war das gewissermaßen ein einmaliger Anstoß vom Heiligen Geist und darf nicht zu einer allgemeinen Regel ausgeweitet werden. Wir wissen, wie unverschämt der Aberglaube sein Spiel treibt, wenn er in törichter, unbesonnener Weise den Heiligen nacheifert. Doch sind sie Affen und keine Nachahmer; denn sie nehmen irgendein einmaliges Beispiel ohne Gottes Geheiß und mehr auf ihr eigenes Gefühl hin als auf die Weisung des Geistes für sich in Anspruch.

Es kann auch sein, daß der Glaube der Frau mit allerhand Fehlern und Irrtum untermischt war, was Christus nachsichtig duldet und verzeiht. Sicherlich kann man solche Unsicherheit, daß sie in ihrem schlechten Gewissen sich fürchtet und bebt, nicht entschuldigen, da dies dem Glauben zuwiderläuft. Warum ging sie nicht lieber geradewegs auf Christus zu? Wenn sie ehrfürchtige Scheu darin hinderte, woher erhoffte sie sich dann sonst Hilfe, wenn nicht von seiner Barmherzigkeit? Wie konnte sie fürchten, ihn zu beleidigen, wenn sie seiner Gnade gewiß war? Christus würdigt ihren Glauben eines ehrenvollen Lobes; wie ich oben schon angedeutet habe, kam das daher, daß Gott gütig und milde mit den Seinen verfährt, daß er ihren bruchstückhaften, schwachen Glauben trotzdem gnädig annimmt und die Fehler und Mängel, die mit ihm verbunden sind, nicht zurechnet. [...] Es bleibt die feste Regel bestehen, daß unser Glaube sich nicht durch die Beispiele von einzelnen Menschen hierhin und dorthin verleiten lassen darf, weil er ganz und gar an das Wort Gottes gebunden sein muß, wie Paulus sagt: „So kommt der Glaube aus der Predigt, das Predigen aber durch das Wort Gottes" (Röm. 10,17). Diese Ermahnung ist überaus nützlich, damit nicht eine zufällig angenommene Meinung bei uns den Ehrennamen des Glaubens erhält.

V. 22: *Sei getrost, meine Tochter.* Dieses Wort verrät die Schwachheit ihres Glaubens; denn wenn ihr Zittern nicht ein Fehler gewesen wäre, hätte sie Jesus nicht mit der Mahnung zurechtzuweisen brauchen, Mut zu fassen. Aber zugleich lobt er ihren Glauben. So stimmt, was ich oben gesagt habe, daß sie sich unter der Führung des Geistes und in aufrichtigem Eifer der Frömmigkeit an Christus gewandt hatte; dennoch war sie unsicher geworden und mußte bestärkt werden. So erkennen wir, daß der Glaube, wenn er Gott gefallen soll, durch die Vergebung und zugleich durch besondere Hilfsmittel [Predigt und Sakramente] aufgerichtet werden muß, um größere Kraft zu gewinnen. [...]

Mark. 5,36. *Fürchte dich nicht, glaube nur!* Die Todesnachricht hatte (den Vater) in Verzweiflung gestürzt; denn er hatte Christus ja nur gebeten, (seiner Tochter) zu helfen, während sie krank war. Darum verbietet Christus ihm, der Gnade durch Furcht und Mißtrauen den Zugang zu verschließen; ihr bietet der bevorstehende Tod kein Hindernis. Mit diesem Wort: glaube nur! bedeutet er, daß ihm die Kraft nicht fehlen würde, wenn ihn Jairus nur gewähren ließe. Und zugleich ermuntert er ihn dazu, fröhlich sein Herz aufzutun, weil nicht zu befürchten ist, daß sein Glaube etwas begehre, was für die unermeßliche Kraft Gottes zu groß wäre. Und so verhält es sich doch bei uns allen: Gott würde nämlich viel freigebiger an uns handeln, wenn wir nicht so eng wären; unsere Engherzigkeit hindert ihn daran, seine Gaben reichlicher über uns auszuschütten. Kurz, wir werden durch diese Stelle gelehrt, daß wir ein Maß beim Glauben nicht überschreiten können; denn unser Glaube kann niemals auch nicht den zehnten Teil der göttlichen Güte fassen, wie umfangreich er auch sei.

Mark. 5,37. *Und er ließ niemand mitgehen.* Er verbot ihnen den Zutritt, weil sie entweder unwürdig waren, dem Wunder als Zeugen beizuwohnen, oder weil er das Wunder durch die lärmende Menge nicht erdrückt wissen wollte. Denn es war vollauf genug, wenn das Mädchen, dessen Leichnam man gesehen hatte, plötzlich lebendig und voller Kraft vor den Augen der Leute erschien. Markus und Lukas berichten, er habe nur drei von den Jüngern zugelassen, dazu die beiden Eltern. Markus spricht als einziger auch von denen, die Jairus begleitet hatten, als er zu Jesus ging, um ihn zu bitten. Matthäus, der sich kürzer faßt, läßt diese Einzelheit aus.

V. 23: Luk. 8,52. *Sie weinten aber alle.* Die Evangelisten erwähnen die Trauer, damit umso gewisser der Glaube an die Auferstehung hervortritt. Ausdrücklich sagt Matthäus, es seien Pfeifer dagewesen; das pflegte nur zu sein, wenn der Tod festgestellt war, wenn man nämlich bereits zu den Begräbnisfeierlichkeiten rüstete. Man pflegte bei Leichenbegängnissen Flöte zu spielen. Wenn sie auf diese Weise auch den Toten eine Ehre antun und ihr Begräbnis gewissermaßen verschönern wollten, so sehen wir doch, daß die Welt immer dazu neigt, ihre Fehler nicht nur zu bewahren, sondern sie sogar auszuweiten. Es hätte sich gehört, auf alle mögliche Weise zu versuchen, die Trauer zu lindern; als ob sie aber nicht schon genug sündigten durch ihren wirren Schmerz, ruft man ihn im Wetteifer durch neue Reizungen hervor. Die Heiden glaubten auch, dies sei ein Mittel, um sich die Geister der Verstorbenen versöhnlich zu stimmen. Wir ersehen daraus, von wieviel Verderbnis Judäa damals bedeckt war.

V. 24: Mark. 5,39. *Das Kind … schläft.* Die Schrift setzt allgemein für sterben schlafen; zweifellos weist das vom zeitlichen Schlaf genommene Bild auf die zukünftige Erweckung hin. Hier meint Christus aber wirklich Schlaf und nicht Tod, um Hoffnung auf das Leben zu machen. Er hätte auch sagen können: Bald werdet ihr die, die ihr für tot haltet, aufgeweckt sehen. Daß er aber von den törichten, groben Leuten verlacht wurde, ist kein Wunder, weil sie ganz von ihrer heidnischen Trauer in Anspruch genommen waren und seine Weisung nicht begriffen. Und doch dient auch dies dazu, das Wunder glaubwürdig zu machen, da sie nicht im geringsten am Tod zweifelten.

V. 25: Mark. 5,41. *Und ergriff das Kind bei der Hand und sprach zu ihr.* Obgleich die Stimme hier natürlich nichts nützte, um die Sinne der Toten zu erwecken, wollte Christus doch die Kraft seiner Stimme in ihrem Glanz zeigen, um die Menschen mehr daran zu gewöhnen, seine Lehre anzuhören. Es zeigt sich hier also, wieviel die Stimme Christi vermag, daß sie bis zu den

Toten hindringt und mitten im Tod lebendig macht. Darum sagt Lukas, ihr Geist sei zurückgekehrt, wie wenn er hätte ausdrücken wollen: auf Christi Befehl wurde er herbeigerufen und war sofort zugegen.

V. 25: Mark. 5,43. *Und er gebot ihnen hart.* Obgleich Christus nicht alle unterschiedslos zum Anblick der Auferweckung zugelassen hatte, konnte das Wunder doch nicht lange geheim bleiben. Es wäre auch unnatürlich gewesen, Gottes Kraft zu verhehlen, die doch die ganze Welt dem Leben zuführen sollte. [...] Ich gebe zwar zu, daß Christus das Wunder nicht getan hat, damit es geheim bleibe; aber er wartete vielleicht auf einen günstigeren Zeitpunkt, bis sich etwa die Menge verlaufen hätte, die keine Mäßigung und Selbstbeherrschung kannte. Er wollte darum Muße geben, um das Werk Gottes still und gelassen zu bedenken.

Mt. 11,25–30: Der Heilandsruf

LUTHER

WA 51,187–196: Predigt über Mt 11,25 ff. zu Eisleben, 15. Februar 1546.

V. 25: 51, 188,1: Hiermit hat er angezeigt, daß er den Weisen und Klugen feind ist und Lust und Liebe habe zu denen, die nicht klug und weise, sondern wie die jungen Kinder sind. Aber das ist vor der Welt sehr töricht und ärgerlich geredet, daß Gott den Weisen so feind sein sollte und sie also verdammen, weil wir doch meinen, Gott könne nicht regieren, er müsse kluge und weise Leute dazu haben. Das ist aber die Meinung: Die Weisen und Klugen in der Welt machen's also, daß ihnen Gott nicht günstig oder gut sein kann; denn sie haben das Herzeleid, machen es in der christlichen Kirche so, wie sie selbst es wollen. Alles, was Gott tut und macht, das müssen sie verbessern, daß also kein ärmerer, geringerer, verächtlicher Schüler ist auf Erden als Gott. Er muß aller Jünger sein. Jedermann will sein Schulmeister und Präzeptor sein.

51, 192,17: Denn unsere Weisheit und Klugheit in göttlichen Sachen ist das Auge, das der Teufel im Paradies uns aufgetan hat, da Adam und Eva in des Teufels Namen auch klug sein wollten. Gott hat sie selbst gelehrt und sein Wort ihnen gegeben, woran sie sich halten sollten, wenn sie recht klug sein wollten. So kommt der Teufel. Der macht's besser, tat ihnen die Augen zu, womit sie Gott sahen, daß sie den Teufel nicht sehen konnten. Das ist die Plage, die uns immer noch anhängt, daß wir in des Teufels Namen weise und klug sein wollen.

V. 27: Aber hier wieder sollen wir lernen, was das ist: ‚Mir ist alles gegeben‘. Das ist: Ich soll regieren, lehren, raten, heißen und gebieten in meiner Kirche. Und hiermit bekennt er öffentlich, daß er der wahrhaftige Gott ist; denn kein Engel noch eine andere Kreatur hat diesen Ruhm, daß ihm alles gegeben ist. Der Teufel wollt sich wohl einmal in den Stuhl setzen und Gott gleich sein. Er wurde aber deswegen bald vom Himmel verstoßen. Darum sagt Christus: ‚Mir ist alles gegeben‘, das ist: Mir, mir soll man gehorchen. Hast du mein Wort, so bleib’ dabei und siehe niemand an, der dich anders lehrt und heißt. Ich will dich wohl regieren, schützen und retten.

V. 28: 23, 690,34: Denn er spricht ja: ‚Kommet her zu mir alle, die ihr mühselig und beladen seid, ich will euch erquicken‘, als wollte er sagen: kommt her umsonst, ohne Verdienst. Ihr braucht darum nicht viel fasten oder arbeiten, nicht viele Werke tun oder große Verdienste mitbringen, gehet nur mit dem Glauben des Herzens zu mir, haltet mich für einen solchen gütigen gnädigen Erlöser, wie ich mit euch rede, so hat’s keine Not. Kommt doch nur, ich will euch erquicken, es soll bald besser um euch werden. Es wird nicht Heuchelei sein, ich will euch das Herz und den Geist mutig machen wider Hölle, Sünde, Tod und Teufel, daß ihr’s fühlen werdet. Ihr liegt jetzt im bösen Gewissen, ganz verzagt und verschmachtet, seid elend, arm, mühselig und bekümmert. Da ist niemand, der euch Rat, Trost oder Hilfe geben kann oder mag. Gottes Zorn ist zu gewaltig über die Sünde. Vor seiner Gerechtigkeit muß sich Himmel und Erde beugen und kann vor ihm niemand gerechtfertigt werden, denn allein durch mich. Darum zeige ich euch den nächsten Weg an, kommt nur her, erkennet euer armseliges, böses Leben, daß ihr Verdammte und Sünder seid. Solche Schüler begehre ich zu haben, solche Leute fordere ich zu mir. Mit den Gesunden habe ich nichts zu tun, mit den Gerechten und Frommen habe ich keine Gemeinschaft. Mein Reich ist ein Spital der Siechen. Daselbst bin ich der Arzt. Darum, wer da begehrt Gesundheit, ein ruhiges Gewissen und ein ruhiges Herz, der laufe nicht weit hin und her an diesen oder jenen Ort, er komme zu mir, denn der ist mir ein rechter Gast in meinem Spital, der seine Krankheit erkennt und den Zwang der Sünden fühlt. Zum andern, der da Hilfe und Trost von Herzen von mir begehrt und glaubt, ich wolle ihm helfen, den will ich auch fröhlich und beständig erquicken, so daß er auch nimmermehr des Todes sterben soll.

V. 29: 23, 691,20: Ferner sagt Christus im Evangelium: ‚Nehmt auf euch, mein Joch‘. Das ist der Grund, warum man nicht zu Christus läuft: Er legt dem alten Esel ein Joch, das ist das Kreuz und mancherlei Trübsal auf den Hals. Da will der alte Adam murren und sich nicht anspornen lassen und die Tötung seines Willens nicht dulden.

23, 694,21: Zum andern zeigt er an, wer die Schüler sind, die er fordert und lockt, nämlich die mühseligen, armen und beladenen Sünder, welche ihr Gewissen und Gottes Zorn drückt und die von der Sünde gern los wären, die ruft er hier zu sich und heißt sie selig, die also dürstet und hungert nach der Gerechtigkeit. Aber die da satt sind und voll, die ruft er gar nicht zu sich. Willst du nun gesättigt und erquickt werden, so erkenne deinen Jammer, deine Beschwernis und komme zu Christus, glaube an ihn, denn er ruft dich nicht umsonst, er will dir stark heraushelfen, wie er sagt, er will dich erquikken, fürchte dich nicht, er kann's und will's tun.

23, 695,26: Wer einen solchen Helfer hat, dem ist auch eine große Bürde leicht, und, wie man spricht, mit einem guten Kumpan ist gut wandern, denn einer hilft dem andern seine Bürde tragen.

ZWINGLI

S 6,1 395–483: Additamenta ad Zuinglii commentarium in Evangelium Matthaei, herausgegeben von Leo Jud, 1539

Z I 74–136: Von Erkiesen und Freiheit der Speisen, 16.4.1522

Z III 146–229: Christliche Antwort Bürgermeisters und Rats zu Zürich an Bischof Hugo, 18.8.1524

Z IV 369–433: Vom Predigtamt, 30.6.1525

V. 25: Z III 225,12–18: Der Prophet spricht: ‚Glaubt ihr nicht, so versteht ihr nicht‘ (LXX Jes. 7,9). Damit ist klar, daß das Verstehen von Gottes Wort nicht aus der Weisheit menschlicher Vernunft kommt. Es wird von den Weisen dieser Welt auch gar nicht verstanden, wie unser lieber Herr Jesus Christus selber gesagt hat. Wir stellen deshalb alle theologischen Aussagen unter Gottes Wort. Wir interpretieren Gottes Wort deshalb auch nicht nach dem, was in unseren Köpfen ist, sondern lernen es aus sich selber heraus verstehen, und dies mit gläubigen und furchtsamen Herzen.

Z IV 411,32–412,15: Merke dir, frommer Christ: Wenn Christus von den Kleinen und Einfältigen spricht, so meint er damit nicht Unwissende – Zwingli sagt ironisch: Ich wollte sonst ein hoher Doktor sein! – sondern er redet von solchen Einfältigen, die nicht Kinder dieser Welt sind (Lk. 16,8), deren Augen des Glaubens einfältig sind (Mt. 6,22). Nicht deshalb sind sie weise, daß sie nach den Maßstäben dieser Welt groß wären. Sie achten vielmehr gering, was unter Menschen als groß gilt. Umsomehr dürfen sie stattdessen ihr Sinnen und Denken vor Gott entfalten. Überaus Gelehrte hat er zu Jüngern gemacht: Nikodemus, Paulus, Barnabas, Lukas, Gamaliel, Ananias, Apollo, Agabus, Timotheus, Titus und viele andere mehr. Diese alle jedoch mußten in ihrem eigenen Wissen klein werden, sich selbst verleugnen, den Kindern gleich werden (Mt. 18,3–4), auf ihr Wissen nicht bauen, Gottes Wort nicht nach ihrem Gutdünken Gewalt antun, des Fleisches Sinn nicht über des Geistes Sinn erheben (Gal. 5,17), nicht von sich aus groß sein, sondern demütige, gehorsame Werkzeuge Gottes. Das ist die Meinung Christi: daß die Weltweisen Gottes Heil nicht verstehen können (1.Kor. 1,20–21), im Gegenteil: je ferner sie von der trügerischen menschlichen Weisheit sind, desto klarer erkennen sie den Willen Gottes.

V. 28: Z I 104,6–25: ‚Kommet her zu mir alle, die ihr arbeitet und beladen oder beschwert seid; ich will euch Ruhe geben‘. Wer diesen leichten Weg zur Gnade Gottes durch Christus nicht kennt oder nichts davon wissen will, bemüht sich, aus eigener Kraft das Gesetz zu erfüllen. Er sieht dabei bloß auf den Buchstaben des Gesetzes, will diesen dann mit aller Gewalt erfüllen und schreibt sich allerlei Kasteiungen vor …, erfüllt schlußendlich das Gesetz aber dennoch nicht, im Gegenteil: je mehr er glaubt, das Gesetz erfüllt zu haben, desto weniger hat er es erfüllt, weil durch all seinen Fleiß er nämlich zu guter letzt auf sich selbst stolz wird, wie der Pharisäer, der sich auch seiner Werke rühmt, die er buchstabengetreu erfüllt (Lk. 18,11ff.). […] Der Zöllner dagegen setzt seine Hoffnung auf kein ander Ding als auf die reiche Barmherzigkeit Gottes, zählt seine guten Werke auch gar nicht erst auf, sondern sagt bloß: ‚Oh Gott, sei mir sündigem Menschen barmherzig‘. Deshalb wird der Zöllner als gerechter erkannt vor Gott denn der Pharisäer.

CALVIN

CO 45,316–322

V. 25: *Zu der Zeit antwortet Jesus.* […] Seine Rede hat um so mehr Gewicht, als er sich an den Vater wendet und nicht mit den Jüngern redet. Sicherlich sagt er auch mit Rücksicht auf sie und um ihretwillen dem Vater Dank, damit ihnen die niedrige und unedle Form der Gemeinde nicht zum Anstoß werde. Denn wir verlangen immer Glanz; und es scheint nichts dem himmlischen Reich des Sohnes Gottes, dessen Herrlichkeit die Propheten in so großartiger Weise rühmen, weniger angemessen, als daß es aus dem Abschaum des Volkes und aus Gelichter besteht. Doch ist dies der wunderbare Ratschluß Gottes, daß er, wo er doch den ganzen Erdkreis in seiner Hand hat, sich das Volk zum Eigentum lieber aus dem verachteten Pöbel erwählt als aus den Vornehmen, die mit ihrer Würde den Namen Christi besser geziert hätten. Aber hier bringt Christus seine Jünger von einer stolzen und allzu hochfahrenden Gesinnung ab, daß sie es nicht wagten, die niedrige und unbekannte Stellung der Gemeinde zu verachten, an der er sein Wohlgefallen hat und für die er freudig dankt. Um im übrigen die Neugier, die zuweilen die menschlichen Überlegungen beschleicht, kräftiger zu beschneiden, erhebt er sich selbst über die Welt und bewundert den geheimnisvollen Ratschluß Gottes, um zugleich die andern zur Bewunderung dieser Ratschlüsse zu bewegen. Und obwohl es nun sicher ist, daß diese Anordnung Gottes mit unserem Empfinden in Widerspruch steht, gebärdet sich doch der Hochmut bei unserer Verblendung allzu unsinnig, wenn wir uns gegen sie auflehnen, während Christus, unser Haupt, sie ehrerbietig feiert. Aber wir müssen nun den einzelnen Worten nachgehen.

Ich preise dich, Vater. Mit diesen Worten bezeugt er, daß er mit jenem Beschluß des Vaters einverstanden sei, der doch von unserem menschlichen Urteil so weit abweicht. Denn diesem Lob, das er an den Vater richtet, liegt zwischen den Zeilen der Gegensatz zugrunde; es fällt dadurch Licht auf die böswilligen Störversuche und auch auf das unverschämte Bellen der Welt. Nun ist zu sehen, aus welchem Grund er den Vater preist: er ist Herr über die ganze Erde und stellt die Kleinen und Einfältigen den Weisen voran. Denn wie die Dinge liegen, hat nicht wenig Gewicht, daß er den Vater *Herr Himmels und der Erde* nennt; denn auf diese Weise gibt er deutlich zu erkennen, daß die Scheidung allein von dem Beschluß Gottes abhänge, wenn die Weisen sich verblenden, die Unerfahrenen und Ungebildeten jedoch die Geheimnisse des Evangeliums verstehen. Es gibt viele andere Stellen dieser Art, an denen der Herr zeigt, daß diejenigen, die zum Heil gelangen, ohne ihr Zutun von ihm erwählt wurden, da er der Bildner und Schöpfer der Welt ist und alle Völker sein sind. Darum lehrt uns diese Aussage ein Doppeltes: es liegt nicht an Gottes Ohnmacht, daß nicht alle dem Evangelium Gehorsam leisten; denn es ist ihm ein leichtes, alle Geschöpfe seiner Herrschaft zu unterwerfen; zum andern erkennen wir, daß es auf Grund seiner freien Erwählung geschieht, wenn die einen zum Glauben kommen, die andern aber taub und verschlossen bleiben; denn indem er die einen zu sich zieht und dabei an den andern vorübergeht, vollzieht er allein diese Scheidung zwischen den Menschen, die von Natur aus all gleich beschaffen sind. Wenn er sich aber die Geringen eher erwählt als die Weisen, so tut er das um seiner Herrlichkeit willen. Denn wie sich das Fleisch nur allzu begierig zum Hochmut versteigen würde, wenn die scharfsinnigen und gelehrten Menschen den Vorrang hätten, so würde sofort jene Überzeugung herrschen, daß man den Glauben durch menschliche Gewandtheit, durch Fleiß und Gelehrsamkeit erringe. Darum kann die Barmherzigkeit Gottes nicht anders offenkundig werden, wie sie es verdient, als dadurch, daß eine solche Auswahl stattgefunden hat, und es wird daraus klar, daß es nichts mit dem ist, was die Menschen von sich aus dazutun. Deshalb wird die menschliche Weisheit mit Recht aus ihrer Stellung verdrängt, damit sie das Lob der göttlichen Gnade nicht verdunkeln möchte. Man fragt jedoch, wer nun bei Christus *weise* und wer *klein* heißt. Denn die Erfahrung lehrt doch offensichtlich, daß nicht alle Einfältigen und Ungebildeten zum Glauben erleuchtet werden und nicht alle Klugen und Gebildeten in ihrer Blindheit verbleiben. Deshalb bestimmt man die Klugen und Weisen als solche, die, von teuflischem Hochmut strotzend, sich weigern, Christus anzuhören, der aus der Höhe zu ihnen spricht. Doch ist dies gar nicht einmal durchgängig, daß von Gott verworfen wird, wer sich mehr gefällt, als ihm zukommt; das erkennen wir am Beispiel des Paulus, dessen Trotz Christus gebrochen hat. Wenn wir aber an das ungebildete Volk denken, wie die Bosheit der meisten von ihnen zum Himmel schreit, so sehen wir sie ohne Unterschied zusammen mit den Edlen und Großen an ihrem Verderben hängenbleiben. Ich gebe zwar zu, daß alle Ungläubigen einem falschen Selbstvertrauen huldigen, sei es, daß sie ihr Herz an die Weisheit, an ihren guten Ruf, an Ehrenstellungen und ihren Reichtum hängen; ich meine jedoch, daß Christus hier einfach alle die darunter versteht, deren Stärke die Begabung und Gelehrsamkeit ist, ohne das als Fehler zu bezeichnen, wie er auf der anderen Seite es nicht für eine Tugend hält, wenn jemand ein Geringer ist. Denn wenn Christus auch der Meister der Niedrigen ist und dies als der erste Grundsatz des Glaubens gilt, damit sich nicht einer weise dünke, so handelt es sich hier doch nicht um ein Geringsein, zu dem wir uns freiwillig bequemen, sondern Christus steigert die Herrlichkeit des Vaters unter diesem Blickwinkel, daß er sich nicht zu gut war, bis in den tiefsten Schmutz hinabzusteigen, um die Armen aus dem Kot heraus aufzurichten.

Aber hier taucht die Frage auf: Wenn die Klugheit eine Gabe Gottes ist, wie geht es an, daß gerade sie uns zum Hindernis wird, Gottes Licht zu erkennen, das im Evangelium aufstrahlt? Wir müssen uns an das erinnern, was ich schon gesagt habe, daß die Ungläubigen alles, was ihnen an Klugheit gegeben ist, verderben und ihnen darum ihre trefflichen Begabungen oft zum Hindernis werden, weil sie sich nicht zur Gelehrigkeit (in der Heiligen Schrift) herablassen können. Aber was die vorliegende Stelle betrifft, lautet meine Antwort so: Obwohl der Scharfsinn (an sich) sich den Klugen nicht in den Weg stellt, so kann ihnen doch das Licht des Evangeliums verlorengehen. Denn wo alle in der gleichen bzw. unterschiedslosen Lage sind, warum darf Gott nach seinem Wohlgefallen nicht die einen oder die anderen annehmen? Warum er jedoch den Weisen und Großen den Vorrang abspricht, das zeigt Paulus in 1.Kor. 1,27, daß Gott nämlich erwählte, was schwach und töricht vor der

Welt ist, um den Ruhm des Fleisches zunichte zu machen. Im übrigen schließen wir daraus auch, daß Christus nicht allgemein spricht, wenn er sagt, die
Geheimnisse des Evangeliums seien vor den Weisen verborgen. Denn wenn
von fünf Weisen vier das Evangelium verachten, einer es aber annimmt, und
von ebenso vielen Einfältigen zwei oder drei Christi Jünger werden, so beweist der Satz bereits seine Richtigkeit. Das erhärtet auch jene Stelle bei Paulus, die ich oben angeführt habe; denn es werden nicht alle Weisen und Edlen
und Mächtigen vom Reich Gottes ausgeschlossen, sondern er macht nur
darauf aufmerksam, daß es nicht viele sind (die hineinkommen). Nun ist die
Frage gelöst: Nicht die Klugheit wird hier verurteilt, insofern sie Gottes Gabe
ist, sondern Christus erklärt lediglich, sie sei ohne Belang, wenn es gelte, zum
Glauben zu kommen; wie er auf der anderen Seite nicht die Unwissenheit
lobt, als ob sie Gott geneigt mache, sondern nur bestreitet, daß sie für seine
Barmherzigkeit ein Hindernis sei, auch einfache, ungebildete Menschen mit
der himmlischen Weisheit zu erleuchten.

Nun bleibt noch zu sagen übrig, was *offenbaren* und *verbergen* bedeutet.
Christus spricht nicht von der äußeren Verkündigung; das ersieht man deutlich daraus, daß er allen ohne Unterschied als Lehrer begegnete und daß er
seinen Aposteln den gleichen Auftrag gab. Deshalb ist die Meinung, daß
niemand durch eigenen Scharfsinn, sondern nur durch die geheime Erleuchtung des Geistes den Glauben erlangt.

V. 26: *Ja, Vater.* Dieser Schlußsatz entzieht der ungezügelten Lust zum Fra-
genstellen, die uns zuweilen kitzelt, den Boden. Denn nichts entwindet Gott
uns schwerer, als daß wir seinen Willen als höchste Weisheit und Gerechtigkeit anerkennen. Er schärft uns an vielen Stellen ein, daß sein Ratschluß ein
tiefer Abgrund ist; wir jedoch wollen in ihn hinabtauchen und im Sturm in
ihn eindringen, und wenn sich uns etwas nicht erschließt, dann knirschen wir
gegen ihn mit den Zähnen oder murren. Viele lassen sich auch zu offener
Schmähung hinreißen. Da schreibt uns der Herr nun dies als Regel vor: Wir
sollen fest vertrauen, daß alles, was Gott gefällt, das Rechte ist. Denn erst das
heißt, auf nüchterne Art weise sein, wenn wir den einen Beschluß Gottes an
Stelle von tausend Vernunftgründen gutheißen. [...]

V. 27: *Alle Dinge sind mir übergeben.* Die Ausleger verknüpfen in verkehrter
Weise diesen Satz mit dem vorangehenden, wenn sie meinen, Christus wolle
die Zuversicht der Jünger mehren und sie dadurch bestärken, das Evangelium
zu verkündigen. Ich bin dagegen der Meinung, daß Christus aus einem andern Grund und mit einem andern Ziel so gesprochen hat. Denn wie er vorher klargemacht hat, daß sich die Gemeinde aus dem verborgenen Quell der
unverdienten Erwählung Gottes herleite, so zeigt er jetzt, auf welchem Weg
die Gnade des Heils zu den Menschen gelangt. Denn viele geraten, sobald sie

hören, daß nur die das ewige Leben ererben, die Gott vor Grundlegung der Welt dazu erwählt hat, in ängstliches Fragen, an welchem Zeichen sie denn des geheimen Beschlusses Gottes sicher sein könnten. So stürzen sie sich in ein Labyrinth, für das sie keinen Ausgang mehr finden. Christus dagegen heißt uns geradewegs auf ihn zugehen, um bei ihm die Gewißheit des Heils zu suchen. Der Sinn ist demnach, daß uns eben in Christus das Leben enthüllt worden ist und deshalb niemand seiner teilhaftig wird, der nicht durch die Tür des Glaubens dahin eingeht. Wir verstehen jetzt, daß er den Glauben mit der ewigen Erwählung Gottes verbindet, die die Menschen in törichter und verkehrter Weise gleichsam in Gegensatz zueinander bringen. Denn wenn unser Heil auch immer bei Gott verborgen war, so ist Christus doch die Rinne, durch die er uns zufloß, und im Glauben wird er von uns empfangen, damit er in unseren Herzen fest und gültig werde.

V. 28: *Kommet her zu mir alle.* Nun lädt er in gütiger Weise zu sich ein, von denen er weiß, daß sie taugliche Jünger werden würden. Denn obwohl er bereit ist, den Vater allen offenbar zu machen, so hält es doch ein gut Teil darum nicht für nötig zu kommen, weil ihm das Gespür für seine Notlage fehlt. Um Christus kümmern sich nicht die Heuchler, weil sie von der eigenen Gerechtigkeit gesättigt sind und nicht nach seiner Gnade hungern und dürsten. Und die der Welt zugetan sind, denen bedeutet das himmlische Leben rein nichts. Deshalb ruft Christus beide Gruppen von Menschen vergeblich zu sich. Er wendet sich darum an die Elenden und Bedrängten. Dabei nennt er nun die mühselig, die unter einer Last seufzen. Er meint nicht allgemein jeden, der von Leid und Drangsal bedrückt wird, sondern alle die Menschen, die durch ihre Sünden in Verwirrung geraten und aus Furcht vor dem Zorn Gottes mutlos gemacht sind und unter einer solchen Last leiden. Zwar demütigt Gott seine Erwählten auf unterschiedliche Weisen; aber da die meisten von Unglück Betroffenen trotzdem eigensinnig und trotzig bleiben, so meint Christus mit *Mühseligen und Beladenen* solche Menschen, deren Gewissen angefochten ist, weil sie sich des ewigen Todes schuldig wissen; so setzt ihnen ihr Unglück innerlich hart zu, und sie werden dabei mutlos. Aber gerade diese Mutlosigkeit macht uns empfänglich, seine Gnade anzunehmen. [...] Uns treibt unsere Not dazu, Christus aufzusuchen. Und da Christus nur die in den Genuß seines Friedens kommen läßt, die unter der Last ermatten, sollen wir lernen, daß es kein verderblicheres Gift gibt als jene Gleichgültigkeit, die in uns den falschen und trügenden Wahn von der irdischen Glückseligkeit oder der eigenen Gerechtigkeit und dem eigenen Verdienst heraufbeschwört. [...] Die allgemeine Partikel „alle" ist beachtenswert: danach nimmt Christus nämlich alle, die mühselig und beladen sind, ausnahmslos an, damit nicht ein falscher Zweifel einem den Weg verstelle. Und dennoch sind diese „alle" nur gering an Zahl, weil aus der zahllosen Masse der ins Verderben Laufenden nur wenige merken, daß sie verlorengehen. Die Erquickung, die er verspricht, besteht in der unverdienten Vergebung der Sünden, die allein uns zum Frieden zu bringen vermag.

V. 29: *Nehmet auf euch mein Joch.* Da wir viele beim Mißbrauch der Gnade Christi beobachten, wie sie sie in die Nachsicht gegen das Fleisch verkehren, macht Christus, nachdem er den erbärmlich belasteten Gewissen eine heitere Ruhe versprochen hat, zugleich darauf aufmerksam, er sei der Befreier nur unter der Bedingung, daß man sein Joch auf sich nehme. Er wollte also sagen, er vergebe ihnen die Sünden nicht dazu, daß sie, nachdem Gott mit ihnen versöhnt sei, daraus sich die Freiheit zum Sündigen anmaßten, sondern dazu, daß sie, die sie durch die Gnade aufgerichtet wurden, zugleich auch sein Joch auf sich nehmen und als solche, die nach dem Geist frei sind, auch den Mutwillen ihres Fleisches in Fesseln schlagen. Daraus ergibt sich das Verständnis jener Ruhe, von der er gesprochen hatte: denn Christus entnimmt seine Jünger in keiner Weise dem Kriegsdienst unter dem Kreuz, damit sie ein bequemes, genußreiches Leben führen, sondern er übt sie unter der Last der Zucht und zügelt sie unter seinem Joch.

Lernet von mir. Meiner Meinung nach täuscht sich, wer meint, Christus führe hier seine Sanftmut an, damit die Jünger nicht angesichts seiner göttlichen Herrlichkeit die Flucht ergreifen (wie ein Auftritt der Mächtigen einen in Schrecken zu versetzen pflegt). Denn er leitet uns vielmehr dazu an, es ihm gleichzutun, weil uns nach dem Starrsinn unseres Fleisches sein Joch hart und beschwerlich dünkt und wir es darum fliehen. Er sagt ein wenig später, sein Joch sei sanft. Woher sonst kommt das nun, daß einer gern und ruhig seinen Nacken beugt, als einzig daher, daß er sich in die Sanftmut Christi gekleidet hat und ihm gleich wird? Da Jesus seine Jünger ermahnt, sein Joch auf sich zu nehmen, bestätigt sich diese Bedeutung der Worte. Denn damit sie die Beschwernis nicht erschrecke, fügt er anschließend hinzu: Lernet von mir. Dadurch deutet er an, daß uns jenes Joch nicht zur Last werden wird, sobald wir uns nach seinem Beispiel an Milde und Sanftmut gewöhnt haben werden. Genau das sagt auch die Zufügung: *So werdet ihr Ruhe finden.* Denn solange unser Fleisch sich widersetzt, begehren wir auf; und die das Joch Christi von sich weisen, versuchen Gott auf andere Weise zu versöhnen, doch sie mühen und schinden sich vergeblich. [...]

Mt. 13,24–30: Vom Unkraut unter dem Weizen

Luther

WA 17 II, 123–126: Evangelium auf den 5. Sonntag nach Epiphanias, Fastenpostille, 1525
WA 38, 447–667: Annotationes in aliquot capita Matthaei, 1538
WA 51, 173–187: Predigt am 5. Sonntag nach Epiphanias, in Eisleben gehalten, 7.2.1546

V. 25: 17 II, 124,25: So lehret uns nun dieses Evangelium, wie es in der Welt zugeht mit dem Reich Gottes, das ist, mit der Christenheit, sonderlich der Lehre halben, nämlich, daß nicht zu erwarten ist, daß nur rechtgläubige Christen und reine Lehrer Gottes auf Erden sein sollten, sondern es müssen auch falsche Christen und Ketzerei sein, damit die rechten Christen bewährt werden, wie S. Paulus sagt. Denn dieses Gleichnis redet nicht von den falschen Christen, die allein im Leben äußerlich, sondern von denen, die mit der Lehre und Glauben unchristlich sind unter dem Namen Christen, welche schön gleißen und schädlich sind. Es ist um das Gewissen zu tun, nicht um die Hand. Und es müssen sehr geistliche Knechte sein, die solches Unkraut erkennen sollen unter dem Weizen. Und ist die Summe davon, daß wir uns nicht wundern noch erschrecken sollen, wenn sich unter uns mancherlei falsche Lehre und Glauben erheben. Der Teufel ist auch immer unter den Kindern Gottes (Hiob 1,6).

51, 172,20: Darum, so müssen wir auch Judas unter den Aposteln lassen und böse Buben in der rechten Kirche. Summa, es bleibt dabei, daß, wo Gott eine feine, reine Kirche errichtet, da baut der Teufel alsbald eine Kapelle daneben. Das ist nun, wie hier das Evangelium sagt, das, wo der Hausvater den guten Samen gesät hat, da kommt der Feind und sät auch sein Unkraut darunter. Man soll darüber nicht erschrecken, wie ich auch früher erschrak, da ich angefangen hatte, Gottes Wort rein zu predigen und dennoch aus unserer Schule und Kirche die Wiedertäufer, Sakramentsverächter, Gesetzesverächter und andere Rottengeister kamen.

V. 29: 38, 560,33: Jenes, was Christus als Grund dafür anführt, daß man es nicht ausraufen soll, damit ihr nicht zufällig zugleich auch den Weizen ausreißt, kann man nämlich auf doppelte Weise verstehen. Erstens, es sitzen zugleich immer einige Gute unter den Bösen, die sich noch bekehren könnten. Die würden dann verdammt und gingen zugrunde, wenn ihnen die Kirche und die Gemeinschaft des Weizens versagt würde. Das darf auf keine Weise geschehen, weil denen, die Buße tun, der Gnadenthron offenstehen muß. Ausreißen aber bedeutet, aus der Kirche und Gemeinschaft einfach verstoßen werden. Zweitens, wenn wir kein Unkraut dulden wollen, so würde es auch keine Kirche geben. Weil die Kirche ohne Unkraut nicht sein kann, so würde das Ausreißen des Unkrautes dasselbe sein, wie die Kirche auszureißen. Dieser Satz ist einfacher und klarer, weil es sich in Wahrheit so verhält, daß die Kirche ohne die Bösen nicht sein kann. Aber jene Fanatiker, die kein Unkraut unter sich dulden wollen, bewirken dieses, daß bei ihnen kein Weizen ist. Das geschieht auf die Weise, daß wo sie der reine Weizen und Kirche sein wollen, bringen sie es mit ihrer übergroßen Heiligkeit dahin, daß sie überhaupt nicht mehr Kirche sind, sondern eine reine Sekte Satans. Denn als die Stolzen und zugleich als diejenigen, die sich in ihrer falschen Heiligkeit aufblähen, sind sie nichts weniger als die Kirche, die sich als die Sünderin bekennt und Häretiker, Sünder und Unfromme unter sich hat. Das bedeutet, daß sie mit Unkraut vermischt ist. Da jene dies nicht wollen, trennen sie sich und reißen den Weizen mit dem Unkraut aus.

51, 176, 10: Raufe oder tilge ich das Unkraut an einem Ort aus, so schade ich dem andern Korn, und das Unkraut wächst doch am andern Ort wieder. Also wenn ich schon einen Ketzer ausrotte, so geht doch derselbe Same, vom Teufel gesät, an zehn Orten wieder auf, denn der Teufel sucht doch durch die Ratten und das Unkraut den Weizen zu verderben.

Mt. 15,21–28: Das kanaanäische Weib

LUTHER

WA 17 II, 200–204: Predigt auf den 2. Sonntag in den Fasten, Fastenpostille, 1525
WA 20, 280–287: Predigt am gleichen Sonntag, 25.2.1526

17 II, 200, 28: Dies Evangelium hält uns vor ein rechtes Exempel eines beständigen, vollkommenen Glaubens. Denn dies Weib besteht und überwindet drei große starke Kämpfe und lehret uns fein, was die rechte Art und Tugend des Glaubens sei, nämlich, daß er eine herzliche Zuversicht auf die Gnade und Güte Gottes ist, die durch das Wort erfahren und offenbart wird. Denn S. Markus spricht, sie habe das Gerücht von Jesus gehört. Was für ein Gerücht? Ohne Zweifel ein gut Gerücht und gut Geschrei, daß Christus ein frommer Mann wäre, der jedermann gern hülfe. Solches Gerücht von Gott ist ein rechtes Evangelium und Wort der Gnade. Daraus ist der Glaube in diesem Weibe gekommen. Denn wo sie nicht geglaubt hätte, wäre sie ihm nicht so

nachgelaufen. Also haben wir oft gehört, wie S. Paulus Röm. 10,17 sagt, daß der Glaube durchs Hören komme und daß das Wort müsse vorweggehen und der Anfang der Seligkeit sein.

17 II, 201,20: Aber da sieh, wie Christus den Glauben in den Seinen treibt und jagt, daß er stark und fest werde. Erstlich, daß sie auf solches gute Geschrei ihm nachläuft und schreit mit gewisser Zuversicht, er werde seinem Gerücht nach auch gnädiglich mit ihr handeln, stellt sich Christus ganz anders, als wollte er ihren Glauben und gute Zuversicht enttäuscht sein lassen und sein Gerücht falsch machen, daß sie hätte denken mögen: Ist das der gütige freundliche Mann? Oder sind das die guten Worte, die ich von ihm habe hören sagen, darauf ich mich verlassen habe? Es muß nicht wahr sein. Er ist dein Feind und will dich nicht. Er möchte doch ein Wort sagen und zu mir sprechen: Ich will nicht. Nun schweigt er als ein Stock. Sieh, das ist ein harter Stoß, wenn Gott sich also ernst und zornig erzeigt und seine Gnade so hoch und tief verbirgt, wie die wohl wissen, die es im Herzen fühlen und erfahren, daß sie dünkt, er wollte nicht halten, was er geredet hat und sein Wort falsch sein lassen, wie den Kindern Israel auch geschah am Roten Meer und sonst vielen anderen großen Heiligen. Nun, was tut das Weib hierzu? Sie tut solche unfreundliche und harte Gebärde Christi aus den Augen, läßt sich durch das alles nicht beirren, nimmt's auch nicht zu Herzen, sondern bleibt stracks und fest in ihrer Zuversicht hängen an dem guten Gerücht, das sie von ihm gehört und gefaßt hatte und läßt nicht ab.

V. 27: 17 II, 203,5: Noch läßt sie nicht ab, sondern willigt auch in sein Urteil ein und gibt zu, sie sei ein Hund, begehrte auch nicht mehr als ein Hund, nämlich, daß sie die Brosamen, die vom Tisch der Herren fallen, esse. Ist das nicht ein Meisterstück? Sie fängt Christus in seinen eigenen Worten. Er vergleicht sie einem Hund. Das gibt sie zu und bittet nicht mehr, als daß er sie einen Hund sein lassen wolle, wie er selbst urteilt. Wo wollte Christus da hin? Er war gefangen.

20, 280,17: In dieser Frau ist nicht ein einfacher Glaube, sondern ein vollkommener und ritterlicher Glaube, der den Sieg gewinnt und siegt gegen Gott selbst. Es ist eine leichte Sache, wenn wir glauben, daß Gott unseren Leib ernähren kann, und auch das ist noch kein starker Glaube, wenn du glaubst, dir seien die Sünden vergeben. Aber das ist die höchste Stufe des Glaubens, wenn Gott selbst sich gegen uns stellt und wir mit ihm kämpfen sollen und wir dann so stark sind, daß wir ihn besiegen, wie wir bei dem Erzvater Jakob lesen. Als er allein an einem Ufer blieb und betete, kam ein Engel und rang mit ihm und wollte ihn erwürgen als einer, der um Gottes willen hier war. Welche Kräfte hatte Jakob im Vergleich mit dem Engel? Und dennoch kämpfte er mit ihm bis zur Morgenröte, und es war ein solcher Kampf, in welchem Jakob glaubte, daß Gott gegen ihn kämpfe. Dort hat Jakob das Wort ergriffen: ‚Ich will dir wohl tun.‘ Dort hat er mit Gott selbst gekämpft. So verhält es sich auch hier. Daher gab er ihm den Namen Israel, das heißt ein Kämpfer mit Gott. Wenn du Gott besiegen kannst, wieviel mehr die Menschen. Es ist ein hoher Name, mit Gott zu kämpfen und zu gewinnen.

CALVIN

CO 45,455–460

In diesem Wunder wird uns gezeigt, wie die Gnade Christi zu den Heiden vorzudringen beginnt. Denn wenn auch die Zeit noch nicht reif war, daß sich Christus der ganzen Welt bekannt machte, wollte er doch einige Vorzeichen von seiner allumfassenden Barmherzigkeit geben, die endlich nach seiner Auferstehung Juden und Heiden ohne Unterschied dargeboten werden sollte. An der kanaanäischen Frau wird uns das Bild eines ganz außerordentlichen Glaubens gezeichnet, so daß wir beim Vergleich zwischen ihr und den Juden sagen müssen, daß den Juden die verheißene Erlösung zu Recht entzogen wurde, wenn sie in ihrer Gottlosigkeit so unverständig blieben. Die Frau, die Matthäus als kanaanäisch bezeichnet, soll nach Markus eine Griechin gewesen sein, und zwar von syrophönizischer Abstammung. Darin liegt kein Widerspruch; denn wir wissen, daß die Juden ganz allgemein alle ausländischen Völker Griechen nannten. Dieser Gegensatz zwischen Griechen und Juden taucht des öfteren bei Paulus auf. Da nun die Frau aus der Gegend von Tyrus und Sidon stammte, ist es kein Wunder, daß sie als Syrophönizierin bezeichnet wird; denn die Gegend wurde nach Syrien genannt und war ein Teil von Phönizien. Die Juden nannten jedoch alle Einwohner dieses Landes mit dem Schimpfnamen Kanaanäer. Das wird nicht abwegig gewesen sein; denn die meisten Leute dort werden wohl ihrer Abstammung nach aus kanaanäischen Völkern gewesen sein, die aus ihrem Vaterland vertrieben worden waren und im Nachbargebiet Zuflucht genommen hatten. Darin stimmen die beiden Evangelisten überein, daß die Frau als Heidin geboren und darum nicht in der Lehre des Gesetzes erzogen war und daß sie freiwillig zu Christus gekommen war, um ihn flehentlich um Hilfe zu bitten. Bemerkenswert ist auch der Umstand, den Markus erwähnt, daß Christus nicht mit aufgezogener Fahne dort erschienen war, sondern er wollte sich wie ein gewöhnlicher Mensch in diesem Winkel eine Zeitlang unbemerkt aufhalten. […]

V. 22: *Ach Herr, du Sohn Davids, erbarme dich mein!* Obwohl diese Frau nicht zur Herde des Herrn gehörte, hatte sie doch schon einen gewissen Geschmack von Frömmigkeit aufgesogen. Denn wenn sie die Verheißungen gar nicht gekannt hätte, hätte sie Christus nicht Sohn Davids nennen können. [...]

V. 23: *Und er antwortete ihr kein Wort.* Auf verschiedene Weise rühmen uns die Evangelisten den Glauben dieser Frau: zunächst hat sie eine unbezwingbare Ausdauer. Denn da in dem Schweigen Christi eine Art Abweisung lag, ist es ein Wunder, daß diese Erprobung ihr nicht den Mut nahm. Ihr unablässiges Bitten ist ein Zeichen für ihre Ausdauer. [...] Da Christus auch redet, wenn er schweigt, müssen wir sehen, wie er, obwohl anfänglich sein Mund kein Wort herausließ, doch innerlich zu dem Herzen der Frau sprach, so daß also dieser geheime Antrieb an die Stelle einer äußeren Verkündigung trat. [...] So redet der Herr oft seine Gläubigen an, ohne ein Wort zu sprechen. Denn im Vertrauen auf die Zeugnisse der Schrift, wo sie ihn selbst reden hören, zweifeln sie nicht daran, daß er ihnen gnädig sein werde. Trotzdem antwortet der Herr oft nicht sofort auf ihre Wünsche und Gebete, ja, er tut sogar so, als hörte er sie gar nicht. Wir sehen also, in welcher Absicht Christus schwieg; er wollte nicht den Glauben der Frau auslöschen, sondern er wollte ihren Eifer anreizen und sie zur Glut entfachen. [...]

Laß sie doch von dir! Das sagen die Jünger nicht zum Besten der Frau, sondern sie wollen sie auf irgendeine Weise loswerden, da ihnen ihre Zudringlichkeit lästig ist. [...]

V. 24: *Ich bin nur gesandt.* Als Grund, warum er die Kanaanäerin nicht anhört, gibt Christus den Aposteln an, er wolle sich ganz den Juden widmen, für die allein er als Diener der göttlichen Gnade bestimmt war. Er begründet es also mit der Berufung und dem Auftrag des Vaters, daß er Fremden nicht helfen dürfe. Nicht daß die Macht Christi für alle Zeiten in so engen Grenzen gehalten werden sollte, aber die Reihenfolge wollte es so, daß er bei den Juden anfing und daß er sich damals ganz besonders ihnen widmete. [...] Die Scheidewand sollte nicht vor der Auferstehung fallen, so daß Christus erst dann den Heiden, die bis dahin von Gottes Reich ausgeschlossen waren, den Frieden verkündigte. Darum verbot er den Aposteln damals, anderswo als in Judäa den ersten Samen der Verkündigung auszustreuen. Wahrheitsgetreu behauptet also Christus an dieser Stelle, er sei nur zu den Juden gesandt, bis in der richtigen Reihenfolge auch die Heiden an die Reihe kämen. *Schafe des Hauses Israel* nennt er nicht nur die Erwählten, sondern alle, die ihre Abstammung von den heiligen Vätern herleiteten. Denn der Herr hatte alle mit seinem Bund erfaßt, und allen ohne Unterschied war der Erlöser verheißen, wie er ja dann sich auch ausnahmslos allen offenbarte und anbot. Auch das Beiwort müssen wir genau beachten, daß er sagt, er sei nur zu den *verlorenen*

Schafen gesandt, wie er ja auch sonst (vgl. Mt. 18,11 u.a.) bezeugt, er sei gekommen, zu retten, was verloren ist. [...]

V. 25: *Sie kam aber und fiel vor ihm nieder.* Die Frau scheint mit einer unbeirrbaren Hartnäckigkeit zu kämpfen, um gegen den Willen Christi etwas von ihm zu erpressen. Aber ohne Zweifel war es der einmal gefaßte Glaube an die Güte des Messias, der sie so mutig machte. So kann es sie auch weder abschrecken noch von ihrem Vorhaben abbringen, als Christus ihr deutlich erklärt, das sei nicht sein Auftrag. Denn da sie sich so fest an den einmal empfangenen Glaubenseindruck klammerte, läßt sie nicht bei sich aufkommen, was gegen ihre Hoffnung spräche. Das ist der wahre Beweis für den Glauben, wenn wir uns die allgemeine Grundlage unseres Heils, die im Wort Gottes liegt, um keinen Preis nehmen lassen.

V. 26: *Es ist nicht fein.* Mit dieser Antwort, die noch schroffer ist als die vorige, scheint Christus jegliche Hoffnung zunichte zu machen. Denn nicht nur lehrt er, daß alle Gnadengaben, die er vom Vater empfing, den Juden zukommen und an sie verteilt werden müssen, damit sie nicht um ihr Vorrecht betrogen werden, sondern er vergleicht auch die Frau selbst zu ihrer Schande mit einem Hund und deutet damit an, sie sei der Teilnahme an seiner Gnade unwürdig. [...] Was Christus meint, kommt noch deutlicher bei Markus (vgl. 7,27) heraus: *Laß zuvor die Kinder satt werden.* Die kanaanäische Frau soll wissen, wie unpassend sie sich benimmt, wenn sie sich gleichsam mitten bei der Mahlzeit bei Tisch miteindrängen will. [...]

V. 27: *Ja, Herr.* Die Antwort zeigt, daß die Frau sich nicht zu einem blinden oder übereilten Widerspruch hinreißen läßt, so daß sie Christus unmittelbar ins Wort fällt. Denn da Gott nun einmal die Juden den andern vorgezogen hat, so läßt sie ihnen auch die Ehre der Kindschaft und zeigt keinerlei Widerspruch dagegen, daß Christus nach der ihm von Gott vorgeschriebenen Ordnung sie satt macht. Nur das eine bittet sie, daß ein paar Brotkrumen, die gewissermaßen zufällig vom Tisch fallen, den Hündlein zugute kommen. Und tatsächlich hat Gott niemals seine Gnade so auf die Juden beschränkt, daß nicht die Heiden wenigstens einen geringen Vorgeschmack davon bekommen hätten. So konnte die Gnadenordnung Gottes, die damals in Kraft stand, nicht besser und klüger ausgedrückt werden.

V. 28: *Dein Glaube ist groß.* Zunächst lobt Christus den Glauben der Frau. Dann erklärt er, daß er um ihres Glaubens willen ihre Bitten erfülle. Die Größe ihres Glaubens zeigte sich besonders darin, daß sie, geleitet nur von einem schwachen Funken der Lehre, nicht nur den wahren Auftrag Christi erkannte und ihm die himmlische Macht zuschrieb, sondern daß sie beharrlich durch so viele Hindernisse hindurchdrang. Sie ließ sich erniedrigen; aber sie blieb bei ihrer Überzeugung, daß Christus auch ihr helfen würde. Sie verband ihr Vertrauen so mit ihrer Demut, daß sie sich nicht unbedacht etwas anmaßte und sich doch auch nicht im Gefühl eigener Unwürdigkeit den Quell der Gnade Christi verschloß. [...] Das Schlußwort Christi enthält die nützliche Lehre, daß der Glaube alles vom Herrn erlangt; denn Gott schätzt ihn so hoch, daß er immer bereit ist, uns unsere Bitten, soweit es gut für uns ist, zu gewähren.

Mt. 16,13–19: Das Bekenntnis des Petrus

LUTHER

WA 2,183–240: Resolutio Lutheriana super propositione XIII de potestate papae, 1519
WA 10 III,208–216: Predigt am 29. Juni 1522
WA 54,206–299: Wider das Papsttum zu Rom, vom Teufel gestiftet, 1545

V. 13: 2, 189,27: Sieh ferner, was schon von den Laien bemerkt wurde, in denen auch der Geist Christi ist, daß sich dieses Wort Christi nicht verstehen lasse als allein dem Petrus gesagt, sondern daß Christus nicht Petrus allein, sondern alle Apostel gefragt hat, wenn er sagt: ‚Wer sagt denn ihr, daß ich sei?‘ Er spricht nicht: ‚Du, Petrus, wer sagst du, daß ich sei?‘ Nun hätten durch Petrus nicht alle Jünger geantwortet, so wären sie sicherlich keine Jünger gewesen, hätten nicht auf den Meister gehört und hätten seine Fragen nicht beantwortet, was doch unrecht von den Aposteln gedacht wäre.

V. 18: 10 III, 213,11: So können sie nun sagen: Spricht doch Christus hier ‚Du bist Petrus, und auf den Felsen will ich bauen meine Kirche‘, das müßte so verstanden werden, daß hier Petrus ein Felsen heißt und Christus heißt ein Fels, denn Christus ist der ganze Fels. Petrus aber ist ein Stück des Felsens, gleichwie er Christus heißt, und wir heißen nach ihm Christen der Gemeinschaft und des Glaubens wegen, weil wir auch christliche Natur an uns haben. Denn durch den Glauben werden wir ein Geist mit Christus und empfangen von ihm seine Natur. [...] Also heißt auch Petrus hier ein Fels, darum daß er auf den Fels stößt und durch den er auch Fels wird. Also sollten wir auch billig Petri heißen, das heißt Felsen, daß wir den Fels Christus erkennen.

10 III, 214,26: Der Glaube ist ein allmächtig Ding wie Gott selbst ist. Darum will ihn auch Gott bewähren und prüfen. Darum muß sich auch dawider legen alles, was der Teufel vermag und kann, denn er sagt nicht umsonst hier, daß ihn nicht überwältigen alle Pforten der Hölle. Denn Pforten in der

Schrift heißt eine Stadt und ihr Regiment, denn bei den Pforten hatten sie ihre Gerichtshändel, wie im Gesetz geboten ist 5. Mose 16 (18): Du sollst Richter und Lehrer bestellen in allen deinen Toren. Also heißen hier die Pforten alle Gewalt des Teufels mit Anhang, als da sind Könige und Fürsten mit den Weisen dieser Welt. Die müssen sich wider diesen Fels und Glauben legen. Der Fels steht mitten in dem Meer. Da gehen die Wellen daher und stürmen, blitzen, toben und wüten dagegen, als wollten sie den Fels umstoßen, aber er besteht wohl, denn er ist wohl gegründet.

54, 244, 17: Johannes 6 (63) spricht der Herr: ‚Meine Worte sind Geist und Leben.‘ Demnach müssen diese Worte Matthäus 16 auch Geist und Leben sein, nämlich wenn er spricht: Ich will meine Kirche auf diesen Fels bauen. Hier muß bauen ein geistlich und lebendiges Gebäude sein. Fels muß ein lebendiger, geistlicher Fels sein. Kirche muß eine geistliche, lebendige Versammlung sein, ja so lebendig, daß es alles ewiglich lebt. Das Fleisch ist zu nichts nütze, es stirbt und lebt nicht ewiglich.

54, 249, 9: ‚Und dir will ich die Schlüssel des Himmelreichs geben...‘ Der Herr will seine Kirche, die auf ihn gebaut ist und an ihn glaubt, wohl versorgen. Denn weil sie das Evangelium vor der Welt predigen und bekennen und damit regieren sollen, daß Christus Jesus Gottes Sohn sei, will er ihr Wort geehrt und unverachtet haben. Man soll es glauben und in solchen Ehren halten, als redete er's durch sich selbst persönlich vom Himmel. Wer nun das Evangelium von den Aposteln oder der Kirche hört und nicht glauben will, dem sollen sie ein solches Urteil sprechen, daß er verdammt sein soll. Ebenso, wenn er gläubig geworden ist und abfällt und sich nicht wieder zum Glauben bekehren will, dem sollen sie auch ein solches Urteil fällen, daß seine Sünde behalten und er verdammt sein soll. Wiederum, wer das Evangelium hört und glaubt oder sich von seinen Sünden abkehrt hin zum Glauben, dem sollen sie solches Urteil sprechen, daß ihm seine Sünden vergeben sind und er selig werden soll. Und dieses Urteil will er im Himmel so ansehen, als habe er es selbst gesprochen. Siehe, das sind die Schlüssel des Himmelreichs, und das ist ihr Amt, daß man in der Kirche ein ewiges Behalten und Vergeben der Sünde habe, nicht allein zur Zeit der Taufe oder einmal im Leben, sondern ohne Unterlaß bis ans Ende, Behalten (der Sünde) für die Unbußfertigen und Ungläubigen, Vergebung für die Bußfertigen und Gläubigen.

ZWINGLI

Z I 249–327: Apologeticus Archeteles, 22./23. 8. 1522
Z II 1–457: Auslegen und Gründe der Schlußreden, 14. 7. 1523
Z III 590–912: De vera et falsa religione commentarius, März 1525

Z V 795–977: Daß diese Worte: Das ist mein Leib usw. ewiglich den alten Sinn haben werden, 20.6.1527

V. 16: Z II 366,19–24: Christus hat seine Jünger öfters Dinge gefragt, die er selber wohl wußte. Desgleichen hat er die Frage oftmals auch allen gestellt, und nur einer hat die Antwort gegeben. Daraus folgt, daß seine anschließende Aussage auch nicht dem allein galt, der die Antwort im Namen aller gegeben hatte, sondern auf alle bezogen war, für welche der Wortführer geantwortet hatte.

Z III 725,24–726,8: Man muß beachten, daß Petrus im Namen aller geantwortet hat entsprechend der Frage, die Christus allen Jüngern gestellt hatte, auch wenn der Evangelist an dieser Stelle keinen andern ausdrücklich erwähnt. Anders Johannes, Kapitel 6 (6,67–69), der alle Zwölf erwähnt, wo er dieselbe Antwort beschreibt, nämlich: „Jesus sagte zu den Zwölf: ‚Wollt ihr auch weggehen?' Da antwortete ihm Petrus: ‚Herr, zu wem sollten wir gehen (Siehst du: ‚Wir' sagt er, im Namen aller, nicht ‚ich')? Du hast Worte des ewigen Lebens, und wir haben geglaubt und erkannt, daß du bist Christus, der Sohn Gottes.'" […] Es ist eine Eigenart der Evangelisten, daß sie zuweilen allen Jüngern gemeinsam eine Aussage in den Mund legen …, zuweilen aber einem einzigen wie hier Mt. 16 und Joh. 6.

V. 17: Z II 368,19–23: ‚Selig bist du' heißt nach hebräischem Sprachgebrauch: ‚wohl dir'. […] Wir begreifen dadurch, daß das Bekenntnis zu Christus als Gottes Sohn kein Einfall des menschlichen Herzens, sondern eine Eingabe Gottes ist.

V. 18: Z I 295,8–25: Wer leugnet denn schon, daß es nur einen Christus gibt, nur eine Kirche, nach dem Wort des Herrn auf den Felsen gegründet? Indessen sind manche nicht einig darüber, wer der Fels sei. Die einen machen den Fischer (Petrus) dazu, die andern den Schöpfer der Fische und aller Kreaturen (Christus). […]

Z III 727,18–32: Der Name ‚Petrus' ist dem Simon hier nicht zum erstenmal beigelegt worden, vielmehr schon bei jenem ersten Zusammentreffen, als ihn sein Bruder Andreas zu Christus führte, Joh. 1 (1,42). Damals schon sagte Christus zu ihm: ‚Du bist Simon, der Sohn des Johannes; du sollst Kephas heißen', was übersetzt bedeutet Petrus. Von daher ist es wahrscheinlich, daß Petrus fortan oft mit diesem Namen genannt worden ist, wie es sich auch aus der Reihenfolge der in den Evangelien erzählten Geschichten ergibt. Besonders aber Markus 3 (3,16) muß gesehen werden, daß Simon den Namen Petrus schon trug, bevor geschah, was Matth. 16 beschrieben wird. Die Worte ‚Du bist Petrus' erklären also den Grund, warum Christus ihm schon früher diesen Namen gegeben hatte, wie wenn er sagen wollte: ‚Mit Recht habe ich dir den Namen Petrus gegeben; denn du bist ein Petrus! Bekennst du doch fest, klar und standhaft, was allen Menschen zum Heile dient. Auf diesen Felsen werde auch ich meine Kirche bauen, nicht auf dich; denn nicht du bist der Fels.' Allein Gott ist der Fels, auf den jeder Bau zu gründen ist.

Z II 370, 14–16: Alle, die glauben, wie die Jünger zusammen mit Petrus geglaubt haben, daß Christus der Sohn des lebendigen Gottes ist, sind auf den Felsen gegründet und heißen deshalb auch ‚Felser' (auf den Felsen gegründete).

V. 18: Z III 728, 35–729, 3: Die Pforten der Hölle, so meine ich, bedeuten die Macht und die Gewalt der Hölle. Man kann nämlich an den Städten fast überall die Beobachtung machen, daß die Türme, Gräben, Wälle und Bollwerke um die Tore herum am stärksten ausgebaut sind. Von daher wird Christus auf diese bildliche Redeweise gekommen sein.

Z II 56, 33–57, 1: Wer bekennt, wie Petrus der ‚Felser', daß Christus der Sohn des lebendigen Gottes ist, gegen den vermögen die stärksten Waffen, Wehr und Gewalt des Teufels nichts!

Z II 372, 15–373, 10: Bezieht man (den Satz) auf den Felsen, so ist der Sinn: die Pforten der Hölle vermögen nichts auszurichten gegen den Felsen Christus. Bezieht man (den Satz) auf die Kirche, also auf diejenigen, die an Christus glauben, so ist der Sinn: die Pforten der Hölle vermögen nichts auszurichten gegen die Gläubigen, die auf dem Felsen Christus erbaut sind. […] Und der Gesamtsinn all dieser Worte ist der: ‚An den Felsen, oh Petrus, auf den ich meine Kirche bauen werde, kommt niemand mit aller Gewalt nicht heran. Es kann sie auch niemand erstürmen, wenn sie auf mich gebaut und in mir gefestigt ist. […] Auch den Glauben der Kirche, will sagen: aller Menschen, die an mich glauben, kann niemand zerstören.' Seid darum unerschrocken, die ihr wirklich glaubt! Mag auch Gott über euch verhängen, daß ihr durchächtet werdet; mag es auch euch persönlich so direkt treffen, daß ihr in die Wüste entrinnen müßt (vgl. Mt. 24, 16), so kann trotzdem niemand dem Glauben Abbruch tun, geschweige denn ihn vertilgen. Gott ist es allein, der den Glauben gibt. Und werden gar viele um des Glaubens willen getötet, so kommen dadurch erst recht viele Menschen zu Gott.

V. 19: Z II 380, 17–20: Die Schlüssel sind nichts anderes als: das lautere, unverfälschte Wort des Evangeliums zu predigen. Wer diesem glaubt, wird frei von seinen Sünden und wird heil. Wer ihm nicht glaubt, wird verdammt (Mk. 16, 16).

Z III 738, 8–13: Das sind die Schlüssel, die Christus den Aposteln anvertraut hat, womit sie die Tore des Himmels aufgeschlossen und das Evangelium verkündigt haben: Wer dem gepredigten Evangelium geglaubt hat, hat

Befreiung des Gewissens und Trost empfunden. Das Evangelium … lehrt ja nicht nur die Gnade, sondern auch das neue Leben ergreifen.

Z II 379,18–23: Daß aber die Schlüssel, von denen wir reden, nicht allein den zwölf Aposteln, sondern in ihrer Person allen gegeben sind, beweise ich mit der von Christus selbst gemachten Aussage Markus 13 (13,37): ‚Was ich euch sage, das sage ich allen Menschen!' Hat er nun den Zwölf die Schlüssel zugesagt und gegeben, so hat er diese Schlüssel allen denen gegeben, die glauben und denen, die zu predigen haben.

Z II 388,24–389,3: Wie haben die Jünger entbunden? fragst du. Antwort: Mit dem Wort Gottes. Wer mit dem Munde den Glauben bekannt hat, daß Christus sein Heil ist, dem haben sie die Gewißheit zugesprochen, daß Gott ihm seine Sünden vergeben hat; daraufhin haben sie ihn getauft. Wie haben sie aber gebunden? fragst du weiter. Antwort: Hat man dem Wort des Evangeliums keinen Glauben geschenkt, so sind sie gemäß Christi Anweisung hingegangen und haben den Staub der betreffenden Stadt von sich geschüttelt (Lk. 10,10–11).

Z V 820,18–20: Obgleich Christus ‚Binden und Lösen' den Jüngern zueignet, ist es doch allein das Wirken des Geistes.

CALVIN

CO 45,471–477

V. 13: *In die Gegend von Cäsarea Philippi.* Nach Markus hat sich dieses Gespräch auf dem Wege abgespielt, nach Lukas dagegen, während Christus betete und niemand bei ihm war außer seinen Jüngern. Matthäus gibt die Zeit nicht so genau an. Es steht jedoch fest, daß die drei die gleiche Geschichte berichten, und es ist möglich, daß Christus bei einer Wanderung, nachdem er bei irgendeiner Raststelle gebetet hatte, diese Frage an die Jünger richtete. Da es zwei Cäsarea gab, das alte und vornehmere, das früher Turm des Strato hieß, und das hier gemeinte, das am Fuß des Libanon lag, nicht weit vom Jordan entfernt, ist der Zusatz zur Unterscheidung hinzugefügt. Einige meinen zwar, es sei an derselben Stelle aufgebaut, wo einst die Stadt Dan war; doch weil der Vierfürst Philippus es kürzlich aufgebaut hatte, hieß es nach ihm.

Wer sagen die Leute, daß des Menschen Sohn sei? Der Sinn dieser Frage könnte so aussehen: Was redet man im Volk über den Erlöser, der Menschensohn geworden ist? Doch ist die Frage gerade umgekehrt gemeint: Was denken die Leute über Jesus, den Sohn der Maria? […]

V. 14: *Etliche sagen, du seiest Johannes.* Hier handelt es sich nicht um ausgesprochene Feinde Christi, auch nicht um gottlose Verächter, sondern um den noch gesünderen und weniger verdorbenen Teil des Volkes, gewissermaßen die auserlesene Blüte der Gemeinde. Denn die Jünger erwähnen nur solche, die mit Ehrerbietung über Christus sprechen. Aber obwohl ihnen doch die Wahrheit bekanntgemacht worden ist, trifft keiner von ihnen ins Schwarze, sondern sie verlieren sich alle in eigenen törichten Gedanken. Wir sehen daraus, wie beschränkt der menschliche Geist doch ist, daß er nicht nur von sich aus nichts Richtiges und Wahres erkennen kann, sondern auch noch wahre Grundsätze zu Irrtümern verdreht. [...]

V. 15: *Wer sagt denn ihr, daß ich sei?* Hier nimmt Christus seine Jünger vom übrigen Volk aus, damit es noch deutlicher wird, wie unsinnig es ist, wenn wir uns von der Einheit des Glaubens abbringen lassen, mögen die andern auch noch so sehr unter sich gespalten sein. Denn alle, die sich Christus aufrichtig ergeben und niemals versuchen, aus ihrem Kopf etwas zu dem Evangelium dazuzuerfinden, wird das sichere Licht keinen Augenblick verlassen. Doch dazu braucht man gespannte Wachsamkeit, um beständig an Christus festzuhalten, wenn die ganze Welt zu ihren falschen Erfindungen abfällt. Da Satan den Juden nicht nehmen konnte, was ihnen über das Kommen Christi im Gesetz und den Propheten zugesagt war, veränderte er den Christus und zerschnitt ihn gewissermaßen in Teile; auf diese Weise hielt er ihnen eine Reihe falscher Christusgestalten vor, damit der wahre Erlöser darunter verschwinde. [...]

V. 16: *Du bist Christus.* Es ist ein kurzes Bekenntnis, aber es schließt die ganze Fülle unseres Heils in sich. Denn unter dem Namen „Christus" wird sein ewiges Königreich und Priestertum zusammengefaßt, wodurch er uns mit Gott versöhnt und mit seinem Sühnopfer die vollkommene Gerechtigkeit für unsere Sünden erlangt. So dann besagt dieser Name, daß er uns in seinen Frieden und seinen Schutz aufgenommen hat und dabei bewahrt, uns auszeichnet und durch alle Arten seines Segens reich macht. [...]

Der Sohn des lebendigen Gottes. Denn wenn Petrus vielleicht auch noch nicht so genau begriff, inwiefern Christus von Gott abstammte, so hielt er ihn doch für so einzigartig, daß sein Ursprung bei Gott sein mußte, und zwar nicht in der Form wie die anderen Menschen, sondern damit in seinem Fleisch die lebendige, wahre Gottheit wohne. Wenn Gott der „Lebendige" genannt wird, so wird damit unterschieden zwischen ihm und den toten Götzen, die ein Nichts sind.

V. 17: *Selig bist du, Simon.* Da das ewige Leben so aussieht, daß man den einigen Gott erkennt und den, den er gesandt hat, Jesus Christus, so nennt

Christus den mit vollem Recht selig, der das von ganzem Herzen bekannt hat. Doch sagte er das nicht dem Petrus allein, sondern er wollte damit zeigen, wo die einzige Glückseligkeit für die ganze Welt liegt. Damit jeder einzelne mit um so größerer Sehnsucht nach Christus verlangt, muß man zuerst betonen, daß alle von Natur aus elend und verdammt sind, bis sie in Christus Heilung finden. Dazu kommt, daß dem, der von Christus ergriffen ist, gar nichts mehr zur vollkommenen Seligkeit fehlt, da man ja nichts Besseres wünschen kann als die ewige Herrlichkeit Gottes, zu deren Besitz uns Christus hinführt.

Fleisch und Blut hat dir das nicht offenbart. Anhand der Gestalt dieses einen Menschen erinnert Christus alle daran, daß der Glaube von seinem Vater erbeten werden muß und daß er allein der Gnade Gottes zuzuschreiben ist. Denn „Fleisch und Blut" wird hier der besonderen Erleuchtung durch Gott gegenübergestellt. Wir sehen daraus, daß dem menschlichen Geist die Fähigkeit fehlt, die Geheimnisse der himmlischen Weisheit, die in Christus verborgen sind, zu erfassen. Ja, alle menschlichen Sinne versagen in dieser Beziehung, bis uns Gott die Augen öffnet, damit wir seine Herrlichkeit in Christus erkennen. Niemand soll sich darum auf seinen Verstand verlassen und sich stolz hervortun, sondern wir sollen uns demütig von dem Vater des Lichts innerlich darüber belehren lassen, daß allein sein Geist unsere Finsternis erhellen kann. Wem aber der Glaube bereits geschenkt ist, möge sich an seine eigene Blindheit erinnern und, dankbar für das Empfangene, lernen, Gott zu geben, was Gottes ist.

V. 18: *Und ich sage dir auch.* Mit diesen Worten erklärt Christus, wie sehr ihm das Bekenntnis des Petrus gefällt; darum schenkt er ihm auch eine so reiche Belohnung. Denn obwohl er seinem Jünger Simon bereits den Beinamen Petrus gegeben und ihn aus freier Gnade zu seinem Apostel bestimmt hatte, tut er doch so, als wären diese Gnadengaben eine Belohnung für den Glauben, wie es in der Schrift des öfteren geschieht. Zudem wird Petrus einer doppelten Ehre gewürdigt: Die erste Aussage betrifft sein persönliches Heil, die zweite meint sein Apostelamt. Wenn Christus sagt: *Du bist Petrus,* so bestätigt er damit, daß er ihm diesen Beinamen damals nicht von ungefähr gegeben hat; denn er soll ein lebendiger Stein am Tempel Gottes sein und dauerhaft darin bleiben. Obwohl das auch für alle Gläubigen gilt, von denen jeder einzelne ein Tempel Gottes ist und die, im Glauben vereinigt, zusammen den einen Tempel Gottes bilden (vgl. Eph. 2,20), wird doch Petrus unter den andern mit einer besonderen Betonung genannt, so wie ja jeder an seiner Stelle nach dem Maß der Gabe Christi mehr oder weniger empfängt.

Auf diesen Felsen will ich bauen meine Gemeinde. Hier wird klar, inwiefern der Name „Fels" (Petrus) sowohl für Simon wie dann auch für die andern Gläubigen gedacht ist. Denn sie sind alle auf den Glauben an Christus gegründet und fügen sich in heiliger Einmütigkeit zur geistlichen Behausung zusammen, so daß Gott mitten unter ihnen wohnt. Christus erklärt, das sei das gemeinsame Fundament für die ganze Gemeinde und er wolle damit alle Gläubigen, die es in Zukunft in der Welt geben werde, Petrus zugesellen. Er hätte auch sagen können: Ihr seid zwar nur ein kleines Häuflein von Menschen, und darum fällt dieses euer Bekenntnis im Augenblick nur wenig ins Gewicht, aber bald wird die Zeit kommen, wo es großartig herauskommt und sich weit verbreitet. Das trug viel dazu bei, die Jünger in ihrer Standhaftigkeit zu bestärken; denn obgleich ihr Glaube noch unbekannt und noch nicht berühmt war, waren sie doch die vom Herrn Auserwählten, gewissermaßen Erstlinge, damit aus dem geringgeachteten Anfang endlich einmal die neue Gemeinde entstehe, die siegreich bleiben sollte gegenüber allen Angriffen der Hölle. Das Fürwort „sie" (Die Pforten der Hölle sollen sie nicht überwältigen) kann (im griechischen Text) auf den („Felsen" des) Glaube(s) oder auch auf die „Gemeinde" bezogen werden. Doch gibt die zweite Möglichkeit mehr Sinn, nämlich, daß die Gemeinde in ihrer Festigkeit von aller Macht des Satans nicht überwältigt werden wird; denn die Wahrheit Gottes, auf die sich ihr Glaube stützt, wird in Ewigkeit unerschütterlich bestehen. Diesem Satz entspricht auch die Stelle 1. Joh. 5,4: „Unser Glaube ist der Sieg, der die Welt überwunden hat." Diese herrliche Verheißung ist besonders zu beachten: Alle in Christus Vereinten, die ihn als den Christus und Mittler anerkennen, werden bis zum Ende vor jeglichem Schaden bewahrt bleiben. Denn was von dem Leib der Kirche gesagt wird, gilt auch für jedes einzelne seiner Glieder, sofern sie in Christus eins sind. Wir werden hier jedoch auch daran erinnert, daß die Gemeinde, solange sie auf der Erde als Fremdling weilt, keine Ruhe haben, sondern vielen Anfeindungen ausgesetzt sein wird. Denn Christus erklärt darum, der Satan werde unterliegen, weil dieser als beständiger Feind der Gemeinde auftreten wird. Wie wir uns also im Vertrauen auf dieses Wort Christi getrost gegenüber dem Satan rühmen können und bereits im Glauben über alle seine Anschläge triumphieren, müssen wir auf der anderen Seite auch wissen, daß uns gewissermaßen das Signal geblasen ist, daß wir immer gerüstet und bereit sind, den Kampf aufzunehmen. Der Ausdruck „Pforten" soll zweifellos die Macht und das starke Bollwerk der Hölle bezeichnen.

V. 19: *Ich will dir des Himmelreichs Schlüssel geben.* Hier beginnt Christus mit einer Auseinandersetzung über das öffentliche Amt der Apostel, dessen Würde mit einem doppelten Lob versehen wird. Christus sagt, die Diener am Evangelium seien gewissermaßen Türhüter des Himmelreichs, weil sie über seine Schlüssel verfügen. Und dann fügt er hinzu, sie hätten die Macht, zu binden und zu lösen, und zwar sei das auch im Himmel wirksam. Das Bild der Schlüssel paßt sehr gut auf das Lehramt. Lk. 11,52 sagt Christus ja auch von den Schriftgelehrten und Pharisäern, sie hätten gleichsam die Schlüssel zum Himmelreich in der Hand, weil sie die Ausleger des Gesetzes waren. Wir wissen ja, daß nur das Wort Gottes uns die Tür zum Leben auftun kann. Daraus folgt, daß den Dienern am Wort der Schlüssel gewissermaßen in die Hand gegeben ist. Daß von Schlüsseln in der Mehrzahl die Rede ist, erklären manche Ausleger damit, daß die Apostel ja nicht nur den Auftrag haben zu öffnen, sondern auch zu schließen. Das klingt ganz glaubwürdig. Wenn man es aber weniger scharfsinnig auffassen möchte, verfehlt man auch nicht den Sinn. Man muß jedoch fragen, warum der Herr erst jetzt verheißt, daß er Petrus die Schlüssel geben werde, wo es doch früher so schien, als habe er sie ihm mit der Wahl zum Apostel bereits anvertraut. Die Antwort habe ich schon in Mt. 10 gegeben, wo ich gesagt habe, daß jene zwölf anfänglich nur Herolde auf Zeit waren. Als sie dann zu Christus zurückkehrten, hatten sie ihren Auftrag erfüllt. Erst nachdem Christus von den Toten auferstanden war, begann ihre Tätigkeit als ordentliche Lehrer der Gemeinde. Im Blick auf diese kommende Zeit wird ihnen diese Ehre hier übertragen.

Was du auf Erden binden wirst. Das zweite Bild oder Gleichnis gibt im eigentlichen das Vergeben der Sünden wieder. Denn Christus, der uns durch sein Evangelium von der Strafe des ewigen Todes befreit, löst die Fesseln der Verdammung, mit denen wir gebunden sind. Er bezeugt hier also, daß die Predigt des Evangeliums dazu bestimmt ist, unsere Bande zu lösen, so daß wir, wenn wir durch das Wort und das Zeugnis von Menschen gelöst sind, tatsächlich auch im Himmel los sind. Aber da sehr viele nicht nur die dargebotene Erlösung in gottloser Weise verschmähen, sondern sich durch ihren Trotz ein noch schwereres Urteil zuziehen, wird den Dienern am Evangelium auch die Vollmacht und der Auftrag zum Binden gegeben. Doch muß man beachten, daß das etwas dem Evangelium nicht Wesentliches und gewissermaßen gegen seine Natur ist. So schreibt auch Paulus, als er über die Strafe spricht, die er für alle Ungläubigen und Aufrührer bereit hat, im Anschluß daran sofort: „wenn euer Gehorsam völlig geworden ist" (2.Kor. 10,6). Denn wenn die Verworfenen nicht durch ihre Schuld das Leben in Tod verkehren würden, wäre das Evangelium für alle eine Kraft Gottes zur Seligkeit. Da jedoch beim Hören des Evangeliums die Gottlosigkeit vieler Menschen erst so richtig hervorbricht und den Zorn Gottes nur noch mehr herausfordert, muß das Evangelium für solche Leute ein Geruch des Todes werden. Christus will also mit seiner Verheißung die Seinen in dem Heil bestärken, das im Evangelium verheißen wird, daß sie es ebenso zuversichtlich erwarten, als wenn er selbst als Zeuge vom Himmel herabkäme. Umgekehrt will er aber auch den Verächtern des Evangeliums einen Schrecken einjagen, damit sie nicht glauben, sie könnten mit den Dienern am Wort ungestraft ihren Spott treiben. Beides war sehr nötig: Denn da uns der unvergleichliche Schatz des Lebens in zerbrechlichen Gefäßen angeboten wird (vgl. 2. Kor. 4,7), würde das Vertrauen darauf jeden Augenblick ins Wanken geraten, wenn uns nicht auf diese Weise die Vollmacht der ewigen Verkündigung verbrieft würde. Auf der anderen Seite führen sich die Gottlosen so frech und übermütig auf, weil sie meinten, sie hätten es nur mit Menschen zu tun. Darum erklärt Christus, daß durch die Verkündigung des Evangeliums auf der Erde enthüllt werde, wie das himmlische Urteil Gottes einmal aussehen wird, und daß von nirgend anders her die Gewißheit über Leben und Tod zu erhoffen sei. Es ist dann eine große Ehre, daß wir Boten Gottes sind, um der Welt ihr Heil zu bezeugen. Das Herrlichste am Evangelium ist, daß es die Botschaft der gegenseitigen Versöhnung zwischen Gott und Menschen genannt wird. Und das ist dann ein wunderbarer Trost für die frommen Herzen, daß sie wissen, die Botschaft des Heils, die ihnen so ein sterbliches Menschlein bringt, hat Gültigkeit vor Gott. Inzwischen mögen die Gottlosen über die Botschaft, die im Auftrag Gottes verkündigt wird, spotten, solange es ihnen Spaß macht. Irgendwann einmal werden sie dann doch merken, wie wahr und wie ernst Gott ihnen durch den Mund von Menschen gedroht hat. Mit dieser Zuversicht gewappnet, können dann die frommen Lehrer für sich und für andere furchtlose Bürgen für die lebendig machende Gnade Gottes sein und genauso beherzt gegen die schroffen Verächter ihrer Verkündigung ihre Blitze schleudern. [...]

Mt. 18,21–35: Der Schalksknecht

LUTHER

WA 27,406, 403–411: Predigt am 22. Sonntag nach Trinitatis, 8. 11. 1528

27, 406,1: Dieser Knecht, dem seine Sünden vergeben werden und der im Reich der Gnade ist, hätte auch mit seinem Mitknecht so handeln und ihm seine Sünden aus reiner Barmherzigkeit vergeben sollen. [...] Dies Evangelium sagt klar, daß der Knecht nicht durch die Vergebung, die er dem Bruder gibt, die Gnade erlangte, sondern bevor er dem Bruder seine Sünde vergibt, wird ihm vergeben. Da sollen wir die lautere Barmherzigkeit Gottes sehen, die uns schenkt. Wenn sie aber wahrhaft vorhanden ist, so folgt auch die Frucht, daß man dem Nächsten vergibt. Diese Vergebung ist die Frucht, die unserm Glauben folgt, und nicht ein Werk, durch das man Vergebung der Sünden verdient. [...] Wie könntest du auch etwas geben, wenn dir nicht zuvor gegeben ist? So wird denn durch dein Schenken dein Glaube gewiß. [...] Die Vergebung der Sünden geschieht also umsonst und wird nicht durch Werke verdient, aber wenn wir hernach vergeben, so soll es eine Frucht des Glaubens sein, daß du innerlich Vergebung habest, wie hier der Text zum ersten sagt. Wer also Christ sein will, muß eine zweifache Vergebung haben, erstlich die, die er empfängt, wenn Gott ihm alle Sünden aus lauter Gnade und Barmherzigkeit vergibt, zum andern soll er zusehen, daß er niemand auf Erden habe, dem er gram ist, wenn derselbe es auch noch so sehr verdient hätte.

ZWINGLI

S 6, 1 203–394: Annotationes in Evangelium Matthaei, 1529/30
S 6, 1 395–483: Additamenta ad Zwinglii commentarium in Evangelium Matthaei, herausgegeben von Leo Jud, 1539
Z III 590–912: De vera et falsa religione commentarius, März 1525
S 4 42–78: Fidei expositio, 1531 (gedruckt 1536, hrsg. von Heinrich Bullinger)

S 6, 1 342: Dieses Gleichnis ist klar. Doch nichts in der Heiligen Schrift ist so klar, als daß es nicht durch häufige und sorgfältige Auslegung noch klarer würde und angenehmer im Geruch (2. Kor. 2, 14). Es ist wie bei bestimmten Blumen: je mehr man sie in den Händen reibt, umso mehr duften sie.

V. 21 f.: S 4 60: Die Vergebung der Sünden, so glauben wir, wird dem Menschen gewißlich zuteil durch den Glauben, sooft er durch Christus Gott darum anfleht. Hat Christus zu Petrus gesagt, man müsse siebenundsiebzigmal, das heißt unbegrenzt verzeihen, dann kann es nicht anders sein, als daß auch Er selbst allezeit die Sünden vergibt. Durch den Glauben, so betonen wir, werden die Sünden vergeben. Damit wollen wir nichts anderes gesagt haben, als daß dem Menschen allein durch den Glauben die Gewißheit der Sündenvergebung geschenkt wird.

V. 23: Z III 862, 2–10: Indem Christus das Gleichnis, das auf die Frage des Petrus folgt, mit dem Wörtlein ‚deshalb‘ einleitet, macht er deutlich, daß es zum Verzeihen anleiten will, und es lehrt, was recht und billig ist. Von solcher Billigkeit redet er auch im Gebet Mt. 6 (Mt. 6, 12), wo Gott fordert, daß wir, wenn uns verziehen werden soll, selber auch verzeihen müssen. [...] Christus wollte also mit diesem Gleichnis nichts anderes lehren als: so wie wir immerfort wünschen, daß uns der himmlische König, an dem wir täglich uns unzählige Male versündigen, verzeihe, so sollen auch wir beständig Verzeihung üben.

V. 26: S 6, 1 342: Ahmen wir diesen Knecht nach, wie er um Gnade bittet! Er wirft sich nieder und fleht um Erbarmen. So sollen auch wir vor dem Thron der Gnade niederfallen, nicht auf unser Verdienst und Vermögen bauen, sondern sprechen: ‚Gott, sei uns Sündern gnädig‘ (Lk. 18, 13)!

Z III 862, 19–21: Ein Gleichnis muß man ein Gleichnis sein lassen. Denn es gibt in den Gleichnissen viele Einzelzüge, die nicht in jeder Hinsicht mit denjenigen Vergleichspunkten übereinstimmen, die durch sich selber sprechen.

V. 26: S 6, 1 450: ‚Habe Geduld mit mir!‘ Hier paßt das Gleichnis nicht. Denn wir können uns selber nicht der Schuld entledigen und können nicht selber Genugtuung leisten, wie der Knecht in Verkennung seiner Lage allzukühn und voreilig verspricht. Denn Gott ist es, der aus Gnaden vergibt.

V. 34f.: Z III 862, 30–863, 5: Auch in diesem vorliegenden Gleichnis muß man einzig auf den Gesichtspunkt achten, den es (als Ganzes) veranschaulichen will, und dieser lautet: Vergebt, und es wird euch vergeben; vergebt ihr nicht, wird auch euch nicht vergeben. Der Einwand, es sei von einem ‚bis‘ die Rede, widerlegt den Grundzug des Ganzen nicht ... Es ergäbe sich sonst, daß der in die Pein Geworfene nicht herauskäme, bis er dem himmlischen König genuggetan hätte. Wer aber sagt, wann Gott genug getan ist? Wer will das bestimmen? Und wenn die Strafen ewig wären, dann müßtest du ja auch ewig gemartert werden, bis du genug getan hättest! [...] Also ist klar – und eben deshalb dürfen wir gerade nicht in Wortklauberei verfallen – daß das Wort ‚bis‘ nicht im Sinne der Zeitdauer gepreßt werden darf; denn klarer noch heißt es von Christus selbst: ER ist uns gemacht zur Gerechtigkeit (1. Kor. 1, 30).

Mt. 19, 13–15: Die Kindersegnung

LUTHER

WA 17 II, 72–88: Evangelium auf den 3. Sonntag nach Epiphanias, Fastenpostille, 1525

17 II, 83, 28: Deute nun diese Worte, wie du willst, so haben wir, daß die Kinder zu Christus zu bringen sind und man ihnen nicht wehren soll. Und wenn sie zu ihm gebracht sind, so zwingt er uns hier zu glauben, daß er sie segnen und das Himmelreich geben will, wie er diesen Kindern tut. Es ist uns niemals anders zu tun und zu glauben erlaubt, solange dieses Wort steht: ‚Laßt die Kinder zu mir kommen und wehret ihnen nicht.‘ Genauso müssen wir, wenn

sie zu ihm gebracht sind, auch glauben, daß er sie herze, seine Hand auf sie
lege und sie segne und (ihnen) den Himmel gebe, solange der Text steht, daß
er die Kinder, die zu ihm gebracht wurden, segnete und (ihnen) den Himmel
gab. Wer kann an diesem Text vorüber? Wer will dagegen so kühn sein und
die Kinder nicht zur Taufe kommen lassen oder nicht glauben, daß er sie
segne, wenn sie dahin kommen? Nun ist er in der Taufe ja ebenso gegenwärtig wie er es damals war. Das wissen wir Christen gewiß. Darum dürfen wir
nicht den Kindern die Taufe verwehren. So dürfen wir auch nicht zweifeln, er
segne sie alle, die dahin kommen, wie er ihnen getan hat. So bleibt nun hier
nicht mehr übrig als der fromme Wunsch und der Glaube derjenigen, die die
Kinder zu ihm brachten. Diese machen und helfen durch ihr Zubringen, daß
die Kinder gesegnet werden und das Himmelreich erlangen. Das kann nicht
sein, sie haben denn ihren eigenen Glauben für sich selbst, wie gesagt ist. Also
sagen wir auch hier, daß die Kinder zur Taufe gebracht werden wohl durch
fremden Glauben und Werk. Aber wenn sie dahin gekommen sind und der
Priester oder Täufer an ihnen handelt an Christi Statt, so segnet er sie und
gibt ihnen den Glauben und das Himmelreich. Denn des Priesters Wort und
Tat sind Christi eigenes Wort und Werk.

17 II, 88,1: Summa, der Kinder Taufe und Trost steht in dem Wort: ‚Laßt
die Kinder zu mir kommen und wehret ihnen nicht, denn solcher ist das
Reich Gottes‘. Das hat er geredet und lügt nicht. So muß recht und christlich
sein, die Kinder zu ihm zu bringen. Das kann nur in der Taufe geschehen. So
muß auch gewiß sein, daß er sie segnen und das Himmelreich gebe allen, die
so zu ihm kommen, wie die Worte lauten ‚Solcher ist das Reich Gottes‘.

ZWINGLI

S 6,1 203–394: Annotationes in Evangelium Matthaei, 1529/30

V. 13: S 6,1 346: Vorher war von der Ehe die Rede, die Christus wieder in
ihre ursprüngliche Würde eingesetzt hat. Nun wird von den Kindern gesprochen, die aus der Ehe hervorgehen. [...] Ich glaube, es ist nicht zufällig, daß
Kinder zu Christus gebracht wurden, kaum hatte dieser von der Ehe gesprochen. Es war Gottes Voraussicht. Denn wir lernen aus dieser Abfolge der
Ereignisse beides zugleich kennen: den Glauben und die Ehrerbietung der
Mütter Christus gegenüber, wie auch ihre Liebe zu den Kindern. [...] Sie bitten
nicht um Reichtum oder um etwas für den Leib, sondern um den Segen und
das Heil ihrer Kinder. So hoch ist Christus eingeschätzt worden. Man wußte
nämlich im damaligen Judentum wohl: Es genügt nicht, selber wie um die
Wette zu Christus zu eilen; man muß auch seine Kinder mitnehmen!

CALVIN

CO 45, 534–536

Diese Erzählung ist sehr nützlich; denn sie erzählt uns, daß Christus nicht nur die annimmt, die von sich aus in heiligem Verlangen und auf Antrieb des Glaubens zu ihm kommen, sondern auch solche, die aufgrund ihres Alters noch gar nicht merken können, wie sehr sie seine Gnade brauchen. Bei diesen kleinen Kindern ist noch keinerlei Verständnis da, daß sie seinen Segen erbitten könnten. Trotzdem nimmt Christus sie freundlich und gütig auf, als sie ihm gebracht werden, und übergibt sie durch die feierliche Geste der Segnung seinem Vater. Nun müssen wir überlegen, welche Absicht die Leute damit verbinden, wenn sie ihm ihre Kinder übergeben. Sie müssen fest davon überzeugt gewesen sein, daß Jesus die Kraft des Geistes besaß, um sie auf das Volk Gottes auszuströmen; sonst wäre es sinnlos gewesen, ihm die Kinder zu bringen. Ohne Zweifel fordern sie für die Kinder, daß sie an der Gnade teilhaben. Um die Steigerung auszudrücken, fügt Lukas hinzu: *auch,* als ob er sagen wollte: Nachdem man erfahren hatte, wie Christus den Erwachsenen auf alle mögliche Weise half, hoffte man auch für die Kinder, daß sie nicht ganz ohne die Gaben des Geistes weggehen würden, wenn er die Hände auf sie legte. Die Handauflegung war, wie schon früher erwähnt, bei den Juden ein altes, feierliches Zeichen für die Segnung. Darum ist es kein Wunder, wenn sie wünschen, Christus möge unter Gebrauch dieser feierlichen Zeremonie für die Kinder beten. Damit aber erkennen sie ihm das Recht und die Ehre des höchsten Propheten zu; denn nur der Größere kann einen Geringeren segnen (vgl. Hebr. 7, 7).

V. 13: *Die Jünger aber fuhren sie an.* Hätte man Christus eine Krone aufs Haupt gesetzt, hätten die Jünger das gern und unter Beifall angenommen; denn sein eigentliches Amt verstanden sie immer noch nicht. Darum halten sie es jetzt für seiner unwürdig, daß er sich mit Kindern abgibt, und ihr Irrtum hatte den Schein für sich. Denn wozu sollte sich der höchste Prophet und Sohn Gottes mit kleinen Kindern abgeben? Aber wir lernen hier wieder einmal, daß man Christus falsch beurteilt, wenn man ihn nach der Empfindung des Fleisches einschätzt. So geschieht es immer wieder, daß man ihm seine eigentlichen Gaben abspricht und in der Meinung, ihn zu ehren, ihm Dinge andichtet, die gar nicht zu ihm passen. […]

V. 14: *Laßt die Kinder.* Christus gibt zu verstehen, er wolle auch die Kinder empfangen, und er schließt sie nicht nur in seine Arme, sondern segnet sie auch unter Handauflegung. Daraus sehen wir, daß sich seine Gnade auch auf dieses Alter erstreckt. Kein Wunder! Da das ganze Geschlecht Adams des

Todes schuldig ist, müssen alle vom Kleinsten bis zum Größten umkommen, wenn sie nicht ein Erlöser errettet. Die Kleinen nun von der Gnade der Erlösung auszuschließen, wäre mehr als grausam. Darum wissen wir sehr gut, was wir tun, wenn wir diese Erwägung den Wiedertäufern entgegenhalten. Sie verweigern den kleinen Kindern die Taufe, weil sie das Geheimnis der Taufe noch nicht fassen könnten. Wir dagegen erklären, daß die Taufe das Unterpfand und Abbild der unverdienten Sündenvergebung und zugleich der Annahme bei Gott an Kindes Statt ist, die den kleinen Kindern auf keinen Fall verweigert werden dürfen; denn Gott nimmt sie an Kindes Statt an und wäscht sie mit dem Blut seines Sohnes rein. Daß die Taufe zugleich die Buße und das neue Leben darstellt, ist leicht zu erklären: die Kinder werden ihrem Alter entsprechend durch den Geist Gottes erneuert, bis die in ihnen verborgene Kraft mit der Zeit allmählich wächst und sich schließlich offen entfaltet. Daß wir jedoch nur durch den Glauben mit Gott versöhnt und zu Erben der Kindschaft werden, wie sie behaupten, ist richtig, soweit es die Erwachsenen betrifft; was aber die Kinder angeht, ist es falsch. Das zeigt diese Stelle. Bestimmt war die Handauflegung keine Spielerei und kein nichtssagendes Zeichen; auch hat Christus seine Gebete nicht umsonst ausgesprochen. Er konnte die Kinder gar nicht in dieser feierlichen Weise Gott darbringen, wenn er ihnen nicht auch die Reinheit schenkte. [...]

Denn solcher ist das Himmelreich. Mit diesem Wort umfaßt Christus sowohl diese Kleinen wie solche, die ihnen ähnlich sind. Darum ist es zu unsinnig, wenn die Wiedertäufer die Kinder ausschließen; denn bei ihnen sollte gerade der Anfang gemacht werden. [...]

Mt. 21, 1–9: Der Einzug in Jerusalem

LUTHER

WA 10 I 2, 21–62: Evangelium am 1. Advent, Adventspostille, 1522

V. 3: 10 I 2, 22, 16: Dies Evangelium reizt und fordert vor allem den Glauben, denn es zeigt uns Christi Bild in seiner gnädigen Ankunft. Den kann aber niemand aufnehmen und empfangen, er glaube denn, daß er der Mann sei und in der Meinung komme, wie ihn dies Evangelium vorhält. Es ist lauter Gnade, Sanftmut und Güte, was hier an Christus gezeigt wird; und wer das an ihm glaubt und ihn dafür hält, der ist selig. Sieh ihn dir nur an! Er reitet nicht auf einem Hengst, der ein Kriegstier ist, kommt nicht mit schrecklicher

Pracht und Gewalt, sondern sitzt auf einem Esel, der kein Streittier ist, sondern zur Belastung und Arbeit bereit, um den Menschen zu helfen. Dadurch zeigt er an, daß er nicht komme, um den Menschen zu schrecken, zu treiben oder zu unterdrücken, sondern um ihm zu helfen, seine Last zu tragen und auf sich zu nehmen. Freilich ist's dort allzeit Landessitte gewesen, auf Eseln zu reiten, und man hat die Pferde nur zum Krieg gebraucht, wie die Schrift das vielmal meldet. Aber es ist doch vor allem dazu, damit dieses Königs Einreiten als sanft und gütig erkannt werde. [...]

V. 5: Zum ersten spricht er: Saget der Tochter Zion. Das ist den Predigern gesagt. Damit wird ihnen eine neue Predigt befohlen, die sie predigen sollen, nämlich nichts andres, als was die folgenden Worte geben, das heißt eine rechte selige Erkenntnis Christi. [...]

Zum andern spricht er: Der Tochter Zion. Damit wird der andre rechtschaffene Glaube berührt. Denn wenn er die folgenden Worte von Christus zu sagen befiehlt, so muß auch jemand da sein, der sie hört und aufnimmt und mit festem Glauben daran hängt. [...]

Zum dritten spricht er: Nimm wahr und siehe! Mit diesem Wort weckt er uns gleichsam vom Schlaf und Unglauben auf. [...]

Zum vierten: Dein König. Hier sondert er diesen König von allen andern Königen und spricht: Es ist dein König, der dir verheißen ist; sein Eigentum bist du, er soll dich regieren und sonst keiner. [...]

Zum fünften: Er kommt. Ohne Zweifel kommst du nicht zu ihm und holst ihn nicht. Er ist dir zu hoch und zu fern; mit deiner Kost, Mühe und Arbeit kannst du nicht an ihn gelangen, auf daß du dich nicht rühmest, als habest du ihn durch dein Verdienst und Würdigkeit zu dir gebracht. [...]

Zum sechsten: Er kommt zu dir. Dir, dir – was ist das? Ist's nicht genug, daß er dein König ist? Ist er dein, wozu sagt er dann noch, er komme zu dir? Aber es ist eben alles vom Propheten so gesetzt, um Christus aufs allerlieblichste abzumalen und zum Glauben zu locken.

10 I 2, 30,23: Nicht suchst du ihn; er sucht dich. Nicht findest du ihn; er findet dich, denn die Prediger kommen von ihm, nicht von dir. Ihre Predigt kommt von ihm, nicht von dir, dein Glaube kommt von ihm, nicht von dir, und alles, was der Glaube in dir wirkt, kommt von ihm, nicht von dir, daß du wohl siehst: Wo er nicht kommt, da bleibst du wohl draußen, und wo das Evangelium nicht ist, da ist kein Gott, sondern eitel Sünde und Verderben. Der freie Wille tue, leide, mache, lebe wie er mag und will. Darum frage nur nicht, wo anzufangen sei fromm zu werden. Es ist kein Anfangen, als wo dieser König hinkommt und gepredigt wird.

10 I 2, 31,27: Sanftmütig! Das Wort ist sonderlich zu merken und tröstet lieblich die sündigen Gewissen. Denn die Sünde macht natürlich ein furchtsa-

mes und ängstliches Gewissen, das sich vor Gott entsetzt und verbirgt, wie Adam im Paradiese tat und die Ankunft Gottes nicht ertragen kann.

ZWINGLI

S 6, 1 203–394: Annotationes in Evangelium Matthaei, 1529/30

V. 3: S 6, 1 356: Welcher der Herr aller war, bedarf eines Tieres der Armen. Selber hat er kein Eigentum. Um unsertwillen wurde er arm, er, der Reichste von allen. So sollen auch wir lernen, alles leidend zu ertragen um seinetwillen.

V. 8–9: S 6, 1 356: Armut, Erniedrigung und Gewaltverzicht lehrt er uns. Die Ehrerbietung seitens der Bevölkerung sucht er nicht, wie man ihm zujubelt als wie einem König und ihm Glück wünscht. Einhellig bezeugen ihn alle als den Messias, verheißen aus dem Stamm Davids und erwartet von den Juden. Nichtsdestoweniger kreuzigen sie ihn. (So ist es): Viele bekennen ihn, in Verfolgung aber lassen sie von ihm ab. Es ist leicht, Zweige von den Bäumen zu nehmen, Kleider auf den Weg auszubreiten, Beifall zu klatschen, Bilder und Altäre niederzureißen. Soviel das für sich hat und auch gut und recht sein mag, so ist es doch nicht das Wahre und Entscheidende, womit wir uns Gott gegenüber bewähren. Sondern durchhalten sollen wir in allen Widerwärtigkeiten, dem Herrn fest anhangen, den Geplagten und Unterdrückten zu Hilfe eilen, ihnen helfen und sie beraten, selber in unbescholtener Lebensführung; Gerechtigkeit sollen wir üben und der Sünde absterben (Röm. 6, 2).

S 6, 1 363: Das Gleichnis lehrt, daß man sich nicht auf das bloß äußere Bekenntnis verlassen darf; denn an den Früchten unterscheiden sich die wahren Christen von den andern. Zu seiner Zeit bringt der Glaube die ihm angemessenen Früchte hervor (Mt. 21, 34). Es genügt nämlich nicht, wenn du sagst: ‚Ich bin ein Christ, ich gehöre zur Kirche.‘ ‚Denn nicht jeder, der sagt: Herr, Herr, wird in das Himmelreich kommen, sondern wer den Willen des Vaters tut, Mat. 7‘ (Mt. 7, 21).

CALVIN

CO 45, 571–575

Christus ließ sich den Esel von seinen Jüngern nicht bringen, weil er von dem Fußmarsch ermüdet gewesen wäre, sondern er verfolgte damit einen andern Zweck. Da der Zeitpunkt seines Todes bevorstand, wollte er in einer feierlichen Weise zeigen, von welcher Beschaffenheit sein Reich sei. Zwar hatte er das schon getan von seiner Taufe an; aber am Ende seiner Berufung wollte er noch einmal einen Beweis davon geben. Nachdem er bisher auf den Königstitel verzichtet hat, bekennt er sich selbst jetzt öffentlich als König; denn er ist dem Ziel seiner Laufbahn nicht mehr fern. Warum das? Da seine Heimkehr in den Himmel bevorstand, wollte er vor aller Augen seine Herrschaft auf Erden beginnen. Jener ganze Aufwand aber wäre lächerlich gewesen ohne die Weissagung des Sacharja. Um sich königliche Ehre beizulegen, zieht Christus auf einem Esel in Jerusalem ein. Eine großartige Herrlichkeit! Hinzu kommt: Selbst um den Esel mußte er erst jemanden bitten, und da ihm Reitzeug und die passende Ausstattung fehlten, mußten die Jünger ihre Kleider auf das Tier legen. Ein Zeichen seiner schmählichen und schimpflichen Armut. Ich gebe zu, er zog zwar ein großes Gefolge nach sich; aber welche Leute waren es? Menschen, die zufällig aus den umliegenden Dörfern zusammengelaufen waren. Freudige Beifallsrufe erklangen. Aber von wem kamen sie? Aus der Mitte des ärmsten verachteten Volkes. Es könnte fast scheinen, als habe Christus sich absichtlich dem allgemeinen Gespött ausgesetzt. Aber da er zwei Dinge zeigen wollte, die eng zusammengehörten, mußte er so handeln: Er wollte ein klares Bild von seiner Herrschaft geben und dabei zeigen, daß sie nichts mit den irdischen Reichen gemeinsam habe und auch nicht auf den vergänglichen Reichtum dieser Welt gebaut ist. Aber auch das wäre unbeteiligten Menschen noch sehr närrisch vorgekommen, wenn Gott nicht lange davor durch seinen Propheten bezeugt hätte, daß der König, der kommen werde, um seinem Volk das Heil wiederzubringen, genauso sein werde. Damit also das ärmliche Auftreten Christi nicht zum Hindernis für uns wird, und wir in diesem Schauspiel seine geistliche Herrschaft erkennen, soll uns diese himmlische Weissagung vor Augen stehen, mit der Gott seinen Sohn auch in dieser häßlichen Bettlergestalt mehr geschmückt hat, als wenn alle Abzeichen von Königen an ihm geprangt hätten. Ohne diese Würze würde uns diese Geschichte niemals geschmeckt haben. Darum liegt auf den Worten des Matthäus ein großes Gewicht, wenn er sagt, die Weissagung des Propheten sei damit in Erfüllung gegangen. Denn da er sah, daß an Glanz und Pracht hängende Menschen mit ihrem natürlichen Urteilsvermögen kaum einen Sinn in diese Geschichte bringen können, führt er sie vom Anblick der bloßen Tatsache zur Betrachtung der Weissagung.

V. 2: *Geht hin in den Flecken.* Da Jesus bereits in Bethanien war, forderte er den Esel nicht, um sich die Beschwerde des Fußmarsches zu erleichtern. Er hätte den restlichen Weg leicht noch zu Fuß gehen können. Aber wie die Könige ihre Wagen besteigen, damit sie besser gesehen werden, so wollte auch der Herr bei dem Volk auffallen und durch irgendein Zeichen den Beifall seiner Begleiter als berechtigt lassen, damit niemand auf den Gedanken komme, daß man ihm die königliche Ehre gegen seinen Willen erweise. Aus welchem Ort er nun die Eselin herbringen ließ, ist unsicher, wenn man nicht einfach annehmen will, daß es irgendein Dorf in der Nähe Jerusalems war. [...] Zwar scheint Matthäus von einem Reiten auf zwei Tieren zu sprechen. Aber da in der Schrift oft Doppelausdrücke vorkommen, ist es nicht weiter verwunderlich, wenn er hier zwei Reittiere statt eines nennt. Übrigens geht ja aus den beiden anderen Evangelisten deutlich hervor, daß Christus nur auf dem Füllen geritten ist. Sacharja selbst (vgl. 9,9) beseitigt schließlich jeglichen Zweifel, da ja auch er nach dem allgemeinen hebräischen Sprachgebrauch die gleiche Sache zweimal bezeichnet.

Alsbald werdet ihr eine Eselin finden. Damit nichts die Jünger in ihrer Bereitschaft zum Gehorsam hindere, kommt der Herr ihren Fragen rechtzeitig zuvor. Zuerst bedeutete er ihnen, daß sie nicht aufs Geratewohl geschickt würden. Denn sie würden das Füllen mit seiner Mutter gleich beim Betreten des Dorfes finden. Außerdem würde niemand etwas dagegen haben, wenn sie es wegführen, sie sollten nur sagen, er brauche es. Auf diese Weise bewies er ihnen seine Gottheit. Denn nur Gott kann etwas wissen, das nicht vor Augen liegt, und die Herzen der Menschen zur Zustimmung lenken. Natürlich war es möglich, daß der Besitzer des Esels Christus freundlich gesinnt war und gern einwilligte; dennoch stand es nicht im Vermögen eines sterblichen Menschen zu erraten, ob der Besitzer zu Hause sein werde, ob es ihm dann gerade passen würde oder ob er unbekannten Männern überhaupt Vertrauen schenken würde. Wie Christus die Jünger stärkt, um sie zum Gehorsam willig zu machen, so beobachten wir an ihnen, daß sie sich daraufhin auch willfährig zeigen. Und der Erfolg beweist, daß die ganze Sache von Gottes Hand gelenkt ist.

V. 5: *Sagt der Tochter Zion.* Das ist nicht wörtlich aus Sacharja übernommen. Aber der Evangelist überträgt das, was Gott einem einzigen Propheten zu predigen aufgetragen hat, klug und passend auf alle frommen Lehrer. Denn die einzige Hoffnung der Kinder Gottes, an der sie sich stützen und aufrechterhalten sollten, war, daß einst der Erlöser kommen werde. Darum bezeugt der Prophet den Gläubigen, das Kommen des Christus sei Grund zu voller, echter Freude. Denn da Gott ihnen nur gnädig ist, wenn ein Mittler für sie eintritt, und er der Mittler ist, der die Seinen von allem Bösen befreit, was kann es außer ihm noch geben, das die in ihren Sünden verlorenen und vom Elend bedrückten Menschen fröhlich macht? Genauso müssen wir ohne Christus von tiefer Trauer erfüllt sein. Darum erinnert der Prophet die Gläubigen daran, daß sie Anlaß zu wahrer Freude haben, weil der Erlöser für sie da ist. Nun rühmt der Prophet den Christus zwar noch mit anderen Worten, z.B., daß er gerecht sei und mit Heil ausgerüstet; aber Matthäus nimmt nur diese eine Aussage auf, die er seiner Absicht anpaßt, nämlich, daß der Christus arm komme und sanftmütig, also nicht wie irdische Könige, die mit einem prächtigen, glanzvollen Auftritt prunken. Schon daran wird seine Armut gezeigt, daß er auf einem Esel und auf einem Füllen der Eselin reitet; denn zweifellos war das die Weise, wie das arme Volk ritt, und paßt so gar nicht zu königlicher Pracht.

V. 6: *Die Jünger gingen hin.* Wie gesagt, wird hier gelobt, daß die Jünger so schnell zum Gehorsam bereit waren. Denn Christi Ansehen war nicht so groß, daß sein bloßer Name genügt hätte, unbekannte Menschen zu bewegen; auch mußten die Jünger fürchten, in den Ruf von Dieben zu kommen. Wir sehen also hieraus, wie sehr sie ihrem Herrn ergeben waren, da sie nicht widersprechen, sondern im Vertrauen auf seinen Auftrag und seine Zusage eilen, den Befehl auszuführen. Auch wir sollen an ihrem Beispiel lernen, allen Hindernissen zum Trotz dem Herrn den Gehorsam zu erzeigen, den er von uns fordert. Denn er selbst wird die Hindernisse wegräumen, den Weg bahnen und nicht zulassen, daß unsere Anstrengungen vergeblich sind.

V. 8: *Aber viel Volks breitete die Kleider auf den Weg.* An dieser Stelle erzählen die Evangelisten also, Christus sei vom Volk als König anerkannt worden. Es konnte zwar wie eine Komödie wirken, daß die gemeine Masse Zweige abhieb, die Kleider auf den Weg breitete und Christus als König grüßte, ohne daß dieser Titel einen Inhalt für sie haben konnte. Dennoch war ihr Tun ernst gemeint, sie bezeugten damit aus tiefstem Herzen ihre Ehrerbietungen; darum hat sie auch Christus als geeignete Herolde seiner Herrschaft angesehen. Wir haben keinen Grund, uns über einen solchen Beginn zu wundern; denn auch heute, wo er zur Rechten des Vaters sitzt, entsendet er von seinem himmlischen Thron geringe Menschen, die seine Herrlichkeit doch nur in einer geringschätzenden Weise rühmen können.

Daß das Abhauen der Palmzweige mit einem alten feierlichen Brauch an diesem Tag zusammenhing, wie einige Ausleger vermuten, scheint mir nicht wahrscheinlich. Eher scheint diese Ehre Christus auf Antrieb des Geistes ganz unvorhergesehen zuteil geworden zu sein, denn die Jünger, denen sich das übrige Volk dann anschloß, hatten nichts dergleichen vorher geplant. Das geht auch aus den Worten des Lukas hervor.

V. 9: *Hosianna dem Sohn Davids!* Das ist in Wirklichkeit ein Gebet, und zwar aus dem Ps. 118,26, wo es heißt: „Gelobt sei, der da kommt im Namen des Herrn." Matthäus führt absichtlich die hebräischen Worte an, damit wir erkennen, daß der Beifall Christus nicht unüberlegt gezollt wurde und daß die Bitten, die den Jüngern in den Mund kamen, nicht gedankenlos ausgesprochen wurden. Sie folgen ehrfurchtsvoll der Form des Gebets, die der Heilige Geist durch den Mund des Propheten der ganzen Gemeinde vorgesagt hatte.

Denn obgleich in dem Psalm vom Reich des David die Rede ist, meint dieser doch eigentlich die ewige Thronfolge, die der Herr ihm verheißen hatte, und er will, daß es die andern auch so verstehen. Der Herr hat der Kirche nämlich ein dauerndes Gebot gegeben, so zu beten; es war auch nach dem Sturz der davidischen Königsmacht in Gebrauch. So war es allgemein Gewohnheit geworden, daß man sich bei der Bitte um die verheißene Erlösung dieser Psalmworte bediente. Matthäus führt, wie gesagt, den berühmten Psalm auf hebräisch an, um zu zeigen, daß Christus von der Menge als der Erlöser erkannt worden ist. [...]

Es heißt, Christus komme im *Namen des Herrn,* weil er sich nicht selbst einführt, sondern auf Gottes Befehl und Auftrag hin die Herrschaft ergreift. Das geht noch klarer aus Markus hervor, wo noch ein anderer Zuruf genannt wird (11,10): *Gelobt sei das Reich unsers Vaters David, der da kommt!* So riefen sie im Blick auf die Verheißungen; denn der Herr hatte ja bezeugt, daß sein Volk endlich einen Befreier bekommen solle, und als Mittel dieser Erneuerung hatte er die Herrschaft Davids genannt. Wir sehen also, daß Christus hier als der Mittler geehrt wird, von dem die Wiederherstellung des Heils und überhaupt aller Dinge zu erwarten war. Daraus, daß es nur geringes, ungebildetes Volk war, das die Herrschaft Christi als Reich Davids ausrief, sollen wir erkennen, daß diese Auffassung damals allgemein verbreitet war, die doch heute vielen erzwungen und ungereimt erscheint, weil sie sich in der Schrift zu wenig auskennen.

Mt. 22, 1–14: Die königliche Hochzeit

LUTHER

WA 34 II, 337–345: Predigt am 20. Sonntag nach Trinitatis, 22.10.1931
WA 10 III, 407–419: Predigt am gleichen Sonntag, 2. 11. 1522
WA 39, I, 265–333: Zirkulardisputation de veste nuptiali, 15. 6. 1537 537

34 II, 337,2: Dieses Evangelium ist nicht schwer und ist ein schreckliches Evangelium, denn es spricht von denen, die das Wort Gottes verachten. Dieser Schrecken wird zwar immer getrieben und hilft doch nichts. Dennoch muß es gepredigt werden ... Erstlich hält es uns vor Augen das schreckliche Beispiel der Juden, die auch Gottes Wort aufs reichlichste hatten und es verachteten.

V. 9: 34 II, 342, 1: ‚Gehet auf die Straßen.' Das geht uns Heiden an, weil wir nicht in der Stadt gewohnt haben. Wir haben gelebt ohne Gottesdienst und Gesetz. Die Juden waren gefaßt wie eine Stadt. Wir aber waren außerhalb der Stadt auf der Straße, ohne Reich und Religion, der eine ging dahin, der andere dorthin. Hier müßte man predigen, was der freie Wille und unser Verdienst vermögen. Da kommen die Knechte (des Königs) zu uns. Wir sind nicht zu ihnen gekommen, sondern er hat seine Knechte zu uns gesandt. Wir irrten alle. Da finden uns die Knechte auf den Straßen und sagen, daß wir uns verlaufen haben und bringen uns herein, Böse und Gute. Viele Böse hören nur mit den leiblichen Ohren, nicht mit dem Herzen. Man läßt sich taufen, hört die Predigt, nimmt das Abendmahl und geht mit uns wie ein Christ. Er ist auch zu der Hochzeit eingeladen, und wir kommen zusammen in der christlichen Kirche. Christus ist unser Retter. So sind in der Christenheit Gute und Böse beisammen wie bei den Juden.

V. 11: 10 III, 413, 4: Das hochzeitliche Kleid ist hier der Glaube, das am Tage des Gerichtes vielen fehlen wird. Ohne dieses kann niemand auf der Hochzeit bleiben, sondern wird hinausgeworfen werden. An dieser Stelle haben alle Väter wie Hieronymus, Augustinus und andere geträumt, indem sie dieses Gewand auf die Liebe bezogen haben. Die elenden Menschen sahen nicht, was die Schrift überall fordert, nämlich den Glauben allein. Ist dieser vorhanden, so folgt alles andere daraus, was zur Liebe gehört.

39 I, 265, 5: Christus, der durch sich selbst das Abendmahl der ewigen Seligkeit bereitet hat, teilt den Geladenen durch das Evangelium alles umsonst zu.

Diejenigen, die das hochzeitliche Gewand als die Liebe ansehen, kann man dulden, wenn sie nur nicht meinen, daß die Eingeladenen dadurch gerechtfertigt würden. [...]

Der Glaube, der uns die Gerechtigkeit Christi anzieht, ist das wahre hochzeitliche Gewand. Er ist durch die Liebe tätig und tut Werke der Liebe.

Mt. 22, 15–22: Der Zinsgroschen

LUTHER

WA 11, 245–281: Von weltlicher Obrigkeit, wie weit man ihr Gehorsam schuldig sei, 1523
WA 29, 598–605: Predigt am 23. Sonntag nach Trinitatis, 31. 10. 1529

V. 21: 11, 265, 28: So sprichst du: Hat doch Paulus Röm. 13 gesagt, eine jegliche Seele solle der Gewalt und Obrigkeit untertan sein. Und Petrus spricht: Wir sollen aller menschlichen Ordnung untertan sein. Antwort: Da kommst du recht. Denn die Sprüche helfen mir. S. Paulus redet von der Obrigkeit und Gewalt. Nun hast du jetzt gehört, daß über die Seele niemand Gewalt haben kann als Gott. So muß S. Paulus von keinem andern Gehorsam reden, als da, wo die Gewalt ist. Daraus folgt, daß er nicht vom Glauben redet. Die weltliche Gewalt soll nicht über den Glauben gebieten, sondern sie erstreckt sich auf die äußeren Güter, um sie zu ordnen und zu regieren auf Erden. Das ergeben auch seine Worte deutlich und klar, da er beidem, dieser Gewalt und dem Gehorsam das Ziel steckt und spricht: Gebt jedermann das Seine, Steuer dem die Steuer, Zoll dem der Zoll, Ehre dem die Ehre, Furcht dem die Furcht gebührt. Siehe, weltlicher Gehorsam und Gewalt gehet nur über Steuer, Zoll, Ehre, Furcht äußerlich. Und indem er spricht: ‚Die Gewalt ist nicht zu fürchten für die guten, sondern für die bösen Werke‘, beschränkt er die Gewalt, daß sie nicht Glauben oder Gottes Wort, sondern böse Werke meistern soll. Das will auch S. Petrus, da er spricht von ‚menschlicher Ordnung‘. Nun kann sich ja menschliche Ordnung nicht in den Himmel und über die Seele erstrecken, sondern nur auf Erden, auf den äußerlichen Wandel der Menschen untereinander, da Menschen sehen, erkennen, richten, urteilen, strafen und erretten können.

Das alles hat auch Christus selbst fein unterschieden und kurz gefaßt, da er spricht Mt. 22 ‚Gebt dem Kaiser, was des Kaisers ist, und Gott, was Gottes ist‘. Wenn nun kaiserliche Gewalt sich in Gottes Reich und Gewalt erstreckt und nichts besonderes wäre, hätte er es nicht unterschieden. Denn wie gesagt, die Seele ist nicht unter der Gewalt des Kaisers. Er kann sie weder lehren noch führen, weder töten noch lebendig machen, weder binden noch lösen, weder richten noch urteilen, weder halten noch lassen. Welches doch sein müßte, wenn er Gewalt hätte, über sie zu gebieten und Gesetze zu machen. Über Leib, Gut und Ehre kann er solches wohl machen, denn solches ist unter seiner Gewalt.

29, 598, 2: In diesem Evangelium ist das vornehmste Stück, daß er uns hier den Unterschied der beiden Reiche, welche wir das göttliche und das weltliche nennen, lehrt, wie ihr oft gehört habt. Jene soll man sorgfältig unterscheiden und ein jegliches in seinen Ständen und Ämtern gehen lassen, daß keines das andere verdammt. Es ist keines verdammt, auch wenn sich viele Rotten gegen das Reich Gottes gestellt haben, das große und viele Feinde hat. Andere haben sich gegen das weltliche Reich gestellt. Wir haben immer Leute gehabt, die diese zwei Reiche ausrotten wollten. Aber Gott hat sie so eingerichtet und solche Mauer darum gebaut, daß sie wohl geschützt sind gegen alle Teufel. Und diese Mauer ist es, von der er hier im Evangelium sagt: ‚Gebt dem Kaiser, was des Kaisers ist, und Gott, was Gottes ist‘. [...] Wenn er spricht: ‚Gebt dem Kaiser‘, so hört ihr, wie dadurch das weltliche Reich, das weltliche Regiment befestigt wird. Denn wenn es ein unrechter Stand und von Gott nicht geordnet wäre, so würde Christus nicht sprechen ‚Gebt‘. Er, der Prediger der Wahrheit und Mund der Wahrheit spricht ‚Gebt‘! Also sollen wir den Kaiser für einen Herren halten. Und dennoch war damals der Kaiser ein Heide, und in seinem Reich war nichts von Christus und dessen Regiment. Es war aus reiner Vernunft gestiftet und gehalten. Und dennoch, wenn er der Kaiser ist, so halte man ihn dafür, daß er es sei.

ZWINGLI

Z II 1–457: Auslegen und Gründe der Schlußreden, 14.7.1523
Z II 458–525: Von göttlicher und menschlicher Gerechtigkeit, 30.7.1523
S 4 42–78: Fidei expositio, 1531 (gedruckt 1536, hrsg. von Heinrich Bullinger)

V. 21: Z II 305,4–7.26–28: Wir hören aus diesem Wort Christi folgendes: Wo wir der Obrigkeit Gehorsam schuldig sind, haben wir diesen zu leisten; sind wir ihr gegenüber zu Steuern oder sonstigen Abgaben verpflichtet, haben wir auch diese zu erbringen; dasselbe gilt für die Zölle etc. [...] Allerdings: Gäben alle Menschen Gott, was sie Ihm schuldig sind, dann bedürfte man keines Fürsten und keiner Obrigkeit; ja, wir wären überhaupt nie aus dem Paradies gekommen.

Z II 498,6–21: Der ‚menschlichen Gerechtigkeit‘, oder (wie man auch sagen kann) Obrigkeit heißt uns Christus gehorsam sein. [...] Unter Obrigkeit ist also jede Obrigkeit zu verstehen …, immer und überall. Denn Christus nimmt niemanden von den Pflichten der Obrigkeit gegenüber aus, etwa mit dem Vorwand begründet, daß einer an Ihn glaube. Christus weiß zu gut, wie sehr wir alle zur Zügellosigkeit fähig sind und deshalb einen ‚Schulmeister‘ nötig haben. Er hat deswegen selber auch den Schatzpfennig gegeben Matth. 17 (17,27), wiewohl er ihn zu geben nicht schuldig war. Er wollte jedoch nicht Unruhe stiften oder gar einen Skandal heraufbeschwören.

S 4 59: Wo ein König oder Fürst regiert, so lehren wir, daß man ihn achten und ehren soll, gemäß Christi Gebot: Gebt dem Kaiser das Seine, und Gott das Seine! Denn unter dem Begriff Kaiser verstehen wir jede Obrigkeit, welcher die Regierungsgewalt entweder durch Erbrecht oder auf Grund von Wahlen oder nach Gewohnheitsrecht zusteht oder übertragen worden ist. Wird jedoch ein König oder Fürst zum Tyrannen, dann weisen wir die Willkür in Schranken und üben Kritik, ob sie dem Betreffenden paßt oder nicht.

CALVIN

CO 45, 599–602

Nachdem die Pharisäer eine ganze Menge vergeblich gegen Christus unternommen hatten, hielten sie es schließlich für das beste Mittel, ihn zu vernichten, wenn sie ihn dem Statthalter als Aufrührer und Unruhestifter übergaben. Wie wir schon anderwärts gesehen haben, wurde damals über die Steuer bei den Juden sehr gestritten. Denn da die Römer die Abgabe, die Gott im mosaischen Gesetz für sich angeordnet hatte, an sich gezogen hatten, murrten die Juden überall darüber, es sei unwürdig und ein unerträgliches Unrecht, daß Heiden Gottes Befugnis in dieser Weise an sich rissen. Außerdem war diese vom Gesetz angeordnete Steuer ein Zeugnis für ihre Annahme an Kindes Statt, und sie fürchteten darum, sie gingen damit auch der ihnen zustehenden Ehre verlustig. Und je weniger einer zu verlieren hatte, desto offener war er für tollkühne Aufruhrpläne. Darum dachten sich die Pharisäer diese List aus, um Christus zu fangen; denn, wie seine Antwort über die Steuer auch lauten mochte, er mußte sich selbst eine Schlinge legen. Behauptete er, man brauche sie nicht zu zahlen, machte er sich des Aufruhrs schuldig; sagte er jedoch, die Abgabe sei Rechtens, so mußte er als Feind seines Volkes und als Verräter der Freiheit seines Vaterlandes dastehen. Zunächst ging ihre Absicht dahin, ihm das Volk zu entfremden. Das ist also der listige Plan, wie ihn die Evangelisten beschreiben; sie meinen, Christus werde dadurch so eingekesselt, daß er nicht mehr entwischen könne. Da sie jedoch seine ausgesprochenen Gegner waren und wußten, daß sie darum sofort verdächtig sein würden, stifteten sie einige von ihren Jüngern an, wie Matthäus erzählt. Lukas nennt sie geradezu Auflaurer, die sich als rechtschaffene Leute verstellen sollten, das heißt, sie sollten so tun, als kämen sie aus ehrlicher Wißbegier. Hier wird nicht über die Verstellung, gerecht zu sein, im allgemeinen gesprochen, sondern sie wird nur auf den vorliegenden Fall beschränkt. Denn sie wären gar nicht zu Christus vorgedrungen, wenn sie nicht Lernbegier und aufrichtigen Eifer vorgetäuscht hätten. Sie nehmen ein paar von den Herodesleuten mit, weil diese den Römern mehr zugetan waren und sich darum auch besser dazu eigneten, ihn zu verklagen. Trotz der scharfen Meinungsverschiedenheiten zwischen ihnen war der Haß gegen Christus bei ihnen doch so glühend, daß sie, wenn es um seine Vernichtung ging, gemeinsame Sache machten. Um was für eine Sekte es sich nun hier handelte, haben wir schon an anderer Stelle beschrieben. Herodes war nur ein halber Jude und als Anhänger des Gesetzes abtrünnig und scheinheilig. Darum verurteilte jeder, der das Gesetz genau und bis auf den Buchstaben einhalten wollte, ihn samt seinem unreinen Gottesdienst. Herodes selbst hatte nun aber auch wieder Anhänger, die seinem Irrglauben ein Mäntelchen umzuhängen suchten. So war neben den mancherlei Sekten in dieser Zeit auch noch eine besondere höfische Religion entstanden.

V. 16: *Meister, wir wissen, daß du wahrhaftig bist.* Die Redlichkeit, die sie vortäuschen, sieht so aus: Sie machen sich mit zuckersüßem Gesicht an Christus heran, als wollten sie unbedingt von ihm lernen und als wären sie nicht nur fromm, sondern auch ehrlich von seiner Lehre überzeugt. Wenn sie aufrichtig gesprochen hätten, wäre ihre Haltung richtig gewesen. [...] Bemerkenswert ist auch, daß jene Heuchler noch hinzufügen, Christus lehre recht, weil er sich nicht um sein Ansehen bei den Menschen kümmere. Denn nichts hindert einen Lehrer an einer redlichen, lauteren Ausübung seines Auftrages mehr, als wenn er dabei darauf schielt, was die Leute über ihn sagen. Denn wer sich wirklich Gott ausliefert, kann unmöglich Menschen zu gefallen suchen (vgl. Gal. 1, 10). Zwar soll man sich um die Menschen kümmern, aber nicht so, daß man ihre Gunst durch Schmeicheleien zu erkaufen sucht. [...]

V. 18: *Da nun Jesus merkte ihre Bosheit.* Sie hatten sich also so eingeführt, daß sie sich in nichts von den treuesten Jüngern unterschieden. Christus erkannte ihre Verschlagenheit nur darum, weil sein Geist der Herzenskünder war. Menschliche Vermutung konnte ihre Arglist nicht wittern; aber weil er Gott war, durchdrang er ihre Herzen, so daß ihnen ihre Schmeicheleien vergeblich den Anschein von Rechtschaffenheit gaben. Bevor Christus ihnen darum antwortete, gab er ihnen einen Beweis seiner Gottheit und zog ihre versteckte Bosheit ans Licht [...].

V. 19: Daß Christus dann befiehlt, man solle ihm eine *Münze* vorweisen, scheint zwar auf den ersten Blick wenig Bedeutung zu haben; aber es genügt doch, um die Schlingen seiner Feinde zu zerreißen. Denn dadurch nötigte Christus ihnen das Bekenntnis ihrer Untertänigkeit ab, so daß er sie dann gar nichts mehr Neues zu lehren brauchte. Auf die Münze war nämlich das Bild des römischen Kaisers geprägt; indem sie sich also der Münze bedienten, hatten sie bereits die Oberhoheit des Römischen Reiches gebilligt und anerkannt. Die Juden hatten sich also offenbar selbst das Gesetz auferlegt, Steuern zu zahlen, weil sie den Römern die weltliche Gewalt eingeräumt hatten. Deshalb brauchte man gar nicht mehr eigens über die Abgaben zu diskutieren; diese Frage hing einfach von der allgemeinen politischen Lage ab.

V. 21: *So gebt dem Kaiser, was des Kaisers ist.* Da die Münze die Untertänigkeit des Volkes bewiesen hat, bedeutet diese Tatsache für ihn gar keinen Streitpunkt mehr. Er hätte auch sagen können: Wenn es euch unsinnig vorkommt, Steuern zu zahlen, dürft ihr auch keine Untertanen des Römischen Reiches sein. Und da die Münze, die Bürge des gegenseitigen Austauschs unter Menschen ist, beweist, daß der römische Kaiser euch regiert, ist mit

dieser eurer stillschweigenden Anerkennung auch die Freiheit hinfällig geworden, die ihr euch noch vorgaukelt. Christus schließt mit seiner Antwort keinen Kompromiß, sondern er gibt eine klare Stellungnahme zu der ihm vorge-
legten Frage. Denn hier wird deutlich zwischen geistlichem und politischem
Regiment unterschieden, so daß wir wissen, daß keine äußerliche Unterwerfung uns daran hindern kann, daß innerlich unser Gewissen frei ist vor Gott.
Christus wollte nämlich ihren Irrtum widerlegen, daß sie glaubten, sie könnten Gottes Volk nur sein, wenn sie von allem Joch menschlicher Herrschaft
frei waren. Ähnlich bestand auch Paulus (vgl. Röm. 13, 1 ff.) auf diesem
Punkt, daß man ja nicht meinen solle, man könnte dem einigen Gott weniger
dienen, wenn man menschlichen Gesetzen gehorche, Steuern zahle und den
Nacken unter die übrigen auferlegten Lasten beugen müsse. Kurz gesagt,
Christus erklärt, Gottes Recht werde nicht verletzt und der Dienst für ihn
nicht beeinträchtigt, wenn die Juden, was die äußere Politik betraf, von den
Römern abhängig seien. Damit geht er auch gegen die Heuchelei vor, daß sie,
während sie überhaupt nichts dabei fanden, den Dienst für Gott in vielen
Stücken zu vernachlässigen, ja sogar in frevelhafter Weise Gott um sein Recht
zu bringen, nun bei einer dagegen unbedeutenden Sache einen glühenden
Eifer an den Tag legten. Das hieß soviel wie: Ihr seid sehr besorgt, daß Gott
etwas an Ehre abgeht, wenn ihr den Römern Abgaben zahlt. Aber ihr würdet
euch besser darum kümmern, daß ihr Gott den Dienst leistet, den er von euch
verlangt, und dabei den Menschen gebt, was ihnen zukommt. Diese Unterscheidung scheint nun nicht ganz hinzukommen, da wir doch, genau ausgedrückt, Gott unseren Gehorsam so leisten, daß wir unseren Pflichten gegenüber den Menschen nachkommen. Da Christus sich jedoch dem Fassungsvermögen des Volkes anpaßte, ließ er es jetzt dabei bewenden, daß er die geistliche Herrschaft Gottes von der politischen Ordnung und den Verhältnissen
des gegenwärtigen Lebens unterschied. Da der Herr der alleinige Gesetzgeber
für die Lenkung der Herzen sein will, müssen wir festhalten, daß wir nur in
seinem Wort die Vorschrift darüber suchen dürfen, wie wir ihn verehren
sollen, und daß wir bei dem reinen Gottesdienst, wie er dort befohlen wird,
bleiben sollen. Die weltliche Macht jedoch, ihre Gesetze und Rechte verhindern nicht, daß bei uns ein unverfälschter Gottesdienst in Kraft bleibt. Diese
Lehre läßt sich noch weiter ausziehen, nämlich, daß jeder in seinem jeweiligen
Beruf an den Menschen die schuldige Pflicht erfüllen soll, daß sich die Kinder
ihren Eltern und die Knechte ihren Herren gern unterordnen sollen und daß
einer dem andern nach dem Gesetz der Liebe freundlich entgegenkommen
soll. Nur muß Gott bei dem allen immer den obersten Platz einnehmen; dem
ist alles untergeordnet, was mit Menschen zu tun hat. Im ganzen kann man
sagen: Wer die staatliche Ordnung umstürzen will, ist auch Aufrührer gegen
Gott; denn der Gehorsam gegen Fürsten und Obrigkeit ist nicht zu trennen

von dem Dienst und der Furcht gegen Gott. Aber andererseits, wenn die Fürsten etwas von Gottes Recht an sich reißen, dann geht der Gehorsam nicht weiter als bis zur Kirchentür.

Mt. 22,34–40: Die Frage nach dem größten Gebot

LUTHER

WA 11, 187–191: Predigt am 18. Sonntag nach Trinitatis, 4. 10. 1523

V. 37: 11,187,27: Er antwortet ihnen und gibt ihnen eine Lektion über das Gesetz, an der sie noch heute zu lernen haben, welche ihnen bis heute bleibt. So spricht er: ‚Das vornehmste Gebot ist, daß wir Gott lieben aus ganzem Herzen. Ein höheres Werk und Gebot kann Gott nicht geben.' Ihr habt es wohl gehört ‚von ganzem Herzen', ‚von ganzer Seele, von ganzem Gemüt'. Das bedeutet, daß sich ein Mensch ganz und gar ergeben soll und Gott machen lassen soll, wie es seinem Willen gefällt, ihm zuliebe alles tun, reden und schweigen, und es soll ‚aus ganzem Herzen, aus ganzer Seele und mit allen Kräften' sein, was es auch sei und wozu Gott es bestimmt hat auch mit Tod und Betrübnissen. Durch dieses Gesetz wird die ganze Welt unter der Sünde beschlossen. Dort sehen wir wie in einem Spiegel, was wir sind und wie wir Gott lieben. Niemand hat jemals auch nur den kleinsten Teil von diesem Gebot gehalten. Es ist ein Spiegel, in dem wir unser Leben und unser Elend sehen. Nichts können wir Gott zuliebe tun, nicht einmal das geringste, auch wenn uns einer nur mit einem Wort beleidigt. Man sagt wohl dagegen, ‚wenn ich es wüßte, daß ich Gott damit einen Dienst täte, würde ich alles gern tun'. Ja, versuche es. Christus spricht ‚du sollst Gott lieben'. Zuerst muß man Gott kennen.

V. 39: 11,188,37: Warum spricht er: ‚Das andere ist dem gleich: Du sollst deinen Nächsten lieben wie dich selbst.' Will er, daß der Nächste gleich groß sei wie Gott? Sind das Gottes Worte? Das ist es, was ich gesagt habe, weil du Gott lieben willst, der in seiner Majestät thront, da fragt er nichts danach. Eine solche Liebe ist hier unmöglich. Sie gehört auch nicht auf die Erde. Liebe du Gott in den Kreaturen, er will nicht, daß du ihn in der Majestät liebst. Darum ist das Gesetz gegeben, daß ich meine Schwachheit erkenne, damit ich endlich befreit werde und befreit zu werden begehre. Deswegen läßt er sich nicht in seiner Majestät lieben. Gott spricht: ‚Mensch, ich bin dir zu hoch,

mich kannst du nicht begreifen. Ich habe mich dir in deinem Nächsten gegeben, diesen liebe und du liebst mich. Hier hast du den Nächsten, dieser ist
mein Werk. Sieh Christus an. Er ist der Elendeste und auf Erden verlassen,
wie es scheint, von Gott und von den Menschen. Sein guter Ruf, seine Weisheit, seine Gerechtigkeit und sein höchstes Gut ist alles weg. Alles an ihm ist
verachtet. Er hat keinen, der ihm ein Freund sei. Da sieh, ob du diesen liebst!
Er wird dich lehren und deine Sünde schelten. Wenn du ihn liebst, so wirst du
auch mich lieben.'

ZWINGLI

S 6, 1.539–681: Annotationes in Evangelium Lucae (zur Parallelstelle Lukas 10, 27), 1531
Z II 458–525: Von göttlicher und menschlicher Gerechtigkeit, 30. 7. 1523
Z III 590–912: De vera et falsa religione commentarius, März 1525

Liebe zu Gott

Z II 482, 24–31: Hielten wir auch nur dieses einzige Gebot – man muß es
allerdings als solches anerkennen; denn Christus hat es hier im Sinne einer
Vorschrift gemeint – dann handelten wir nie mehr gegen Gott. Kein Geschöpf
könnte unser Herz jemals wieder in Beschlag nehmen, wenn wir darinnen
Gott aus all unseren Kräften lieb hätten. Wir würden der Kreatur gegenüber
auch keine Konzessionen machen, sonst liebten wir Gott ja nicht wirklich mit
all unserer Kraft. Allerdings tun wir das leider nicht und sind deshalb nie
ohne Sünde.

Z II 492, 18–20: Lieben wir Gott, so ist Gott in uns. Ist Gott in uns, so ist
auch die Liebe zum Nächsten in uns. Denn Gott hat uns so lieb gehabt, daß
er sich selbst für uns hingegeben hat.

S 6, 1.629: Menschen lieben nichts und wünschen sich nichts, von dem sie
nicht denken, es sei gut. Woher mag es also herrühren, daß wir Gott nicht
lieben? Es rührt daher, daß wir ihn nicht kennen. Denn Gott ist ein so großes
Gut, daß je besser jemand ihn kennt, desto inniger er ihn liebt. Weshalb aber
kennen wir ihn denn nicht? [...] Deshalb, weil wir zu wenig darüber nachdenken und erwägen, wer er ist, was er alles vollbringt, all seine Wohltaten und
seine Werke. Wir denken zu wenig darüber nach und erwägen es nicht, weil
wir vollständig versunken sind in die Beschäftigung mit irdisch kurzlebigen
Dingen. Wäre unser Ergötzen hingegen an jenem höchsten und ewigen Gut,
welche Wonne, welche Freude würden wir empfinden. Wir würden darob
alles andere mühelos gering achten. Die Gotteserkenntnis bringt die Liebe zu
Gott mit sich: Wer Gott nicht liebt, erkennt ihn auch nicht.

Liebe zum Nächsten

Z II 510,19–511,13: Gott redet durch Paulus (Röm. 13,7): ‚Gebt allen Menschen, was ihr ihnen schuldig seid.‘ […] Daß es sich um eine Schuldigkeit handelt, rührt daher, daß wir Gottes Gebot ‚Du sollst deinen Nächsten lieben wie dich selbst‘ nicht halten. Hielten wir es nämlich, dann würde jedermann, der mehr besitzt als was er braucht, von sich aus dem anderen helfen, der Mangel leidet. Aber wir halten das Gebot nicht. […]

Z III 707,1–9; 707,29–708,8: Das Gesetz ist nichts anderes als Gottes ewiger Wille. Von den bürgerlichen oder zeremoniellen Gesetzen spreche ich hier nicht; denn diese betreffen den äußeren Menschen. Die göttlichen Gebote aber, die sich auf den inneren Menschen erstrecken, sind ewig gültig. Niemals nämlich wird das Gebot abgetan werden ‚Du sollst deinen Nächsten lieben wie dich selbst‘. In Römer 13 (13,9) lehrt Paulus ebenfalls, daß in diesem einen Gebot ‚Du sollst deinen Nächsten lieben wie dich selbst‘ alle Gebote zusammengefaßt und darin enthalten sind. Alles, was wir tun, all unsere Gedanken, überhaupt alles, was den Nächsten betrifft, unterliegt diesem Gebot. Damit läßt sich auch eine der schwierigsten Fragen leicht beantworten, von der viele klagen, noch niemand habe sie ihnen wirklich beantworten können. Die Frage nämlich, wie es dazu kommt, daß wir aus ein und demselben Gesetz einiges beibehalten, anderes aber wegtun. Alles, was an der Regel des ewigen Willens Gottes ‚Liebe deinen Nächsten wie dich selbst‘ gemessen wird und in Anwendung dieser Regel sich als darunter fallend erweist, das darf und kann niemals aufgehoben werden. Was jedoch nicht darunter fällt, ist durch Christus überholt, denn ‚Christus ist des Gesetzes Ende‘, Römer 10 (10,4) und ‚Das Endziel des Gesetzes ist die Liebe‘, 1. Timotheus (1,5). Christus und die Liebe sind also identisch. Gott ist Liebe, 1. Johannes 4 (4,8). Wer Christus dient, ist daran gebunden, was die Liebe gebeut. Was sie nicht gebeut, oder was nicht von ihr stammt, ist entweder nicht vorgeschrieben oder ist unnütz, 1. Korinther 13 (13,3).

Mt. 27,45–54: Der Tod Jesu

LUTHER

WA 17 I,67–74: Predigt über die Passionsgeschichte am Montag nach Invokavit, 6.3.1525
17 I,74–80: Fortsetzung der Predigten über die Passionsgeschichte, 8.3.1525

17 I, 70,4: (Aber Jesus schrie abermals laut und) ‚verschied‘. Bei Lukas (heißt es): ‚In deine Hände‘. So stirbt Christus im größten Schmerz, und dieser

Schrei war ein großer Mordschrei. Wer das sähe, dem ginge (es) tief ein, sogar von einem Tier, und besonders, weil dieser unschuldig ist und besonders für die, die glauben, daß er der Sohn Gottes ist. Wenn ein Mensch das bedenkt, so müßte ihm gewiß das Herz zerspringen: Gottes Sohn, der alles geschaffen hat, läßt einen Mordschrei, der über alle Sinne und Witz ist. Wir können es nicht genug ausdenken unser Leben lang.

Das ist geschehen seiner Person halber. Aber warum ist es geschehen? Nicht damit gepredigt werden, wie weh es ihm getan hat, wiewohl man auch darüber nicht schweigen soll, sondern sieh ins Herz Christi, warum er es getan hat und diese zwei Schreie ausgestoßen hat: er hat es getan um meinetwillen. Wenn ich meine Sünde ansehe, dann bin ich vor Gott schlechter (dran) als Christus am Kreuz. Ich bin es, der durch meine Sünden verdient hat, daß Gott mein Feind ist, daß auch, wenn ich schreie, Gott meiner spotten sollte, daß die Sonne mir nicht schiene, daß mich die Erde nicht mehr tragen wolle, daß die Felsen zerrissen. [...]

Darum ist alles, was Christus getragen hat, auf unsere Seele zu beziehen, und je herrlicher wir die Passion Christi machen können, desto deutlicher sehen wir unsere Verdammnis: denn wo er Hilfe sucht, wird ihm ‚Essig‘ gegeben. Darum erhebt er das Mordgeschrei. Laßt uns Dank sagen Christus und in sein Herz sehen, daß wir schauen, welche Liebe er (uns) erzeigt hat und (wie) er den Glauben geübt hat. Denn dieses alles habe ich deinetwillen getragen, denn du müßtest es in Ewigkeit leiden. Damit du nicht immer in diesem Mordgeschrei bist, leidet er es einmal für dich, und weil er eine ewige Person ist, also auch sein Werk. Sieh, welche Liebe es ist, die Christus dazu treibt. Dann bin ich sicher, daß ich mich nicht fürchten muß vor dem, was mein Gewissen hört. Vor dem nächtlichen Lärm erschrecke ich nicht, weil ich den Glauben habe, daß Christus das (alles) weggenommen hat, und das ist im Glauben die Passion Christi anzunehmen, daß ich mich seines Leidens tröste, daß es nicht allein in der Person Christi, sondern mir geschehen ist.

V.54: 17 I, 78,14: ‚Der Hauptmann.‘ Johannes und Lukas haben mehr von der Mutter Jesu. Hier ist das Zeichen der Kraft des Todes Christi. Er ist ein wunderlicher König. Andere Könige sind stark im Leben, dieser im Tode. Solange er lebt, ging's mit ihm herunter. Seine Feinde nahmen ihm das Leben. Danach wird er stärker als zuvor, denn der Tod hatte einen Unschuldigen verschlungen. Da mußte er ihn wieder ausspeien. Sobald er tot ist, erschreckt der Hauptmann und beginnt ein Christ zu werden. Das Blut Christi weckt nicht nur tote Körper auf, sondern auch die Seelen der Sünder. Dieser (der Hauptmann), fängt an, (Christus) zu bekennen gegen alle Priester. Vorher waren die Jünger geflohen, er aber fürchtet sich nicht, daß Pilatus und der Hohe Rat es erfahren. Sie haben ihn verdammt als einen Sohn des Teufels, du aber nennst ihn Gottes Sohn. Das heiße doch, daß alle Narren sind, die ihn verurteilt haben. Wer ist hier Schutzherr? Der Tod Christi gibt dem Heiden Mut und einen neuen Geist, daß er Christus bekennt gegen alle Gewalten. Das ist die Kraft allein seiner Passion, daß sie mutige Leute macht, daß sie Christus bekennen, um dessentwillen alle flohen. Der Tod Christi, der sich nicht verteidigte, macht andere mutig. Das ist geschrieben, daß wir sehen sollen, daß er uns mitten unter den Feinden schützt.

ZWINGLI

S 6,2.1–52: Brevis commemoratio mortis Christi. Praefatio et Paraskeue in historiam dominicam passionis ac mortis, 1530

V. 45–50: S 6,2.45–46: Christus hatte in seiner körperlichen und seelischen Qual überhaupt nichts, was ihm diese Qual erträglicher oder leichter gemacht hätte. So weit stieß ihn sein Vater hinab, ließ ihn vollständig versinken ins Elend und verweigerte ihm jeglichen Trost. Er tat dies, damit wir unsererseits nicht verzweifeln, wenn uns der Herr in Zeiten der Versuchung gelegentlich den Trost entzieht und zu schlafen scheint (vgl. Mt. 8,23–27 s. S. 62). [...] Er lehrt uns dadurch, was er von denen erwartet, die ihn ehren, daß nämlich sie selber sich ganz verleugnen und bereit sein sollen, ihm, der vorangeht, in allem nachzufolgen, durchaus auch dann, wenn Gott seinen Trost vorenthält oder entzieht. [...] Laßt uns also nicht verzweifeln, wenn uns der Herr zuweilen Hilfe und Beistand versagt oder gar entzieht! Das ist nichts Neues und keine Seltenheit für niemanden, welcher auf Gottes Weg und im geistlichen Kampf erprobt ist. [...] Der Herr vergißt die Seinen nie! Und will es auch vorübergehend danach aussehen, so tröstet er uns doch nach langedauernder Probezeit. Er hat die Macht dazu und tut es dann mit umsovielmehr geistlicher Freude im Überfluß. [...] Christus leidet mit den Leidenden. Das Haupt schreit stellvertretend den Schrei all seiner abgequälten Glieder.

V. 51: S 6,2.47–48: Der Vorhang zerriß: das ist ein Beispiel jener schlichten und lautlosen Art, wo das Ereignis für sich selber spricht, ohne begleitende Worte. [...] Der zerrissene Vorhang zeigt uns, daß nun alle Figuren (Hebr. 8,5) in Christus erfüllt sind, und was im Alten Testament noch verhüllt und verborgen war, nunmehr offenbar geworden ist. Der Vorhang ist weg. Christus, der Hohepriester, hat ihn weggenommen, und er trat mit seinem vergossenen Blut ins Allerheiligste.

V. 54: S 6,2.48: Der Hauptmann erkennt, daß Christus mehr ist als ein Mensch. Er bezeugt und bekennt es auch mit klarer Stimme. Das ist nicht ohne Grund aufgeschrieben worden, als wollte es besagen: auch wenn dieser Mann ein Heide war und ein Krieger, gab er dennoch Gott die Ehre (nach Lk. 23,47). Gott die Ehre zu geben heißt nach hebräischem Sprachgebrauch soviel wie: die Wahrheit zugeben, Gott selber als wahrhaftig zu bekennen, der Wahrheit beizupflichten. Zuerst nämlich nennt der Hauptmann Christus einen Gerechten. Das ist der erste Schritt zum Glauben. Sodann nennt er ihn Gottes Sohn.

CALVIN

CO 45,777–784

V. 45: *Und von der sechsten Stunde an.* Obwohl im Tode Christi die Herrlichkeit der Gottheit für kurze Zeit von der Schwachheit des Fleisches verhüllt wurde, ja, der Sohn Gottes unter Schmach und Verachtung völlig unansehnlich dalag und, wie Paulus (Phil. 2,7) sagt, sich ganz entäußert hatte, hörte der himmlische Vater doch nicht auf, ihn mit einigen Zeichen zu schmücken; er hat in dieser äußersten Verachtung einige Vorzeichen seiner künftigen Herrlichkeit aufgerichtet, die die frommen Herzen gegen den Anstoß des Kreuzes wappnen sollten. So bezeugte sich in herrlicher Weise Christi Majestät durch die Verdunkelung der Sonne, das Erdbeben, die Spaltung der Felsen und das Zerreißen des Vorhangs, so als ob Himmel und Erde ihrem Schöpfer und Bildner die schuldige Ehrfurcht erwiesen. Übrigens fragt sich zuerst: Wozu die Verfinsterung der Sonne? Denn wenn die Dichter des Altertums in ihren Tragödien darstellen, daß die Sonne der Erde ihr Licht entzogen hat, wo irgendeine ruchlose Freveltat begangen wurde, so sollte das ein Wunderzeichen des göttlichen Zornes sein; und zwar entstammte solche Dichtung einem allgemeinen Naturgefühl. Darum meinen einige Ausleger, bei Christi Tod habe Gott die Finsternis als Zeichen seines Abscheus gesandt, so als ob er mit der verdunkelten Sonne sein eigenes Angesicht vor der allerabscheulichsten Freveltat verhüllen wollte. Andere sagen, mit dem Verlöschen der sichtbaren Sonne sei auf den Untergang der Sonne der Gerechtigkeit (Maleachi 3,20) hingewiesen worden. Wieder andere wollen die Verfinsterung lieber auf die Verblendung des Volkes beziehen, die kurz darauf erfolgte. Denn da die Juden Christus verworfen hatten, wurde ihnen nach seinem Hingang das Licht der himmlischen Unterweisung entzogen, und es blieb ihnen nichts übrig als die Finsternis der Verzweiflung. Ich glaube dagegen eher, daß jenes Volk, das vor lauter Gefühllosigkeit beim hellen Sonnenlicht blind war, durch die Verfinsterung aufgeschreckt werden sollte, über Gottes wunderbare Absicht beim Tode Christi nachzudenken. Denn die ungewohnte Umkehrung der Naturordnung mußte, wenn sie nicht völlig verhärtet gewesen wären, ihre Gedanken dahin richten, sich allen Ernstes auf die künftige Erneuerung der Welt gefaßt zu machen. Unterdessen wurde ihnen dieses schreckensvolle Schauspiel vorgeführt, damit sie vor dem Gericht Gottes in Entsetzen gerieten. Und allerdings stellte das einen unvergleichbaren Beweis von Gottes Zorn dar, daß er nicht einmal seinen eingeborenen Sohn verschont hat und sich nicht anders versöhnen ließ als um jenen Preis der Sühnung. Wenn aber die Schriftgelehrten und Hohenpriester und ein großer Teil des Volkes die Verfinsterung der Sonne gleichgültig übersehen und mit geschlossenen Augen an ihr vorübergehen, muß uns ihre unbegreifliche Tollheit mit Schauder erfüllen; denn Leute, die anhand solcher Wunderzeichen auf den Ernst des göttlichen Gerichtes aufmerksam gemacht wurden, müssen stumpfer als unvernünftige Tiere sein, wenn sie daraufhin nicht ihren Spott zum Schweigen bringen. [...]

V. 46: *Und um die neunte Stunde schrie Jesus laut.* Obgleich sich in diesem Schrei übermenschliche Kraft zeigte, wurde er doch sicher durch die heftigen Schmerzen ausgepreßt. Und sicher war das für ihn der bei weitem schwerste Kampf, viel härter als alle anderen Qualen, daß er in seinen Nöten so wenig von der Hilfe und Zuneigung des Vaters getragen wurde, daß er sich von ihm verlassen fühlte. Denn er hat nicht nur seinen Leib zum Preis für unsere Versöhnung mit Gott eingesetzt, sondern auch an seiner Seele hat er die auf uns wartenden Strafen ertragen; und so ist er in Wahrheit „der Mann der Schmerzen" geworden, wie Jesaja (53,3) sich ausdrückt. Und überaus albern sind die Leute, die diese Seite unserer Erlösung außer acht lassen und nur bei dem äußerlichen Leiden des Körpers stehenbleiben. Denn um für uns Genugtuung zu leisten, mußte sich Christus als Schuldiger vor den Richterstuhl Gottes stellen. Nichts aber ist schrecklicher, als Gott als einen Richter zu spüren, dessen Zorn grausamer ist, als je ein Tod es sein kann. Als Christus darum in eine solche Anfechtung geführt wurde, als wäre Gott gegen ihn und er dem Verderben ausgeliefert, wurde er von einem Schrecken ergriffen, der alle sterblichen Menschen längst hundertmal in Verzweiflung gestürzt hätte, aus dem er jedoch durch die wunderbare Kraft des Geistes als Sieger hervorging. [...]

Aber ist das nicht Unsinn, zu sagen, Christus sei ein Verzweiflungsschrei entschlüpft? Darauf ist leicht zu antworten: Obwohl das Empfinden des Fleisches den Untergang spürte, blieb doch sein Glaube in seinem Herzen unerschüttert bestehen, mit dem er Gott als gegenwärtig ansieht, über dessen Fernsein er hier klagt. [...]

Bevor er seine Anfechtungen ausdrückt: *Warum hast du mich verlassen?*, nimmt er seine Zuflucht zu Gott als seinem Gott und schlägt so mit dem Schild des Glaubens tapfer jenen Angriff zurück, der ihm aus dem gegenteiligen Anblick seiner Verlassenheit entstand. Kurz, in dieser furchtbaren Qual blieb sein Glaube unangetastet, so daß er trotz der Klage über seine Verlassenheit auf Gottes nahe Hilfe vertraut. [...]

V. 47: *Jener ruft den Elia.* Die Ausleger, die dieses Wort sowohl den rohen und der aramäischen Sprache unkundigen, wie mit der jüdischen Religion nicht bekannten Soldaten in den Mund legen und meinen, diese hätten sich durch den Gleichklang der Worte täuschen lassen, irren nach meiner Meinung. Für mich ist es völlig unwahrscheinlich, daß diese Worte einer Unwissenheit entstammen; dagegen glaube ich, daß man damit absichtlich Christus verspotten und sein Gebet höhnisch verdrehen wollte. [...]

V. 49: *Halt, laßt sehen, ob Elia komme.* Wenn Markus (15,36) hier diese Worte dem Soldaten in den Mund legt, der Jesus den Essig reicht, während nach Matthäus die andern so sprechen, so liegt darin kein Widerspruch. Denn wahrscheinlich hat einer mit dem Spott angefangen und, da die andern ihn begierig aufgriffen, hat er allgemein die Runde gemacht. Das Wort „halt!" will also nicht abwehren, sondern es dient im Gegenteil dem Spott. Der also, der Christus als erster verlachte, forderte die um ihn Herumstehenden spöttisch auf: Wir wollen sehen, ob Elia kommt! Die andern fielen sofort ein, und jeder schrie seinem Nachbarn die gleiche Weise zu; man war eben untereinander einig. Darum ist es gleich, ob wir diese Aufforderung im Singular oder im Plural verstehen.

V. 50: *Aber Jesus schrie abermals laut.* Lukas (23,46), der den ersten Klageruf nicht erwähnt, gibt uns die Worte dieses zweiten Schreis, den Matthäus und Markus übergehen: *Vater, ich befehle meinen Geist in deine Hände.* Damit bezeugt Christus, daß, wie hart er auch von gewaltigen Anfechtungen geplagt wurde, sein Glaube doch nicht im mindesten geschwankt, sondern sich an seiner Stelle immer siegreich behauptet habe. Denn deutlicher konnte Christus nicht triumphieren als durch das uneingeschränkte Rühmen, daß Gott der treue Beschützer seiner Seele sei, die doch alle für verloren hielten. [...]

V. 51: *Der Vorhang im Tempel zerriß.* Wenn Lukas (23,45) das Zerreißen des Vorhangs mit der Sonnenfinsternis verbindet, als ob auch jenes schon vor dem Tod Christi geschehen wäre, so ist das eine Umkehrung der Reihenfolge; wie wir schon öfter gesehen haben, beachten ja die Evangelisten die Zeitfolge nicht immer genau. Aber das Zerreißen des Vorhangs war erst nach vollbrachtem Sühnopfer sinnvoll, weil erst dann Christus, der wahre, ewige Hohepriester, die Vorbilder des Gesetzes aufgehoben und uns den Weg ins himmlische Heiligtum mit seinem eigenen Blut erschlossen hat, so daß wir nun nicht mehr im Vorhof von ferne stehen müssen, freimütig vor Gottes Angesicht hintreten können. Denn solange der schattenhafte Gottesdienst andauerte, hing vor dem irdischen Heiligtum ein Vorhang, der davon nicht nur die Füße, sondern auch die Augen des Volkes fernhalten sollte. Nachdem aber Christus die Handschrift, die gegen uns war, ausgetilgt hat (vgl. Kol. 2,14), hat er damit jedes Hindernis beseitigt, damit wir im Glauben an ihn, unseren Mittler, alle ein königliches Priestertum (vgl. 1. Petr. 2,9) würden. Das Zerreißen des Vorhangs bedeutet also nicht nur die Abschaffung der Zeremonien, die unter dem Gesetz gültig waren, sondern die Öffnung des Himmels, so daß Gott nun die Glieder seines Sohnes freundlich zu sich einlädt. Zugleich wurden die Juden daran gemahnt, daß den äußerlichen Opfern ein Ende gesetzt sei und das alte Priestertum seine Aufgabe erfüllt habe. Wenn auch das Gebäude des Tempels noch stehe, so sei Gott dort doch nicht mehr in der gewohnten Weise zu verehren, sondern weil das Wesen und die Wahrheit der Schatten- bilder des Gesetzes schon erschienen wäre, seien sie in ihr geistliches Wesen verwandelt worden. Denn obwohl Christus ein sichtbares Opfer dargebracht hat, muß man es doch, wie der Apostel in Hebr. 9,14 lehrt, als ein geistliches Opfer ansehen, damit sein Werk und seine Furcht bestehen blieben. Leider hat dem armen Volk die Öffnung des Heiligtums durch das Zerreißen des Vorhangs nicht genützt, weil der innere Vorhang ihres Unglaubens ihnen den Anblick des seligmachenden Lichtes entzogen hatte. Was Matthäus (27,52) von dem Erdbeben und der Spaltung der Felsen berichtet, ist wahrscheinlich im selben Augenblick geschehen. Auf diese Weise gibt die Erde nicht nur ihrem Schöpfer ein Ehrenzeugnis, sondern sie tritt auch als Zeugin gegen die Verhärtung des verlorenen Volkes auf; denn hier zeigt sich wieder einmal, wie unnatürlich seine Widerspenstigkeit war, daß weder das Erdbeben noch die Spaltung der Felsen es rühren konnte.

V. 52: *Und die Gräber taten sich auf.* Auch das war ein ganz besonderes Wunderzeichen, mit dem Gott bezeugte, daß sein Sohn den Kerker des Todes betrete, nicht um darin eingeschlossen zu bleiben, sondern um alle herauszu- führen, die dort gefangengehalten wurden. Denn gerade zu der Zeit, als in Christi Person die verächtliche Schwäche des Fleisches sichtbar hervortrat, drang die herrliche göttliche Kraft seines Todes bis ins Totenreich hinab. Darum hat er, der bald in einem Grab verschlossen werden sollte, die andern Gräber geöffnet. Fraglich ist jedoch, ob dieses Sichöffnen der Gräber sich vor der Auferstehung ereignete; denn die Auferstehung der Heiligen, die kurz darauf erfolgte, geschah meiner Meinung nach erst nach der Auferstehung Christi selbst. [...] Denn darum heißt Christus „der Erstgeborene von den

Toten" (Kol. 1,18) und „der Erstling" der Auferstehenden (1. Kor. 15,20), weil er in seinem Tode das neue Leben begonnen und in seiner Auferstehung es vollendet hat. [...] Damit die Frommen in ihrer Hoffnung zuversichtlicher würden, wurde die Auferstehung, an der in Zukunft alle Anteil haben werden, an einigen wenigen im voraus dargestellt. Schwieriger ist die andere Frage, was nachher aus diesen Heiligen wurde; denn es scheint einfach nicht zu passen, daß sie, nachdem sie einmal von Christus zur Gemeinschaft an dem neuen Leben zugelassen waren, wieder zu Staub zerfielen. Aber wie diese Frage nicht leicht zu lösen ist, so ist es auch nicht nötig, uns ängstlich um eine Sache Gedanken zu machen, die wir nicht unbedingt zu wissen brauchen. Daß diese Auferstandenen lange unter den Menschen geweilt haben, ist unwahrscheinlich, da es genügte, daß sie kurze Zeit gesehen wurden, damit an ihnen wie in einem Spiegelbild die Kraft Christi offenbar wurde. [...]

V. 54: *Aber der Hauptmann.* Da Lukas (23,48) von dem ganzen Volk berichtet: *Sie schlugen sich an ihre Brust,* hat also nicht nur der Hauptmann mit seinen Soldaten Christus als Sohn Gottes anerkannt, sondern die Evangelisten heben das nur von ihm besonders hervor, weil es etwas Wunderbares war, daß ein Heide, der im Gesetz nicht unterwiesen und der wahren Frömmigkeit unkundig war, aufgrund der Zeichen, die er gesehen hatte, ein solches Urteil fällte. Dieser Vergleich trägt stark zur Verurteilung der Gefühllosigkeit dieser Stadt bei; denn daß außer dem geringen Volk keiner von den Juden durch die Erschütterung des Weltgefüges bewegt wurde, war ein Zeichen schrecklicher Tollheit. Aber Gott ließ nicht zu, daß wegen einer solchen furchtbaren Blindheit das, was er seinem Sohn bezeugt hatte, verborgen blieb. Also nicht nur echte Gottesfurcht gab wahren Anbetern Gottes offene Augen, daß sie sahen, wie Christi Herrlichkeit vom Himmel her offenbart wurde, sondern schon das natürliche Gefühl zwang außenstehende Menschen, und zwar Soldaten, zu einem Bekenntnis, das sie weder aus dem Gesetz noch von Lehrern gelernt hatten. [...]

Mk. 4,35–41: Stillung des Sturmes
s. Mt. 8,23–27. S. 61 ff.

Mk. 5,21–43: Erweckung der Tochter des Jairus und Heilung der Blutflüssigen
s. Mt. 9,18–26. S. 64 ff.

Mk. 7,24–30: Die Syrophönizierin
s. Mt. 15,21–28. S. 8 ff.

Mk. 8,27–30: Das Petrusbekenntnis
s. Mt. 16,13–19. S. 85 ff.

Lk. 7, 11–17: Der Jüngling zu Nain

LUTHER

WA 11, 180–183: Predigt am Tage Matthaei, 21. 9. 1523
34 II, 206–214: Predigt am 16. Sonntag nach Trinitatis, 24. 9. 1531

11, 181, 4: Nun wollen wir das Evangelium anfassen. Es ist eine einfache Geschichte, aber sie ist süß für die Angefochtenen. Deshalb sind dafür nicht satte Leute nötig, sondern solche, die am Geist und am Fleisch leiden. Das Evangelium ist eine Reizung zum Glauben. Diese Witwe hat keinen Glauben, denn sie hat ihren Sohn begraben müssen. Aber da ist ein Geist voll Traurigkeit und Schmerzen. Zu der Zeit war es das Allertraurigste und ärgste Leid, keine Kinder zu haben. Ein solches Weib war dies, hatte nur einen Sohn, der ihr nun starb; sie war so niedergeschlagen, wäre gern für ihren Sohn gestorben, wenn's hätte sein können. Da kommt nun Christus und erweist dem armen Weib seine Wohltaten. Das ist die Art aller Werke Gottes.

34 II, 208, 3: Hier sei mir die Witwe ein Beispiel. Hier siehst du, wie die
Witwe verloren hat Mann und Sohn. Hier ist nichts anderes denn heulen,
weinen und trauern. Es war ihr ein Trost, solange der einzige Sohn lebte.
Aber nun stirbt er auch. Sieh nun, wie Christus sich zu der Witwe stellt. Er
selbst macht aus nichts alles, aus dem Tode das Leben, aus der Traurigkeit
Freude. Und ehe sich die Witwe umsieht, lebt der tote Sohn und lacht und
verwandelt die Traurigkeit in Freude. Es ist schnell gesagt, aber schwer zu
treffen, um zu glauben, wie für diese Frau. Wenn da keine Weisheit, Gerechtigkeit, Heil und Leben ist, da will uns das Nichts ergreifen. Es geht mir wie
der Frau. Alle ihre Gedanken bleiben dabei stehen, daß sie den toten Sohn
sieht und ihr Haus leer und sie weinen muß. Sie kann es nicht denken, daß
der Tote leben soll und das leere Haus voll sein und an die Stelle der Traurigkeit die Freude treten soll. Darum sind die Werke, die Gott an den Elenden
tut, größer und höher, als ein Mensch erbitten und begehren könnte. Die Frau
hätte es auch nicht gewagt und in den Sinn genommen.

CALVIN

CO 45, 239–240

V. 11: *Und es begab sich danach, daß er in eine Stadt ging.* Da in allen Wundertaten Christi auf den Zeichensinn zu achten ist, wie ihn Matthäus (16, 4:
Zeichen des Jona) lehrt, wollen wir es hier so verstehen, daß dieser Jüngling,
den Christus vom Tod auferweckte, ein Bild des geistlichen Lebens ist, das er
uns wiedergeschenkt hat. Der Name der Stadt ist hinzugefügt, um die Geschichte glaubwürdig zu machen. Aus dem gleichen Grund spricht Lukas
auch von dem beiderseitigen großen Gefolge; denn auf der einen Seite hatte
Christus zahlreiche Begleiter bei sich, auf der andern Seite begleitete eine
Menge Frauen den Leichenzug, um (der Mutter) einen Liebesdienst zu erweisen. Dadurch daß die Auferweckung des Jünglings sich vor den Augen so
vieler Zeugen abspielte, konnte niemand ihre Glaubwürdigkeit anzweifeln.
Hinzu trat noch der lebhafte Verkehr an dieser Stelle; denn wir wissen, daß
am Tor Versammlungen abgehalten wurden. Wenn man den Toten aus der
Stadt heraustrug, so entsprach das der alten Sitte aller Völker. Hieronymus
berichtet, die Stadt habe bis in seine Zeit hinein noch bestanden, und zwar
am Südhang des Berges Tabor, 2 000 Schritt unterhalb (der Spitze).

V. 12: *Der einzige Sohn seiner Mutter.* Christus wurde dadurch dazu bewegt,
den Jüngling aufzuwecken, daß es ihn beim Anblick der Mutter jammerte, die
ihres einzigen Sohnes beraubt war; denn er hielt seine Gnade nicht zurück,

bis ihn irgend jemand darum bat, wie sonst zuweilen, sondern er kam allen Bitten zuvor und gab der Mutter, die dergleichen gar nicht erwartet hatte, ihren Sohn zurück. Darin haben wir ein deutliches Abbild seines freigebigen Erbarmens, wenn er uns vom Tod lebendig macht. Durch das Anrühren des Sarges wollte er vielleicht zeigen, daß er in keiner Weise vor Tod und Grab zurückschrecken werde, um uns das Leben zu gewinnen. Und er würdigte uns nun wirklich nicht nur einer Handberührung, um uns Tote lebendig zu machen, sondern er steigt selbst ins Grab hinab, um uns in den Himmel emporzutragen.

V. 14: *Jüngling, ich sage dir.* Mit diesem Wort bestätigt Christus, wie recht Paulus hat, wenn er sagt (Röm. 4, 17), Gott rufe das, was nicht ist, als ob es sei. Er ruft den Toten an, bringt ihn dazu, zu hören, so daß der Tod selbst sich ganz plötzlich in Leben verwandelt. Darin haben wir erstens ein klares Muster der zukünftigen Erweckung, wie auch Ezechiel (37,4) die verdorrten Gebeine aufrufen soll, das Wort Gottes anzunehmen; zweitens werden wir auch belehrt, wie uns Christus geistlich durch den Glauben lebendig macht, wenn er uns nämlich durch das Wort seine geheime Kraft einflößt, daß sie bis zu den toten Seelen durchdringt, wie er selbst, Joh. 5,25, ankündigt: „Es kommt die Stunde (und ist schon jetzt), daß die Toten werden die Stimme des Sohnes Gottes hören, und die sie hören werden, die werden leben."

V. 16: *Und es kam sie alle eine Furcht an.* Das Bewußtsein der göttlichen Gegenwart bringt notwendigerweise Furcht mit sich. Aber es gibt doch verschiedene Arten von Furcht. Die Ungläubigen entsetzen sich entweder bis hin zur Starrheit, oder sie murren im Bann des Schreckens gegen Gott. Fromme und gottesfürchtige Menschen dagegen, die von Ehrfurcht berührt sind, demütigen sich willig. Die Furcht ist darum hier nach der guten Seite hin aufzufassen, weil (die Anwesenden) beim Erkennen der Wundertat Gottes ihre Ehrerbietung so zollen, daß sie nicht nur ihre Ehrfurcht gegen Gott zeigen, sondern ihm Dank sagen. Wenn sie sagen: *Gott hat sein Volk heimgesucht,* so verstehe ich darunter nicht irgendeine Heimsuchung, sondern die, die ihren unversehrten Zustand wiederherstellt. Die Zustände in Judäa waren nicht nur zerrüttet, sondern es herrschte auch eine elende, schandbare Sklaverei, ganz so, als ob Gott sein Volk vergessen hätte. Eine Hoffnung blieb ihnen, daß Gott verheißen hatte, er wolle ihnen zum Erlöser werden, wenn das Elend, das sie quälte, zum Äußersten gekommen wäre. Ich bin darum sicher, daß dieses Wunder sie dazu ermunterte, auf die nahe Besserung ihrer Lage zu hoffen; nur irrten sie in der Art der Heimsuchung. Denn wenn sie darin auch die ungewöhnliche Gnade Gottes erkannten und rühmten, daß ein großer Prophet aufgestanden ist, reichte doch dieses Lob bei weitem nicht an die Würde und Herrlichkeit des verheißenen Messias heran. Daraus zeigt sich

daß der Glaube in jenem Volk damals sehr verwirrt und in viele falsche Vor-
stellungen verwickelt war.

Lk. 8,22–25: Stillung des Sturmes
   s. Mt. 8,23–27. S. 61 ff.

Lk. 8,40–56: Erweckung der Tochter des Jairus und Heilung der Blutflüssigen
   s. Mt. 9,18–26. S. 64 ff.

Lk. 9,18–21: Das Petrusbekenntnis
   s. Mt. 16,13–19. S. 85 ff.

Lk. 10,21–23: Lobpreis des Vaters
   s. Mt. 11,25–30. S. 70 ff.

Lk. 10,25–28: Die Frage nach dem größten Gebot
   s. Mt. 22,34–40. S. 112 ff.

Lk. 11,1–4: Vom Beten
   s. Mt. 6,5–15. S. 45 ff.

Lk. 14,15–24: Gleichnis vom großen Abendmahl
   s. Mt. 22,1–14. S. 105 ff.

Lk. 16,19–31: Der reiche Mann und der arme Lazarus

Luther

WA 10 III, 177–200: Predigt am 1. Sonntag nach Trinitatis, 22.6.1522
41,293–300: Predigt am 2. Sonntag nach Trinitatis, 6.6.1535

V. 19: 10 III, 178,19: Den reichen Mann müssen wir nicht ansehen nach
seinem äußerlichen Wandel, denn er hat Schafskleider an, und sein Leben
gleißt und scheint hübsch und deckt den Wolf meisterlich. Denn das Evangelium schilt ihn nicht, daß er Ehebruch, Mord, Raub, Frevel oder irgend etwas
begangen habe, das die Welt oder Vernunft tadeln möchte. Er ist ja so ehrbar
in seinem Leben gewesen wie jener Pharisäer, der zweimal in der Woche
fastete und nicht war wie die anderen Leute. Denn wenn er solche groben
Knoten gewirkt hätte, würde sie das Evangelium angezeigt haben, weil es ihn

so genau beschreibt, daß es auch sein Purpurkleid und Essen anzeigt, was doch äußerliche Dinge sind, nach denen Gott sich nicht richtet. Darum muß er einen feinen heiligen Wandel äußerlich geführt und nach seinem und aller andern Dünken das ganze Gesetz Mose gehalten haben. Aber man muß ihm ins Herz sehen und seinen Geist richten. Denn das Evangelium hat scharfe Augen und sieht tief in des Herzens Grund, tadelt auch die Werke, die die Vernunft nicht tadeln kann, und sieht nicht auf die Schafskleider, sondern auf die rechten Früchte des Baumes, ob er gut oder nicht gut sei, wie der Herr Mt. 7 lehrt. Also wenn wir hier an diesem reichen Mann nach den Früchten des Glaubens sehen, so werden wir finden ein Herz und den Baum des Unglaubens. Denn das Evangelium straft ihn, daß er täglich köstlich gespeist habe und sich herrlich kleidete, was doch keine Vernunft für sonderlich große Sünde hält. Dazu meinen die Werkheiligen, es sei recht und sie seien's wert und haben's verdient mit ihrem heiligen Leben und sehen nicht, wie sie dran sündigen mit Unglauben. [...]

V. 20: Daraus folgt nun die andere Sünde, daß er die Liebe gegen seinen Nächsten vergißt, denn er läßt den armen Lazarus vor seiner Tür liegen und tut ihm keine Hilfe. Und wenn er ihm auch persönlich nicht hätte helfen wollen, so hätte er es doch seinen Knechten befehlen können, daß sie ihn in einen Stall trügen und pflegten. Das macht, er hatte gar keinen Verstand von Gott, hat auch seine Güte niemals gefühlt. Denn wer Gottes Güte fühlt, der fühlt auch seines Nächsten Unglück. Wer aber Gottes Güte nicht fühlt, der fühlt auch seines Nächsten Unglück nicht. Darum wie ihm Gott nicht gefällt, so geht ihm auch sein Nächster nicht zu Herzen.

Denn der Glaube hat die Art, daß er sich zu Gott alles Guten versieht und allein auf ihn sich verläßt. Aus diesem Glauben erkennt denn der Mensch Gott, wie er so gut ist und gnädig sei, daß aus solcher Erkenntnis sein Herz so weich und barmherzig wird, daß er jedermann gerne also tun wollte, wie er fühlt, daß Gott ihm getan hat. Darum bricht er heraus mit Liebe und dient seinem Nächsten aus ganzem Herzen mit Leib und Leben, mit Gut und Ehre, mit Seele und Geist und setzt alles für ihn ein, wie Gott an ihm getan hat.

[...] Also sehen wir nun an diesem Beispiel dieses reichen Mannes, daß unmöglich Liebe ist, wo kein Glaube ist und unmöglich Glaube, wo keine Liebe ist. Denn es will und muß beides beieinander sein. Ein Gläubiger liebt jedermann, dient jedermann; ein Ungläubiger aber ist jedermann feind im Herzen und will sich von jedermann bedienen lassen. [...]

V. 23: 10 III, 194, 22: Die vierte Frage ist, ob man auch für die Toten bitten solle, weil hier kein Zwischenzustand angezeigt wird im Evangelium zwischen dem Schoß Abrahams und der Hölle und weil sie in Abrahams Schoß dessen nicht bedürfen, und denen, die in der Hölle sind, es nichts nützt. Antwort:

Wir haben kein Gebot von Gott, für die Toten zu bitten. Darum kann niemand daran sündigen, der nicht für sie bittet. Denn was Gott nicht geboten hat oder nicht geboten oder verboten hat, daran kann sich niemand versündigen. Doch wiederum, weil Gott uns nicht hat wissen lassen, wie es um die Seelen steht, und wir ungewiß sein müssen, wie er's mit ihnen mache, wollen und könnten wir denen nicht wehren noch zur Sünde machen, die da für sie bitten. Denn wir sind ja aus dem Evangelium gewiß, daß viele Tote auferweckt sind, von denen wir bekennen müssen, daß sie ihr endgültiges Urteil noch nicht empfangen haben. Also können wir auch nicht von irgend einem andern gewiß sein, ob er sein endgültiges Urteil empfangen habe.

Weil nun solches ungewiß ist und wir nicht wissen, ob die Seele verurteilt ist, ist es keine Sünde, daß du für sie bittest, aber auf die Weise, daß du es ungewiß bleiben läßt und sprichst also: Lieber Gott, ist die Seele in dem Stande, daß ihr noch zu helfen ist, so bitte ich, du wolltest ihr gnädig sein. Und wenn du das einmal oder zweimal getan hast, so laß es gut sein und befiehl sie Gott, denn Gott hat verheißen, er will uns hören, was wir bitten. Darum wenn du einmal oder dreimal gebetet hast, sollst du glauben, daß du erhört seist und nimmer bitten, auf daß du Gott nicht versuchest oder mißtrauest. [...]

V. 30: 41,299,32: Ja, das würde ein großes Ding sein, wenn ein Toter wiederkäme. An Mose sind sie gewöhnt, aber dies würde eine große Sache werden, wenn ein Toter wiederkäme. Nein, es soll dem Verdammten sein Wille im geringsten nicht erfüllt sein. Er wird unten ja so dürre gespeiset und trocken getränkt als er Lazarus hier gespeist und getränkt hat. Es muß alles abgeschlagen sein, weil, wenn sie Mose und die Propheten nicht hören und Gottes Wort verachten wollen, obwohl sie wissen, daß es das Wort Gottes ist, so werden sie auch nach den Toten nichts fragen. Und es ist wahr, wenn Gott heute seinen Engel senden würde und täte es drei- oder viermal, so würde man sich ebenso daran gewöhnen und soviel davon halten als von des Pfarrers Wort, genauso wenn ein Toter kommt. Denn wen das Wort selbst nicht bewegt, den bewegt die Person auch nicht. Man sagt zwar, wenn das Evangelium durch große Leute, Fürsten und dergleichen verkündet würde, dann würde es verbreitet. Aber die Person bringt den Menschen nicht zum Glauben, sondern das Wort, wenn man weiß, daß es Gottes Wort ist. Der ist die höchste Person. Wer damit fertig werden kann und verachtet Gottes Wort und Weise, sollte der nicht auch eines Engels oder Toten Wort verachten?

[...] Aber Gott will nicht, daß sie predigen sollen, sonst hätte er nicht die Pfarrer eingesetzt. Er gibt uns das Wort durch das Amt, das er den Menschen befohlen hat, nicht den Toten. Denen hat er verboten zu predigen, und die Menschen hat er gehalten, daß sie sollen das Wort Gottes predigen.

ZWINGLI

Z III 590–912: De vera et falsa religione commentarius, März 1525
Z IV 35–159: Eine Antwort, Valentin Compar gegeben, 27. 4. 1525
Z IV 577–647: Antwort auf Balthasar Hubmaiers Taufbüchlein, 5. 11. 1525

Z III 866,30–867,3: Christus legt hier dasselbe dar, was er auch im Gleichnis von den zehn Jungfrauen sagt (Mt. 25, 1–13), nämlich: Hier und jetzt, solange es Zeit ist, müssen wir unser Leben ändern. Denn nach diesem Leben kommt die Umkehr zu spät. [...] Wir sollen uns alle Mühe geben, in der Erkenntnis Gottes zu wachsen, unser Leben täglich zum Besseren hin zu verändern. Immer mehr wollen wir uns daran gewöhnen, auf Christus zu vertrauen. Dann dürfen wir uns freuen, wenn der Tod herannaht, abzuscheiden und bei Christus zu sein (Phil. 1, 23).

V. 26: Z IV 155, 12–28: Abraham spricht von den Verstorbenen, und er stellt nicht mehr als nur zwei Enden in Aussicht: das eine in der Person des Lazarus, das andere in der Person des reichen Mannes. Wer nunmehr von hinnen scheidet, wird entweder von den Engeln in den Himmel getragen (V. 22) und kann nicht mehr zu den andern hinabsteigen, oder aber er wird in die Hölle gestoßen und kann nie wieder heraufkommen. [...] Steht es da etwa in unserem Ermessen und in unserer Macht, die jenseitige Welt überhaupt näher zu beschreiben, z.B. als Kerker, oder als Gefangenschaft, als Feuer, Hunger, Durst und dergleichen mehr? Warum machen wir denn den mühseligen und beladenen Menschen (Mt. 11,28) mit Gewissensbissen, die erfunden und erlogen sind, die Hölle heiß? Anders der Apostel Paulus zu den Römern Kapitel 8 (8,1): ‚Die in Christus Jesus sind, trifft keine Verdammnis.‘ Daraus folgt: ‚Wer bis ans Ende in Christus Jesus bleibt und an ihm verharrt, der wird selig‘, Mt. 24 (24,13).

Z IV 639,20–30: ‚Sie haben Moses und die Propheten; die sollen sie lesen.‘ Das Neue Testament war damals noch nicht niedergeschrieben, jedenfalls nicht allgemein bekannt. Wer also das Alte Testament verwirft, ist im Unrecht.

CALVIN

CO 45,407–413

Christus zeigt anhand dieses Beispiels, wie es denen geht, die die Fürsorge an den Armen hintansetzen und sich ganz an ihrem Vergnügen berauschen. Sie haben sich der Unmäßigkeit und der Wollust ergeben und lassen ihre Nächsten elend verdursten, ja, sie lassen sie grausam Hungers sterben, wo sie ihnen doch hätten Hilfe bringen sollen, soweit es in ihrem Vermögen stand. Obwohl einigen das einfach ein Gleichnis zu sein scheint, so glaube ich doch, daß der Name Lazarus dafür spricht, daß es sich hier eher um ein Ereignis handelt, das wirklich geschehen ist. Im übrigen hat das wenig Gewicht, wenn die Leser nur begreifen, was die Geschichte sagen will.

V. 19f.: Zunächst wird der Reiche eingeführt: Er ist in *Purpur und köstliche Leinwand* gekleidet und huldigt tagtäglich einem glänzenden Luxus. Die Worte deuten auf ein besonders üppiges Leben, das nur Ausschweifung und Gepränge kannte. Es ist nicht so, daß jegliche feine Art der Kleidung, jeglicher Schmuck Gott zuwider sei oder daß man eine gepflegte Lebensweise verurteilen müsse. Aber es kommt doch selten vor, daß in diesen Dingen Maß gehalten wird. Denn wer eine prächtige Kleidung anstrebt, wird seinen Kleiderstaat durch immer neue Zutaten vermehren, und wer üppige, reich gedeckte Tafeln liebt, muß wohl am Ende in Unmäßigkeit verfallen. Doch wird an dem Reichen besonders seine Grausamkeit verurteilt, mit der er den armen Lazarus, der dazu noch mit Geschwüren bedeckt war, draußen vor seiner Tür liegenließ. Denn Christus stellt diese zwei Gegensätze einander gegenüber: Da ist der Reiche, der der Unmäßigkeit und dem Gepränge ergeben ist, wie ein unersättlicher Schlund, der ungeheure Mengen hinunterschlingt und der doch durch die Not und das Elend des Lazarus nicht gerührt wurde, sondern ihn mit Wissen und Wollen vor Hunger, vor Kälte und im Gestank seiner Geschwüre verschmachten ließ. Genauso wirft auch Ezechiel (16,49) Sodom vor, daß er in seiner Sattheit von Brot und Wein nicht dem Notleidenden die Hand zur Hilfe biete. Die köstliche Leinwand (Byssus) ist ein besonders feines Gewebe, das die Orientalen bekanntermaßen bei prunkvollen Festen zu gebrauchen pflegten. Diese Sitte haben die päpstlichen Opferpriester für ihre sogenannten Chorhemden nachgemacht.

V. 21: *Doch kamen die Hunde.* Jetzt kommt die eherne Rohheit des Reichen genügend deutlich zutage daran, daß auch dieser erbärmliche Anblick ihn nicht zum Mitleid bewegen konnte. Denn wenn er auch nur einen Tropfen von Menschlichkeit in sich gehabt hätte, so hätte er doch wenigstens befohlen, daß man dem elenden Mann etwas von den Resten in der Küche gab, aber hier kommt es zur Spitze der gottlosen und mehr als tierischen Grausamkeit, daß er noch nicht einmal von den Hunden Barmherzigkeit gelernt hat. Zweifellos sind diese Hunde von dem verborgenen Beschluß Gottes so geleitet worden, damit sie ihn durch ihre Tat verdammten. Christus ruft sie sicherlich hier als Zeugen auf, um die verdammenswerte Härte dieses Mannes aufzudecken. Denn es gibt doch nichts Unnatürlicheres, als daß ein Mensch von

Hunden gepflegt wird, weil sein Nächster sich nicht um ihn kümmert. Ja, der Hungrige bekommt nicht einmal Brosamen, während die Hunde ihn mit ihren Zungen belecken, um ihn dadurch zu heilen. Immer also, wenn Fremde oder sogar unvernünftige Tiere an unsere Stelle treten, um einen Dienst zu tun, der von uns verlangt war, sollen wir wissen, daß sie alle uns von Gott dann auch zu Zeugen und Richtern bestellt werden, um unser Vergehen deutlicher an den Tag zu bringen.

V. 22: *Es begab sich aber, daß der Arme starb.* Hier zeigt Christus, wie sehr sich die Lage der beiden nach ihrem Tod veränderte. Den Tod mußten sie zwar beide erleiden; doch nach dem Tod von den Engeln in Abrahams Schoß getragen zu werden, ist ein erstrebenswerteres Glück als alle Königreiche (zu besitzen). Aber der ewigen Qual übergeben zu werden, ist schrecklich, und man würde hundert Leben geben, um sich davon freizukaufen, wenn es nur möglich wäre. Nun wird uns an der Person des Lazarus ein deutlicher Fall dafür vor Augen geführt, daß wir nicht meinen dürfen, einer sei von Gott verflucht, weil er als Kranker sein Leben unter fortwährender Trübsal und Mühseligkeit verbrachte. Denn an Lazarus war Gottes Gnade so verborgen und von der Schmach des Kreuzes und der Schande so verschüttet, daß das Auge des Fleisches nichts als Verfluchung wahrnehmen kann. Doch sehen wir, was für eine kostbare Seele in diesem häßlichen, verfallenen Leib verborgen war, wenn sie von den Engeln in ein glückliches Leben geholt wird. Darum hat es ihm nicht geschadet, daß er allein und verachtet war, von allem menschlichen Trost im Stich gelassen, da ihn doch die himmlischen Geister für würdig befinden, ihm sofort zu Diensten zu stehen, als er den Kerker seines Fleisches verläßt. Auf der andern Seite erkennt man an dem Reichen wie in einem klaren Spiegel, daß zeitliches Glück nicht erstrebenswert ist, wenn man es durch das ewige Verderben erkauft hat. Doch muß man darauf achten, daß Christus nur von einem Begräbnis spricht und verschweigt, was man mit dem Lazarus gemacht hat. Es wird nicht so gewesen sein, daß sein Leichnam den wilden Tieren vorgeworfen wurde und unter freiem Himmel liegenblieb; aber er wurde doch wohl verächtlich und ohne Ehrenbezeugungen in eine Grube geworfen (denn aus dem Gegensatz zu dem Begräbnis des Reichen kann man leicht schließen, daß man dem Toten nicht mehr Liebe erzeigte als dem Lebenden). Dagegen empfängt der Reiche, der mit dem seinen Schätzen entsprechenden Aufwand begraben wurde, noch einen letzten Rest seiner vergangenen Lebenshaltung. Denn in dieser Hinsicht beobachten wir, daß gottlose Menschen sich irgendwo ihrem natürlichen Schicksal widersetzen, indem sie mit einem prächtigen Begräbnis und einer prunkvollen Leichenfeier wenigstens ihr Glück überleben lassen wollen. Wie töricht und lächerlich im übrigen dieser Ehrgeiz ist, geht daraus hervor, daß ihre Seelen sich in der Unterwelt wiederfinden. Wenn es heißt, Lazarus sei weggetragen worden, so steht hier das Ganze für seinen Teil. Denn da die Seele der wichtigere Teil des Menschen ist, gebraucht Christus hier mit Recht den Namen des ganzen Menschen für seine Seele. Den Engeln weist Christus dieses Amt nicht von ungefähr zu; denn wir wissen, daß sie den Gläubigen als Diener gegeben sind, damit sie ihr ganzes Sinnen und Trachten auf deren Heil richten.

In Abrahams Schoß. Es ist nicht nötig, daß wir uns über den Schoß Abrahams, über den sich schon viele Ausleger der Schrift in mannigfalter Weise Gedanken gemacht haben, länger ergehen, es bringt uns nach meiner Ansicht nicht einmal weiter. Es genügt festzuhalten, was der Leser, der sich gut in der Schrift auskennt, als den ursprünglichen Sinn erkennen wird. Denn wie Abraham darum der Vater der Gläubigen genannt wird, weil ihm der Bund des ewigen Lebens anvertraut wurde, der zunächst in seiner treuen Hut für seine Nachkommen bewahrt wurde und dann an alle Völker weiterging, so daß alle, die die Erben dieser Verheißung sind, seine Söhne genannt werden, so heißt es von denen, die zusammen mit ihm die Frucht des Glaubens empfangen, daß sie nach dem Tode in seinem Schoß versammelt werden. Das Bild wird auch auf den Vater angewandt, in dessen Schoß die Kinder sich gleichsam zusammenfinden, wenn sie sich abends nach der Tagesarbeit zu Hause versammeln. Wenn also die Kinder Gottes in dieser Welt verstreut und in der Fremdlingschaft sind, so folgen sie in ihrem Leben dem Glauben ihres Vaters Abraham. Sind sie gestorben, finden sie Erquickung in der seligen Ruhe, in der er sie erwartet. Man braucht sich jedoch nicht einen bestimmten Ort vorzustellen, sondern es wird hier, wie gesagt, nur jene Versammlung der Kinder Abrahams bezeichnet. Die Gläubigen sollen nämlich an diesem Ausdruck erkennen, daß sie nicht vergeblich unter dem Banner des Glaubens Abrahams gekämpft haben; denn sie genießen im Himmel eine entsprechende Ruhestatt. Wenn man fragt, ob heute die Frommen nach ihrem Tode noch in derselben Lage sind oder ob Christus sie kraft seiner Auferstehung in seinen Schoß nimmt, in dem sowohl Abraham selbst wie alle Frommen Ruhe finden, so kann ich kurz antworten: Wie uns die Gnade Gottes durch das Evangelium strahlender aufgegangen ist und Christus selbst als die Sonne der Gerechtigkeit uns das Heil gebracht hat, das die Väter nur von ferne unter dunklen Schatten anschauen durften, so besteht kein Zweifel mehr, daß die Verstorbenen dem Genuß des himmlischen Lebens nähergerückt sind. Doch müssen wir dabei festhalten, daß die volle Herrlichkeit bis zum Jüngsten Tag unserer Erlösung aussteht. Was den Ausdruck betrifft, so kann jener stille Hafen, der die Gläubigen nach ihrer Seefahrt in diesem Leben aufnimmt, Schoß Abrahams wie auch Schoß Christi genannt werden. Da wir aber im übrigen weiter vorangeschritten sind als die Väter unter dem Gesetz, wird dieser Unterschied deutlicher bezeichnet, wenn wir sagen, daß die Glieder Christi zu ihrem Haupt versammelt werden. So wird das Bild vom Schoß Abrahams verblassen, wie der Glanz der Sonne bei ihrem Aufgang alle Sterne erbleichen läßt. Doch läßt sich aus dieser Redeweise, wie Christus sie hier anwendet, erschließen, daß die Väter unter dem Gesetz zu ihren Lebzeiten das Erbe des ewigen Lebens im Glauben ergriffen haben, in das sie nach ihrem Tod aufgenommen wurden.

V. 23: *Als er nun bei den Toten war, hob er seine Augen auf.* Wenn Christus hier auch eine Geschichte erzählt, so schildert er doch geistliche Dinge anhand von Bildern, von denen er weiß, daß sie unserem Verständnis entgegenkommen. Denn die Seelen haben weder Finger noch Augen, noch leiden sie Durst, noch führen sie Gespräche untereinander, wie es hier zwischen Abraham und dem Schlemmer beschrieben wird, sondern der Herr entwirft hier ein Bild, das die Verhältnisse im zukünftigen Leben nach dem bescheidenen Maß unseres Verstehens wiedergibt. Das Ganze will sagen: Nachdem die Seelen der Gläubigen von ihren Leibern Abschied genommen haben, führen sie außerhalb der Welt ein frohes, seliges Leben, auf die Verworfenen jedoch warten schreckliche Qualen, die unsere Sinne sich genauso wenig vorstellen können wie die unermeßliche Herrlichkeit des Himmels. Denn wie wir, je nachdem uns der Geist Gottes erleuchtet hat, nur zu einem winzigen Teil kraft der Hoffnung einen Vorgeschmack der uns verheißenen Herrlichkeit haben, die all unsere Sinne weit übersteigt, so genügt es, wenn wir die unendliche Strafe Gottes, die den Gottlosen bleibt, nur undeutlich erkennen, um von ihr mit Entsetzen erfüllt zu werden. So ist den Worten Christi nur eine schwache Vorstellung von diesen Dingen zu entnehmen, die zudem unsere Neugier zähmen soll: Die Gottlosen leiden gräßlich unter dem Gefühl des Elends; sie ersehnen sich irgendeinen Trost, doch die Aussichtslosigkeit auf Hoffnung bereitet ihnen doppelte Qual. Noch mehr werden sie gepeinigt, wenn sie gezwungen werden, sich an ihre Vergehen zu erinnern und die Seligkeit der Gläubigen vor ihren Augen mit ihrer elenden und verlorenen Lage zu vergleichen. Dahin zielt die Schilderung des Gespräches, als ob wirklich eins zwischen ihnen stattgefunden hätte, wo sie doch keinerlei Austausch mehr miteinander haben. Auch darin, daß der Reiche Abraham „Vater" nennt, äußert sich eine andere Seite seiner Qual: er spürt zu spät, daß er sich von der Zahl der Söhne Abrahams losgesagt hat.

V. 25: *Gedenke, Sohn.* Wenn es heißt, daß bei den Toten gepeinigt werde, wer sein Gutes schon in der Welt empfangen habe, dann darf man das nicht so auffassen, als ob auf all die das ewige Verderben warte, die in dieser Welt gut und glücklich gelebt haben. [...] Der Sinn ist lediglich: Da er durch die Lockungen des irdischen Lebens ganz in die Vergnügungen der Erde untergetaucht ist und Gott und sein Reich verachtet hat, erwarten ihn jetzt die Strafen für seine Gleichgültigkeit. Darum ist das Fürwort *dein* betont, als ob Abraham gesagt hätte: Während du zum ewigen Leben geschaffen warst und das Gesetz Gottes dich zur Betrachtung des himmlischen Lebens hätte erheben sollen, hast du einen so großartigen Besitz aus den Augen gelassen und bist lieber wie ein Schwein oder ein Hund geworden. Darum empfängst du nun den angemessenen Lohn für deine stumpfsinnigen Lüste. Wenn es auf der anderen Seite von Lazarus heißt, er werde getröstet, weil er in der Welt viel Schmach erlitten hat, so tut einer albern daran, wenn er das nun auf alle Elenden bezieht, denen ihre Leiden nicht zum Nutzen ausschlagen, sondern sie noch mehr in die äußerste Strafe treiben. An Lazarus wird dagegen das Tragen des Kreuzes gerühmt, das immer aus dem Glauben und einer aufrichtigen Gottesfurcht entspringt. […]

V. 26: *Zwischen uns und euch ist eine große Kluft befestigt.* Diese Worte machen deutlich, daß die Lage im kommenden Leben unveränderlich bleibt; er hätte auch sagen können: Die Grenzen, die die Verworfenen von den Erwählten trennen, können niemals durchbrochen werden. So werden wir ermahnt, schleunigst und solange es Zeit ist, auf den Weg zurückzukehren und uns nicht kopfüber in jenen Abgrund zu stürzen, aus dem es kein Auftauchen mehr gibt. Im übrigen darf man nicht wörtlich nehmen, wenn es heißt, der Durchgang sei dem verwehrt, der vom Himmel zur Unterwelt hinabsteigen wolle; denn es ist doch klar, daß niemanden von den Frommen ein solches Verlangen ankommen wird.

V. 27: *So bitte ich dich, Vater.* Um die Geschichte unserem Verständnis noch besser zugänglich zu machen, nennt Christus die Bitte des Reichen, daß seine Brüder, die er noch hätte, von Lazarus gewarnt würden. […] Christus weist uns anhand des Reichen und des Abraham darauf hin, daß wir auf keinen Fall erwarten dürfen, daß die Verstorbenen auferstehen, um uns zu lehren und zu ermahnen, wo uns die gewisse Regel für unser Leben längst übergeben ist. Denn als Mose und die Propheten lebten, waren sie so zu Lehrern ihrer Zeitgenossen bestellt, daß aus ihren Schriften die gleiche Furcht auch ihren Nachfahren zukomme. Wenn Gott uns auf diese Art zum rechten Leben anweisen wollte, gibt es keinen Anlaß, warum er die Verstorbenen schicken sollte, um über die Belohnungen und Strafen des kommenden Lebens Zeugnis abzulegen. Sie werden ihre Gleichgültigkeit nicht entschuldigen können, weil sie sich unter dem Vorwand gehenlassen, daß sie ja nicht wissen, was außerhalb der Welt getrieben wird. Wir kennen das ruchlose Wort, das bei gottlosen Menschen sein Wesen treibt, oder – besser – dieses Grunzen von Schweinen, daß es töricht sei, sich mit einer ungewissen Furcht zu martern, weil noch nie jemand als Bote aus der Totenwelt zurückgekehrt sei. Um uns von diesen Betörungen Satans zu heilen, ruft uns Christus zum Gesetz und den Propheten zurück. [...] Wer darum als Märchen verlacht, was die Schrift von dem zukünftigen Gericht bezeugt, wird es einst noch an sich verspüren, denn jene Gottlosigkeit ist einfach nicht tragbar, die den heiligen Weissagungen Gottes die Glaubwürdigkeit entzieht. Im übrigen scheucht Christus die Seinen aus dieser Schläfrigkeit auf, damit sie sich nicht in der Hoffnung auf straflosen Ausgang täuschen und die Zeit zur Buße verpassen. Dahin zielt auch die Antwort des Abraham: Da Gott durch Mose und die Propheten seinem Volk die Lehre vom Heil deutlich genug übergeben hat, bleibt nichts weiter übrig, als daß sich alle an ihr genügen lassen. Da das Menschengeschlecht von der schlimmen Krankheit, der Neugier, tief durchdrungen ist, lechzen die meisten Menschen nach immer wieder neuen Offenbarungen. Da Gott aber nichts mehr zuwider ist, als wenn die Menschen so lüstern ihre Grenzen überschreiten, verwehrt er ihnen, bei Zauberern und Wahrsagern die Wahrheit zu erforschen und nach der Heiden Art trügerische Orakel aufzunehmen. Um aber zugleich ihr Verlangen zu besänftigen, verheißt er ihnen Propheten, bei denen das Volk lernen soll, was zum Heil nützlich ist (vgl. Dtn. 18, 10 ff.). Wenn die Propheten nun zu diesem Zweck gesandt wurden, damit Gott sein Volk unter der Zucht seines Wortes halte, so wird jemand, dem diese Erklärung nicht genügt, nicht von Lerneifer getrieben, sondern den kitzelt ein gottloser Mutwille. Darum beklagt sich Gott darüber, daß ihm Unrecht geschehe, wenn die Lebenden nicht ihn allein hören, sondern die Toten befragen (vgl. Jes. 8, 19). Wenn Abraham das Wort Gottes in das Gesetz und die Propheten teilt, so bezieht er sich damit auf die Zeit des Alten Bundes. Jetzt, da die klarere Deutung des Evangeliums gekommen ist, ist unsere Gottlosigkeit um so weniger tragbar, wenn wir uns in Verachtung seiner Verkündigung hierhin und dorthin reißen lassen oder, kurz gesagt, wenn wir uns nicht vom Wort Gottes leiten lassen. [...]

V. 30: *Nein, Vater Abraham.* Wieder handelt es sich hier um eine bildliche Vorstellung, in der mehr die Gefühle der Lebenden ausgedrückt werden als die Besorgnisse der Verstorbenen. Denn die Lehre des Gesetzes findet keine Beachtung in der Welt, die Weissagungen liegen brach, und niemand unterzieht sich der Mühe, Gott anzuhören, der in seiner Weise zu uns redet. Die einen wünschen sich, daß Engel vom Himmel herniedersteigen, die andern, daß die Verstorbenen aus den Gräbern auferstehen, die dritten wollen durch immer wieder neue Wunderzeichen bestätigt sehen, was sie hören, die vierten möchten, daß Stimmen aus der Luft ertönen. Auch wenn Gott übrigens all diesen verschrobenen Wünschen nachgekommen wäre, so hätte das doch kein Weiterkommen bedeutet. Denn einmal hat Gott bereits in seinem Wort all das zusammengefaßt, was uns nützlich zu wissen war, und zum andern ist die

Glaubwürdigkeit dieses Wortes durch rechtmäßige Zeichen bezeugt und bestätigt worden. Ferner hängt der Glaube ja nicht an Wunderzeichen oder an irgendwelchen Ungeheuerlichkeiten, sondern er ist ein besonderes Geschenk des Geistes und wird aus dem Wort geboren. Schließlich ist es das ausschließliche Werk Gottes, wenn er uns zu sich zieht, und er will durch sein Wort wirksam und tätig sein. [...]

Lk. 18,15–17: Segnung der Kinder
s. Mt. 19,13–15. S. 96 ff.

Lk. 19,28–40: Einzug Jesu in Jerusalem
s. Mt. 21,1–9. S. 99 ff.

Lk. 20,20–26: Der Zinsgroschen
s. Mt. 22,15–22. S. 106 ff.

Lk. 23,44–48: Der Tod Jesu
s. Mt. 27,45–54. S. 114 ff.

Lk. 24,13–35: Die Emmausjünger

ZWINGLI

S 6,2.52–70: Historia ressurectionis et ascensionis Christi, 1530

V. 15: S 6,2.58: Gott ist immer bei den Seinen. Selbst wenn diese dies kaum wahrnehmen, geht er in sie ein, gibt ihnen guten Rat und tut sich ihnen innerlich kund. Genauso ist Gott auch immer und überall bei uns, prüft und schaut nicht nur alles, was wir tun, sondern auch, was wir denken. Das lehrt uns, ehrlich und gottesfürchtig und in höchster Ehrfurcht vor ihm zu leben.

V. 27: S 6,2.59: Die genauen Bibelstellen, die Christus aus dem Gesetz und den Propheten zitiert, bleiben hier nicht ohne göttliche Absicht unerwähnt, damit wir sie umso lieber selbst herausfinden ... So sagt er Johannes 5 (5,29): ,Ihr forscht in der Schrift; denn ihr meint, ihr habet das ewige Leben darin; und sie ist's, die von mir zeuget. Glaubtet ihr Moses, so glaubtet ihr auch mir, denn er hat von mir geschrieben.' Wer also Schwache im Glauben stärken und Traurige und Geringe trösten will, der nehme die Heilige Schrift zur Hand; denn Gottes Wort ist für die Seele Speise und Leben.

V. 35: S 6,2.60: Echter Glaube erzählt gerne auch andern, was er empfangen hat. Das ist der Grund, weshalb die zwei Jünger sogleich zurückeilen, um den andern die neue Freude mitzuteilen.

CALVIN

CO 45,802–812

V. 13: Emmaus war ein altes, nicht unberühmtes Städtchen, das die Römer später Nikopolis nannten; es war nicht weit von Jerusalem entfernt, da sechzig Stadien nur 7400 Doppelschritte (etwa 11 km) ausmachen. Doch wird dieser Ort von Lukas nicht wegen seiner Berühmtheit, sondern als Bestätigung für die Begebenheit angegeben.

V. 14: *Und sie redeten miteinander.* Es bedeutete ein Zeichen ihrer Frömmigkeit, daß sie ihren Glauben an Christus, wie schwach und gering er auch gewesen sein mag, irgendwie zu stärken versuchten; denn darauf lief ihr Gespräch doch hinaus, daß sie der Anstößigkeit des Kreuzes die Verehrung für den Meister wie einen Schild entgegenhalten wollten. Obgleich sie jedoch in ihrer Unterhaltung und dem Gespräch eine tadelswerte Unwissenheit an den Tag legen – denn sie sind, obwohl sie vorher von der kommenden Auferstehung Christi unterrichtet worden waren, bei der Kunde davon völlig bestürzt –, bot ihre Lernbereitschaft Christus doch einen Weg, ihren Irrtum auszuräumen. Denn viele erheben unter viel Aufwand Fragen, weil es ihr Ziel ist, die Wahrheit mutwillig zu verachten; Menschen aber, denen es am Herzen liegt, die Wahrheit willig anzunehmen, verschafft ihre fromme Lernbereitschaft bei Gott die Gnade – mögen sie auch bei den geringsten Einwürfen noch schwanken und sich bei leichten Bedenken noch aufhalten –, daß Gott gewissermaßen seine Hand ausstreckt und sie zur festen Gewißheit führt, daß sie aufhören zu zweifeln. Jedenfalls ist immer festzuhalten, wenn wir Fragen über Christus stellen: Geschieht es in demütiger Bereitwilligkeit zu lernen, dann steht ihm die Tür offen, uns zu helfen, ja, wir ziehen ihn sozusagen selbst als unseren Lehrer herbei, während unheilige Menschen mit ihrem unreinen Gerede ihn weit von sich wegtreiben.

V. 16: *Aber ihre Augen wurden gehalten.* Das bezeugt der Evangelist ausdrücklich darum, damit nicht jemand auf die Idee komme, die Gestalt des Leibes Christi habe sich verändert. Obwohl Christus sich ähnlich blieb, wurde er trotzdem nicht erkannt, weil die Augen derer, die ihn sahen, befangen waren; damit schwindet jeder Verdacht einer Sinnestäuschung oder Einbildung. [...]

V. 17: *Was sind das für Reden, die ihr zwischen euch handelt?* Aus der Antwort des Kleopas wird übrigens noch deutlicher, was ich vorhin sagte, nämlich wie bekümmert und bestürzt die beiden Jünger wegen der Auferstehung Christi waren, dachten sie doch mit Ehrfurcht an seine Lehre; sie standen also keineswegs in Gefahr abzufallen. […] Christi Name war damals so verhaßt und überall berüchtigt, daß es nicht geraten war, ehrenvoll von ihm zu reden. Er aber achtet nicht auf den Haß, sondern nennt ihn einen Propheten Gottes und bekennt sich als einen seiner Jünger. Wenn auch dieser Titel „Prophet" weit hinter der göttlichen Majestät Christi zurückbleibt, verdient doch auch diese geringe Ehrung Lob, da Kleopas doch nur Jünger für Christus werben will, die sich seinem Evangelium unterwerfen. […] Jedenfalls rechnet er kurz darauf Christus nicht mehr nur noch einfach zu den Propheten, sondern sagt, er und andere hätten an ihn als an den Erlöser geglaubt.

V. 19: *Ein Prophet, mächtig von Taten und Worten.* Fast die gleichen Worte legt Lukas (vgl. Apg. 7, 22) Stephanus in den Mund, als dieser Mose preist und sagt: „Er war mächtig in Worten und Werken." Hier aber fragt sich, ob Christus „mächtig an Taten" genannt wird wegen seiner Wunder, was dann etwa heißen würde, er war mit göttlichen Kräften ausgerüstet, die ihn als einen Gesandten vom Himmel erwiesen, oder ob der Sinn allgemeiner gehalten ist: er war hervorragend sowohl durch seine Fähigkeit zu lehren als durch die Heiligkeit seines Lebens und seine herrlichen Gaben. […]

V. 21: *Wir aber hofften, er sei es, der Israel erlösen würde.* Aus dem Zusammenhang wird sich noch ergeben, daß die Hoffnung, die sie auf Christus gesetzt hatten, doch nicht ganz erloschen war, obgleich diese Worte zunächst so zu klingen scheinen. […]

V. 25: *Und er sprach zu ihnen: O ihr Toren und trägen Herzens.* Immer wenn Christus früher von seinem Tod zu ihnen gesprochen hatte, hatte er auch von dem neuen geistlichen Leben geredet und seine Lehre durch die Weissagungen der Propheten gefestigt. Aber er hatte wie zu tauben Leuten, ja, besser noch, wie zu Klötzen und Steinen gesprochen: von tödlichem Schrecken getroffen, wenden sie sich in alle Himmelsrichtungen. Dieses Schwanken schreibt er also mit Recht ihrer Torheit zu, und als deren Ursache nennt er ihre geistliche Trägheit, daß sie nicht bereitwilliger waren zu glauben. Aber nicht nur das wirft er ihnen vor, daß sie, obwohl er ihnen doch ein ausgezeichneter Lehrmeister war, zu träge zum Lernen waren, sondern auch, daß sie auf die Aussprüche der Propheten nicht geachtet haben. Ihr Stumpfsinn sei also nicht zu entschuldigen, sondern es liege ganz allein an ihnen, da die Lehre der Propheten sowohl an sich schon klar und ihnen außerdem noch gründlich ausgelegt worden sei. So tragen auch heute noch die meisten Menschen die Schuld für ihre Unwissenheit selbst, weil sie ungelehrig und störrisch sind. Beachten wir, daß Christus, um seine allzu schläfrigen Jünger aufzuwecken, mit dem Trubel beginnt. Denn so müssen Leute angetrieben werden, die sich als steif und träge erweisen.

V. 26: *Mußte nicht Christus solches leiden?* Zweifellos sprach der Herr jetzt von dem Amt des Messias, wie es die Propheten beschrieben haben, damit den Jüngern der Tod am Kreuz nicht anstößig vorkäme. [...] Die Jünger lassen sich verkehrterweise durch den Tod ihres Meisters verwirren, ohne den er das Amt des Christus nicht erfüllen konnte, da das Hauptstück seines Erlösungswerkes seine Opferung war; auf diese Weise verschließt man Christus nämlich die Tür, in seine Königsherrschaft einzutreten. Das ist sorgfältig zu beachten. [...]

V. 27: *Und fing an bei Mose.* Diese Stelle zeigt, auf welche Weise sich Christus uns durchs Evangelium offenbart, nämlich so, daß die Kenntnis von ihm durch das Gesetz und die Propheten beleuchtet wird. Denn niemals gab es einen geschickteren und besseren Lehrer des Evangeliums als den Herrn selbst, und ihn sehen wir den Beweis für seine Lehre aus dem Gesetz und den Propheten entnehmen. [...] Es genügt, kurz festzustellen, daß Christus nicht umsonst das Ende des Gesetzes (Röm. 10, 4) genannt wird. Denn wie dunkel auch und von ferne Mose ihn mehr als einen Schattenriß als ein klares Bild gezeichnet hat, so ist doch unbestreitbar, daß der Bund, den Gott mit den heiligen Vätern geschlossen hat, vergehen und ungültig werden muß, wenn nicht in dem Geschlecht Abrahams ein Haupt hervorragt, unter dem das Volk zu *einem* Leib zusammenwachsen soll. [...] Die Propheten ihrerseits haben, wie schon erwähnt, den Mittler sehr viel deutlicher abgebildet, selbst jedoch ihre erste Kenntnis von ihm aus Mose gezogen; denn ihnen war keine andere Aufgabe gestellt, als die Erinnerung an den Bund zu erneuern, den geistlichen Gottesdienst deutlicher aufzuzeigen, die Hoffnung auf Errettung auf den Mittler zu gründen und auch die Art und Weise der Versöhnung deutlicher zu machen. Da es jedoch Gott gefallen hatte, die volle Offenbarung bis zum Kommen seines Sohnes aufzuschieben, wurde eine Auslegung nicht überflüssig.

V. 30: *Nahm er das Brot.* Offenbar aber hatte er eine besondere Art zu beten, und er wußte, daß seine Jünger durch den Umgang mit ihm daran gewöhnt waren, so daß sie bei diesem Erkennungszeichen aufhorchen mußten. Wir wollen indessen aus dem Beispiel des Meisters lernen, immer wenn wir Brot essen, dem Urheber des Lebens selbst Dank dafür zu bringen. Dies unterscheidet uns von den ungläubigen Menschen.

V. 31: *Da wurden ihre Augen geöffnet.* Aus diesen Worten sehen wir, daß an Christus keine Verwandlung stattgefunden hatte, so daß er etwa durch Veränderung seiner Gestalt die Augen der Menschen getäuscht hätte, wie sich die

Dichter etwa den Proteus vorstellen, sondern es täuschten sich vielmehr die Augen derer, die ihn sahen, weil sie wie verschleiert waren. [...] Durch sein plötzliches Verschwinden klärte er sie dann darüber auf, daß man ihn jetzt anderswo als in der Welt suchen müsse; denn die Vollendung seines neuen Lebens geschah erst in seiner Aufnahme in den Himmel.

V. 32: *Brannte nicht unser Herz?* Nachdem Christus von ihnen erkannt wurde, beginnen sie, über seine Gnade nachzudenken, die sie vorher ohne Verständnis genossen hatten, und merken, wie verständnislos sie gewesen sind. Jetzt klagen sie sich selbst wegen ihrer geistlichen Trägheit an; denn genau das wollen ihre Worte sagen: Wie war es nur möglich, daß wir ihn nicht erkannten, als er mit uns redete? Denn als er so in unsere Herzen drang, hätten wir doch merken müssen, um wen es sich handelte! [...]

V. 33: *Und sie standen auf zu derselben Stunde.* Da es immerhin Nacht war und die beiden Männer sich in einiger Entfernung von Jerusalem befanden, wird daraus klar, wie sehr sie darauf brannten, ihren Mitjüngern diese Botschaft zu überbringen. Da sie die Herberge erst gegen Abend betraten, hat sich der Herr ihnen wahrscheinlich nicht vor Einbruch der Nacht offenbart. Obwohl nun ein Marsch in der Nacht durchaus nicht angenehm war, stehen sie doch im gleichen Augenblick auf und laufen schnell nach Jerusalem zurück. [...]

V. 34: Welche sprachen: *Der Herr ist wahrhaftig auferstanden.* Damit deutet Lukas an, daß eben die Männer, die den Aposteln die frohe Botschaft brachten, um sie zu stärken, dafür nun von einer anderen Erscheinung Kenntnis erhielten. Ohne Zweifel hat Gott den Jüngern diese gegenseitige Stärkung als Belohnung für ihren frommen Eifer gewährt. [...]

Joh. 1, 1–14: Der Prolog

LUTHER

WA 10 I 1, 180–247: Das Evangelium in der hohen Christmesse, Kirchenpostille, 1522

10 I 1, 181, 7: Dieses ist das höchste Evangelium unter allen, doch nicht, wie einige meinen, finster oder schwer, denn hier ist der hohe Artikel von der Gottheit Christi aufs allerklarste gegründet.

10 I 1, 182, 6: Daß nun dieses Evangelium auch klarer und lichter werde, müssen wir hinter uns ins Alte Testament laufen an den Ort, darauf dieses Evangelium sich gründet. [...] Aus dem Text des Mose folgt und läßt sich klar erschließen, daß Gott ein Wort habe, durch welches er sprach, ehe denn

alle Kreaturen gewesen sind, und dasselbe Wort mag und kann keine Kreatur sein, weil alle Kreaturen durch das Sprechen desselben göttlichen Wortes erschaffen sind, wie der Text des Mose klar und gewaltig zwingt, da er sagt: Gott sprach: Es werde Licht, und es ist worden ein Licht.

10 I 1, 183, 1: Ist das Wort vor allen Kreaturen gewesen und alle Kreatur durch dasselbe geworden und geschaffen, so muß es ein anderes Wesen sein als die Kreatur ist und ist nicht geworden oder geschaffen wie die Kreatur. So muß es ewig sein und keinen Anfang haben. Denn da alle Dinge anfingen, da war es schon zuvor da und läßt sich nicht in der Zeit noch Kreatur begreifen, sondern schwebt über Zeit und Kreatur, ja Zeit und Kreatur werden und fangen dadurch an. So ist das unwidersprechlich: Was nicht zeitlich ist, das muß ewig sein, und was keinen Anfang hat, muß nicht zeitlich sein, und was nicht Kreatur ist, muß Gott sein. Denn außer Gott und Kreatur ist nichts oder kein Wesen.

10 I 1, 183–13: Es kann das Wort, und der es spricht, nicht eine Person sein, denn es reimt sich nicht, daß der Sprecher selbst das Wort sei ... Gott sprach, so daß Gott und sein Wort zweierlei sein müssen. [...]

10 I 1, 189, 2: Im Anfang schuf Gott Himmel und Erde. Das ist der Anfang, da die Kreaturen ihr Wesen angefangen haben. Sonst ist kein Anfang zuvor gewesen; denn Gott hat nicht angefangen zu sein, sondern er ist ewig. So folgt, daß das Wort auch ewig ist, weil es nicht angefangen hat im Anfang, sondern es war schon im Anfang, sagt hier Johannes.

10 I 1, 190, 18: Und das Wort war bei Gott. [...] Aber er scheidet hier die Personen klar, daß eine andere Person sei das Wort als der Gott, dabei es war. [...] Und ist wohl darauf zu achten, daß der Evangelist hart dringt auf das Wort ‚bei‘; denn er wird's noch einmal sagen, daß er ja klar den Unterschied der Personen ausdrücke, um der natürlichen Vernunft und den zukünftigen Ketzern zu begegnen.

10 I 1, 191, 11: Aber die Wahrheit des christlichen Glaubens geht mitten hindurch, lehrt und bekennt die unvermischte Person und unzerteilte Natur. Eine andere Person ist der Vater als der Sohn, aber er ist nicht ein anderer Gott. Wenn das die natürliche Vernunft auch nicht begreift, ist das recht. Der Glaube soll's allein begreifen. Natürliche Vernunft macht Ketzerei und Irrtum, Glaube lehrt und hält die Wahrheit; denn er haftet an der Schrift, die trügt und lügt nicht.

10 I 1, 191, 18: Und Gott war das Wort. Weil nicht mehr als ein Gott ist, so muß wahr sein, daß Gott selbst dies Wort sei, das im Anfang gewesen ist vor allen Kreaturen.

V. 2: 10 I 1, 193, 2: Das war im Anfang bei Gott. Bei Gott war es, und doch war Gott das Wort. Sieh, so ficht der Evangelist nach beiden Seiten, daß beides wahr sei, Gott sei das Wort, und das Wort sei bei Gott, eine Natur göttlichen Wesens und doch nicht eine Person allein und eine jegliche Person völlig und ganzer Gott im Anfang und ewiglich. Das sind die Sprüche, darinnen unser Glaube gegründet ist, daran wir uns auch halten müssen, denn es ist ja für die Vernunft viel zu hoch, daß drei Personen sein sollen, und eine jede sei vollkommen und der ganze ein Gott, und seien doch nicht drei Götter, sondern ein Gott.

V. 4: 10 I 1,195,14: In ihm war das Leben. Diesen Spruch ziehen sie gemeiniglich in das hohe Spekulieren und das schwere Verständnis von den zweierlei Wesen der Kreatur.

10 I 1,199,23: Wie man nun Christi Wort auslegt, da er sagt: Ich bin das Leben, also soll man dies auch auslegen, gar nichts von dem Leben der Kreaturen in Gott auf philosophisch, sondern wiederum wie Gott in uns lebe und seines Lebens uns teilhaftig mache, daß wir durch ihn, von ihm und in ihm leben.

10 I 1,200,3: Ja, das natürliche Leben ist ein Stück vom ewigen Leben und ein Anfang, aber es nimmt durch den Tod sein Ende, darum daß es nicht erkennt und ehrt den, von dem es herkommt. Dieselbe Sünde schneidet es ab, daß es muß sterben ewiglich. Wiederum, die da glauben und erkennen den, von dem sie leben, sterben nimmermehr, sondern das natürliche Leben wird gestreckt ins ewige Leben.

10 I 1,200,13: Daß aber der Evangelist sagt: In ihm war das Leben, nicht: In ihm ist das Leben, als rede er von vergangenen Dingen, muß man nicht beziehen auf die Zeit vor der Welt oder des Anfangs, – denn er spricht hier nicht: Im Anfang war das Leben in ihm, wie er kurz zuvor sagt von dem Wort, das im Anfang bei Gott war –, sondern man soll es beziehen auf die Zeit des Lebens oder Wandels Christi auf Erden, da das Wort Gottes sich gegen den Menschen und unter den Menschen erzeigt hat, denn der Evangelist denkt von Christus und seinem Leben zu schreiben.

10 I 1,202,22: Darum muß dies Licht verstanden werden als das wahre Licht der Gnade in Christus und nicht das natürliche Licht, welches auch Sünder, Juden, Heiden und Teufel, die ärgsten Feinde des Lichtes, haben.

10 I 1,206,23: Ist es ein Licht der Menschen, so muß es ein anderes Licht sein, denn das im Menschen ist.

10 I 1,207,12: Nun siehe die Ordnung der Worte: Er setzt zum ersten das Leben, danach das Licht, spricht nicht, das Licht sei das Leben der Menschen gewesen, sondern wiederum: Das Leben war das Licht der Menschen, darum daß in Christus Grund und Wahrheit ist und nicht wie in den Menschen nur der Schein. [...] Daraus folgt nun, daß der Mensch kein Licht habe als Christus, Gottes Sohn in der Menschheit. Und wer da glaubt, daß Christus wahrer

Gott sei und das Leben in ihm sei, der wird von diesem Licht erleuchtet, ja auch lebendig. Das Licht erhellt ihn, daß er bleibt, wo Christus bleibt. Denn wie die Gottheit ist ein ewiges Leben, so ist dasselbe Leben auch ein ewiges Licht. Und wie dasselbe Leben nicht mag sterben, also mag dasselbe Licht auch nicht verlöschen. So muß der Glaube in solchem Licht auch nicht verderben.

Es ist auch sonderlich wahrzunehmen, daß er das Leben Christus als dem ewigen Wort gibt und nicht als dem Menschen, da er spricht: In ihm (vernimm: dem Wort) war das Leben. Denn obwohl er gestorben ist als ein Mensch, ist er doch allzeit lebendig geblieben; denn das Leben mochte und mag nicht sterben. Darum ist der Tod auch in demselben Leben erstickt und überwunden, so gar, daß auch die Menschheit mußte sobald wieder lebend werden, und dasselbe Leben ist ein Licht der Menschen. Denn wer ein solches Leben in Christus erkennt und glaubt, der geht auch durch den Tod und stirbt nimmermehr, wie droben gesagt ist, denn solches Lebenslicht erhält ihn, daß der Tod ihn nicht anrührt. Obwohl der Leib sterben und verwesen muß, so fühlt doch die Seele denselben Tod nicht, darum daß sie in diesem Licht ist und durch das Licht in dem Leben Christi ganz begriffen. Wer aber das nicht glaubt, der bleibt in Finsternis und Tod.

10 I 1,209,8: Siehe … wie gar fern die davon sind, die ein natürliches Licht der Vernunft daraus machen, denn das bessert niemand, ja führt nur weit von Christus weg in die Kreatur und in die falsche Vernunft. Hinein in Christus müssen wir fahren und nicht sehen in die Lichter, die von ihm abgeleitet sind, sondern in sein Licht, daraus die Lichter kommen. Nicht müssen wir dem Fließen des Brunnens von dem Brunnen folgen, sondern nach dem Brunnen allein trachten.

V. 5: 10 I 1,212,6: Und das Licht leuchtet in der Finsternis, und die Finsternis hat es nicht begriffen. [...] Darum laßt uns bleiben bei dem einfältigen Verständnis, das die Worte ungezwungen ergeben: Alle, die da erleuchtet werden mit natürlicher Vernunft, die begreifen das Licht und werden erleuchtet, ein jeglicher nach seinem Maß. Aber dies Licht der Gnaden, das dem Menschen über das natürliche Licht gegeben ist, leuchtet in die Finsternis, das ist unter die blinden und gnadenlosen Menschen der Welt, aber sie nehmen es nicht an, ja, sie verfolgen es dazu.

10 I 1,213,9: Und ist merklich wahrzunehmen, daß der Evangelist hier spricht: Das Licht leuchtet, das ist: Es ist offenbar oder gegenwärtig vor Augen in der Finsternis. Aber wer nicht mehr davon hat, der bleibt finster. Gleichwie die Sonne dem Blinden scheint, aber er sieht darum nicht desto mehr. Also ist die Art dieses Lichtes, daß es scheint in Finsternissen, aber die

Finsternis wird nicht desto lichter davon. Aber in den Gläubigen scheint es nicht allein, sondern macht sie voll des Lichtes der Gnade.

V. 14: 10 I 1, 243, 6: Er spricht: Das Wort, das Fleisch geworden ist, habe unter uns gewohnt, das ist: Er ist unter den Menschen auf Erden gewandelt wie ein anderer Mensch, obwohl er Gott ist, dennoch ist er ein Bürger zu Nazareth und Kapernaum geworden.

ZWINGLI

S 6, 1. 682–766: Annotationes in Evangelium Joannis, 1528
Z I 328–384: Von Klarheit und Gewißheit des Wortes Gottes, 6. 9. 1522
Z II 1–457: Auslegen und Gründe der Schlußreden, 14. 7. 1523
Z III 590–912: De vera et falsa religione commentarius, März 1525
Z VI/I 233–432: Notizen und Voten Zwinglis an der Berner Disputation, 6.–26. 1. 1528

V. 1: S 6, 1. 682: Da die übrigen Evangelien die Geburt Christi nach dem Fleisch genügend beschreiben, übergeht sie der Evangelist Johannes und behandelt dafür die göttliche Zeugung des Sohnes Gottes umso klarer, indem er sagt: ‚Im Anfang war das Wort.‘ Sicher nicht ohne Grund nennt er den Sohn Gottes ‚Logos‘; denn ‚dabar‘ bedeutet bei den Hebräern sowohl Sache, Wort, Vernunft und Grund. Der Begriff ist von erhabenerer und umfassenderer Bedeutung als ‚res‘ oder ‚verbum‘ bei den Lateinern. Er bezeichnet ‚den ganzen Handel‘. Genau das ist bei den Griechen auch die Bedeutung von ‚Logos‘: Wort, Spruch, Vernunft, Rede, Meinung, Folgerung, Rat, kurz: Gottes ewiger Entscheid, sein Rat und seine Weisheit. [...] Dies alles trifft zu für ‚Sohn Gottes‘. [...] Er war in ihm, dem Anfang aller Dinge.

V. 3: Z III 681, 24–33: Daß der, welcher als Mittler und Vermittler geschickt wurde, Gott und Gottes Sohn ist, das stärkt die Hoffnung. [...] Daß er aber auch Mensch ist, das ermöglicht vertrauten Umgang, Freundschaft, enge Verbindung und Gemeinschaft. [...] Gleichwie nun Gott durch seinen Sohn den Menschen schuf, so beschloß er auch, durch denselben den in den Tod gefallenen Menschen wieder zurechtzubringen. Beides sollte Christus sein: die Schöpfung und die Wiederherstellung. Denn ‚alles ist durch ihn gemacht‘, Joh. 1 und Kol. 1 (1, 16): ‚Alles ist durch ihn und in ihm erschaffen worden.‘

V. 4 und 9: Z I 365, 15–21: Das Wort Gottes kann vom Menschen wohl verstanden werden ohne Anleitung eines anderen Menschen. Allerdings nicht aus eigenem Verstand. Gottes eigenes Licht ist es, welches leuchtet, und sein Geist ist es, der in seinem Wort weht, so daß man das Licht dessen, was das Wort sagt, in seinem Lichte sieht, wie im 35. Psalm steht (Ps. 36, 10): ‚Bei dir,

Herr, ist der Brunnen des Lebens, und in deinem Lichte werden wir das Licht sehen.' Dasselbe steht Johannes 1 (1,4) geschrieben.

V. 4: Z VI/I 270,18–26: Ich will kurz erklären, inwiefern Christus das Licht ist, und inwiefern die Apostel das Licht sind (Joh. 8,12 und Mt. 5,14): Christus selbst ist das wahre und eigentliche Licht gemäß Johannes Kapitel 1. Alles Licht, welches die Apostel haben, gibt Er ihnen. Nehmen Sie, lieber Herr Pfarrer, ein Beispiel: die Sonne bringt uns durch das Fenster den Tag herein. Nun ist aber der Tag, und daß es am Tag überhaupt hell ist, für sich allein genommen ein Nichts. Sobald nämlich die Sonne nicht mehr leuchtet, ist es auch nicht mehr Tag. Genauso haben auch die Apostel nur soviel Licht, als ihnen die Sonne der Gerechtigkeit (Mal. 4,2 resp. 3,20), Christus, gibt.

V. 12: Z II 55,25–29: Es wolle doch an dieser Stelle jedermann lernen, daß Gottes Absicht nicht nur darin besteht, daß wir bloß dem Namen nach Gottes Kinder genannt werden. Wir sollen uns vielmehr darüber freuen, daß wir seine Kinder sind (Gal. 3,26; 4,5), und vertrauensvoll für Hilfe und Trost zu ihm laufen dürfen wie zu unserem natürlichen Vater.

V. 14: S 6,1.684–685: Mit wenigen Worten deutet Johannes hier die Geburt Christi nach dem Fleische an. [...] Er verwendet den Begriff ‚Fleisch' für ‚Mensch' nach hebräischem Sprachgebrauch, womit er den Menschen in seiner Ganzheit beschreibt als Seele und als Leib. Denn ‚nephesch' bezeichnet sowohl die Seele als auch den beseelten Leib, so wie ‚basar' ebenfalls das Fleisch und den ganzen Menschen meint, wobei das Fleisch nur ein Teil des ganzen Menschen ist. Hier freue sich dein Herz! Es ermesse die überschwängliche Liebe des allergütigsten Vaters, der seinen eigenen Sohn für uns dahingab, Röm. 8 (8,32). ‚Das Wort ward Fleisch' bedeutet: Gottes Sohn, Gottes ureigenstes Wesen, wurde Mensch.

CALVIN

CO 47,1–16

V. 1: *Im Anfang war das Wort.* Mit diesem ersten Satz verkündet Johannes die ewige Gottheit Christi, damit wir wissen, Gott, der sich offenbart hat im Fleisch, sei ewig. Ferner will er sagen: Die Erneuerung des Menschengeschlechts mußte geschehen durch den Sohn Gottes; denn durch seine Kraft ist alles geschaffen, er allein haucht allen Geschöpfen Leben und Kraft ein, daß sie darin fortbestehen. Besonders im Menschen selbst hat er ein einzigartiges Beweisstück seiner Kraft ans Licht gebracht. Dazu hat er auch nach Adams Sturz und Fall dennoch nicht aufgehört, gegen seine Nachkommen gütig und gnädig zu sein. Diese Lehre muß uns vor allen Dingen einsichtig sein. Denn da abseits von Gott kein Leben und Heil zu suchen sind, wie sollte unser Glaube sich auf Christus stützen, wenn nicht unumstößlich feststünde, was hier gelehrt wird? Der Evangelist bezeugt also mit diesen Worten, daß wir vom alleinigen und ewigen Gott nicht um Haaresbreite abweichen, wenn wir an Christus glauben. Sodann, daß durch eines- und desselben Gnade, der schon durch seine unversehrte Natur zuvor Urquell des Lebens war, jetzt auch die Toten das Leben wiedererhalten.

Dafür, daß er den Sohn Gottes das Wort nennt, scheint es mir einen ganz einfachen Grund zu geben: zuerst ist ja die ewige Weisheit Gottes und sein Wille da, erst dann nimmt sein Ratschluß Gestalt an. Denn wie bei uns Menschen das Wort die Art der Gesinnung ausdrückt, so ist es nicht abwegig, das auch auf Gott zu übertragen. Daher heißt es, durch sein Wort stelle er uns sich selbst dar. Andere Deutungen von *Logos* (Wort) passen hier nicht. [...]

Und das Wort war bei Gott. Wir haben schon gesagt, daß dadurch dem Sohn Gottes der Vorrang vor der Welt und allen Geschöpfen gegeben wird: er war vor aller Zeit. Zugleich aber schreibt dieser Satz dem Sohn eine vom Vater unterschiedene Wesenheit zu. Denn die Aussage des Evangelisten, er sei immer mit oder *bei Gott* gewesen, wäre sinnlos, wenn er nicht eine ihm eigentümliche Seinsweise in Gott gehabt hätte. Also ist die Stelle dazu geeignet, die Irrlehre des Sabellius zu widerlegen, da sie ja zeigt, daß der Sohn vom Vater sich unterscheidet. [...]

Und Gott war das Wort. Um keinen Zweifel an der göttlichen Wesenheit Christi zu lassen, sagt der Evangelist ganz klar, das *Wort* sei *Gott.* Da nun Gott ein einziger ist, so folgt daraus: Christus ist mit dem Vater ein und derselben Wesenheit und unterscheidet sich doch in irgendeiner Weise von ihm. Aber über dies zweite ist schon gesprochen worden. Auf die Wesenseinheit schaut der Evangelist. Also ist es unlauteres Gerede gewesen, wenn Arius behauptete, Christus sei ein erdichteter Gott gewesen, nur um nicht bekennen zu müssen, daß Christi Gottheit von Ewigkeit sei. Für uns aber gibt es keinen Streit mehr über die ewige Wesenheit Christi, wenn wir hören, das *Wort* sei *Gott* gewesen.

V. 2: *Dasselbe war im Anfang bei Gott.* Um das vorher Gesagte unserem Herzen tiefer einzuprägen, faßt der Evangelist abschließend noch einmal beides zusammen: das *Wort* ist immer gewesen, und zwar *bei Gott,* damit man erkenne: der *Anfang* sei vor aller Zeit.

V. 3: *Alle Dinge sind durch dasselbe gemacht.* Der Evangelist hat also zunächst erklärt, das *Wort* sei *Gott,* und hat die Ewigkeit seines Wesens verkündet; nun beweist er seine Gottheit auf Grund seiner Werke. Dies ist eine praktische Erkenntnis, mit der wir uns vor allem vertraut machen müssen.

Die bloße Bezeichnung Christi als Gott nämlich wird uns kaltlassen, wenn unser Glaube ihn nicht auf Grund seines Tuns als Gottheit spürt und empfindet. Passend also verkündet der Evangelist gerade das vom Sohne Gottes, was auf seine Person recht eigentlich zutrifft. Bisweilen sagt Paulus allerdings einfach, alles bestehe durch Gott (Röm. 11,36). Aber immer, wenn der Sohn mit dem Vater verglichen wird, pflegt er ihn durch dieses Merkmal zu unterscheiden. Daher ist es üblich, sich folgendermaßen auszudrücken: der Vater hat alles durch den Sohn geschaffen, und ebenso: alles besteht durch den Sohn vom Vater her. Darauf aber zielt die Meinung des Evangelisten ab – wie ich schon gesagt habe –, daß unmittelbar bei Beginn der Weltschöpfung das Wort Gottes sofort im äußerlichen Schaffen in Erscheinung getreten ist. Denn vorher war es in seinem Wesen nicht zu fassen; aber da, in diesem Augenblick, wurde seine Macht durch die Tat offenbar. Auch einige Philosophen sehen Gott als Baumeister der Welt an und erblicken in diesem Werke die Bekundung seines Sinnes. Das ist freilich richtig, denn es stimmt mit der Schrift überein. Aber sie verlieren sich bald in abwegige Gedankengänge. So haben wir keinen Grund, ihr Zeugnis begierig aufzunehmen. Warum sollen wir uns nicht lieber zufriedengeben mit diesem Spruch der himmlischen Weisheit, da wir ja wissen, er besagt viel mehr, als unser Verstand zu fassen vermag?

Und ohne dasselbe ist nichts gemacht, was gemacht ist. Diese Stelle wird zwar verschieden gelesen, aber ich lese, ohne mich auf Streit einzulassen, zusammenhängend so: *nichts ist gemacht, was gemacht ist.* Darin stimmen auch fast alle griechischen Handschriften überein, wenigstens die von größerer Bedeutung. Sodann erfordert überhaupt der Sinn diese Lesart. Wer das Satzglied *was gemacht ist* vom vorhergehenden Satz trennt, um es mit dem folgenden zu verbinden, erhält einen nur gewaltsamen Sinn: was gemacht wurde, darin war auch Leben, das heißt, es lebte oder wurde am Leben erhalten. Aber er wird nicht nachweisen können, daß an irgendeiner anderen Stelle so von Geschöpfen gesprochen wird. [...] Da ja Satan alles in Bewegung setzt, um Christus etwas zu nehmen, wollte der Evangelist bezeugen, daß von dem, was gemacht ist, nichts, aber auch gar nichts auszunehmen sei.

V. 4: *In ihm war das Leben.* Bis jetzt hat der Evangelist gelehrt, durch das Wort Gottes sei alles geschaffen worden. Jetzt schreibt er ihm auch die Erhaltung alles Geschaffenen zu, etwa so, als wolle er sagen, seine Kraft sei nicht nur plötzlich bei Erschaffung der Welt erschienen und bald wieder vergangen, sondern sie sei noch jetzt in der festen, dauerhaften Ordnung der Natur offenbar. So heißt es Hebr. 1,3, alles erhalte er durch sein Wort oder seinen mächtigen Willen. Übrigens kann sich dieses Wort *Leben* auch auf unbeseelte Wesen beziehen, die ja nach ihrer Weise Leben haben, wenn auch kein Empfindungsvermögen. Im anderen Falle meint das Wort einzig beseelte Wesen. Es ist aber nur von geringer Bedeutung, wofür man sich entscheidet. Der Sinn nämlich ist eindeutig: das Wort Gottes ist nicht nur die Lebensquelle für alle Kreaturen gewesen, so daß zu sein begann, was vorher nicht war, sondern durch seine lebenschaffende Kraft geschieht es, daß sie in ihrem Dasein verharren. Wenn nämlich sein Hauch die Welt nicht dauernd am Leben erhielte, müßte alles, was lebt, sofort vergehen und ins Nichts versinken. Was schließlich Paulus, Apg. 17,28, Gott zuschreibt: *in ihm leben, weben und sind wir*, das geschieht durch die Gnade des Wortes, wie Johannes bezeugt. Gott also ist es, der uns am Leben erhält, aber durch sein ewiges Wort.

Und das Leben war das Licht der Menschen. Andere Auslegungen, die vom Geist des Evangelisten abweichen, übergehe ich mit Absicht. Hier spricht er nach meiner Meinung vom *Leben* insofern, als sich die Menschen vor anderen Lebewesen auszeichnen, so als wenn er sagen wollte, nicht nur das gewöhnliche Leben sei den Menschen gegeben, sondern ein Leben, das mit dem Lichte der Erkenntnisfähigkeit verbunden sei. Weiterhin gibt er dem Menschen eine Sonderstellung gegenüber den anderen Wesen. [...] Denn sie sind ja geschaffen nicht ähnlich dem Vieh, sondern als vernunftbegabte Wesen stehen sie auf einer höheren Stufe. Weiter: Gott hat nicht umsonst sein *Licht* in ihnen entzündet, sondern sie sind dazu geschaffen, daß sie in ihm den Urheber eines so einzigartigen Gutes erkennen. Und da er ja einmal dieses *Licht,* dessen Quelle das *Wort* war, von dort auch zu uns herübergeleitet hat, müßte es gleich einem Spiegel sein, in dem wir die göttliche Kraft des Wortes klar und deutlich erblicken.

V. 5: *Und das Licht scheint in der Finsternis.* Man könnte einwerfen, die Menschen würden doch an so vielen Stellen der Heiligen Schrift blind genannt und die Blindheit, derentwegen sie dort verurteilt werden, sei nur allzu bekannt. Bei all ihrer Vernunft gehen sie nämlich jämmerlich in die Irre. Woher stammten denn sonst so viel verschlungene Irrwege in der Welt, wenn nicht daher, daß die Menschen gerade durch den ihnen eigentümlichen Verstand sich nur in eitlen Trug verstricken? Wenn sich aber in den Menschen keinerlei Licht mehr offenbart, dann ist jenes Zeugnis Christi, das der Evangelist soeben erwähnt, erloschen. [...] Diesen Gegenstand behandelt der Evangelist schon hier und erinnert zunächst daran, daß das *Licht,* das den Menschen anfangs gegeben war, nicht nach ihrem gegenwärtigen Zustand beurteilt werden dürfe. Denn in der menschlichen Natur nach dem Sündenfall hat sich das Licht in Finsternis verkehrt. Indessen bestreitet er doch auch weiterhin, daß das Licht der Erkenntnis völlig erloschen sei; denn im Dunkel des menschlichen Sinnes blitzen bis heute Funken des Lichtes auf. Jetzt erkennt der Leser, daß in diesem Satz zweierlei enthalten ist. Einmal besagt er, es ist ein großer Unterschied zwischen dem jetzigen Zustand des Menschen und jenem heilen Zustand, mit dem er anfangs begabt gewesen. Der Sinn nämlich, der durch und durch von *Licht* erfüllt sein müßte, ist wie *in Finsternis* versunken und elendiglich verblendet. Und so ist die Herrlichkeit Christi durch diese Verderbnis der Natur gleichsam verdunkelt. Aber wiederum behauptet der Evangelist, daß mitten *in der Finsternis* bis heute noch etwas von dem *Licht* vorhanden sei, das bis zu einem gewissen Grade auf die göttliche Kraft Christi hinweise. Also der Evangelist sagt deutlich, der Geist des Menschen ist mit Blindheit geschlagen, so daß man mit Recht meinen kann, er sei von Finsternis überwältigt. Er hätte nämlich einen milderen Ausdruck gebrauchen und sagen können, das Licht sei verdunkelt oder wie in Nebel gehüllt. Aber er wollte ganz klar zum Ausdruck bringen, wie elend unser Zustand nach dem Fall des ersten Menschen sei. Wenn er aber versichert, das *Licht scheint in der Finsternis,* so dient das keineswegs zum Preise der verderbten Natur, sondern eher dazu, jeden Vorwand für unsere Unwissenheit über uns selbst zu beseitigen.

Und die Finsternis hat's nicht ergriffen. Obwohl der Sohn Gottes durch dieses uns gebliebene geringe Licht die Menschen immer wieder zu sich geladen hat, sagt doch der Evangelist, das sei ohne jeden Erfolg geschehen: denn sehenden Auges sähen wir nicht. Seit nämlich der Mensch Gott entfremdet ist, hält Finsternis seinen Sinn so umfangen, daß alles ihm verbliebene Licht wirkungslos und wie erstickt bleibt. [...] Daraus folgt: um das Heil der Menschen wäre es geschehen, wenn ihnen Gott nicht erneut zu Hilfe käme. Denn obwohl Gottes Sohn sein Licht in sie ausgießt, sind sie doch so schwachsichtig, daß sie den Ursprung dieses Lichtes nicht zu erfassen vermögen, sondern es fehlt ihnen weiterhin an Weisheit, und sie folgen ihren wahnwitzigen und verkehrten Einbildungen. Von zweierlei Art ist vornehmlich das *Licht,* das den Menschen auch in ihrer verderbten Natur noch geblieben ist: denn allen ist von Geburt eigen irgendein Samenkorn von Religion; sodann ist in ihren Gewissen tief eingeprägt die Fähigkeit, zwischen Gut und Böse zu unterscheiden. Aber was kommt dabei schließlich heraus? Die Religion entartet in tausendfachen Aberglauben, das Gewissen aber verliert die Sicherheit des Urteils und verwechselt so Laster mit Tugend. Insgesamt: Niemals wird die natürliche Vernunft die Menschen zu Christus bringen. Wir sind zwar dahin angelegt, unser Leben verständig zu führen, wir sind geboren zu vortrefflichen Künsten und Wissenschaften, aber auch dies alles ist umsonst und eitel. Nun aber muß man festhalten, daß der Evangelist bisher nur von den natürlichen Gaben spricht, die Gnade der Wiedergeburt aber noch nicht berührt. Er unterscheidet nämlich zweierlei Wirkkraft des Gottessohnes: die eine, die sich in der Erschaffung der Welt und der Ordnung der Natur offenbart, die andere aber, durch die er die gefallene Natur erneuert und wiederherstellt.

Gottes Wort ist ja von Ewigkeit, und so ist durch dieses die Welt geschaffen; seine Kraft erhält alles am Leben, was einmal Leben empfangen hat; der Mensch vor allem ist mit der einzigartigen Gabe der Erkenntnis ausgestattet, und wiewohl er durch seinen Abfall das Licht der Erkenntnis verloren hat, sieht und erkennt er doch noch immer. So ist nicht gänzlich verloren, was er von Natur auf Grund der Gnade des Sohnes Gottes besitzt. Aber da er ja das Licht, das weiter in ihm lebt, durch seine törichte Verkehrtheit verfinstert, muß der Sohn Gottes eine neue Aufgabe übernehmen, nämlich die des Mittlers, der den verlorenen Menschen durch geistliche Wiedergeburt erneuert. Also philosophieren in verkehrter Weise und an ungelegenem Ort, die dieses vom Evangelisten erwähnte Licht auf das Evangelium und die Lehre von der Erlösung beziehen.

V. 6: *Es war ein Mensch.* Jetzt beginnt der Evangelist den Bericht darüber, wie das Wort Gottes sich im Fleisch offenbart hat. Damit niemand anzweifle, daß Christus der Sohn Gottes von Ewigkeit her sei, sagt er, er sei durch die Ankündigung Johannes des Täufers schon im voraus gefeiert worden. Denn Christus hat nicht gewollt, daß er von den Menschen nur gesehen werde, sondern er wollte auch durch das Zeugnis und die Lehre des Johannes bekannt werden. Auf Erden hat Gott der Vater seinem Gesalbten diesen Zeugen vorausgesandt, damit alle um so leichter das Heil annehmen könnten, das er ihnen darbot. Dennoch könnte es auf den ersten Blick befremdlich erscheinen, daß für Christus von anderer Seite her ein Zeugnis abgelegt wird, als ob er selbst dessen bedürfe. Verkündet er doch ausdrücklich, daß er von Menschen kein Zeugnis suche. Die Antwort darauf ist bekanntlich leicht: dieser Zeuge ist nicht Christi, sondern unsertwegen eingesetzt. [...]

Von Gott gesandt, der hieß Johannes. Die Tatsache, daß Johannes berufen war, betont er nicht stärker; er erwähnt sie nur beiläufig. [...] Ohne Zweifel befahl der Herr durch seinen Engel, ihn im Hinblick auf sein Amt Johannes zu heißen, so daß alle schon daraus erkannten, er ist der Verkünder der göttlichen Gnade. Auch wenn das hebräische Wort „Jehochanan" passive Bedeutung hat (= Gnade empfangen) und sich also auf die Person bezieht (Gott ist ihm gnädig gewesen), so möchte ich den Namen doch auf die Frucht ausdehnen, die andere von ihm empfangen sollen.

V. 7: *Der kam zum Zeugnis.* Wozu er berufen sei, streift der Evangelist nur kurz: doch dazu, Christus seine Gemeinde zu bereiten. Indem er so alle einlud, zu Christus zu kommen, zeigte er deutlich genug, daß er nicht um seiner selbst willen gekommen war. Johannes durfte aber auch gar nicht so sehr hervorgehoben werden. Daher erinnert der Evangelist daran, dieser sei nicht das Licht gewesen, damit nicht etwa sein übermäßiger Glanz den Ruhm

Christi überschatte. Es gab nämlich Menschen, die jenem so fest anhingen, daß sie Christus darüber fast vergaßen. [...]

V. 9: *Das war das wahrhaftige Licht.* Das wahre Licht wird nicht in Gegensatz gestellt zu einem falschen, sondern der Evangelist wollte Christus von allen anderen unterscheiden. Keiner sollte glauben, das, was hier den Namen *Licht* trägt, sei dasselbe, was auch Engel oder Menschen haben könnten. Der Unterschied besteht sodann darin: alles, was im Himmel und auf Erden leuchtet, borgt seinen Glanz von einer anderen Quelle; Christus aber ist das *Licht,* das aus sich und durch sich selbst leuchtet; darauf erleuchtet es die ganze Welt mit seinem Glanz, und es gibt keinen anderen Ursprung und Grund außer ihm. Das *wahrhaftige Licht* also hat er den genannt, dem es von Natur aus eigen ist, zu leuchten.

Welches alle Menschen erleuchtet. Den größten Wert legt der Evangelist auf die Lehre, daß Christus das *Licht* ist, und zwar gründet er sie auf die Wirkung, die jeder von uns an sich selbst wahrnimmt. Er hätte auch tiefsinniger darlegen können, daß Christus als das ewige Licht einen ihm selbst eingeborenen Glanz habe, der nicht aus anderer Quelle stamme, aber er stellt uns lieber wieder auf den Boden der Erfahrung, die wir alle haben. Denn da Christus uns alle an seinem Glanz teilhaben läßt, muß man zugeben, daß diese Ehre, nämlich das Licht zu heißen, ihm ganz allein zukommt. Übrigens pflegt man diese Stelle doppelt auszulegen. Manche beziehen diese ganz allgemein gültige Bemerkung nur auf diejenigen, die, durch Gottes Geist wiedergeboren, voll des lebenschaffenden Lichtes teilhaftig sind. [...]

Aber da der Evangelist ausdrücklich von allen spricht, *die in diese Welt kommen,* scheint mir der andere Sinn einleuchtender: daß nämlich die Strahlen dieses Lichtes sich auf die ganze Menschheit verteilt haben, so wie auch schon früher gesagt ist. Denn wir wissen, daß ganz allein wir Menschen dies vor den anderen Lebewesen voraushaben, daß wir mit Verstand und Einsicht begabt sind und daß wir die Fähigkeit, zwischen Recht und Unrecht zu unterscheiden, tief in unserem Gewissen eingeprägt tragen. So gibt es denn niemanden, zu dem nicht irgendeine Empfindung dieses ewigen Lichtes gelangte. [...]

V. 10: *Er war in der Welt.* Der Evangelist klagt die Menschen der Undankbarkeit an; denn sie haben sich gleichsam aus eigenem Antrieb so geblendet, daß sie den Ursprung des Lichtes, das sie besaßen, nicht erkannten. Das aber betrifft alle Weltalter: schon bevor Christus sich im Fleisch offenbarte, zeigte sich seine Kraft ja überall. So hätte sein tägliches Wirken den Starrsinn der Menschen ändern müssen. Ist nämlich etwas Unsinnigeres denkbar, als Wasser aus einem Bache zu schöpfen und die Quelle nicht zu erkennen, aus der es hervorsprudelt? Also daß die Welt Christus nicht erkannte, bevor er sich im Fleisch offenbarte, das läßt sich gerechterweise nicht mit Unwissenheit entschuldigen. Es trat nur ein infolge der Trägheit oder eines ganz böswilligen Stumpfsinnes derer, die ihn doch immer in seiner Kraft und Wirkung vor Augen hatten. Es heißt, nie ist Christus der Welt so fern gewesen, daß die Menschen nicht, durch seine Strahlen erweckt, ihre Augen zu ihm hätten erheben können. Darauf folgt, daß jene mangelhafte Erkenntnis als Schuld anzurechnen ist.

V. 11: *Er kam in sein Eigentum.* Hier wird ganz gewiß Klage erhoben gegen die Verkehrtheit und die Bosheit der Menschen, hier zeigt sich ihre mehr als verruchte Gottlosigkeit; denn obwohl Gottes Sohn sichtbar als Mensch in Erscheinung trat, und zwar unter den Juden, die sich Gott selbst vor anderen Völkern als sein besonderes Eigentum auserwählt hatte, erkannten sie ihn doch nicht und *nahmen ihn nicht auf.* Auch diese Stelle erklärt man verschieden. Einige nämlich glauben, der Evangelist spreche unterschiedslos von der ganzen Welt; und soviel ist gewiß, es gibt keinen Ort in der Welt, den der Sohn Gottes nicht mit vollem Recht als sein Eigentum beanspruchen dürfte. Der Sinn dieser Stelle ist also nach der Meinung dieser Ausleger: als Christus auf die Erde herabstieg, kam er nicht in ein fremdes Land, da ja die ganze Menschheit sein ihm zustehendes Erbe war. Aber zutreffender deuten diese Stelle nach meiner Überzeugung die, welche sie allein auf die Juden beziehen. Es liegt nämlich darin unausgesprochen etwas, wodurch der Evangelist die Undankbarkeit der Menschen noch deutlicher werden läßt. Gottes Sohn hatte sich ein Volk zum Wohnsitz erkoren, und als er dort nun erschien, wurde er zurückgestoßen. Das zeigt doch ganz deutlich, wie bösartig die Verblendung der Menschheit war. Es war aber unbedingt nötig, das zu sagen. Denn nur so konnte der Evangelist das Ärgernis beseitigen, das der Unglaube der Juden später für viele verursachte. Da er nämlich gerade von dem Volke verachtet und verworfen worden war, dem er namentlich verheißen wurde, wer hätte da an ihn als den Erlöser der ganzen Welt glauben sollen? Wir sehen ja, wie sehr Paulus in diesem Punkte zu kämpfen hatte. Übrigens liegt sowohl im Zeit- wie im Hauptwort des Satzes: *er kam in sein Eigentum* besonderer Nachdruck. Wo der Sohn Gottes vorher schon war, dorthin sei er jetzt gekommen, sagt der Evangelist. Er kennzeichnet also damit die ganz neue und außerordentliche Weise seiner Gegenwärtigkeit, wodurch der Sohn Gottes sich so offenbarte, daß die Menschen ihn mit eigenen Augen erblicken konnten. Indem er sagt *in sein Eigentum,* hebt er die Juden unter den anderen Völkern hervor; denn sie waren mit einzigartigem Vorzug zur engsten Gemeinschaft mit Gott erwählt. Ihnen bot sich Christus zuerst an als Hausgenossen, die in besonderer Weise zu seinem Reiche gehörten. Aber darauf bezieht sich schon jene Klage Gottes bei Jesaja: „Der Ochs kennt seinen Herrn und der Esel die Krippe seines Herrn. Israel aber kennt mich nicht"

(Jes. 1, 3). Obwohl er die Herrschaft über die ganze Welt besitzt, macht er sich doch insbesondere zum Herrn über Israel, das er gleichsam in einer heiligen Hürde versammelt hatte.

V. 12: *Wie viele ihn aber aufnahmen.* Damit sich nun niemand bei diesem Ärgernis aufhalte, daß die Juden Christus verachtet und verschmäht haben, erhebt der Evangelist die Frommen, die an Christus glauben, bis über den Himmel empor. Er sagt nämlich, durch den Glauben erlangten sie den Ruhm, als *Gottes Kinder* zu gelten. Auch liegt in dem umfassenden Wort *wie viele* ein Gegensatz. In verblendeter Prahlsucht nämlich rühmten sich die Juden, als wäre Gott ihnen allein verpflichtet. Also verkündet der Evangelist, die Lage sei jetzt gänzlich verändert; denn da die Juden verworfen seien, träten nun die Heidenvölker an ihre Stelle. Es ist geradeso, als übertrage er das Recht der Kindschaft auf die Außenstehenden. Das meint auch Paulus, wenn er sagt: „Der Untergang dieses einen Volkes ist zum Leben für die ganze Welt geworden" (Röm. 11, 12. 15). Denn nachdem sie das Evangelium gleichsam aus ihrem Gebiet vertrieben hatten, begann es, sich nach allen Richtungen durch die ganze Welt hin zu verbreiten. So beraubten sich die Juden des Vorrechts, durch das sie ausgezeichnet waren. Christus aber nahm durch ihre Gottlosigkeit keinen Schaden; denn er errichtete nun anderswo seinen Herrschersitz und berief ohne Unterschied alle Völker, die früher von Gott verworfen schienen, zur Hoffnung auf das Heil.

Denen gab er Macht, Gottes Kinder zu werden. Die Papisten verdrehen diese Stelle aufs schlimmste, da sie sie folgendermaßen auffassen: es sei ganz unserer Entscheidung überlassen, ob wir die Wohltat der Gotteskindschaft annehmen wollten oder nicht. So schließen sie aus diesem Wort auf die freie Entscheidung des Menschen und schlagen gleichsam Feuer aus Wasser. Auf den ersten Blick hat diese Deutung etwas für sich; denn der Evangelist sagt ja nicht, Christus mache die Gläubigen zu *Gottes Kindern,* sondern er gebe ihnen die *Macht, es zu werden.* Daraus also schließen sie, diese Gnade werde uns nur angeboten, und es läge nun in unserer freien Entscheidung, sie anzunehmen oder zurückzuweisen. Aber diese unsinnige Wortklauberei wird durch den Zusammenhang der Stelle hinfällig. Gleich anschließend fügt ja der Evangelist hinzu, nicht nach dem Eigenwillen des Fleisches würden sie Gottes Kinder, sondern allein durch die Wiedergeburt aus Gott. [...]

Die an seinen Namen glauben. Der Evangelist stellt kurz die Weise fest, Christus zu ergreifen, nämlich an ihn zu glauben. Wenn wir also durch den Glauben in Christus gleichsam verwurzelt sind, erlangen wir das Recht der Aufnahme an Kindes Statt, so daß wir *Gottes Kinder* sind. Nun ist aber Christus der alleinige Sohn Gottes; also kommen wir zu dieser Ehrenstellung nur, insofern wir seine Glieder sind. [...]

V. 13: *Welche nicht von dem Geblüt noch von dem Willen des Fleisches.* Die Ansicht einiger, hier werde die unbegründete Zuversicht der Juden auf ihre leibliche Abstammung von Abraham tadelnd gestreift, teile ich gern. Sie führten immer den Rang ihrer Abstammung im Munde, als ob sie von heiliger Abkunft, von Natur heilig seien. Mit Recht hätten sie sich ihres Stammvaters Abraham gerühmt, wenn sie rechte und nicht entartete Söhne gewesen wären. Aber der Ruhm des Glaubens hat nichts mit anmaßendem Stolz auf leibliche Abstammung zu tun, sondern er verdankt sein Gutes allein der Gnade Gottes. Johannes sagt also, alle, die von den vorher unreinen Heiden an Christus glauben, werden nicht vom Mutterleibe an als Gottes Kinder geboren, sondern von Gott zu solchem Neubeginn wiedergeschaffen. [...] Indessen kann man aus dieser Stelle noch eine allgemeine Lehre entnehmen: wir sind Gottes Kinder nicht aus unserer eigenen Natur und aus eigenem Antrieb. Nein, der Herr hat uns aus seinem Willen und seiner gnädigen Liebe dazu gemacht. Hieraus folgt zuerst: der Glaube kommt nicht aus uns; er ist die Frucht geistlicher Wiedergeburt. Der Evangelist sagt nämlich, keiner könne glauben, der nicht aus Gott wiedergeboren sei. Weiter: der Glaube ist keine kalte und nackte Erkenntnis; denn keiner kann glauben, wenn er nicht durch Gottes Geist erneuert worden ist. [...]

V. 14: *Und das Wort ward Fleisch.* Nun legt Johannes dar, welcher Art jenes Kommen Christi gewesen ist, das er erwähnt hatte: nämlich er nahm unser Fleisch an und zeigte sich offen der Welt. Und wenn der Evangelist auch nur kurz das unaussprechliche Geheimnis berührt, daß der Sohn Gottes die Natur des Menschen annahm, so ist diese Kürze doch wunderbar durchsichtig. Hier treiben manche wahnwitzigen Menschen ihre Gedankenspiele und wertlosen Silbenstechereien und meinen, es heiße, das Wort sei Fleisch geworden, weil Gott seinen Sohn, so wie er ihn in seinem Sinne trug, als Mensch in die Welt geschickt habe; als wenn dieses Wort nur irgendeine schattenhafte Idee gewesen wäre. Aber wir haben doch bewiesen, daß eine wirkliche Seinsweise der Wesenheit Gottes mit diesem Wort gemeint sei. Die Bezeichnung *Fleisch* hat auch mehr Kraft, den Sinn dieser Stelle auszudrücken, als wenn er nur gesagt hätte, er sei Mensch geworden. Er wollte zeigen, in welch elende, verlorene Lage der Sohn Gottes unsertwegen aus seinem erhabenen himmlischen Glanze herabgestiegen sei. Wenn die Schrift von dem Menschen herabsetzend spricht, nennt sie ihn Fleisch. Obwohl aber ein so großer Unterschied zwischen der geistlichen Herrlichkeit des Wortes Gottes und der irdischen Vergänglichkeit unseres Fleisches besteht, hat doch Gottes Sohn sich so weit herabgelassen, daß er dieses mit so vielen Übeln behaftete Fleisch auf sich genommen hat. Übrigens meint *Fleisch* hier nicht nur die verderbte Natur, wie oft bei Paulus, sondern den sterblichen Menschen überhaupt. Freilich weist auch Ps. 78, 39 vor allem des Menschen hinfällige und fast ganz nichtige Natur verächtlich auf: „Er hat ihrer gedacht, weil sie ja Fleisch sind." Dazu kommt Jes. 40,6: „alles Fleisch ist wie Gras". Zugleich muß man jedoch beachten, daß hier ein Teil für das Ganze gesetzt wird, nämlich daß der geringere Teil für den ganzen Menschen steht. [...] Der Sinn ist also klar: Das Wort, das vor aller Zeit aus Gott geboren und immer mit dem Vater vereinigt war, ist Mensch geworden. Bei diesem Hauptstück des Glaubens ist vor allem zweierlei festzuhalten: in Christus haben sich zwei Naturen so innig verbunden, daß ein und derselbe Christus wahrer Gott und Mensch zugleich ist. Zweitens aber: es widerspricht nicht der Einheit der Person, daß die beiden Naturen unterschieden blieben, so daß die göttliche Natur ihre volle Eigenart behielt, ebenso wie die menschliche Natur die ihre. [...] Wenn er sagt, *das Wort sei Fleisch geworden*, geht daraus deutlich die Einheit der Person hervor. Es ist ja nicht möglich, daß ein anderer jetzt Mensch ist als derjenige, der stets wahrer Gott war, da es heißt, eben jener Gott sei Mensch geworden. Da wiederum der Evangelist ganz deutlich dem Menschen Christus die Bezeichnung *das Wort* beilegt, folgt daraus, daß Christus bei seiner Menschwerdung doch nicht aufgehört hat zu sein, was er früher war, und daß sich nichts an jenem ewigen Wesen Gottes geändert habe, das Fleisch angezogen hat. Gottes Sohn begann also sein Menschsein so, daß er doch auch weiterhin jenes ewige Wort war, das keinen Anfang in der Zeit hat.

Und wohnte unter uns. Wenn man die Stelle so erklärt, Christus habe im Fleisch gleichsam seinen festen Wohnsitz genommen, trifft man ihren Sinn nicht ganz genau. Denn der Evangelist schreibt Christus nicht eine dauernde Bleibe unter uns zu, sondern er sagt, er habe auf einige Zeit nur gastweise unter uns geweilt. Das von ihm benutzte Verb nämlich ist vom Wort „Zelt" abgeleitet. Nichts anderes also bedeutet es, als daß Christus auf Erden nur eine ihm auferlegte Aufgabe erfüllt habe, oder auch, daß er zwar nicht nur für einen einzigen Augenblick erschienen sei, aber doch nur so lange unter den Menschen weilte, bis er ihnen seinen Dienst geleistet habe. *Unter uns.* Es ist übrigens nicht sicher, ob der Evangelist ganz allgemein von den Menschen spricht oder nur sich und die übrigen Jünger meint, die Augenzeugen dessen waren, was er erzählt. Ich neige mehr der zweiten Auffassung zu, denn er fährt gleich fort:

Und wir sahen seine Herrlichkeit. Obwohl nämlich die Herrlichkeit Christi allen hätte sichtbar sein können, blieb sie doch den meisten wegen ihrer Blindheit unbekannt. Nur die wenigen, denen der Heilige Geist die Augen öffnete, erlebten die Offenbarung seiner Herrlichkeit. Zusammenfassend ist zu sagen: Christus war in seinem Erdenleben so bekannt geworden, daß er jedem die Möglichkeit geboten hätte, etwas viel Größeres und Herrlicheres als nur den Menschen in ihm zu erblicken. Daraus folgt, die Erhabenheit

Gottes war nicht aus ihm geschwunden, obwohl sie sich im Fleisch befand. Sie war zwar unter der Niedrigkeit des Fleisches verborgen, aber doch so, daß ihr Glanz aus ihm hervorleuchtete. Das Wort *als des eingebornen Sohnes* bezeichnet hier nicht die Uneigentlichkeit; eher unterstreicht „als" die völlige Übereinstimmung von Christus und Sohn Gottes. [...] Der Evangelist meint, man habe an Christus die Herrlichkeit wahrnehmen können, die mit dem Wesen Gottes übereinstimmte, und das war ein sicherer Beweis für seine Göttlichkeit. *Eingeboren* nennt er ihn, weil er seiner Natur nach der einzige Sohn Gottes ist. Er stellt ihn also hoch über Menschen und Engel und legt ihm allein bei, was keiner Kreatur sonst zusteht.

Voller Gnade. Diese Wendung bestätigt, was eben gesagt war. Zwar offenbart sich die Erhabenheit Christi auch in anderer Hinsicht, aber gerade diese Erscheinungsform wählt der Evangelist vor anderen, damit wir ihn mehr durch sein Handeln erkennen als durch den Verstand erfassen. [...] Es heißt, auch Stephanus sei voller Gnade gewesen (Apg. 6,8), aber in einem anderen Sinn. Die Fülle der Gnade nämlich liegt in Christus; er ist die Quelle, aus der wir alle schöpfen müssen. [...] Gnade und Wahrheit stellt er später in Gegensatz zum Gesetz. Daher deute ich einfach die Stelle so: Die Apostel konnten Christus daran als Sohn Gottes erkennen, daß er die Fülle alles dessen besaß, was zur geistlichen Herrschaft Gottes auf Erden gehört, und daß er sich schließlich als Erlöser und Messias erwies. Dies ist das hervorragende Merkmal, durch das er sich von allen anderen Menschen unterschied.

Joh. 3, 1–15: Jesus und Nikodemus

LUTHER

WA 12, 585–591: Sermon am Tage der heiligen Dreifaltigkeit, 31. 5. 1523
WA 15, 567–570: Predigt am gleichen Tage, 22. 5. 1524

12, 588, 15: Das seht ihr hier an Nikodemus, der unter den Besten ein Ausbund war, ein Fürst der Pharisäer, welche die Besten unter dem Volk waren, nämlich, daß sie, wenn sie zum höchsten kommen, ganz blind und tot sind, wie heilig, wie klug, gut und gewaltig sie (auch) angesehen werden. Denn je länger hier Nikodemus mit Christus umgeht, desto weniger versteht er ihn, und doch sind es nur irdische Dinge, mit denen er umgehen soll, und wie er getötet sein muß. So blind ist die Vernunft, daß sie nicht sehen und Gottes Geschäft nicht wissen kann, auch nicht die Dinge, mit denen sie zu schaffen haben soll.

V. 5: 12,590,27: Diese (geistliche) Geburt ist in der Taufe angefangen: Das Wasser ist die Taufe, der Geist die Gnade, die uns in der Taufe eingegossen wird. [...]

V. 6: Darum sagt er hier: ‚Was vom Fleisch geboren ist, das ist Fleisch.‘ Das Fleisch heißt der ganze Mensch mit Leib und Seele, Vernunft und Willen. Und jedermann hat fleischlichen Sinn, Mut, Lust und Willen, der nicht aus dem Geist geboren ist. Denn die Seele ist so tief in das Fleisch gesenkt, daß sie es will behüten und beschützen, daß es keinen Schaden leide, also daß sie mehr Fleisch ist, denn das Fleisch selbst. Das sehen wir im Sterben, daß sich das Fleisch nicht gern der Haut berauben läßt, das da geschieht, wenn die Seele weg ist, ... denn der Mensch will gar nicht, daß das Fleisch umkomme und sterbe; der Geist aber will gerade das haben. Darum begehrt er, daß das Fleisch nur bald umkomme. Also muß das natürliche Wesen der Seele vergehen und dem Leib feind werden und wünschen, daß er sterbe, daß die Seele in ein anderes Wesen komme. Wie das zugeht, sollen wir allein glauben, nicht wissen, Gott wirkt es.

V. 7: 12,589,34: Darum spricht der Herr auch: ‚Verwundere dich nicht, denn es ist vonnöten, daß man neu geboren werde. Der Wind weht, wo er will, und du hörest sein Rauschen, weißt aber nicht, wo er herkommt oder wo er hinfährt‘, als wollte er sprechen: ‚Du unterstehst dich durch deine Vernunft die geistlichen Dinge zu ermessen und kannst die nicht begreifen, die bei dir in der Natur geschehen‘, als er hier sagt von dem Wind. [...] Nun können wir nicht die Dinge ergründen durch unsere Vernunft, die in der Natur täglich bei uns geschehen, viel weniger werden wir durch dieselbe Vernunft die göttlichen Werke, die Gott in uns wirkt, ergründen. Wie aber ein Mensch neu geboren wird, das ist bald zu sagen. Aber wenn es an die Erfahrung kommt, wie es hier bei dem Nikodemus dazu gekommen ist, dann ist es Mühe und Arbeit. Es ist bald zu sagen: Man muß die Vernunft blenden, das Fühlen lassen, die Augen zutun und bloß an dem Wort hangen, dadurch sterben und leben.

V. 13: 15,569,23: Des Menschen Sohn bin ich, der auf die Erde gekommen ist, der im Himmel geblieben ist und wieder hinauffährt, das bedeutet, daß er zum Herrn des Himmels und aller Dinge geworden ist. Du sollst also wissen, daß ich der bin, der hinabstieg, sogar bis in die Hölle, und dennoch bin ich im Himmel geblieben. Er war im Tode und lebte. Als er für einen Wurm und weniger gehalten wurde, war er dennoch vor Gott in Herrlichkeit und fuhr wiederum zum Himmel. Damit ist es geschehen, daß er alle Macht über alle Kreaturen empfing, wie er allen unterworfen war, als er auf Erden war. Das hat noch keiner ihm nachgetan. Wir sind im Tode und sind zugleich droben im Himmel wie Christus, d.h. Sünde und Tod herrschen in uns, aber beide und alle Dinge sind seiner nicht mächtig geworden. Niemand ist zu dieser Macht gekommen, daß ihm alles unterworfen sei, außer dem, der ihm alles unterworfen hat. Obwohl er vor der Welt im Tode lag, lebte er vor dem Vater. Er war in Schande vor der Welt und in Ehre vor Gott.

V. 14: 15,570,20: Also errichtete Mose die Schlange, die, obwohl sie aussah wie eine feurige Schlange, doch niemanden biß. So sieht Christus wie ein Sünder aus. Aber darin liegt für mich das Heil, weil sein Tod mein Leben ist. Er tritt in meine Sünde ein und wendet den Zorn des Vaters von mir. In mir ist die Schlange lebendig, in ihm ist sie tot, weil er selbst keine Sünde tat. Wenn also der Mensch glaubt, daß in seinem Tode die Sünde weggenommen sei, so wird er ein neuer Mensch. Der natürliche Mensch kann nicht glauben, daß Gott uns umsonst die Sünde vergibt. Er spricht vielmehr: Wenn du gesündigt hast, so mußt du für dich genug tun. Das Reich Christi besteht darin: Wenn du in Sünde gefallen bist, so mußt du einen andern haben, der für dich Genugtuung leistet. Dieser ist Jesus Christus. Wenn das ein Mensch glaubt, so wird er eins mit Christus. Summa summarum: Wir sind nichts. Allein der Glaube an Christus tut es.

ZWINGLI

S 6,1.682–766: Annotationes in evangelium Joannis, 1528
Z III 590–912: De vera et falsa religione commentarius, März 1525

V.1: S 6,1.692: Am Schluß des vorangehenden Kapitels heißt es: ‚Viele glaubten an ihn‘, respektive ‚an seinen Namen‘. Unter denen, die die Wunder Christi gesehen und sich daraufhin eine Meinung von Christus gebildet hatten, war auch jener Nikodemus. Er gehörte zur Gruppe der Pharisäer und war erst noch nicht irgend einer aus dem Volk, sondern ein höherer Beamter.

V. 2: S6,1.692–693: *(Er kam bei Nacht):* Es entging Nikodemus nicht, daß viele seines Standes Christus haßten. Trotzdem kommt er zu ihm, heimlich allerdings, weil die Angst bei ihm noch die Oberhand hatte und weil er seinen guten Ruf nicht verlieren wollte. Die Wundertaten Christi haben ihm allerdings innerlich Eindruck gemacht, weshalb er auch kommt. Nur wagt er es nicht – übrigens auch wegen der Obrigkeit – öffentlich für Christus Stellung zu nehmen. Er erweist sich dadurch noch als schwach und unsicher. Er will noch nicht um der Sache Christi willen seine persönliche Ehre in Gefahr bringen. Solche Menschen gibt es auch heute noch viele. Bei ihnen fällt der Samen auf felsigen Boden oder unter die Dornen (Mt. 13,5–7.20–22).

S 6,1.693: *(Wir wissen, daß du von Gott bist):* Dem frommen Juden und Pharisäer war klar, daß niemand aus eigener, sondern nur aus Gottes Kraft Wunder tun kann, Apg. 3 (3,12) und Markus am Schluß (16,20).

V.3: S 6,1.693: In der Gnade unterrichtet zu werden, kam Nikodemus zu Jesus. Er bittet ihn, er möge ihm offen heraussagen, wer und was für einer er sei. So bitten darf, dessen Glaube noch schwach ist. Christus weist Nikodemus nicht ab. Er unterweist ihn vielmehr und weiht ihn ein in die himmlische Lehre, als wollte er zu ihm sagen: So ganz neu ist meine Lehre, daß niemand sie begreifen kann, wenn er nicht von neuem geboren wird. Unter ‚Reich Gottes‘ wird hier nämlich die himmlische Lehre verstanden, die Verkündigung des Evangeliums also, wie dies auch Lukas 8 der Fall ist (8,2.6).

V.6: Z III 659,31–660,5: Sünde ist, wenn der Mensch das Gebot des Schöpfers verachtet und lieber sich selbst folgt als den Feldzeichen seines Anführers und Herrn … und also abgefallen ist von der Gottesliebe zur Eigenliebe. Dadurch wird der Mensch zum Sklaven seiner selbst. Er liebt sich selber mehr als Gott oder sonst jemanden. Genau das aber bedeutet ‚tot sein‘. […] Nun sagt Christus, Joh. 3: ‚Was aus dem Fleisch geboren ist, ist Fleisch.‘ Daraus folgt, die aus Totem geboren sind, sind selber auch tot. Denn sobald Adam sich von Gott weg und zu sich selber gekehrt hatte, wurde er ganz Fleisch; und als er Fleisch wurde, starb er auch. ‚Fleisch sein‘ heißt ‚tot sein‘, das ist ein und dasselbe. […] Undenkbar also, daß ein Toter einen Lebenden erzeugt …, weil unabänderlich feststeht: ‚Was vom Fleische geboren ist, das ist Fleisch.‘

V.7 und 8: S 6,1.694: Gläubige Menschen werden durch den Heiligen Geist wiedergeboren und verändert, durch himmlisches Anhauchen. Sie haben und sind aus sich selber nichts, sondern alles durch den Geist, der in ihnen wirkt und sie erleuchtet. Dies allerdings geschieht unsichtbar im Herzen, wie ja auch der Wind unsichtbar wirkt und weht. Man spürt zwar die Kraft des Geistes im Herzen, jedoch mit den Augen wahrnehmen und mit den Händen greifen kann man nicht, was inwendig geschieht.

V.10: S 6,1.694–695: Nikodemus wird mit Nachdruck als Lehrer bezeichnet: ‚Du also bist jener Gelehrte und Rabbi von so hohem Ruf und Ansehen, und du weißt nicht, was man als erstes und unbedingt wissen müßte!‘ Das soll uns eine Lehre sein dafür, wie weit die Gemeinde von geistlicher Erkenntnis entfernt ist, wenn ihre Lehrer selber ungelehrt sind. Steht doch geschrieben: ‚Die Lippen des Priesters bewahren Erkenntnis und das Volk sucht Weisung aus ihrem Munde‘ (Mal. 2,7). War Nikodemus dermaßen ungelehrt, wieviel weniger erst – wie wir annehmen müssen – die übrigen Pharisäer! Ist das Licht Finsternis, wievielmehr die Finsternis selbst (Mt. 6,23).

CALVIN

CO 47, 51–63

V. 1: *Es war aber ein Mensch unter den Pharisäern mit Namen Nikodemus.*
In der Person des Nikodemus stellt uns jetzt der Evangelist vor Augen, wie
flüchtig und hinfällig der Glaube der Leute war, die der Wunder wegen plötzlich Christus die Ehre gegeben hatten. Da Nikodemus zu den Pharisäern
gehörte und zu den führenden Männern seines Volkes, hätte er hoch über den
anderen stehen müssen. Im Volke herrscht ja meist Oberflächlichkeit. Wer
aber hätte nicht geglaubt, daß dieser besonders gelehrte und erfahrene Mann
ein ernster und beständiger Mensch sei? Und doch wird aus Christi Antwort
deutlich, daß er keineswegs mit der Bereitschaft gekommen war, die Anfangsgründe der Frömmigkeit zu lernen. Wenn aber einer der Ersten unter den
Erwachsenen weniger weiß als ein Kind, was kann man da vom gewöhnlichen
Volk erwarten? Obwohl uns aber der Evangelist wie in einem Spiegel zeigen
wollte, wie wenige wirklich in Jerusalem dazu imstande waren, das Evangelium aufzunehmen, ist diese Geschichte doch auch noch aus anderen Gründen
für uns besonders wichtig; denn in ihr werden wir vor allem über die verderbte Natur des Menschengeschlechtes belehret und darüber, wie man sich
richtig in Christi Schule begibt und wie wir nach rechtem Anfang fortschreiten müssen in der himmlischen Lehre. Das Ergebnis des Gesprächs besteht
darin: wir müssen neue Menschen werden, um Christi wahre Jünger zu sein.
Bevor wir aber weitergehen, müssen wir aus den Umständen, die der Evangelist hier berichtet, ausführlich darlegen, welche Hindernisse Nikodemus im
Wege standen, sich Christus ganz hinzugeben.

Unter den Pharisäern. Der Umstand, daß Nikodemus Pharisäer war, ehrte
ihn in den Augen der Seinen. Aber der Evangelist sagt das von ihm nicht um
der Ehre willen; vielmehr erkennt er darin ein Hindernis, freimütig und vor-
urteilslos zu Christus zu kommen. So werden wir daran gemahnt, daß gerade
die Großen der Welt mit den stärksten und verderblichsten Banden gefesselt
sind; ja, wir sehen, viele haben sich so verstrickt, daß sie ihr ganzes Leben
lang auch nicht das geringste Verlangen nach dem Himmel haben. [...]

V. 2: *Der kam zu Jesus bei der Nacht.* Aus seinem nächtlichen Besuch erkennen wir seine allzu große Ängstlichkeit. Seine Augen waren gleichsam von
seinem eigenen Glanze geblendet. Auch schämte er sich wohl, wie ehrsüchtige
Menschen ja glauben, es sei um ihren Ruf geschehen, wenn sie einmal vom
hohen Katheder herabsteigen und sich unter die Lernenden einreihen. Es
besteht gar kein Zweifel daran, daß ihn eine törichte Überzeugung von seiner
eigenen Weisheit erfüllte. Da er sich groß dünkte, wollte er sich nichts vergeben. Und doch trug er in sich ein kleines Samenkorn der Frömmigkeit; denn

als er hörte, ein Prophet Gottes sei erschienen, mißachtete er diese vom Himmel gesandte Nachricht nicht, sondern ihn erfaßte ein Verlangen danach, und dieser Drang stammte nur aus seiner Ehrerbietung und Gottesfurcht. Viele kitzelt bloße Begierde, Neuigkeiten nachzugehen; aber Nikodemus trieben ohne Zweifel religiöses Empfinden und das Gewissen *zu dem Wunsch*, Christus kennenzulernen. Obwohl jenes Samenkorn lange wie tot im Verborgenen ruhte, brachte es doch nach Christi Tode Frucht, wie niemand sie je erwartet hätte.

Meister, wir wissen, daß du bist ein Lehrer von Gott gekommen. Die Worte bedeuten soviel, als wenn er gesagt hätte: „Lehrer, wir wissen, daß du als Lehrer gekommen bist." Nun wurden damals Schriftkundige allgemein als Lehrer angeredet. Also gibt Nikodemus Christus diesen üblichen Titel zuerst als die gewöhnliche Grußanrede; darauf aber versichert er, er sei von Gott gesandt, das Lehramt auszuüben. Und hierauf gründet jedes Ansehen der Lehrer in der Kirche. Denn da wir allein aus Gottes Wort unser Wissen nehmen müssen, darf man nur auf die hören, durch deren Mund Gott redet. [...]

V. 3: *Wahrlich, wahrlich, ich sage dir.* Jesus spricht ein zweimaliges Amen, um die Aufmerksamkeit des Nikodemus zu erregen. Er will jetzt über die weitaus ernsteste und wichtigste aller Fragen sprechen, und da muß er Nikodemus unbedingt zum genauesten Aufmerken veranlassen; sonst hätte er vielleicht dem Gespräch keine besondere Beachtung geschenkt. Darauf zielt also die nachdrückliche Wiederholung des *wahrlich*. [...]

Es sei denn, daß jemand von neuem geboren werde. Christus spricht von der Wiedergeburt, als wenn er damit sagen wollte: solange du nicht hast, was für das Reich Gottes die Hauptsache ist, halte ich es nicht für wichtig, daß du mich als Lehrer anerkennst. Nur ein neuer Mensch kann den ersten Schritt in das Reich Gottes tun. Da aber dieser Satz so besonders bedeutungsvoll ist, müssen wir seine einzelnen Bestandteile näher untersuchen. Das *Reich Gottes sehen* bedeutet dasselbe wie „in dieses Reich eintreten"; so wird bald aus dem Zusammenhang deutlich werden. Aber die unter dem Reich Gottes den Himmel verstehen, sind im Irrtum. Vielmehr bezeichnet es das geistliche Leben, das durch den Glauben schon in dieser Welt beginnt und von Tag zu Tag kräftiger wird gemäß dem Fortschreiten im Glauben. Also hat der Satz den Sinn: niemand kann sich in Wahrheit zur Gemeinde gesellen und zu den Kindern Gottes zählen, der nicht vorher neu geworden ist. So wird hier kurz gezeigt, wie der Anfang des Christseins überhaupt beschaffen ist. Zugleich werden wir durch dieses Wort belehrt, daß wir durch unsere leibliche Geburt als Fremdlinge außerhalb des Reiches Gottes stehen und für immer von ihm getrennt bleiben, solange die Wiedergeburt uns nicht ändert. Dieser Satz gilt allgemein und umfaßt alle Menschen ohne Ausnahme. Wenn Christus das nur zu einem einzigen oder wenigen gesagt hätte, sie könnten nicht in den Himmel kommen, ohne zuerst neu geboren zu werden, so könnten wir annehmen, er meine nur einen bestimmten Personenkreis; aber er spricht von allen ohne Ausnahme. Er braucht nämlich das unbestimmte Fürwort, das heißt aber soviel wie die allgemeingültige Aussage „wer auch immer" oder „alle, die nicht von neuem geboren sind". Weiter bezeichnet das Wort *von neuem geboren werden* nicht eine nur teilweise Änderung, sondern die völlige Erneuerung des ganzen Wesens. Daraus folgt, daß wir durch und durch verkehrt sind. Denn wenn eine ganz umfassende Erneuerung notwendig ist, muß das bedeuten, daß wir völlig verderbt sind. Darüber wird bald noch ausführlicher zu sprechen sein. Erasmus folgt der Deutung des Cyrillus und übersetzt das griechische Wort nicht mit „von neuem", sondern mit „von oben her". Nun gebe ich zwar zu, daß der griechische Ausdruck hier doppeldeutig ist; aber wir wissen ja, daß Christus mit Nikodemus hebräisch (aramäisch) gesprochen hat. Außerdem wäre in diesem Gespräch kein Platz gewesen für zweideutige Reden, durch die Nikodemus getäuscht und an dem Gedanken einer zweiten leiblichen Geburt kindisch festhalten würde. Nikodemus entnahm also nichts anderes aus Christi Wort, als daß der Mensch noch einmal geboren werden müsse, bevor er zum Reiche Gottes gehören könne.

V. 4: *Nikodemus spricht zu ihm.* Zwar steht die Wendung *von neuem geboren werden,* deren Christus sich hier bedient, nicht genauso im Gesetz und in den Propheten; aber allenthalben in der Schrift wird doch von der Erneuerung als einer der Grundlagen des Glaubens gesprochen. So wird deutlich, wie fruchtlos die Schriftgelehrten damals die Schrift gelesen haben. [...]

V. 5: *Wenn jemand nicht aus Wasser und Geist geboren worden ist.* Diese Stelle ist verschieden ausgelegt worden. Einige glaubten, daß zwei Stufen der Wiedergeburt zu unterscheiden seien. Nach ihrer Ansicht ist mit *Wasser* die Ablegung des alten Menschen gemeint, mit *Geist* aber das neue Leben. [...] Chrysostomus, dem der größere Teil der Erklärer folgt, bezieht das Wort *Wasser* auf die Taufe. So wäre der Sinn, daß wir durch die Taufe in das Reich Gottes eingehen, weil durch sie der Geist Gottes uns neu schaffe. Dadurch ist es geschehen, daß die Taufe als unbedingt notwendige Voraussetzung für die Hoffnung auf das ewige Leben angesehen wurde. Und doch darf man, auch wenn man zugäbe, daß Christus hier von der Taufe spricht, die Worte nicht so pressen, daß er das Heil in das äußere Zeichen einschließt. Vielmehr verbindet er deshalb das Wasser mit dem Geist, weil Gott durch jenes sichtbare Zeichen das neue Leben bezeugt und besiegelt, das er allein durch seinen Geist in uns bewirkt. Wahr ist freilich, daß wir durch die Verachtung der Taufe uns von unserem Heil ausschließen, und ich gebe zu, daß sie in diesem Sinne notwendig ist; aber falsch wäre es, das Vertrauen auf unser Heil auf ein äußeres Zeichen zu gründen. Was also diese Stelle angeht, so lasse ich mich keinesfalls davon überzeugen, daß Christus hier von der Taufe spricht; es wäre gar nicht der richtige Zeitpunkt. Wir müssen doch immer die Absicht Christi im Auge behalten, die wir oben erläutert haben: er wollte ja Nikodemus auffordern, ein neues Leben anzufangen, weil er nicht dazu fähig wäre, das Evangelium aufzunehmen, bis er ein anderer Mensch zu werden begönne. Seine einfache und schlichte Meinung ist: wir müssen von neuem geboren werden, um Gottes Kinder zu sein, und der Urheber dieser zweiten Geburt ist der Heilige Geist. Nikodemus nun stellt sich unter Wiedergeburt so etwas vor wie die Seelenwanderung der Pythagoräer. Um ihm diesen Irrtum zu nehmen, fügt Christus als Erklärung hinzu, es handle sich dabei nicht um eine zweite leibliche Geburt, um eine Wiederverkörperung, sondern um eine Erneuerung von Herz und Sinn durch die Gnade des Heiligen Geistes. So steht bei ihm Geist und Wasser für dasselbe; das darf uns nicht hart und gezwungen anmuten. In der Schrift ist es eine ganz geläufige Ausdrucksweise, daß sie, wenn vom Geist die Rede ist, Wasser oder Feuer hinzufügt, um seine Gewalt zu verdeutlichen. [...] Einigemale finden wir, daß Christus durch den Heiligen Geist und Feuer tauft; dort ist das Feuer nicht vom Geist verschieden, sondern zeigt nur an, wie groß seine Wirkung in uns ist. Also ist *Wasser* nur ein Bild für die im Inneren wirkende, reinigende und lebenspendende Kraft des Heiligen Geistes. Hinzu kommt, daß bei einer Verbindung von zwei Begriffen gewöhnlich der zweite die Erläuterung des ersten bietet. Meine Auffassung wird außerdem auch durch den Zusammenhang gestützt; denn als Christus bald darauf den Grund dafür angibt, warum wir *von neuem geboren* werden müssen, erwähnt er das Wasser gar nicht, sondern lehrt, nur der Heilige *Geist* schaffe das neue Leben; daraus folgt: daß man Wasser und Geist nicht trennen darf und sie ein und dasselbe sind.

V. 6: *Was vom Fleisch geboren wird, das ist Fleisch.* Aus dem Gegensatz von Fleisch und Geist beweist er, uns allen sei das Reich Gottes verschlossen, wenn uns der Eingang nicht durch die Wiedergeburt eröffnet würde. Er nimmt als Voraussetzung an, daß wir nur dann in das Reich Gottes eingehen können, wenn wir geistlich sind. Vom Mutterleibe her haben wir nur eine fleischliche Natur. Daraus folgt, daß wir alle von Natur außen vor dem Reiche Gottes stehen und, des himmlischen Lebens beraubt, unter der Knechtschaft des Todes bleiben. Da Christus ferner hier den Schluß zieht, die Menschen müßten wiedergeboren werden, weil sie nur Fleisch sind, so versteht er ohne Zweifel den ganzen Menschen unter *Fleisch.* Es bedeutet also hier nicht nur soviel wie Leib, sondern zugleich die Seele, und zwar jeden einzelnen ihrer Teile. Denn unsinnig ist es, wie die falschen päpstlichen Theologen *Fleisch* einzuschränken auf die sinnliche Seite des Menschen. Auf diese

Weise wäre die Behauptung Christi von der Notwendigkeit einer zweiten Geburt gegenstandslos, weil nur ein Teil unserer selbst fehlerhaft wäre. Wenn er aber das Fleisch dem Geist gegenüberstellt wie etwa das Verdorbene dem Gesunden, das Verkehrte dem Richtigen, das Besudelte dem Heiligen, das Schmutzige dem Reinen, so muß man selbstverständlich daraus schließen, die ganze menschliche Natur werde damit gerichtet. Christus verkündet: unser Sinn und Verstand sind sündig, weil sie fleischlich sind; alle Leidenschaften und Begierden des Herzens sind verkehrt und widergöttlich, weil gerade auch sie fleischlich sind. [...] Daraus ist deutlich: wir müssen durch eine zweite Geburt für das Reich Gottes bereitet werden. Und das wollen Christi Worte sagen: da der Mensch vom Mutterleibe nur als fleischliches Wesen geboren wird, muß er durch den Heiligen Geist neu geboren werden, um damit beginnen zu können, geistlich zu leben. *Geist* hat hier eine doppelte Bedeutung: er ist ja der Ursprung und das Ergebnis der Gnade zugleich; denn zuvor lehrt Christus, der Geist Gottes sei der einzige Urheber eines reinen und rechten Wesens; danach gibt er zu erkennen, wir seien geistliche Wesen, seit wir durch seine Kraft neugeworden sind.

V. 7: *Laß dich's nicht wundern.* Nikodemus hielt für unglaubhaft, was er von der Wiedergeburt und dem neuen Leben gehört hatte, weil die Art dieser Wiedergeburt sein Fassungsvermögen überstieg. Um ihm derartige Zweifel zu nehmen, erklärt Christus ihm, daß auch in der Körperwelt eine wunderbare Kraft vorhanden sei, deren Art verborgen ist. Alle Wesen schöpfen ja unsichtbar ihren Lebenshauch aus der Luft. Die Luftbewegung spüren wir ganz deutlich; woher sie aber kommt und wohin sie geht, wissen wir nicht. Wenn in diesem hinfälligen, flüchtigen Leben Gott so mächtig wirkt, daß wir seine Macht bewundern müssen, wie verkehrt wäre es da, im himmlischen und übernatürlichen Leben sein geheimnisvolles Wirken an unserer Auffassungsgabe messen zu wollen und nur das zu glauben, was sichtbar erscheint. [...]

V. 8: *So ist ein jeglicher.* Christus erklärt, bei der Neuwerdung des Menschen könne man die Bewegung und die Tätigkeit des Geistes Gottes genauso wahrnehmen wie die des Windes hier in unserem irdischen und äußerlichen Leben; aber seine Weise sei verborgen. [...]

V. 9: *Nikodemus antwortete.* Wir sehen, was dem Nikodemus vor allem im Wege steht: was er hört, kommt ihm wie ein Wunder vor, weil er die Art und Weise nicht versteht; so ist für uns das schlimmste Hindernis unsere eigene Anmaßung, weil wir natürlich immer mehr wissen wollen, als nötig ist, und deshalb in teuflischem Hochmut das verwerfen, was unserer Vernunft nicht einleuchtet, als wäre es recht, die unermeßliche Macht Gottes mit so kleinem Maßstab zu messen. Man darf allerdings nach Art und Weise der Werke

Gottes einige Fragen stellen, wenn es in ehrfürchtiger Nüchternheit geschieht; aber Nikodemus weist mit seinem Einwurf das als Fabel zurück, was er für unmöglich hält.

V. 10: *Jesus antwortete ... Bist du ein Meister in Israel.* Da Christus sieht, daß er bei dem eingebildeten Manne nur Zeit und Mühe damit verschwendet, ihn zu belehren, spricht er nun einen Tadel gegen ihn aus. Und gewiß werden solche Leute niemals einen Fortschritt in der Lehre machen, bis sie sich von der Aufgeblasenheit eines falschen Selbstvertrauens befreien, wovon sie strotzen. [...]

V. 11: *Wahrlich, wahrlich, ich sage dir: Wir reden, was wir wissen.* Einige beziehen das *„wir"* auf Christus und Johannes den Täufer, andere meinen, die Mehrzahl stehe für die Einzahl. Ich aber zweifle nicht daran, daß Christus hier von sich selbst und allen Propheten Gottes gemeinsam spricht. Philosophen nämlich und andere windige Gelehrte drängen uns oft ihre belanglosen Einfälle auf; Christus aber nimmt für sich und alle Diener Gottes das als Eigentümlichkeit in Anspruch, daß sie nur festgegründete Lehre weitergeben. Denn Gott sendet keine Leute aus, die von Dingen schwatzen, die sie nicht verstehen oder die zweifelhaft sind, sondern bildet sie in einer Schule so, daß sie anderen weitergeben können, was sie von ihm gelernt haben. [...]

Ihr aber nehmt unser Zeugnis nicht an. Das fügt er deshalb hinzu, damit wegen der Menschen Undankbarkeit dem Evangelium nichts abgehe. Da ja die göttliche Wahrheit nur bei wenigen Glauben findet, vielmehr allenthalben von der Welt abgelehnt wird, ist sie gegen Verachtung zu sichern; ihre Erhabenheit soll nicht deshalb an Wert verlieren, weil fast die ganze Welt hochmütig auf sie herabblickt und in ihrer Gottlosigkeit sie verdunkelt. [...]

V. 12: *Glaubt ihr nicht.* Christus schließt damit, es müsse Nikodemus und anderen Leuten seines Schlages als Schuld angerechnet werden, wenn sie in der Lehre des Evangeliums zuwenig Fortschritte machten. Er zeigt nämlich, daß er für seine Person alles tue, um alle Menschen recht zu unterweisen, da er ja auf die Erde herabkam, uns in den Himmel zu heben. [...]

V. 13: *Und niemand fährt gen Himmel.* Wieder ermahnt Christus Nikodemus, sich nicht auf seine Einsicht und sich selbst zu verlassen; kein Mensch könne durch sein eigenes Bemühen in den Himmel kommen; nur unter Führung von Gottes Sohn werde er an dieses Ziel gelangen. Der Aufstieg zum Himmel bedeutet die reine Erkenntnis der Geheimnisse Gottes und das Licht der geistlichen Einsicht. Christus lehrt an dieser Stelle dasselbe wie Paulus, der verkündet, der natürliche Mensch begreife nicht, was Gottes ist (1. Kor. 2, 14). So ist es dem Scharfsinn des Menschengeistes gänzlich verwehrt, in Gottes Gedanken einzudringen, da der Mensch tief unter Gott steht.

Aber zu beachten sind die Worte: Christus allein, der vom Himmel stammt, steige zum Himmel auf; allen anderen sei der Zugang verschlossen. [...] Nachdem aber Christus uns so den Himmel verschlossen hat, bietet er uns sofort ein Heilmittel, indem er hinzufügt, des Menschen Sohn sei gegeben, was allen anderen verwehrt ist. Denn sein Aufstieg zum Himmel geschieht nicht nur für ihn persönlich und allein; er will uns auch dahin führen und leiten. [...]

V. 14: *Und wie Mose in der Wüste die Schlange erhöht hat.* Deutlicher erklärt Christus jetzt, warum er gesagt hat, ihm allein sei der Himmel offen – nämlich um alle dorthin zu bringen, die nur seiner Führung folgen wollen. Er bezeugt, deshalb in alle Öffentlichkeit gestellt zu sein, um seine Kraft auf alle Menschen auszugießen. *Erhöht werden* bedeutet, auf einen hohen, erhabenen Platz gestellt werden, so daß er allen offen sichtbar ist. Das ist durch die Verkündigung des Evangeliums geschehen. Daß einige Erklärer es aufs Kreuz beziehen, paßt nicht in den Zusammenhang und entspricht nicht dem Sinn der Stelle. Die Worte wollen einfach besagen, Christus mußte durch die Verkündigung des Evangeliums wie ein Banner aufgerichtet werden, damit sich aller Augen darauf richteten, wie Jes. 2,2 es vorausgesagt hatte. Das Urbild dieser Erhöhung war die eherne Schlange, die von Mose errichtet wurde. Deren Anblick diente denen zur Rettung und Gesundung, die vom tödlichen Biß der Schlangen getroffen waren. [...]

Joh. 4,46–54: Heilung des Sohnes eines königlichen Beamten

Luther

WA 1,87–88: Predigt am 20. Sonntag nach Trinitatis, 5. 10. 1516
WA 10 III, 420–428: Predigt am 21. Sonntag nach Trinitatis, 9. 11. 1522
WA 11, 198–200: Predigt am gleichen Sonntag, 25. 10. 1523
WA 20, 526–530: Predigt am gleichen Sonntag, 21. 10. 1526

1,87,1: Dreimal macht dieses Evangelium rühmend auf den Glauben dieses Königischen aufmerksam. Das erste Mal, wie der Hl. Gregor sagt, darum, weil er (von daheim) weggeht, um für sein Kind zu bitten: Wenn er nicht Glauben gehabt hätte, so hätte er nicht die Bitte an den Herrn gerichtet. Zum andern Mal, nachdem er erlangte, (worum er gebeten hatte,) wo es heißt: ‚Der

Mensch glaubte dem Worte, (das Jesus zu ihm sagte, und ging hin'), obschon er doch zuvor wie ein Ungläubiger von Christus gescholten wurde mit den Worten: ‚Wenn ihr nicht Zeichen und Wunder seht, so glaubt ihr nicht.' Das dritte Mal, nachdem er heimgekommen war, wo es heißt: ‚Und er glaubte, er und sein ganzes Haus.' Damit sind uns drei Grade des Glaubens beschrieben, des Glaubens nämlich, der noch in den Anfängen steckt, der im Zunehmen begriffen und der vollkommen ist.

Der Glaube des, der zu glauben anhebt, ist so, daß er durch Wunder und Zeichen oder durch große Werke Gottes, sei es allgemeiner oder besonderer Art, erweckt wird.

V. 48: 10 III, 422, 26: Darum wäre diesem Menschen nicht geholfen gewesen mit dem Glauben, den er am Anfang hatte. Er hätte zurückfallen müssen, wenn Christus nicht gekommen wäre und ihn gestärkt hätte. Wie stärkt er ihn aber? Der Amtmann glaubte, wenn er zu ihm ins Haus käme, könnte er seinem Sohn wohl helfen. Da gibt ihm Christus einen Stoß, eine saure und eine harte Antwort: ‚Wenn ihr nicht Zeichen seht, so glaubt ihr nicht.' Mit den Worten gibt er dem Glauben einen Stoß, den er nicht aushalten kann. Der arme Mann erschrickt, und der Glaube hebt schon an zu sinken und zu verlöschen. Darum spricht er: ‚Ei du mußt eilend gehen, mein Sohn wird sonst sterben.' Da gibt ihm Christus nun einen stärkeren Glauben.

V. 50: Und also tut Gott mit allen, die er im Glauben stärkt. So bringt er ihn in einen anderen und höheren Grad oder Stand, daß er stark wird und nun auf eine andere Weise glaubt als vorher. Christus spricht also: ‚Gehe hin, dein Sohn lebt.' Vorhin, wenn er zu ihm so gesagt hätte, daß sein Sohn lebte, hätte er's nicht glauben können. Jetzt aber glaubt er es. Da springt das Wort in sein Herz und macht in ihm einen anderen Glauben, und er wird ein rechter Mann. Also gibt ihm der Herr zu dem großen Stoß auch eine größere Stärke.

Denn jetzt muß er an dem hangen, das er nicht sieht, denn das glaubte er vorher nicht, daß Christus so stark wäre, daß er seinem Sohn helfen könnte, wenn er ihn nicht sähe und nicht bei ihm wäre. Das ist erst ein rechter starker Glaube. Ein solches Herz kann glauben, was es nicht sieht und begreift gegen alle Sinne und Vernunft, hanget allein an dem Wort. Da ist nichts zu sehen. Er hat auch sonst keine Hilfe, als nur daß er glaubt. In dem Glauben muß man alle Dinge aus den Augen tun, nur Gottes Wort nicht. Wer sich etwas anderes in die Augen bilden läßt als eben das Wort, der ist schon verloren. Der Glaube hängt allein dem Worte Gottes bloß und lauter an, wendet die Augen nicht davon ab, sieht kein anderes Ding an, weder seine Werke noch Verdienst. Wenn das Herz nicht so bloß steht, so ist (es) schon verloren.

11, 199, 12: Nach dem Stoß wird der Glaube hart und stark, wie Petrus ruft: ‚Komm her' und hier: ‚Mein Kind stirbt.' Er treibt die Bitte fortan. Daher hört der Königische: ‚Dein Sohn lebt.‘ Er geht stracks hin und glaubt. Das war ein gewachsener Glaube; er glaubt dem bloßen Wort. Das ist wahrer Glaube. Dieser Glaube des Königischen hält die stärkste Anfechtung aus, als Christus ihm eine so harte Antwort gab, aber er hält stand und bittet. Siehe, die Stärke des Glaubens, ein gereifter, und ein gewachsener Glaube! In solchem Glauben geht er hin und glaubt, es wird so geschehen, daß der Sohn lebt und sorgt sich nicht um den Sohn, sondern meditiert nur über das Wort. Wenn er gedacht hätte: ‚Ich will zuerst sehen, ob mein Sohn geheilt wird, dann will ich glauben‘, aber nein: zuerst empfängt er das Wort. Man darf nichts anderes in die Augen bilden als das Wort allein. So müssen überall Glaube und Wort umeinander in Liebe werben. So wird aus ihnen Bräutigam und Braut.

V. 51: 20,529,36: So folgt nun der dritte Grad (des Glaubens): daß der Glaube aus sich herausbricht und sich darstellt. Das ist der vollkommene Glaube, der keine Ritzen hat. Denn wenn der Mensch oft in allen Anfechtungen geübt wird, so wird er immer stärker, daß er endlich sagt: ‚In allem will ich gehorsam sein.‘ […] Das ist der vollkommene Mensch im Glauben, der in allem Gott vertrauen kann. […]

10 III,426,10: Zum dritten spricht er: Als er heimging, begegneten ihm seine Knechte und sagten ihm, daß sein Sohn lebe, und er erfuhr, daß sein Sohn zu ebenderselben Stunde genesen war, als der Herr ihm gesagt hatte: ‚Dein Sohn lebt!‘ ‚Und er glaubte mit seinem ganzen Hause.‘ […] Das ist nun ein vollkommener Glaube, der durch das Wunderzeichen bestätigt wird. So geht unser Herrgott mit uns um, daß er uns vollkommen mache, und setzt uns immer in einen höheren Stand. Wenn wir also durchkommen, so kommen wir dann in die Erfahrung und werden unsers Glaubens gewiß, wie wir hier sehen, daß er durch die Bilder hindurchreißt und die Stöße überwindet und der Sache so gewiß wird, daß er's erfährt und begreift, daß ihm geholfen ist durch den Glauben und stimmt Zeit, Zeichen und Wort mit dem Glauben zusammen.

1,88,19: Auf der dritten Stufe des Glaubens fordert er nun nicht mehr, daß man ihm, sei es ein Zeichen oder ein Wort, darbiete; nein, über alle Zeichen und Worte hinaus gibt er sich selbst ganz dem Willen dessen anheim, dem er sich anvertraut hat, auch der leisesten Regung seines Willens folgend, in völliger Bereitschaft ihm in allen Stücken zu Willen zu sein, wenn er nur um ihn wüßte. Vordem einer, den man suchen und rufen mußte, jetzt einer, der selber sucht und ruft.

V. 53: 10 III,426,16: Das ist nun ein vollkommener Glaube, der durch das Wunderzeichen bestätigt wird. So geht unser Herrgott mit uns um, daß er uns vollkommen mache und setzt uns immer in einen höheren Stand. Wenn wir also hindurchkommen, so kommen wir dann in die Erfahrung und werden unseres Glaubens gewiß, wie wir hier sehen, daß er durch die Bilder hindurchreißt und die Stöße überwindet und der Sache so gewiß wird, daß er's erfährt und begreift, daß ihm geholfen ist durch den Glauben und stimmt Zeit, Zeichen und Wort mit dem Glauben zusammen.

ZWINGLI

S 6, 1.682–766: Annotationes in Evangelium Joannis, 1528

S 6,1.703: Teils glaubt der königliche Beamte, sonst hätte er Christus nicht um Hilfe angerufen; teils zweifelt er, denn er meint, Christus könne den Sohn nicht in Abwesenheit heilen oder vom Tode erwecken. Solchen Kleinmut, Unglauben nicht nur des Beamten, sondern aller seiner Volksgenossen taxiert Christus mit den Worten: ‚Wenn ihr nicht Zeichen und Wunder seht etc.!‘, womit er sagen will: Es ist euer Unglaube, der mich dazu zwingt, Zeichen zu tun, da ihr weder um der Worte willen (Joh. 4,41) noch um der Wunder willen (Joh. 2,23) glaubt. Wer glaubt, der fordert keine Zeichen, sondern er hält sich fest an Gottes Wort, wie Abraham es getan hat, Gen. 12.

CALVIN

CO 47, 100–103

V. 46: „Einer von den Männern des Königs" ist die richtige Lesart, auch wenn Erasmus anderer Meinung ist. [...] Weiter glaube ich, daß es nur einer von des Herodes Hof gewesen sein kann; denn die annehmen, er sei vom Kaiser dorthin gesandt worden, haben keine Wahrscheinlichkeit für sich. Übrigens hat der Evangelist es ausdrücklich so gesagt, weil an einem solchen Menschen das Wunder noch herrlicher hervortrat.

V. 47: *Dieser hörte, daß Jesus kam ...* Daß er Christus um Hilfe bittet, ist zwar ein Zeichen seines Glaubens. Aber daß er Christus die Art seiner Hilfeleistung vorschreibt, daran wird deutlich, wie unerfahren er ist. Er verbindet nämlich Christi Kraft mit seiner leiblichen Anwesenheit. Natürlich hatte er von Christus keine andere Vorstellung, als daß er ein Prophet sei, von Gott gesandt mit dem Auftrag und der Befähigung, sich durch Wunder als Diener Gottes zu erweisen.

V. 48: Wenn das auch ein tadelnswerter Irrtum war, so geht Christus doch darüber hinweg und tadelt ihn aus einem anderen Grunde heftig, nämlich daß er, wie alle Juden, allzu wundersüchtig sei. [...]

V. 49: *Der Mann sprach zu ihm: Herr, komm hinab.* Wenn dieser Mann nicht aufhört zu bitten und schließlich erreicht, was er will, so ist daraus zu entnehmen, daß er nicht deshalb von Christus getadelt wurde, weil er ihn abweisen und seine Bitten nicht erfüllen wollte; er hat es vielmehr deshalb getan, um seine falsche Einstellung zu verbessern, weil sie ihm den Zugang zum wahren Glauben verstellte. [...]

V. 50: *Jesus spricht zu ihm: Gehe hin, dein Sohn lebt.* Hier leuchtet zuerst die einzigartige Menschlichkeit und Nachsicht Christi auf; denn er übt Nachsicht mit der Unerfahrenheit des Mannes und läßt seine Kraft weiter wirken, als dieser gehofft hatte. Er hatte gebeten, Christus möchte den Sohn durch sein Kommen heilen. Zwar glaubte er, daß Christus einen Kranken heilen, nicht aber einen Toten auferwecken könne. Damit nicht der Tod ihnen zuvorkäme, hatte er auf Eile gedrängt. Wenn also Christus beide Irrtümer verzeiht, darf man daraus schließen, wie hoch er sogar ein einziges Fünkchen Glaube achtet. Auch das ist zu bemerken, daß Christus zwar nicht seinem Wunsche willfährt, aber ihm viel mehr schenkt, als er erbeten hatte. Ihm wird augenblickliche Gesundung seines Sohnes zugesagt. So müht sich der himmlische Vater oft, indem er auf unsere Gebete nicht hört, auf ganz unerwartete Weise, uns zu helfen, damit wir es lernen, ihm keine Vorschriften zu machen. Indem Christus dem Vater sagt, sein Sohn lebe, deutet er an, daß er aus der Todesgefahr errettet worden sei.

Der Mensch glaubte dem Wort. Weil er gekommen war, erfüllt von der Überzeugung, Christus sei ein Prophet Gottes, deshalb war er so leicht bereit zu glauben, so daß er ein einziges Wort von ihm alsbald annahm und in sein Herz schloß. Obwohl er aber über Christi Macht geringer dachte, als es angemessen war, rief jetzt doch schon die kurze Zusage ganz plötzlich ein neues Vertrauen in seinem Herzen wach, so daß er davon überzeugt war, in diesem einen Wort Christi liege das Leben seines Sohnes beschlossen. [...]

V. 51: *Und indem er hinabging.* Diese Auswirkung des Glaubens wird zugleich mit der Wirksamkeit des Wortes beschrieben. Denn so wie Christus den schon im Sterben liegenden Knaben wieder zum Leben brachte, so bekam der Vater durch seinen Glauben in ein und demselben Augenblick den Sohn lebend wieder. Wir sollen also wissen: sooft der Herr uns seine Wohltaten anbietet, wird seine Kraft imstande sein, Verheißungen auch zu erfüllen, es sei denn, unser Unglaube verschlösse ihm die Tür. Allerdings gebe ich zu, daß es nicht immer so ist, ja sogar keineswegs häufig und gewöhnlich, daß der Herr sofort seine Hand ausstreckt, uns zu helfen; aber immer, wenn er es nicht sofort tut, hat er dafür seinen Grund, und für uns ist es von Nutzen. Das jedenfalls ist gewiß: nicht so sehr zögert er jemals mit seiner Hilfe, als daß er vielmehr mit den Hindernissen zu kämpfen hat, die wir ihm in den Weg legen. Wenn seine Hilfe nicht augenblicklich erscheint, so wollen wir überlegen, welch ein Mangel an Vertrauen wohl in uns selbst noch verborgen ist, oder wenigstens, wie kümmerlich und schwach unser Glaube noch ist. [...]

V. 53: *Und er glaubte mit seinem ganzen Hause.* Es scheint befremdlich, daß der Evangelist den Beginn des Glaubens bei diesem Menschen jetzt so ausdrücklich erwähnt, dessen Glauben er doch schon vorher gerühmt hat. Aber man darf hier wenigstens das lateinische Wort „glauben" nicht einfach als einen Fortschritt im Glauben auslegen; man muß daran festhalten, daß dieser Jude, erzogen in der Lehre des Gesetzes, schon irgendeinen Vorgeschmack vom Glauben besaß, als er zu Christus kam. Daß er danach auch dem Worte Christi vertraute, das war ein Teilglaube, der sich nicht auf mehr bezog als auf das Leben seines Sohnes; jetzt aber begann er auf ganz andere Art zu glauben; er nahm ja nun die Lehre Christi in sich auf und bekannte sich als einen seiner Jünger. Und so hatte er nicht mehr nur die Hoffnung, durch Christi Güte sei ihm sein Sohn wiedergegeben, sondern er erkannte in Christus den Sohn Gottes und gab dessen froher Botschaft die Ehre. Seine ganze Familie trat ihm zur Seite, da sie Zeuge des Wunders gewesen war. Ohne Zweifel hat er sich auch darum bemüht, alle die Seinen mit sich zugleich zum Glauben an Christus zu bekehren.

Joh. 10, 1–16: Der gute Hirte

LUTHER

WA 17 I, 273–277: Predigt am Pfingstdienstag, 6. 6. 1525
WA 37, 72–74: Predigt am Sonntag Misericordias Domini, 27. 4. 1533
WA 27, 181–186: Predigt am Pfingstdienstag, nachmittags, 2. 6. 1528
WA 10 III, 120–124: Predigt zu Borna am Sonntag Misericordias Domini, 4. 5. 1522
WA 15, 533–537: Predigt am Sonntag Misericordias Domini, 10. 4. 1524

V. 1: 17 I, 275, 7: Die ‚Diebe und Räuber' gehen nicht (durch die Tür) in den Schafstall hinein, sondern steigen durch eine andere Öffnung herein. Das sind

die falschen Lehrer und Prediger, die die verstörten Gewissen lehren und sich
an sie heranmachen ohne ein rechtes Verständnis der Schrift und ohne daß sie
Christus erkennen und wie Gesetz und Propheten auf Christus zeigen. [...]

V. 3: 37,72,14: Dies Evangelium hat Christus angefangen von der Natur
und Eigenschaft der Schafe; denn so hat sie Gott geschaffen, daß unter allen
Tieren keines ist, das so gewisse und scharfe Ohren hat wie die Schafe. Auch
wenn zehntausend Menschen da wären, so flieht es doch, es sei denn, daß es
den Hirten hört. So gewiß (und) scharf kennt es die Stimme. Ebenso wenn ein
Haufen von Schafen beisammen ist und alle Mütter blöken, so erkennt ein
jegliches seine Mutter (und) läuft so lange, bis es sie findet. So ein gewisses
Ohr hat es, wie ich schon öfter bemerkt habe. Darum sagt Christus: solche
Tiere habe ich auch, weil ich der Hirte bin. Und die Schafe haben die Art an
sich und hören so gewiß meine Stimme. Was aber meine Stimme nicht ist, da
bringt sie niemand hin.

27,184,16: (‚Er ruft sie) mit Namen‘: Eins (heißt) ‚Schwärzchen‘, ein
anderes ‚Bräunlein‘. Das bedeutet: wir hören alle einmütig seine Stimme. Es
ist ein Glaube, ein Evangelium. Es ist die gleiche Gnade, die allen zuteil wird.
Aber da scheidet es sich, wenn er die Schafe ‚beim Namen‘ nennt. Dann gibt
er dem einen dieses, dem anderes etwas anderes. Darin sind Schafe gleich,
daß sie einen Herrn, einen Schafstall, ein Heu haben, aber bei dem ‚mit Namen‘ beginnt der Unterschied, d. h., dem einen gibt er, daß er einen starken
Glauben hat, dem anderen, daß er trösten, dem anderen, daß er weissagen,
dem andern, daß er wohl verdeutschen kann.

V. 15: 15,536,21: Auf welche Weise erkennt der Vater den Sohn? Der Vater
hat ihm von Ewigkeit her alles gegeben. Nach seiner Menschheit hat er ihn
zum Herrn über alles eingesetzt, und als er am Kreuz hing und man glaubte,
es sei um ihn geschehen, ist er zum Herrn über alles geworden. Also hat
Christus (das Kreuz) nicht verdient. So erkennt Christus den Vater. So erkenne ich meine Schafe, obwohl sie im Tode sind, gleichsam als habe Christus sie vergessen. Es richtet sich hier nicht nach den Augen, sondern es geht
geistlich zu. [...]

V. 16: 10 III,124,5: Fortan sagt der Herr: ‚Ich habe noch andere Schafe, die
nicht aus diesem Schafstall sind, dieselben muß ich herführen und werden
meine Stimme hören, und dann wird ein Hirt und ein Schafstall.‘ Viele sagen,
daß es noch geschehen soll. Ich sage: nein. Die Juden sind der Schafstall. Der
jüdische Name war so heilig als jetzt der der Christen. Die Heiden sind die
fremden Schafe, das sind wir. Dieselben hat Christus zusammengebracht
durch seine Apostel, die da haben gepredigt über die ganze Welt. Dabei sollen
wir's bleiben lassen. Laßt uns Gott anrufen, daß er uns wollte helfen in dieser

gefährlichen Zeit, die wir mitten unter den Wölfen sind, daß sie uns nicht zerreißen und verschlingen.

15,537,3: Aber die Einheit, die Christus (schenkt), ist die Erkenntnis Christi, daß wir alle durch Christi Tod gerettet werden. Der äußere Wandel ist verschieden: ich bin Bauer, du bist Schuster. Die Wölfe zerstören diese Einheit. Christus sagt also: Ich muß die anderen (Schafe) herführen. Da waren Heiden, die zur selben Einheit des Sinnes kommen sollen, in der die Juden und die Christen im Glauben sind. Diese Einigkeit ist eine wunderbare und große Sache, weil die größte Zwietracht zwischen diesen beiden Völkern bestand, weil sie (die Heiden) danach trachteten, die Juden gänzlich zu vertilgen. Und das war das Werk des Teufels, denn die Juden hatten das Wort. Christus hat das durch seine Predigt bewirkt, daß sie sich zusammenfanden. Und die Apostel haben dieses verkündet, daß allein diese Erkenntnis (Christi) dieses vermöchte. Unbeschnittensein und Beschneidung ist nichts, sondern der Glaube an Christus, wie Paulus sagt. So wird ein Hirt und eine Herde. Also ist dieser Spruch erfüllt, und man braucht nicht auf Elia und Henoch zu warten. Die Summe dieses Evangeliums ist das Wesen des Predigtamtes und des Glaubens. Das müssen wir wohl bedenken, damit, wenn die Mietlinge kommen, wir wissen, auf welche Weise ihnen zu widerstehen ist, an welchen es uns sicher nicht fehlen wird.

Zwingli

S 6, 1.682–766: Annotationes in Evangelium Joannis, 1528
Z III 1–68: Der Hirt, 26. 3. 1524
Z III 590–912: De vera et falsa religione commentarius, März 1525
Z V 317–358: Responsio brevis ad epistolam satis longam amici cuiusdam haud vulgaris, in qua de eucharistia quaestio tractatur, 14. 8. 1526

V. 1: S 6, 1.732: Wir wollen darauf achten, wie Christus stets nur ein und dasselbe lehrt, jedoch immer wieder mit anderen Worten. In Kapitel 6 nannte er sich ‚das Brot des Lebens‘, in Kapitel 7 die ‚Quelle des lebendigen Wassers‘, in Kapitel 8 das ‚Licht der Welt‘, und jetzt nennt er sich ‚Hirt‘. Der Abschnitt bezieht sich also zunächst nicht auf die Hirten (d. h. die Pfarrer einer Gemeinde), sondern in erster Linie auf Christus selbst und die Schafe, die an ihn glauben. Dennoch kann der Abschnitt später dann auch allgemein auf alle Hirten angewendet werden. Denn letztenendes handelt es sich um eine allgemeingültige Bibelstelle, die das ganze Heil erläutert.

V. 3–5: Z III 748,35–749,12: Ist es an den Schafen zu beurteilen, ob es der Hirt selber ist oder ein Dieb, der zu ihnen kommt? Ob es des Hirten oder eines Hinterhältigen Stimme sei? Woher haben die Schafe die nötige Klugheit, daß sie sich da nicht täuschen? Die Antwort wird kurz darauf gegeben, wo es heißt: ‚Ich kenne meine Schafe, und sie kennen mich.' Woher also kennen die Schafe Christus so genau, daß sie keines Fremden Stimme für die seinige halten? Weil sie von Gott erkannt sind (Gal. 4, 9); weil der Vater sie gezogen hat (denn niemand kommt zu Christus, es ziehe ihn denn der Vater (Joh. 6, 44)); weil alle von Gott selber gelehrt sind (Joh. 6, 45). [...] Denn ‚wer aus Gott ist, hört Gottes Wort', und weiter: ‚Ihr hört nicht, weil ihr nicht aus Gott seid' (Joh. 8, 47). Folgerung: Welche hören, sind Gottes Schafe, sind die Kirche Gottes.

V. 9: Z V 344, 6–8: Mit der Aussage: ‚Wer durch mich eingeht, wird Weide finden' will Christus das gleiche sagen wie: ‚wer an mich glaubt, hat ewiges Leben' (Joh. 6, 47). Schau: wie verschieden die Worte und wie gleichlautend der Sinn!

V. 10: S 6, 1.733: Warum der Dieb heimlich hereinkommt und nicht durch die Tür? Um zu verderben, um zu schlachten und zu rauben. Ich aber bin nicht dazu gekommen, daß ich schlachte und verderbe, sondern daß ich geschlachtet werde und sterbe für die Schafe, und daß sie durch meinen Tod das ewige Leben haben, wie später steht: ‚Es sterbe einer für das Volk' (Joh. 18, 14), ebenso Römer 5 (5, 17–19).

V. 12: Z III 25, 8–10. 17–18: Willst du (als Hirt, als Pfarrer der Gemeinde) die Flinte ins Korn werfen (Schild und Speer hinwerfen) und deines Amtes nicht mehr walten, so wirst du unter die untreuen Hirten gezählt, welche die Schafe verlassen und fliehen, sobald sie den Wolf sehen. Willst du aber zu den guten Hirten gezählt werden, mußt du dein Leben für deine Schafe einsetzen.

V. 17: S 6, 1.735: Das Leben einsetzen heißt: sterben; es wieder nehmen heißt: auferstehen.

CALVIN

CO 47, 235–244

V. 1: *Wahrlich, wahrlich, ich sage euch.* Da Christus es mit den Priestern und Schriftgelehrten zu tun hatte, die als Hirten der Gemeinde galten, mußte er ihnen diesen Ehrentitel nehmen, wenn er wollte, daß man seine Lehre annehme. Die geringe Zahl derer, die an seine Lehre glaubten, hätte auch ihre Glaubwürdigkeit stark beeinträchtigen können. Er behauptet also, nicht alle dürfe man für Hirten oder Schafe halten, die äußerlich einen Platz in der Gemeinde beanspruchen, sondern erst das ist das Kennzeichen, wodurch sich die rechtmäßigen Hirten von den verworfenen und und die echten Schafe von den falschen unterscheiden, wenn er selbst für alle der Richtpunkt, Anfang und Ende ist. […] Er spricht zwar hier von der jüdischen Gemeinde, aber in dieser Hinsicht ist es mit unserer Kirche nicht anders bestellt. Im Auge zu behalten ist auch, wie ich schon sagte, der Zweck dieses Rates, nämlich daß sich noch ungefestigte Gewissen nicht erschrecken oder wankend machen lassen sollten, wenn sie sehen, wie die Feinde oder Gegner des Evangeliums den Platz der Hirten einnehmen und in der Kirche herrschen. Sie sollten nicht deshalb vom Glauben abfallen, weil sie beim Hören auf Christi Lehre nur wenige aus dem Volk der Christen als Mitlernende haben.

Wer nicht zur Tür hineingeht. Töricht handeln meiner Meinung nach die, welche die einzelnen Teile dieses Gleichnisses allzu scharfsinnig auszudeuten versuchen. Uns also soll es genügen, als Sinn folgendes festzuhalten: Christus vergleicht die Kirche mit einer Schafhürde, in der Gott all die Seinen versammelt; sich selbst vergleicht er mit dem Eingang, weil nur durch ihn selbst Zutritt zu seiner Gemeinde möglich ist. Hieraus folgt, daß nur die rechtschaffene Hirten sind, die geradenwegs zu Christus hinführen. Nur solche, die sich Christus allein zu eigen geben, werden in Wahrheit zur Hürde Gottes versammelt, so daß sie zu seiner Herde rechnen. […] Wenn nämlich solche, die sich Hirten nennen, uns von Christus wegzuführen versuchen, so soll man vor ihnen auf Christi Geheiß fliehen, nicht anders als vor Wölfen und Dieben. Auch soll man mit keiner anderen Herde Gemeinschaft halten und pflegen als mit der, die im reinen Glauben an das Evangelium zusammenlebt. Aus dem Grunde ermahnt Christus seine Jünger, sich von der ungläubigen Masse ihres ganzen Volkes abzusondern, um sich nicht von den gottlosen Priestern leiten und sich auf Grund leerer und eitler Titel etwas vormachen zu lassen.

V. 3: *Dem tut der Türhüter auf.* Wenn jemand glaubt, mit dem Türhüter sei Gott gemeint, so habe ich nichts dagegen; ja, Christus scheint hier absichtlich das Urteil Gottes der falschen Meinung der Menschen hinsichtlich der Anerkennung der Hirten gegenüberzustellen, als wollte er sagen: anderen zollt zwar die Welt Beifall und ehrt sie willig, aber Gott, in dessen Händen die Herrschaft liegt, anerkennt nur diejenigen, welche die Schafe auf diesem Wege führen. Wenn er sagt, *er rufe seine Schafe mit Namen,* so beziehe ich das auf die wechselseitige Übereinstimmung im Glauben: denn nur durch den Geist Gottes sind Schüler und Lehrer miteinander eins, so daß dieser vorangeht und jene ihm folgen. Was die Annahme einiger Erklärer betrifft, hier sei die besondere Bekanntschaft gemeint, die der Hirte mit den einzelnen Schafen haben müsse, so weiß ich nicht, ob das ganz sicher ist.

V. 4: *Denn sie kennen seine Stimme.* Obwohl hier von Dienern die Rede ist, so will Christus nicht so sehr, daß man auf seine Stimme höre, sondern auf Gottes Stimme, der durch sie redet. Man muß nämlich die Einschränkung festhalten, daß allein der ein treuer Hirt der Gemeinde ist, der unter Christi Führung und Herrschaft die Schafe leitet. Aber auch der Grund, warum es heißt, die Schafe *folgen* ihm, ist zu beachten: nur an der Stimme wissen sie ja die Hirten von den Wölfen zu unterscheiden. Dies ist der Geist der Unterscheidung, durch den die Erwählten die Wahrheit Gottes von den falschen Wahngebilden der Menschen zu trennen wissen. Also steht bei Christi Schafen die Kenntnis der Wahrheit an erster Stelle, darauf folgt das ernstliche Bemühen um Gehorsam, so daß sie die Wahrheit nicht nur erkennen, sondern auch aus tiefstem Herzen in sich aufnehmen. Aber nicht nur deshalb empfiehlt er ihnen Gehorsam im Glauben, weil die Schafe auf die Stimme ihres Hirten hin sich willig versammeln, sondern auch, weil sie auf fremde Stimmen nicht hören und sich nicht zerstreuen, wenn irgend jemand sie anruft.

V. 7: *Ich bin die Tür.* Wenn Christus nicht diese Erklärung hinzugefügt hätte, wäre die ganze Rede rein bildlich gewesen. Jetzt gibt er deutlicher zu verstehen, was der Hauptgedanke bei dem Gleichnis war; denn er versichert, er sei die Tür. Der gesamte Inhalt aber der geistlichen Verkündigung, die die Seele nährt, besteht, wie schon gesagt, darin, daß er allein das Haupt ist. Daher sagt auch Paulus, einer der wahren Hirten (1. Kor. 2, 2): Nichts anderes lohne sich zu kennen als allein Jesus Christus. Weiter aber bedeutet dieser Ausspruch: Christus bezeugt, er allein sei es, um den wir uns sammeln sollten. Daher lädt er alle, die das Heil begehren, dazu ein und mahnt sie, zu ihm zu kommen. Mit diesen Worten macht er auch deutlich, daß die vergeblich herumirren, die ohne ihn zu Gott kommen wollen; denn nur diese eine Tür steht offen; alle anderen Zugänge aber sind fest verschlossen.

V. 8: *Alle, die vor mir gekommen sind.* Er stellt nämlich allgemein alle falschen Lehren dem Evangelium und alle falschen Propheten den frommen Lehrern gegenüber. Ja, sogar auf die Heiden kann man diesen Satz mit Recht beziehen, weil alle, die sich von Anfang der Welt als Lehrer bezeichnet haben, ohne sich zu bemühen, die Schafe zu Christus hinzuführen, diesen Titel mißbraucht haben, um die Seelen zu verderben. Übrigens meint das Wort keinesfalls Mose und die Propheten, denn die haben ja nie etwas anderes gewollt, als das Reich Christi zu festigen. Man muß nämlich beachten, daß in Christi Worten widersprechende Dinge miteinander verglichen werden. Aber zwischen dem Gesetz und der Lehre des Evangeliums wird man keinen so großen Zwiespalt finden: das Gesetz ist nichts anderes als die Vorbereitung auf das Evangelium. Christus bezeugt also, daß alle Lehren, durch die die Welt von ihm weggeführt worden war, lauter todbringende Krankheiten waren, weil außer ihm nichts ist als tödliche und schreckliche Zerstreuung [...]

Aber die Schafe haben ihnen nicht gehorcht. Deutlicher führt er jetzt aus, was er schon im Gleichnis angedeutet hatte, nämlich daß die nicht zu Gottes Gemeinde gehört haben, die sich von Betrügern haben verführen lassen. Das sagt er deshalb an erster Stelle, damit wir nicht beim Anblick der großen Schar der Irrenden durch deren Beispiel zugrunde gehen sollen; sodann, damit wir nicht wanken, wenn Gott den Verführern die Freiheit läßt, viele zu täuschen. Denn das ist ein großer Trost und ein fester Grund des Vertrauens, zu wissen, daß Christus immer auch unter mannigfaltigen Angriffen und Nachstellungen von Wölfen und Räubern seinen Schafen ein treuer Schutz ist, so daß keins verlorengehen kann. [...]

V. 9: *Wenn jemand durch mich eingeht.* Ein besonderer Trost für die Frommen ist es, zu hören, daß sie außer aller Gefahr sind, wenn sie einmal Christus umfaßt haben. Denn ihnen verheißt Christus Rettung und einen günstigen Stand. Sodann drückt er zweierlei aus, nämlich daß sie in Sicherheit gehen, wohin auch immer sie gehen müssen, und daß er sie weiden wolle, bis sie gesättigt sind. Mit *Eingehen und Ausgehen* bezeichnet die Schrift oft alles Tun im Leben. Der doppelte Nutzen des Evangeliums wird uns also in diesen Worten nahegebracht: wir werden in ihm Nahrung für unsere Seele finden, die andernfalls hungrig und kraftlos bliebe und sich nur an eitlem Wahn sättigen könnte; zweitens wird uns treue Hut und Schutz gegen Wölfe und Räuber zuteil werden.

V. 10: *Ein Dieb kommt nur.* Mit diesem Wort eröffnet uns Christus gleichsam das Ohr, damit uns Satans Diener nicht in unachtsamer Stumpfheit umgarnen können. Unsere allzu große Sicherheit bewirkt nämlich, daß wir uns, schutzlos auf allen Seiten, falschen Lehren öffnen. Woher käme denn eine so große Leichtgläubigkeit, daß wir, die wir fest in Christus ruhen müßten, auf vielen Irrwegen umherlaufen? Doch nur daher, daß wir nicht genügend achtsam vor so vielen falschen Lehren auf der Hut sind. Dazu kommt, daß unsere unstillbare Neugier sich an neuen und fremden Gedanken der Menschen so ergötzt, daß wir freiwillig auf törichter Bahn Dieben und Wölfen zulaufen. Es ist deshalb wohlbegründet, wenn Christus bezeugt, daß falsche Lehrer stets tödliches Gift bieten, wie schmeichlerisch sie auch immer sich bei uns einzuschleichen suchen. Um so mehr müssen wir gerüstet sein, sie abzuwehren. Ähnlich mahnt Paulus (Kol. 2,8): Sehet zu, daß euch niemand einfange durch eitele Philosophie.

Ich bin gekommen. Jetzt wendet Christus das Gleichnis an: denn während er sich selbst bisher als die Tür bezeichnet hat und als gute Hirten die, die die Schafe auf diese Türe zu sammeln, nimmt er jetzt die Rolle des Hirten an, und zwar rühmt er sich, der einzige Hirte zu sein, wie auch gewißlich auf keinen anderen dieser Ehrenname im eigentlichen Sinne zutrifft. Hirten der Gemeinde sind treu, weil er selbst sie erweckt, sie mit den notwendigen Gaben versieht, sie lenkt mit seinem Geist und in ihnen wirkt; sie bewirken nichts anderes, als daß er selbst allein der Leiter seiner Gemeinde sei und als der alleinige Hirte dasteht. Obwohl er nämlich sich ihrer Hilfe bedient, hört er dennoch nicht auf, aus eigener Kraft das Hirtenamt wahrzunehmen und es auszuüben. Nur so nämlich sind sie Meister und Lehrer, wenn sie seiner Meisterschaft keinen Abbruch tun. Schließlich bezeichnet das Wort *Hirte*, wenn man es auf Menschen überträgt, sozusagen ein Unteramt, und Christus teilt seine Ehre nur insofern mit seinen Dienern, daß er doch der einzige Hirte sowohl der Seinen als auch der ganzen Herde bleibt. Wenn er jetzt sagt, er sei gekommen, damit die Schafe *das Leben haben,* macht er deutlich, daß die nur ein Raub der Wölfe und Diebe werden können, die nicht zu seinen Füßen bleiben; und um noch mehr Zutrauen zu seinem Wort zu schaffen, verkündet er, daß in allen, die nicht von ihm abfallen, das Leben ständig weiterwachse und stärker werde. Und gewiß, in dem Maße, wie ein jeder im Glauben fortschreitet, kommt er der Fülle des Lebens näher, weil in ihm der Geist wächst, der das Leben ist.

V. 11: *Der gute Hirte läßt sein Leben für die Schafe.* Seine einzigartige Liebe zu den Schafen beweist, daß er in Wahrheit ihr Hirte ist; denn ihr Heil liegt ihm so am Herzen, daß er dafür sogar sein eigenes Leben einsetzt. Daraus folgt, daß die mehr als undankbar, ja hundertfältigen Verderbens würdig sind, die eine so gütige und liebevolle Hut ihres Hirten verächtlich zurückweisen. Sie setzen sich dadurch verdientermaßen jeder Art von Schaden aus. [...]

V. 12: *Der Mietling aber, der nicht Hirte ist.* Obwohl Christus den Hirtennamen für sich allein in Anspruch nimmt, läßt er dennoch stillschweigend mit einfließen, daß er ihm und zugleich auch seinen Werkzeugen, in denen er handelt, gemeinsam gehört. Wir wissen ja, wie viele nach Christus nicht gesäumt haben, ihr Blut für die Gemeinde zu vergießen, und auch die Propheten hatten vor seinem Kommen ihr Leben nicht geschont. Aber in seiner Person stellt er ein verbindliches Beispiel auf, um seinen Dienern eine Richtschnur zu geben. [...] Wie es Christi eigentliche Aufgabe war, durch seinen Tod uns das Leben zu gewinnen und uns das zu geben, was das Evangelium enthält, so ist es die gemeinsame Pflicht aller Hirten, die Lehre, die sie verkünden, mit dem Einsatz ihres Lebens zu verteidigen und dadurch, daß sie die Lehre des Evangeliums mit ihrem Blut besiegeln, zu bezeugen, daß sie nicht mit bloßen Worten lehren, Christus habe für sie und die anderen Menschen das Heil erworben.

Doch kann man hier fragen, ob man den für einen Mietling halten darf, der dem Angriff der Wölfe aus irgendeinem Grunde ausweicht. Diese Frage war einst gleichsam ganz brennend, als nämlich die Tyrannen grausam gegen die Kirche wüteten. Tertullian und ähnliche Leute waren meines Erachtens darin allzu streng. Die maßvolle Auffassung Augustins ist viel besser. Er erlaubt den Hirten dann zu fliehen, wenn sie durch ihre Flucht das allgemeine Beste mehr fördern und nicht etwa die ihnen anvertraute Herde im Stich lassen und verraten. Das aber geschieht nach seinen Worten, wenn die Gemeinde keinen Mangel an geeigneten Dienern hat und die Feinde dem Hirten aus so persönlichen Gründen nach dem Leben trachten, daß seine Abwesenheit ihre Wut besänftigen kann. Wenn aber eine allgemeine Gefahr droht und mehr zu fürchten ist, daß man glauben müßte, der Hirte fliehe aus Furcht vor dem Sterben und nicht mit dem Willen zur Fürsorge für die Gemeinde, dann darf er keinesfalls fliehen, denn das Beispiel seiner Flucht wird dann mehr schaden, als sein Leben in Zukunft noch nützen könnte (Brief an Bischof Honoratus). Diesem Grundsatz gemäß erlaubte Cyprian dem zu fliehen, der den Tod nicht fürchtete und tapfer verschmäht hatte, das dem Tod geweihte Leben durch treulose Verleugnung zu behalten. Allein das gilt es festzuhalten, dem Hirten soll seine Herde, ja sogar einzelne Schafe sollen ihm teurer sein als sein eignes Leben.

Des die Schafe nicht eigen sind. Hier scheint Christus alle ohne Ausnahme als Mietlinge anzusehen im Unterschied zu sich selbst. Denn da er der einzige Hirte ist, darf keiner von uns die Schafe, die er weidet, seine eigenen Schafe nennen. Aber wir wollen daran denken: Wer von Christi Geist geleitet wird, der hält das Eigentum des Hauptes der Gemeinde auch für sein Eigentum, und zwar nicht, um sich Macht anzumaßen, sondern um treu zu bewahren, was ihm anvertraut ist. Denn wer Christus wirklich verbunden ist, sieht nichts, was diesem so teuer ist, für etwas an, das ihn selbst nichts angeht. Deshalb sagt er gleich:

V. 13.: *Der Mietling flieht,* weil er kein Herz für die Schafe hat, so als wollte er sagen, ihn berühre die Zerstreuung der Schafe gar nicht, weil er nicht glaubt, daß es ihn etwas anginge. Denn wer nur auf den Lohn sieht, nicht auf die Herde, über den mag man sich wohl täuschen, solange die Gemeinde in Ruhe und Frieden lebt; sobald er aber schließlich einmal kämpfen müßte, wird er seine Untreue beweisen …

V. 14: *Ich bin der gute Hirte und kenne die Meinen.* Erst betont Christus nochmals seine Liebe zu uns. Erkenntnis kommt aus der Liebe und zieht Fürsorge nach sich. Zugleich aber macht er deutlich, gleichgültig seien ihm alle, die dem Evangelium nicht gehorchen, wie er im zweiten Teil des Verses wiederholt; und er bekräftigt noch einmal, was er schon früher gesagt hatte, auch ihn seinerseits erkennen seine Schafe.

V. 15: *Wie mich mein Vater kennt.* Nichts zwingt dazu, ja es ist nicht einmal von Nutzen, in jene spitzfindigen Tüfteleien einzutreten, wie denn der Vater seine eigene Weisheit erkennen könne. Christus stellt sich hier einfach in die Mitte zwischen ihn und uns, wie er ja das Band ist, das uns mit Gott verbindet, als wollte er sagen, genauso wenig könne er unser vergessen, wie der Vater ihn zurückweise oder übersehe. Indessen fordert er auch von uns, daß wir unsererseits dem entsprechen; denn wie er alle Macht, die er vom Vater empfangen hat, zu unserem Schutz anwendet, so will er auch, daß wir ihm gehorchen und uns ihm unterordnen, wie er selbst ganz Eigentum des Vaters ist und alles ihm anheimstellt.

V. 16: *Und ich habe noch andere Schafe.* Obwohl einige Erklärer das Wort sowohl auf die Juden als auch auf die Heiden beziehen, die noch nicht Christi Jünger waren, besteht für mich doch kein Zweifel darüber, daß Christus dabei nur an die Berufung von Jüngern aus den Heiden gedacht hat. *Stall* nämlich nennt er die Sammlung des früheren Volkes, in der es von den übrigen Völkern der Welt abgesondert zu Gottes Eigentum und einem einzigen Leibe zusammengewachsen war. So nämlich hatte Gott sich die Juden dazugewählt, daß er ihre gottesdienstlichen Bräuche gleichsam wie Zäune um sie herumstellte, damit sie sich nicht mit den Ungläubigen vermischten, obgleich der Eingang zum Stall der in Christus geschlossene Gnadenbund zum ewigen Leben war. Deshalb nennt er auch *andere Schafe* diejenigen, die nicht dasselbe Kennzeichen besaßen, sondern anderer Herkunft waren. Der ganze Sinn ist der: Christi Hirtenamt liegt nicht allein in dem kleinen Weltwinkel des Landes Juda beschlossen, sondern hat weit größeren Umfang. [...] Doch bezeichnet er mit diesem Namen nicht nur solche Menschen, die in Zukunft Schafe sein sollten, sondern vielmehr bezieht sich dieses Wort auch auf die verborgene Wahl des Vaters; wir sind ja für Gott schon Schafe, bevor wir merken, daß er unser Hirte ist. So heißt es an anderer Stelle, wir waren noch seine Feinde, während er uns schon liebte, wie Paulus auch (Röm. 5, 10; Gal. 4, 9) sagt: wir waren Gott bekannt, bevor wir ihn kannten.

Und auch diese muß ich herführen. Er macht deutlich, daß die Wahl Gottes zum Ziel komme, damit uns nichts verlorengehe, was er gerettet wissen wollte. Denn den verborgenen Plan Gottes, durch den die Menschen zum Leben bestimmt sind, offenbart endlich zur rechten Zeit die Berufung. Und zwar wird sie wirksam, indem Gott durch seinen Geist die zu seinen Kindern macht, die zuvor aus Fleisch und Blut geboren waren. Doch ist die Frage, wie die Heiden denn herzugeführt werden sollten, so daß sie sich den Juden zugesellen konnten. Denn weder durften ja die Juden den Bund, den Gott mit dem

Volk geschlossen hatte, verlassen, um Christus die Ehre zu geben, noch mußten andererseits die Heiden das Joch des Gesetzes auf sich nehmen, um in
Christus sich mit den Juden zu vereinigen. Hier muß man sorgsam zwischen
dem Kern des Bundes und dem, was von außen hinzukommt, unterscheiden.
Denn anders konnten die Heiden nicht zum Glauben an Christus kommen als
dadurch, daß sie jenen ewigen Bund annahmen, in dem das Heil der Welt
gegründet war. Auf diese Weise waren die Weissagungen erfüllt: Reden werden die Fremden die Sprache Kanaans (Jes. 19, 18). Ebenso: Sieben Heiden
werden den Mantel eines Juden fassen und sagen: wir wollen mit euch gehen
(Sach. 8, 23), und: kommen werden sie aus fernen Weltteilen und hinaufsteigen zum Berge Zion. Deshalb ist auch Abraham Vater vieler Völker genannt
worden; denn vom Osten und Westen werden die kommen, die mit ihm im
Reiche Gottes zu Tische sitzen sollen (Mt. 8, 11). Was aber die feierlichen
gottesdienstlichen Handlungen angeht, so handelt es sich da um jene Scheidewand, von der Paulus (Epn. 2, 14) lehrt, sie sei eingerissen. So sind wir in der
Einheit des Glaubens als dem Kern des Bundes mit den Juden vereint. Die
feierlichen Handlungen aber sind abgeschafft, damit sie die Heiden nicht
hindern, uns die Hand hinzustrecken.

Joh. 11, 1–44: Die Auferweckung des Lazarus

LUTHER

WA 49, 50–54: Predigt am Sonntag Judika, 14. 3. 1540
WA 47, 712–715: Predigt am Tage vor Palmarum, 29. 3. 1539

V. 4: 49, 52, 12: Nun kommen die rechten feinen Worte des Herrn. Ich will
das übergehen, was die Jünger mit ihm reden. ‚Ehre Gottes‘ (11, 4). Der Tod
des Lazarus soll mir und dir dienen. Er soll die Ehre Gottes und des Sohnes
sein, d. h. Gott soll erklärt, erkannt, gepredigt, gerühmt werden, daß er den
Tod erwürgen und mich selig machen kann. So gilt seine Ehre mir, d. h. daß
es die ganze Welt wisse und Gott als den erkenne, der die Toten auferweckt.
Uns gilt es, nicht allein dem Lazarus, daß er gerettet wird. Das ist nicht das
wahre Ziel, daß er wiederum auferweckt wird, sondern daß die ganze Welt
Gott als den erkenne, der den Tod verschlingt durch Christus, damit die
ganze Welt werde unerschrocken vor dem Tode. Wenn wir an ihn glauben, so
wird er uns wieder zusammenbringen, auch wenn wir in unzählige Teile
zerrissen wären. [...]

V. 23 f.: 47,714,33: Einen solchen Heiland haben wir, in dessen Augen der Tod kein Tod ist wie vor der Welt. Der Herr sagt zu Martha: ‚Dein Bruder soll auferstehen.‘ Ja, (sagt sie), am Jüngsten Tage. Nein, ‚Wo du glauben würdest, du sollst die Herrlichkeit Gottes sehen‘. Ja, er wird auferstehen am Jüngsten Tage. (Sie spricht zu ihm: ‚Herr, ja, ich glaube, daß) du bist (Christus) der Sohn Gottes.‘ Aber sie soll glauben, daß er einen, der schon vier Tage im Tode liegt, auferwecken kann. Ach nein, er stinkt (ja schon). Da gibt es kein Leben, keine Auferstehung. Ach, liebe Martha, wie schwach ist dein Glaube.

V. 25: 49,53,11: ‚Wer an mich glaubt‘, hat mich. Wer bin ich (denn)? Ich bin das Leben und die Auferstehung. Also hat er die Auferstehung und das Leben. Der, an den du glaubst, ist nicht im Himmel. (Er ist) hier auf Erden die Auferstehung. Du darfst nicht mich und die Auferstehung und das Leben voneinander trennen, sondern wer an mich glaubt, wird auferstehen und leben. Wenn (er) die Auferstehung ist, so folgt daraus, daß derjenige, der an ihn glaubt, die Auferstehung und das Leben hat. Also wird er auferstehen und leben. Wenn er aufersteht, geht er aus einem leeren Grabe davon … Der Glaube ergreift die Auferstehung und das Leben, das Christus ist, (indem er) mich (ergreift). Wenn das geschieht, so muß derselbe nicht sterben, auch wenn er gestorben und begraben ist. Warum? Weil er an mich glaubt, so lebt und steht er nur auf, auch wenn er begraben und von den Würmern gefressen ist. Das ist der christliche Glaube, daß wir die Augen des Herzens öffnen, damit wir wissen, daß die Sterbenden nicht sterben, sondern in das Leben eingehen, und wenn wir sehen, daß jemand begraben wird, sollen wir das Gegenteil wissen und glauben. Der Glaube sagt, daß (der Glaubende) nicht stirbt, sondern lebt, nicht begraben wird, sondern eingepflanzt wird.

V. 35: 47,715,20: Später als die Schwestern Martha und Maria weinen, weint auch er selbst. Ist das nicht ein rechter Mensch, der sich des Nächsten erbarmt und fragt, wo sie ihn hingelegt haben, gleichsam als wüßte er es nicht, und er ergrimmt und schüttet (sein Herz) nicht anders aus als ein natürlicher Mensch. Er hat solche menschlichen Gebärden, daß niemand etwas anderes denkt, als daß er ein Mensch ist, und dennoch (ist er Gott). Darum predigen wir diesen Artikel, daß Christus Gott und Mensch ist, tut und redet wie Gott und ein Mensch, und dennoch ist es nur der eine Christus. Dieses zu verstehen muß man sich besonders bemühen. Johannes ist auf das sorgfältigste (darauf bedacht), daß er Christus in den zwei Naturen behält. Er macht ihn traurig, weinen, ‚unser Freund‘, und auf der anderen Seite ‚Ich bin die Auferstehung‘, ‚Wer an mich glaubt‘, ‚auch wenn er stürbe‘. So kann keiner reden, weder von einem anderen Menschen noch von einem Engel, als von Christus.

ZWINGLI

Z III 590–912: De vera et falsa religione commentarius, März 1525

Z III 650,5–15: So meinten auch die Schwestern des Lazarus, Christus wisse nicht, daß ihr Bruder krank sei. Doch als es ihm gemeldet wurde, sprach er deutlich aus, daß Gott weder etwas verborgen sein noch irgend etwas ohne seine Fürsorge, ohne seinen Rat und ohne sein Geheiß geschehen kann. Denn er spricht: ‚Die Krankheit ist nicht zum Tode, sondern zur Ehre Gottes, daß der Sohn Gottes durch sie verherrlicht werde.' Siehst du, woher die Krankheit kam? Zweifellos von Gott. Er nämlich gedachte sie zur Ehre seines Sohnes zu gebrauchen. In gleicher Weise antwortete Christus den Jüngern Johannes 9 (9,3), als sie ihn fragten, wer daran schuld sei, daß jener Mensch blind geboren wurde. Da sagte er: ‚Weder er hat gesündigt, noch seine Eltern, sondern damit die Werke Gottes an ihm offenbar würden.'

V. 1: *Es lag aber einer krank.* Der Evangelist geht zu einer anderen Geschichte über, die ein besonders denkwürdiges Wunder enthält. Abgesehen nämlich davon, daß Christus bei der Erweckung des Lazarus einen einzigartigen Beweis seiner göttlichen Kraft gab, hat er damit zugleich ein lebendiges Abbild unserer zukünftigen Auferstehung uns vor Augen gestellt, und dies war gleichsam der Schlußakt seines Handelns; denn schon nahte die Zeit seines Sterbens. Kein Wunder also, wenn er vornehmlich mit dieser Tat seine Herrlichkeit hat aufleuchten lassen; denn er wollte, die Erinnerung an sie sollte sich am stärksten dem Gedächtnis der Seinen einprägen, so daß sie eine Besiegelung aller vorausgehenden sei. […]

CALVIN

CO 47,255–267

V. 3: *Den du liebhast, der liegt krank.* Eine kurze Botschaft; aber Christus konnte leicht daraus entnehmen, was die Schwestern von ihm wollten. Denn in diese Klage hüllen sie schüchtern die Bitte, er möge ihnen Hilfe bringen. […] Zu beachten ist auch, daß sie ihr Zutrauen auf Hilfe aus Christi Liebe schöpfen und daß dies die Richtschnur für rechtes Bitten ist. Wo nämlich Gottes Liebe ist, da ist auch die Rettung gewiß; denn er liebt ja nicht, um die, die er liebt, dann zu verlassen.

V. 4: *Diese Krankheit ist nicht zum Tode.* Wenn er also sagt, es sei keine Todesgefahr vorhanden, wo er seine und des Vaters Herrlichkeit erscheinen lassen will, so muß man überlegen, warum und wozu er vom Vater gesandt worden ist: nämlich um zu erretten, nicht um zu verderben. Große Bedeutung hat die Ausdrucksweise: *zur Verherrlichung Gottes,* damit Gottes Sohn dadurch verherrlicht werde. Daraus können wir nämlich ersehen, daß Gott in der Person seines Sohnes erkannt werden will, so daß auch alle Ehre, die er für sich fordert, dem Sohne zuteil werden soll. [...]

V. 5: *Jesus aber hatte Martha lieb.* Anscheinend besteht ein Widerspruch. Einerseits bleibt Christus noch zwei Tage jenseits des Jordan, als ob ihm am Leben des Lazarus gar nichts läge, andererseits aber heißt es, er liebe ihn und seine Schwestern. Denn da doch Liebe Besorgnis erzeugt, hätte er sofort zu ihm eilen müssen. Da Christus aber das alleinige Spiegelbild der göttlichen Gnade ist, lehrt uns sein Verweilen, daß wir Gottes Liebe zu uns nicht nach unserer augenblicklichen Lage einschätzen dürfen. Auch wenn wir ihn um etwas gebeten haben, schiebt er seine Hilfe oft auf, entweder um unser Gebet noch leidenschaftlicher werden zu lassen oder um unsere Geduld zu üben und uns zugleich an Gehorsam gegen ihn zu gewöhnen. Die Gläubigen sollen also Gott so um Hilfe anflehen, daß sie zugleich lernen, ihre Wünsche unerfüllt zu sehen, wenn er einmal langsamer, als es ihre Notlage zu fordern scheint, seine Hand ausstreckt, ihnen zu helfen. Denn, wie auch immer das Ende sein mag, er schläft doch niemals und vergißt die Seinen nie. Indessen können wir völlig gewiß sein, daß er alle, die er liebt, gerettet wissen will.

V. 7: *Danach aber spricht er.* Nun zeigt er endlich, daß er sich um Lazarus kümmert, als seine Jünger schon dachten, er habe seiner vergessen oder wenigstens anderes für wichtiger gehalten als das Leben des Lazarus. Er fordert sie also auf, über den Jordan und nach Judäa zu gehen.

V. 8: *Meister, vor kurzem erst wollten die Juden dich steinigen.* Daß die Jünger ihn zurückzuhalten suchten, taten sie vielleicht nicht so sehr seinet- als ihretwegen, weil ein jeder für sich fürchtet, sobald allen gemeinsam eine Gefahr droht. Obwohl sie also das Kreuz ganz vermeiden möchten, sich aber schämen, es offen zuzugeben, behaupten sie, um ihren Lehrer besorgt zu sein, weil das besser aussieht. [...]

V. 9: *Sind nicht des Tages zwölf Stunden?* Zunächst entlehnt Christus seinen Vergleich dem Tage und der Nacht; denn wenn einer im Dunkeln wandert, ist es kein Wunder, wenn er bisweilen anstößt oder vom Wege abkommt oder ausgleitet; aber das Sonnenlicht weist am Tage den Weg, so daß er ungefährlich ist. Der Ruf Gottes aber ist wie das Tageslicht, das uns nicht irren noch anstoßen läßt. Wer also Gottes Wort gehorcht und alles nur auf sein Geheiß in Angriff nimmt, der hat auch in ihm einen himmlischen Führer und Lenker seiner Schritte, und im Vertrauen darauf kann er sicher und ohne Zagen seinen Weg gehen. Denn wie es Ps. 91,11 heißt: wer auf seinen Wegen wandelt, hat Engel zu Wächtern und ist unter ihrem Schutz sicher davor, daß sein Fuß an einen Stein stößt. Christus also geht im Vertrauen auf diesen Schutz mutig nach Judäa und fürchtet die Steinigung nicht, weil keine Gefahr zu irren besteht, wo Gott als unsere Sonne uns voranleuchtet und unseren Lauf lenkt. [...]

V. 11: *Unser Freund schläft.* Weil Christus eben behauptet hatte, die Krankheit sei nicht tödlich, verkündigt er ihnen jetzt gleichzeitig mit seinem Tode auch die Hoffnung auf seine Auferweckung, um seine Jünger nicht durch ein so unerwartetes Ereignis zu erschrecken. Verwunderlich aber ist ihr mangelndes Verständnis, weil sie annehmen, Christus habe vom Schlaf gesprochen. Wenn es sich auch um eine bildliche Ausdrucksweise handelt, so ist sie doch häufig und üblich in der Schrift, daß sie allen Juden hätte völlig vertraut sein müssen.

V. 12: *Schläft er, so wird's besser mit ihm.* Indem sie den Schlaf des Lazarus als Zeichen der Gesundung auffassen, bemühen sie sich, ohne es zu sagen, Christus davon abzuhalten, sich dorthin zu begeben. Zwar legen sie nicht einfach Christi Worte schlau zu ihrem Vorteil aus, sondern weil sie wirklich glauben, er habe nur vom Schlaf gesprochen, ergreifen sie gern diese Gelegenheit, eine Gefahr aus dem Wege zu räumen. [...] Christus weist auf seine Macht mit den Worten hin, er werde kommen, Lazarus zu erwecken. Wenn nämlich auch, wie gesagt, das Wort Schlaf nicht bedeutet, daß es leicht sei, einen Toten zu erwecken, zeigt Christus doch, daß er der Herr über den Tod ist, wenn er sagt, er wecke diejenigen, die er doch dem Leben wiedergibt, lediglich auf.

V. 14: *Da sagte es ihnen Jesus frei heraus.* Außerordentlich ist Christi Güte, daß er solche Einfalt bei seinen Jüngern hat ertragen können. Und gewiß hat er es deshalb einige Zeit aufgeschoben, sie mit mehr Geistesgaben zu beschenken, damit dann im Augenblick ihrer Erneuerung das Wunder um so größer sei. Wenn er sagt: *ich bin froh um euretwillen,* so tut er kund, daß sein Fernbleiben auch für sie nützlich gewesen sei, weil seine Kraft weniger klar zutage getreten wäre, wenn er Lazarus sofort geholfen hätte. Denn je näher Gottes Taten dem natürlichen Gang der Dinge stehen, um so geringer werden sie eingeschätzt und um so weniger hell leuchtet ihr Ruhm; das erfahren wir täglich. Denn wenn er seine Hand sofort ausstreckt, uns zu helfen, so merken wir seine Hilfe gar nicht. Damit also die Jünger wirklich erkannten, daß die Auferweckung des Lazarus ein göttliches Werk sei, mußte er sie so lange aufschieben, bis sie möglichst weit von jedem menschlichen Heilmittel entfernt war. [...]

Auf daß ihr glaubet. Christus meint damit nicht, dies sollte der allererste Ansatz von Glauben bei ihnen werden, sondern eine Stärkung ihres Glaubens, der schon begonnen hatte, aber bisher noch immer schwach und gering war. Jedoch klingt darin der Vorwurf mit an, nur wenn Gottes Hand vor aller Augen sich zur Hilfe ausstrecke, hätten auch sie Glauben.

V. 16: *Da sprach Thomas.* Bisher haben die Jünger versucht, Christus zurückzuhalten; jetzt ist Thomas bereit zu folgen, aber er hat kein Vertrauen. Jedenfalls wappnet er sich durch Christi Verheißung nicht, ihm getrost und ruhig zu folgen. Denn das ist ein Ausdruck seiner Verzweiflung: *Laßt uns mitziehen, daß wir mit ihm sterben,* während es ihnen doch zugekommen wäre, ihres Lebens ganz gewiß zu sein. [...]

V. 18: *Bethanien aber war nahe bei Jerusalem.* Mit Eifer trägt der Evangelist alle Züge der Erzählung zusammen, die für ihre Beglaubigung von Bedeutung sind. Er berichtet, wie nahe Bethanien bei Jerusalem lag, damit keiner sich wundere, daß viele von ihren Freunden dorthin gekommen waren, um die Schwestern zu trösten. Gott wollte, daß sie alle Zeugen des Wunders sein sollten. Denn wenn auch ihre menschliche Teilnahme sie dorthin geführt hatte, so waren sie doch nach dem verborgenen Plan Gottes zu einem anderen Zweck dort versammelt, nämlich damit die Erweckung des Lazarus nicht unbekannt bliebe oder nur die Hausgenossen zu Zeugen hätte. Hier wird aber auch das Volk seiner böswilligen Undankbarkeit überführt. Denn diesen leuchtenden Beweis göttlicher Kraft – geschehen fast wie auf einer Schaubühne, an einem vielbesuchten Ort, im Beisein vieler Menschen, nahe den Toren der Stadt – verlieren fast alle zugleich wieder aus den Augen. Ja, die Juden schlossen bösen Willens ihre Augen und gaben sich Mühe, das nicht zu sehen, was vor aller Augen war. Aber das ist ja nicht neu oder selten, daß Menschen, die allzu begierig nach Wundern verlangen, bei ihrem Anblick dann völlig stumpf und teilnahmslos sind.

V. 19: *Sie zu trösten über ihren Bruder.* Jene wollten nur Trost spenden, aber Gott hatte, wie gesagt, anderes im Sinn. Hier wird deutlich, daß das Haus des Lazarus und seiner Schwestern in hohem Ansehen stand. Da es übrigens ganz natürlich ist, daß der Tod von Angehörigen den Menschen Schmerz und Trauer bringt, muß man diese Beileidsbesuche, die der Evangelist erwähnt, gutheißen. Nur Übertreibungen, die, wie bei anderen Anlässen, auch hier oft herrschen, entstellen eine an sich gute Sitte.

V. 21: *Herr, wärest du hier gewesen.* Martha beginnt mit einer Klage; indessen gibt sie so schüchtern zu verstehen, was sie wollte. Es ist nämlich, als sagte sie, du hättest meinen Bruder mit deiner Gegenwart dem Tode entreißen können; aber du kannst es auch jetzt noch, denn Gott wird dir nichts abschlagen. Indem sie so sprach, folgte sie mehr ihrem leidenschaftlichen Schmerz, als daß sie sich an die Richtschnur des Glaubens hielte. Ich gebe zwar zu, daß diese Worte teils ihrem Glauben entsprangen, aber ich behaupte, daß sich in ihr ungeordnete Gefühle vermischten, die sie über das Ziel hinausführten. Denn daß sie sich selbst einredet, ihr Bruder wäre nicht gestorben, wenn Christus dagewesen wäre, woher nimmt sie diesen Glauben? Sicher schöpfte sie ihn nicht aus irgendeiner Verheißung Christi. Es bleibt also die Vermutung, daß sie unbesonnen mehr ihren eigenen Wünschen nachgibt als sich Christus unterstellt. Für ihren Glauben spricht, daß sie Christus Macht und höchste Güte zutraut. Daß sie sich selbst aber etwas einredete, was über Christi Verheißung hinausging, das ist dem Glauben fremd. Man muß ja immer daran festhalten, daß Gottes Wort und der Glaube zusammengehören, damit der Mensch sich nicht selbst etwas zurechtmacht, was über Gottes Wort hinausgeht. Es kommt hinzu, daß Martha allzusehr an der leiblichen Gegenwart Christi hing. Marthas Glaube ist also mit maßlosen Wünschen vermischt und verquickt, er ist sogar nicht ganz frei von Aberglauben und konnte nicht in reinem Glanze erstrahlen; so leuchten nur Funken des Glaubens in ihren Worten auf.

V. 23: *Dein Bruder wird auferstehen.* Wunderbar ist Christi Freundlichkeit, daß er Martha die genannten Fehler verzeiht und ihr viel mehr verspricht, als sie ausdrücklich und offen zu bitten gewagt hatte.

V. 24: *Ich weiß wohl, daß er auferstehen wird.* Hier verrät Martha nun aber eine zu große Ängstlichkeit, denn sie schwächt Christi Worte ab. Eben haben wir gesagt, daß sie sich weiter vorgewagt hatte, als sie durfte, indem sie sich aus ihres Herzens eigenem Empfinden Hoffnung machte. Jetzt verfällt sie in den entgegengesetzten Fehler, da sie Christus, der ihr die Hand hinstreckt, gleichsam ängstlich zagend nicht Folge leistet. Daher müssen wir uns vor beidem hüten: wir dürfen weder über Gottes Wort hinausgehen und leere Hoffnungen wie den Wind zu erhaschen suchen, noch soll andererseits der Herr, wenn er zu uns spricht, unsere Herzen verschlossen oder allzusehr in Angst verstrickt finden. [...]

V. 25: *Ich bin die Auferstehung und das Leben.* Zunächst versichert Christus, er sei die *Auferstehung und das Leben,* sodann erläutert er jedes Satzglied einzeln und für sich. Zuerst nennt er sich die Auferstehung, weil die Auferweckung zum Leben aus dem Tode in höherem Range steht als das Leben selbst. Das ganze Menschengeschlecht ist ja dem Tode verfallen. Keiner also wird leben, der nicht zuvor vom Tode erstanden ist. So lehrt Christus, er sei des Lebens Anfang. Danach aber fügt er hinzu, auch die ewige Dauer des Lebens sei ein Werk seiner Gnade. Daß er ferner vom geistlichen

Leben spricht, zeigt klar die Deutung, die gleich darauf folgt: *Wer an mich glaubt, der wird leben, ob er gleich stürbe.* Warum ist Christus also die Auferstehung? Weil er Adams Kinder, die durch ihre Sünden von Gott abgefallen waren, durch seinen Geist wiederbringt, so daß sie ein neues Leben beginnen. [...]

V. 26: *Und wer da lebet und glaubet an mich.* Dies ist die Auslegung des zweiten Satzgliedes: ... *und das Leben.* Christus ist eben deshalb das Leben, weil er das Leben, das er einmal gegeben hat, nie wieder vergehen läßt, sondern es bis zum seligen Ende erhält. Was nämlich geschähe bei der großen Anfälligkeit des Fleisches mit den Menschen, wenn man sie sich selbst überließe, nachdem sie einmal das Leben erlangt hätten? Also muß die ganze ununterbrochene Dauer des Lebens in der Kraft desselben Christus begündet sein, damit er vollenden kann, was er begonnen hat. Es heißt aber deshalb, die Gläubigen werden niemals sterben, weil ihre Seelen, aus unvergänglichem Samen wiedergeboren, den Geist Christi für alle Zeit in sich haben, durch den sie auf ewig leben. Denn wenn auch der Leib der Sünde wegen dem Tode verfallen ist, so ist doch der Geist Christi das Leben, weil er gerecht macht (Röm. 8, 10). Daß aber der äußere Mensch bei ihnen täglich mehr verfällt, tut doch ihrem wahren Leben so wenig Abbruch, daß es vielmehr sein Wachstum fördert; denn der innere Mensch wird von Tag zu Tag erneuert (2. Kor. 4, 16). Ja, der Tod selbst bedeutet für sie die Befreiung von der Knechtschaft des Todes. *Glaubst du das?* Auf den ersten Blick scheint Christus vom geistlichen Leben zu sprechen, um diese Aufmerksamkeit Marthas von ihrem gegenwärtigen Verlangen abzulenken. Martha wünschte ja, daß ihr Bruder wieder zum Leben erweckt werde. Christus sagt darauf, er sei der Geber eines besseren Lebens, weil er nämlich mit seiner himmlischen Kraft die Seelen der Glaubenden zum Leben erwecke. Aber ohne Zweifel wollte Christus ihr doppelte Gnade erweisen. So weist er ganz allgemein auf das geistliche Leben hin, das er den Seinen bringt; aber dann wollte er einen Vorgeschmack seiner Kraft geben, die sich bald darauf durch die Erweckung des Lazarus erweisen sollte.

V. 27: *Ich glaube, daß du bist der Christus.* Um zu beweisen, daß sie das glaube, was sie von Christus gehört hatte, nämlich daß er *die Auferstehung und das Leben* sei, antwortet Martha, sie glaube, er sei *der Christus* und der *Sohn Gottes;* und diese Erkenntnis enthält ganz gewiß das höchste aller Güter. Man muß nämlich immer festhalten, wozu der Messias gesandt war und welches Amt ihm die Propheten zuwiesen. Indem aber Martha bekennt, er sei, der da kommen sollte, zeigt sie ihren Glauben an die Weissagungen der Propheten. Aus ihnen ergibt sich, daß von ihm die völlige Erneuerung und die gewisse Seligkeit zu erwarten sei. Er war schließlich dazu gesandt, das wahre und vollkommene Reich Gottes zu gründen und zu errichten.

V. 39: *Herr, er stinkt schon.* Das ist ein Zeichen mangelnden Vertrauens, denn Martha verspricht sich weniger von Christi Kraft, als sie durfte. Die Wurzel des Übels ist, daß sie die unermeßliche und unbegreifliche Macht Gottes nach ihrem menschlichen Verstande mißt. Da nämlich zum Leben nichts weniger paßt als Fäulnis und Gestank, so schließt Martha daraus, hier gebe es keine Möglichkeit mehr zu heilen und zu helfen. [...] Übrigens kann man an Martha sehen, wie zahlreich auch bei den Besten die Mängel des Glaubens sind. Sie war als erste Christus entgegengeeilt. Das war kein gewöhnliches Zeugnis ihrer Frömmigkeit, und doch hört sie nicht auf, ihm Schwierigkeiten in den Weg zu legen. [...]

Johannes 13, 1–17: Die Fußwaschung

Zwingli

S 6, 1.682–766: Annotationes in Evangelium Joannis, 1528
Z II 1–457: Auslegen und Gründe der Schlußreden, 14.7.1523

V. 1: S 6, 1.745: *(Als Jesus wußte):* Christus sah den Zeitpunkt seines Todes voraus und kündigte ihn auch des öftern an, damit wir sehen, daß sein Tod nicht unter Zwang, sondern freiwillig erfolgt ist. Auf diese Unterscheidung machen die Evangelisten sorgfältig aufmerksam.

S 6, 1.745: *(Liebe bis ans Ende):* Es war schon die Liebe, die ihn den Himmel verlassen und Knechtsgestalt annehmen ließ, ihn, der göttlich war. [...] Von dieser Liebe hat er nicht gelassen. Seine Liebe ging vielmehr so weit, daß er uns zugute zu sterben sich nicht geweigert hat. ,Es gibt keine größere Liebe, als wer sein Leben für andere einsetzt' (Joh. 15,13). Durch den Tod bezeugt er seine größte Liebe, Römer 5 (5,8), Johannes 3 (3,6).

V. 3: S 6, 1.746: Dieses ,alles' bedeutet nichts weniger als die Einsetzung Christi in seine Erhabenheit, uns zur Erkenntnis, wie tief seine Erniedrigung hier ist. [...] Von solcher Gestalt und Größe er auch war, so wies er es dennoch nicht von sich, bis zu den Füßen geringster kleiner Sklaven sich herabzulassen. Wehe unserer Überheblichkeit!

V. 12–14: S 6, 1.747: Ahmen wir seine Niedrigkeit und seine Liebe nach!, damit wir alle unsern Nächsten Nächste sind; daß wir ihnen also nicht nur die Füße waschen, sondern aus Liebe ihnen überhaupt dienstbar sind und ganz uns ihnen hingeben, wie Christus uns getan hat.

V. 15: Z II 239,30–31: Alles was Christus gelehrt und getan hat – das wissen wir – ist für uns ‚Unterricht' und das Vorbild, nach welchem wir uns selber formen sollen.

V. 17: S 6,1.747: Wir müssen Christus nachahmen, wenn wir glücklich sein wollen.

CALVIN

CO 47,305–370

V. 6: *Herr, solltest du mir meine Füße waschen.* So redet einer, der etwas ganz und gar Unpassendes verhindern will. Denn mit seiner Frage, was Christus da tue, fällt er ihm gleichsam in den Arm. Das zeugt zwar von lobenswerter Bescheidenheit. Nur ist bei Gott Gehorsam wichtiger als irgendeine Form von Verehrung. Ja, die einzig wahre Demut besteht darin, daß wir Gott gehorsam sind und alle unsere Sinne durch seinen Willen gebunden sein lassen. Dann findet nämlich alles, was er als ihm gefällig verkündet, bei uns nicht Widerspruch, sondern Beifall. Vor allem andern müssen wir an jenem Gesetz über die rechte Verehrung Gottes festhalten, das besagt: wir sollen bereit sein, unverzüglich zu folgen, sobald er etwas befiehlt.

V. 7: *Was ich tue.* Diese Worte lehren uns, daß man Christus einfach gehorchen muß, auch wenn nicht erkennbar ist, weshalb er dies oder das will. In einem wohlgeordneten Hause liegt die Entscheidung allein beim Hausherrn: ihm müssen die Sklaven Hände und Füße zur Verfügung stellen. Allzu hochmütig ist darum, wer einem Befehl Gottes nicht gehorcht, weil ihm der Grund dafür unbekannt ist. Ja, diese Worte verlangen noch mehr von uns: es soll uns nicht ärgerlich sein, nicht zu wissen, was uns nach Gottes Willen für den Augenblick verborgen sein sollte. Denn weiser als jedes Wissen ist eine solche Unwissenheit, in der wir dem Herrn zugestehen, daß er mehr weiß als wir.

V. 8: *Da sprach Petrus.* Bis dahin war die Bescheidenheit des Petrus entschuldbar, wenn auch nicht untadelig. Jetzt aber sündigt er schwerer. Denn obwohl von Christus scharf getadelt, will er noch immer nicht nachgeben. Das ist ein weitverbreiteter Fehler: zum Irrtum gesellt sich der Trotz. Zwar glänzt das äußere Bild, weil der Ungehorsam in der Ehrfurcht wurzelt. Aber weil er den Worten Christi nicht einfach gehorcht, bringt er sich gerade damit um die Gnade, daß er seinerseits Christus ehren will. Die wahre Weisheit des Glaubens besteht also darin, allem, was von Gott kommt, als wohlgetan beizustimmen und mit Ehrfurcht zu begegnen. Und sicherlich können wir nur so seinen Namen heiligen. Denn wenn wir nicht daran festhalten, daß alles, was geschieht, denkbar gut ist, wird unser Fleisch, schamlos, wie es ist, gleich gegen ihn murren und ihm nur unter Zwang die Ehre geben. Kurz, bis der Mensch auf die Freiheit verzichtet hat, über Gottes Werke zu urteilen, wird er unter dem Deckmantel der Demut stets hochmütig sein, auch wenn er sich bemüht, Gott mit Ehre zu überschütten.

Werde ich dich nicht waschen. Diese Antwort Christi erklärt noch nicht, weshalb er sich vorgenommen hatte, seinen Jüngern die Füße zu waschen. Er weist lediglich mit einem von der Seele auf den Leib übertragenen Gleichnis darauf hin, daß er mit dieser Fußwaschung nichts Neues oder für ihn Unpassendes tue. Zugleich zeigt er, wie töricht Petrus denkt. […] Weil Christus sein Herr und Meister ist, scheint es Petrus undenkbar, sich von ihm die Füße waschen zu lassen. Und doch verschmäht er mit dieser Zurückweisung, was zu seinem Heile besonders nötig ist. Auch dieser Satz enthält eine allgemeingültige Lehre: daß wir alle stinkend und schmutzig vor Gott stehen, bis Christus uns den Schmutz abwäscht. Da er diesen Dienst des Waschens für sich allein beansprucht, soll ein jeder ihm seine Unreinlichkeit zur Säuberung darbieten, damit er einen Platz unter den Kindern Gottes erhält. Doch ehe wir weitergehen, wollen wir uns klarmachen, was hier *waschen* bedeutet. Manche beziehen es auf die bedingungslose Vergebung der Sünden, andere auf das neue Leben; eine dritte Gruppe denkt an beides, und diese Erklärung will ich gern gelten lassen. Denn Christus wäscht uns, wenn er durch die Entsühnung, die in seinem Opfertode besteht, unsere Sünden zunichte macht, damit wir nicht in Gottes Gericht kommen. Er wäscht uns andererseits, wenn er die bösen Begierden des Fleisches durch seinen Geist austilgt. Allerdings werden wir sehen, daß er an einer bald folgenden Stelle von der Gnade der Wiedergeburt redet. Deshalb bestehe ich nicht darauf, daß er in unserem Satze an die Abwaschung denkt, die in der Vergebung besteht.

V. 9: *Herr, nicht nur die Füße.* Petrus bekam zu hören, er sei verloren, wenn er die von Christus angebotene Reinigung nicht annehme. Dieses Schicksal war schließlich die geeignete Lehrerin, ihn zu bändigen. Deshalb hört er auf zu streiten und gibt nach. Aber nun will er ganz gewaschen werden. Er erkennt zwar richtig, daß er von Natur aus völlig mit Schmutz bedeckt ist, daß es nichts nützt, wenn nur ein Teil von ihm gewaschen wird. Aber auch hier geht er unüberlegt in die Irre, weil er die ihm schon erwiesene Wohltat für nichts erachtet. Er redet nämlich, als sei ihm bis jetzt keine Sündenvergebung, keine Heiligung durch den Geist zuteil geworden. Deshalb tadelt Christus ihn mit Recht auch hier. Er ruft ihm ins Gedächtnis zurück, was er ihm zuvor geschenkt hat. Zugleich mahnt er allerdings in der Person eines einzigen all die Seinen, der empfangenen Gnade zu gedenken und zu erwägen, was sie künftig außerdem noch brauchten. Zunächst sagt er, die Gläubigen seien *ganz rein*: nicht als ob sie in jeder Hinsicht makellos wären, sondern weil sie im entscheidenden Punkt gereinigt sind. Der Sünde ist ja die Macht genommen, so daß die Gerechtigkeit Gottes die Herrschaft hat. So könnte jemand den ganzen Leib gesund nennen, weil er von keiner lebensgefährlichen Krankheit befallen ist. Darum müssen wir uns durch ein neues Leben als Christi Jünger erweisen, weil er verkündet, er mache all die Seinen rein. [...]

V. 10: *Ihr seid rein.* Das ist sozusagen der zweite Satz einer Schlußfolgerung. (Der Obersatz lautet: *Wer gewaschen ist, ... ist ganz rein.*) Aus ihm folgt, daß die Fußwaschung gerade bei ihnen angebracht ist. Er macht jedoch eine Ausnahme, damit jeder sich prüfe: *Aber nicht alle.* Er wendet sich an Judas, der doch vielleicht noch zur Reue zu bewegen sein könnte. Allerdings wollte er auch die übrigen Jünger rechtzeitig dagegen sichern, sich durch das greuliche Verbrechen verwirren zu lassen, das bald offenbar werden mußte: Es konnte ja scheinen, als sei diese Untat in einem Herzen ersonnen worden, das von himmlischer Gnade berührt war! Doch verschwieg er absichtlich den Namen des Judas, um ihm nicht die Möglichkeit zur Reue zu nehmen. Aber da Christus ihn schon beklagt hatte, dient diese Mahnung nur dazu, seine Schuld noch größer zu machen. Den Jüngern aber nützte diese Mahnung sehr, weil ihnen dadurch die Gottheit Christi deutlicher wurde. Außerdem merkten sie, daß der Geist nicht allen Reinheit schenkt.

V. 12: *Da er nun ...* Jetzt endlich erklärt Jesus, wozu er seinen Jüngern die Füße gewaschen habe. Wenn er zwischendurch vom geistlichen Waschen redete, so war das gleichsam eine Abschweifung vom Thema. Hätte Petrus die Handlung nicht verzögert, so hätte Christus darüber kein Wort verlauten lassen. Jetzt also offenbart er den Sinn seines Tuns: er, der Herr und Meister aller, *habe ein Beispiel gegeben*, dem alle Frommen folgen sollten. Niemand soll es als Erniedrigung und Last empfinden, seinen Brüdern einen noch so verächtlichen Dienst zu leisten. Denn die Liebe wird deshalb vernachlässigt, weil jeder sich selbst höher einschätzt als billig und fast alle anderen verachtet. Doch wollte er nicht einfach Bescheidenheit lehren, sondern zugleich als Richtschnur für die Liebe vorschreiben, einer solle dem anderen dienen. Es gibt nämlich keine Liebe ohne freiwilliges Dienen, das in der Hilfe für den Nächsten besteht. [...]

V. 14: *Wenn nun ich, euer Herr und Meister ...* Hier wird vom Größeren auf das Geringere geschlossen. Der Stolz verhindert, daß die Gleichheit, die unter uns lebendig sein müßte, auch wirklich unter uns zur Herrschaft kommt. Christus aber, der hoch über allen steht, läßt sich herab, um die zu beschämen, die vergessen, welchen Platz sie einnehmen, und sich außerhalb der

Gemeinschaft der Brüder stellen. Denn wofür hält sich der Mensch, wenn er sich weigert, die Last des Bruders zu tragen, sich nach den Gebräuchen anderer zu richten und schließlich die Pflichten zu übernehmen, deren Erfüllung die Einheit der Kirche verbürgt? Der Mensch denkt zu hoch von sich, der bei seinem Wandel unter schwachen Brüdern glaubt, für ihn habe die Forderung keine Gültigkeit, daß er sich auch scheinbar schmutzigen Aufgaben ohne Murren unterziehen solle. Bemerkenswert ist auch der Hinweis Christi, er habe ein Beispiel gegeben. Es wäre nämlich falsch, alle seine Taten unterschiedslos nachzuahmen. [...]

Joh. 14,23–31: Abschiedsreden

LUTHER

WA 10 III, 155–160: Predigt am Pfingsttag, 8.6.1522
15,563–566: Predigt am Pfingstsonntag, 15.5.1524
27,159–166: Predigt am Pfingstmontag, 1.6.1528
29,366–373: Predigt am gleichen Tage nachmittags, 17.5.1529

V. 23: 10 III,156,28: Da hört ihr, was ein christliches Leben ist, nämlich Gott lieben und nicht (Kirchen) stürmen, Fleisch essen oder Bilder umreißen, ein Mönch oder Nonne werden. Es gilt weder ehelich oder Jungfrau sein. Es heißt lieben, und die sind es allein, die sein Wort behalten. Nun, was ist sein Wort? Daß wir uns untereinander lieben, wie er uns geliebt hat, und an ihn glauben. Nun kann die Worte niemand haben, es gehe denn aus dem Herzen und der Liebe daher. Menschenwort und Gebot kann man wohl haben, wenn man schon nicht liebt, wie wenn ein Herr etwas geböte, aber Gottes Gebot und Wort halten muß allein die Liebe tun.

15,565,2: ‚Wir werden zu ihm kommen und Wohnung bei ihm machen.' Es ist ein großer Trost, daß er bei uns wohnen will. Du siehst, wo er wohnt, wo seine Tempel sind. Im Alten Testament gebot er Tempel und Altäre zu erbauen. Hier hat er neue eingerichtet. Seine Wohnung ist da, wo er spricht, wo er handelt und wo er gefunden wird. Solches siehst du bei einem rechtschaffenen Christen, und dieses so gewiß, als wärest du im Himmel. Alle seine Glieder gehören Gott selbst. Und er entzündet nicht allein, sondern er schafft auch, daß andern gepredigt wird. [...] Es gibt nichts Kostbareres als einen Christenmenschen. Was würde es nützen, wenn alle Tempel Gold wären? Nichts! In diesen (wahren) Tempeln ist der eine Gott. Wir Elenden aber laufen zu den Tempeln, zu den Kirchen der Maria. [...]

27,161,7: Merke dennoch, dabei ‚(Wir werden Wohnung) bei ihm (machen)‘. Das ist auch ein großes Stück der Gnade, die über uns waltet. Die Wohnung ist noch nicht bereitet, sondern sie wird gebaut. Gott richtet sie auf, daß sie soll gerüstet sein am Jüngsten Tage. Nicht sagt er: Wir werden zu ihm kommen und (eine Wohnung) finden, sondern ‚machen‘. Das sind die Gaben Gottes, damit er zimmert, damit er abhaut die groben Späne ..., d.h. wir haben diese Gnade, obwohl die Wohnung noch nicht bereitet ist, und dennoch werden wir Gottes Wohnung genannt, weil uns der Herr von Tag zu Tag mehr in der Schrift geübt werden läßt, so daß das Wort Gottes überfließt. [...]

29,366,2: Der Heilige Geist wird euch trösten, er wird euch alles lehren und erinnern. Ihr habt gehört, was das Amt des Heiligen Geistes ist. Es ist eine gewaltige Predigt, davon man wohl zwei oder drei Jahre (predigen müßte). (Der Heilige Geist) macht die christliche Kirche, die Vergebung der Sünden und die Auferstehung des Fleisches. Nur so viel wollen wir auf das kürzeste anzeigen, damit gewußt und gelernt werde, was das Amt des Heiligen Geistes ist. Daß er nicht umgeht mit närrischen Dingen wie den Gesetzen, sondern mit Sünde, Tod und Teufel. Er fügt hinzu ‚welchen der Vater senden wird‘, ‚sondern in meinem Namen‘, damit nicht jemand denkt, daß der Heilige Geist komme aus menschlichem Vorsatz, wie die Schwärmer glauben. Sie richteten so viele Dinge aus, daß der Heilige Geist in ihrem Namen gegeben werde. Nichts Gutes, was zum Glauben gehört, kann in deinem Namen sein. Wo der Name Christi nicht ist, dort geschieht nicht das Werk des Heiligen Geistes, nämlich die christliche Kirche.

V. 27: 27,164,10: Der alte Adam wird nichts als Unfrieden fühlen. Das ist eine schöne Wohnung! Aber ihr werdet Frieden im größten Unfrieden haben, wie es am Ende von Kapitel 16 heißt: Das bedeutet: Nehmt diese Worte an, welche ich gesagt habe und haltet (sie) fest, dann werdet ihr Frieden haben. Die Wohnung, in der der Herr wohnt, steht mitten in den Dornen. Willst du Christus haben, so mußt du einen Widersacher haben. Dort gibt es keinen Frieden, als daß du sein Wort ergreifst und ihm vertraust. Solange du das tust, bist du im Reich der Gnade. Der alte Adam schreit, wenn er behauen wird, so wie die Hölzer, die gesägt und behauen werden. Wenn du das Wort hast und bewahrst, bist du in der Liebe des Vaters, und er bleibt bei dir. (Das geschieht) nicht nach der Weise der Welt, die ihre Feinde tötet, um Frieden zu haben. Wenn sie mit einem Feinde streitet, so will sie nicht ständig mit ihm streiten, (sondern es geschieht), daß sie Frieden habe. Dazu dient die Obrigkeit. Einen solchen Frieden gebe ich nicht, sondern ich hinterlasse euch das

Wort und gebe die Liebe des Vaters und unsere Wohnung bei euch und lasse bei euch die Anfechtung geschehen, ja, ich mehre sie, daß sie dich treibe und martere, stecke dich mitten in Unfrieden und sage dir ins Herz: Du hast einen gnädigen Vater. Darum (‚euer Herz) erschrecke nicht‘. Ich weiß, daß ihr verzagt und erschrocken sein werdet, und (zwar dann), wenn ihr getötet werdet und Verfolgung erduldet. Nur wenige habe ich gesehen, die in der Verfolgung lachten. Ich weiß das (alles) spricht Christus, haltet nur mein Wort! Ihr werdet Schrecken fühlen, weil ich hingehe und dem Teufel Raum gebe, daß ihr getötet werdet. Aber ich werde nicht für immer fort sein, ich werde kommen und trösten. So spricht Christus zu denen, die sein Wort halten und verbindet sich mit ihnen, daß er sie nie verlassen will, auch wenn er für eine zeitlang abwesend ist. Daß wir nur sein Wort bewahren könnten! (Wie groß auch die Trübsal sei, ihr) sollt froh sein! Wir lieben Christus, wenn er da ist, wenn das Herz geht in Freuden und Springen. Aber es ist zu eurem Besten, daß ich hingehe, denn ‚(der Vater) ist größer (als ich)‘. Daß ich zum Vater gehe, ist meine Ehre. Das Gehen zum Vater bedeutet, daß Christus die Herrschaft des Vaters einnimmt und den Heiligen Geist gibt.

Zwingli

S 6,1.682–766: Annotationes in Evangelium Joannis, 1528
Z VI/I 443–498: Die beiden Predigten Zwinglis in Bern, 19./30.1.1528

V. 23: S 6,1.752: Niemand will als einer gelten, der Gott nicht liebte. Allein: nur das Kennzeichen der Liebe beweist, wer wirklich liebt, wie man auch den Baum an seinen Früchten erkennt (Mt. 12,33). […] Die Befolgung der Gebote ist das Kennzeichen, daß die Liebe echt ist.

V. 26: S 6,1.752: Beachten wir: allein der Geist ist der innere Lehrer des Herzens. Wenn er nicht innerlich lehrt, bringst du das äußere Wort vergeblich an. ‚Sie werden alle von Gott gelehrt sein‘, heißt es weiter oben in Kapitel 6 (Joh. 6,45). Daraus folgt natürlich nicht, daß das äußere Wort nicht notwendig wäre, heißt Christus die Apostel doch auch, das Evangelium in aller Welt zu predigen (Mt. 28,20).

V. 27: S 6,1.753: Es gibt auch einen Frieden der Welt; dieser beruht in äußerlichem Wohlbefinden.
Z VI/I 492,27–28: Gott sollst du bitten, daß er der Kirche seinen und nicht der Welt Frieden gibt.

CALVIN

CO 47, 333–338

V. 23: *Jesus antwortete und sprach zu ihm: Wer mich liebt.* Schon vorher haben wir dargelegt, daß Gottes Liebe nicht auf den zweiten Rang verwiesen wird, als folge sie unserer Frömmigkeit und habe in dieser ihren Grund. Aber die Gläubigen sollen den festen Glauben haben, daß der Gehorsam, den sie dem Evangelium leisten, Gott angenehm ist, und sie sollen eine wiederholte Zunahme der ihnen gewordenen Gaben von ihm erwarten. *Wir werden zu ihm kommen.* Nämlich zu dem, der mich liebt. Er wird fühlen, wie Gottes Gnade sich auf ihm niederläßt, und wird täglich mehr durch Gottes Gaben bereichert werden. Er spricht also nicht von jener ewigen Liebe, die er uns schon vor unserer Geburt, ja vor der Erschaffung der Welt zuwandte, sondern von der Liebe, die er in unseren Herzen versiegelt, indem er uns zu seinen Söhnen macht. Und nicht einmal an die erste Erleuchtung denkt er, sondern an die Stufen des Glaubens, die die Gläubigen beständig vorwärtsgehen sollen, nach dem Wort: Wer da hat, dem wird gegeben werden. [...]

V. 25: *Solches habe ich zu euch geredet.* Wenn Christus erklärt, es sei die eigentliche Aufgabe des Heiligen Geistes, die Apostel zu lehren, was sie schon aus seinem eigenen Mund erfahren hatten, so folgt daraus: die äußere Predigt wird ohne den geringsten Erfolg bleiben, wenn nicht die Belehrung durch den Geist hinzutritt. Gott lehrt also auf zweifache Weise. Einerseits spricht er unser Ohr durch Menschenmund an, andererseits redet er innerlich durch seinen Geist zu uns. Und beides tut er bald in ein und demselben Augenblick, bald zu verschiedenen Zeiten, je nachdem es ihm richtig erscheint. Man beachte aber, worum es sich bei allen diesen Dingen handelt, über die uns der Geist nach der Verheißung Christi belehren wird: Er wird euch erklären, spricht er, oder ins Gedächtnis zurückrufen, *was immer ich gesagt habe.* Der Geist wird also keine neuen Offenbarungen bringen. Mit diesem einen Wort kann man all die Erfindungen widerlegen, die der Satan unter dem Deckmantel des Geistes von Anfang an hat in die Kirche eindringen lassen. [...]

V. 27: *Den Frieden lasse ich euch.* Unter Frieden versteht Christus glückliches Ergehen, wie die Menschen es sich zu wünschen pflegen, wenn sie sich treffen oder auseinandergehen. Denn das bedeutet Friede im Hebräischen. Er spielt also auf den Brauch seines Volkes an, als sagte er: Ich lasse euch meinen Abschiedsgruß zurück. Aber bald darauf sagt er, dieser Friede bedeute viel mehr als gewöhnlich unter den Menschen. Diese nämlich führen den Frieden meistens ganz gedankenlos und nur, weil es so üblich ist, im Munde; und selbst wenn sie ihn jemandem ernstlich wünschen, können sie ihn doch nicht schenken. Christus aber behauptet, sein Friede sei nicht nur Inhalt eines leeren, nichtigen Wunsches, sondern dieser Wunsch sei mit der Erfüllung verknüpft. Er gehe zwar leiblich von ihnen, aber sein Friede bleibe; das heißt, durch seinen Segen sollten sie stets glücklich sein.

Euer Herz erschrecke nicht. Wieder tritt er der Angst entgegen, die seine Jünger infolge seines drohenden Hinscheidens befallen hatte. Er behauptet, es sei kein Grund zur Angst vorhanden. Nur den Anblick seiner leiblichen Gestalt müßten sie entbehren, kämen aber durch den Geist in den Genuß seiner wirklichen Gegenwart. Auch wir wollen lernen, uns mit dieser Form seiner Gegenwart zu begnügen, und nicht dem Fleische nachgeben, das Gott immer an die äußerlichen Gebilde der eigenen Phantasie bindet.

V. 28: *Hättet ihr mich lieb.* Ohne Zweifel liebten die Jünger Christus, aber nicht so, wie es recht gewesen wäre. Denn ihre Liebe war zum Teil fleischlicher Art, so daß sie die Trennung von ihm nicht ertrugen. Hätten sie ihn aber auf geistliche Weise geliebt, wäre ihnen nichts lieber gewesen als seine Rückkehr zum Vater.

V. 29: *Und nun habe ich's euch gesagt.* Auf das, was Jesus hier sagt, mußten die Jünger mehrfach hingewiesen werden. Es war ein viel zu tiefes Geheimnis, als daß ein Mensch es hätte begreifen können. Er behauptet jedoch, er sage voraus, was geschehen werde, damit sie zum Glauben kämen, wenn es eingetreten sei. Es war eine nützliche Stärkung ihres Glaubens, wenn sie sich Christi Weissagungen wieder ins Gedächtnis riefen und vor ihren Augen erfüllt sahen, was sie vorher aus seinem Munde gehört hatten. [...]

V. 30: *Denn es kommt der Fürst der Welt.* Er hätte einfach sagen können, er werde bald sterben, und die Stunde seines Todes stehe schon vor der Tür. Aber er wählt diese Umschreibung, um ihr Herz schon im voraus fest zu machen, damit sie über die abscheuliche Häßlichkeit seines Todes nicht erschrecken und ihm untreu werden. Denn an ihn als den Gekreuzigten glauben, heißt nichts anderes, als das Leben bei den Toten suchen. Zunächst einmal sagt er, dem Satan solle eine derartige Macht gegeben werden. Dann fügt er hinzu, er werde nicht einem unausweichlichen Zwang nachgeben, sondern wolle dem Vater gehorchen. Der Teufel heißt nicht deshalb *Fürst der Welt*, weil er ein Reich beherrscht, das Gott nicht unterstellt wäre, wie die Manichäer dachten, sondern mit Gottes Erlaubnis übt er seine Tyrannei in der Welt aus. [...]

Er hat keine Macht über mich. Durch Adams Sünde ist es dahin gekommen, daß der Satan die Macht über den Tod hat. An Christus, der von aller Schuld frei war, hätte Satan darum nicht rühren können, wenn er sich ihm nicht freiwillig unterworfen hätte. Allerdings glaube ich, diese Worte bedeuten mehr, als die übliche Erklärung sichtbar macht. Denn die Ausleger sagen so: Satan findet in Christus nichts, weil kein Grund zum Tode in ihm ist. Er ist rein und von keiner Sünde befleckt. Meines Erachtens aber hebt Christus hier außer seiner Reinheit auch seine göttliche Macht hervor, die dem Tode nicht ausgesetzt war. So mußte den Jüngern deutlich gemacht werden, nicht aus Schwäche erliege er dem Tode. Sonst hätten sie ja zu gering von seiner Kraft denken müssen. Aber dieser allgemeine Satz schließt den Vordersatz ein, Christus sei dem Satan nicht unterworfen gewesen, so daß er verpflichtet gewesen wäre, den Tod auf sich zu nehmen. Folglich nahm er unsere Stelle ein, als er sich in den Tod gab.

V. 31: *Aber die Welt soll erkennen.* Besonders ist zu beachten, daß Gottes Wille hier an die erste Stelle gerückt wird. Wir sollen nämlich nicht meinen, Satans Gewalttätigkeit habe Christus in den Tod getrieben, so daß ihm etwas zugestoßen wäre, das nicht in Gottes Plan lag. Denn Gott ist es, der seinen Sohn zum Versöhner bestimmt hat und der wollte, durch seinen Tod sollten die Sünden der Welt gesühnt werden. Zu diesem Zwecke durfte Satan für kurze Zeit scheinbar als Sieger seinen Mutwillen an Christus auslassen. Christus verzichtet also auf Widerstand gegen Satan, um dem Willen Gottes gehorsam zu sein und so seinen Gehorsam als Preis für unsere Gerechtigkeit darzubringen. [...]

Joh. 15,7–17: Abschiedsreden

ZWINGLI

S 6,1. 682–766: Annotationes in Evangelium Joannis, 1528

V. 8: S 6,1.755: Alles sollen wir zu Gottes Ehre tun. Erwählt wurden die Apostel dazu, mit der Predigt des Evangeliums Gottes Ehre durch die ganze Welt zu tragen, und als Christi Jünger sollten sie sich erweisen durch Wohltätigkeit und Liebe.

V. 9: S 6,1.755: Die Worte ergeben einen doppelten Sinn, denn es bleibt offen, ob Christus hier von derjenigen Liebe spricht, mit der er uns liebt, oder von derjenigen, mit welcher wir ihn lieben. Es kann auf beiderlei Weise verstanden werden. Im ersten Sinn: Bleibet in meiner Liebe, das heißt in meiner Gnade, oder im andern Sinn: Verharret in meiner Liebe, das heißt: erwidert meine Liebe; ich habe euch geliebt, liebet nun ihr mich euerseits und den Nächsten um meinetwillen.

V. 12: S 6, 1.755: Das ist der wahre Gottesdienst: den Nächsten zu lieben.

V. 14: S 6, 1.755: Nichts Äußeres zeigt mit Sicherheit an, daß ihr meine Freunde und Gottes Kinder seid, sondern einziges und alleiniges Kennzeichen ist, daß ihr die Gebote Gottes haltet. Die Taufe macht uns nicht zu Gottes Kindern, das Abendmahl uns nicht zu Gottes Freunden, noch das Hören auf das äußere Wort (der Predigt), da Böse und Gute dies ja auch gleichermaßen tun können. [...] Das unfehlbare Kennzeichen der Freunde Gottes ist ihr Halten der Gebote.

V. 16: S 6, 1.755–756: An uns ist es, dankbar zu sein und ein so großes Wohlwollen zu erwidern. Bedenken wir doch, zu welch hoher Würde wir erwählt sind, zu welchem Dienst berufen, nämlich hinzugehen und Frucht zu bringen, nicht für uns, sondern für den himmlischen Vater. Die Frucht, die aus unserer Predigt entsteht, gehört nicht uns, sondern Gott. Richten wir etwas aus, so haben wir das nicht uns zuzuschreiben, sondern Gott, der uns erwählt, berufen und gesandt hat, und der selbst alles vollbringt.

Joh. 15,26–16,4: Abschiedsreden

Calvin

CO 47, 353–357

V. 26: *Wenn aber der Tröster kommen wird.* Christus hat zunächst einmal die Apostel darauf hingewiesen, sie dürften das Evangelium nicht geringer achten, weil es sogar in der Kirche viele Feinde habe. Jetzt stellt er dem gottlosen Wüten dieser Feinde das Zeugnis des Geistes entgegen: darauf soll das Gewissen der Apostel sich stützen, um so niemals ins Wanken zu geraten. Er sagt mit anderen Worten: Zwar wird die Welt sich wie rasend gegen euch gebärden; die einen werden eure Lehre verspotten, die anderen sie verfluchen. Aber keine Erschütterung wird stark genug sein, euch in eurem Glauben wankend zu machen, wenn euch erst der Heilige Geist gegeben ist, der euch durch sein Zeugnis stärken soll. Und wenn die ganze Welt lärmt und tobt, besteht unser einziger Schutz ohne Zweifel darin, daß durch den Heiligen

Geist Gottes Wahrheit in unseren Herzen versiegelt ist und verächtlich auf alles herabschaut, was der Welt angehört. Denn wenn Gottes Wahrheit menschlichem Urteil unterstände, verlören wir hundertmal am Tag unsern Glauben. Es ist also genau darauf zu achten, wo wir inmitten so vieler Anfechtungen festen Stand gewinnen sollen: darin, daß wir nicht den Geist dieser Welt empfangen haben, sondern den Geist aus Gott, damit wir wissen, was Gott uns geschenkt hat (1. Kor. 3, 12). Dieser eine Zeuge zerschmettert, zersprengt und zerstört mit mächtiger Hand, was immer von dieser Welt hochgehalten wird, um Gottes Wahrheit zu verdunkeln oder zugrunde zu richten. Von den Menschen, die diesen Geist haben werden, ist nicht zu befürchten, daß sie über den Haß und die Verachtung der Welt in Verzweiflung geraten. Im Gegenteil: jeder einzelne von ihnen wird der ganzen Welt überlegen sein. Außerdem müssen wir uns davor hüten, auf Menschen zu sehen. Denn wenn der Glaube derart ziellos umherfällt, ja, schon wenn er nur erst das Heiligtum Gottes verlassen hat, verfällt er unausweichlich in klägliche Unsicherheit. Er wendet sich also wieder dem verborgenen inneren Zeugnis des Geistes zu, das, wie die Gläubigen wissen, ihnen vom Himmel her gegeben ist. Daß aber der Geist von Christus zeugt, wird darum gesagt, weil er will, daß unser Glaube allein an Christus festen Halt findet und wir nirgends sonst auch nur den kleinsten Teil unseres Heils suchen. Er spricht wieder vom Tröster, damit wir im Vertrauen auf seinen Schutz uns niemals ängstigen. Denn Christus wollte durch dieses Wort unseren Glauben stärken und davor bewahren, irgendwelchen Anfechtungen zu erliegen. [...]

V. 27: *Und auch ihr werdet meine Zeugen sein.* Christus sagt, sie sollten das Zeugnis des Geistes nicht für sich behalten und nur sich selbst an ihm erfreuen, sondern durch ihre Vermittlung solle es sich weiter ausbreiten. Sie sollten nämlich Werkzeuge des Geistes sein, und er hat ja auch durch ihren Mund geredet. Wir sehen jetzt, wie sehr der Glaube aus dem Hören kommt und doch seine Gewißheit aus dem Geist erhält, der sein Siegel und Unterpfand ist. Wem die Verfinsterung des Menschengeistes nicht hinlänglich bekannt ist, der meint, der Glaube entstehe mit Naturnotwendigkeit aus der Predigt allein. Dagegen ist den meisten Schwärmern die äußere Predigt verächtlich: sie prahlen mit geheimen Offenbarungen und Verzückungen. Christus aber sehen wir beides miteinander verbinden. Zwar kommt es nicht zum Glauben, bevor nicht Gottes Geist unsern Sinn erleuchtet und unserem Herzen sein Siegel aufprägt. Trotzdem darf man nicht danach streben, daß einem aus den Wolken heraus Erscheinungen oder Weissagungen zuteil werden. Vielmehr soll das Wort, das uns nahe, das in unserem Munde und in unserem Herzen ist, über alle unsere Sinne vollkommen Herr sein (Dtn. 30, 14; Röm. 10, 8), wie Jes. 59, 21 trefflich sagt: Das ist mein Bund, spricht der

Herr, mein Geist, den ich auf dich gelegt, und meine Worte, die ich in deinen Mund gegeben habe, werden nicht vergehen usw. Die Worte *ihr seid von Anfang bei mir gewesen* sind angefügt, um uns wissen zu lassen: die Apostel verdienten besonders viel Glauben. Sie waren ja Zeugen, die mit eigenen Augen gesehen hatten, was sie verkündeten. So sagt Johannes (1. Joh. 1, 1): Was wir gehört und gesehen, was unsere Hände betastet haben. […] Auf jede Weise wollte Gott für uns sorgen: der Beweis für die Wahrheit des Evangeliums sollte unumstößlich sein.

V. 1: *Solches habe ich zu euch geredet.* Noch einmal sagt Jesus, keines seiner Worte sei überflüssig. Denn da sie Kampf und Streit zu erwarten hätten, müßten sie schon vorher mit den richtigen Waffen ausgerüstet sein. Außerdem erklärt er, sie wären zum Widerstande fähig, wenn sie diese Lehre wohl erwogen hätten. Doch wollen wir bedenken: auch uns gilt, was er damals zu den Aposteln sprach. Als erstes ist festzuhalten: Christus schickt die Seinen nicht ohne Waffen in den Kampf, und wenn in diesem Streit jemand den Mut sinken läßt, so ist seine eigene Trägheit daran schuld. Man darf aber nicht warten, bis es soweit ist, sondern muß sich alle Mühe geben, mit diesen Worten Christi ganz vertraut zu werden und so den Kampf aufnehmen zu können, wenn es soweit ist. Solange wir diese Worte Christi im Herzen tragen, dürfen wir an unserem Sieg nicht zweifeln. Mit den Worten: *damit ihr nicht Ärgernis nehmt,* sagt er, es bestehe keinerlei Gefahr, daß irgend etwas uns vom rechten Wege abbringen könne. Aber hier sieht man, wie wenige diese Lehre richtig aufnehmen. Die meisten glauben, sie im Gedächtnis zu haben, solange keine Gefahr droht. Wird es aber ernst, so versagen sie, als sei diese Lehre ihnen gänzlich unbekannt. So wollen denn wir diese Waffen anlegen, damit sie uns nie fehlen.

V. 2: *Sie werden euch in den Bann tun.* Es war kein geringes Ärgernis und mußte die Jünger sehr beunruhigen, daß sie wie Verbrecher ausgeschlossen werden sollten aus der Gemeinschaft der Frommen – oder wenigstens derer, die sich damit brüsteten, sie seien das Volk Gottes, und sich mit dem Ehrennamen „Gemeinde" schmückten. Nicht nur Verfolgungen, auch Schimpf und Schande sind die Gläubigen preisgegeben, wie Paulus (1. Kor. 4, 11) sagt. Trotzdem befiehlt Christus, auch diesem Spott gegenüber festzubleiben. Werden sie auch aus den Synagogen ausgeschlossen, so bleiben sie doch im Reiche Gottes. Wir dürfen uns also nicht von den verkehrten Urteilen der Menschen erschüttern lassen; tapfer sollen wir die Schande des Kreuzes Christi auf uns nehmen und uns damit begnügen, daß unsere Sache, die die Menschen zu Unrecht und fälschlich verurteilen, Gott wohlgefällig ist. Noch einen weiteren Schluß ziehen wir hieraus: die Diener des Evangeliums werden nicht nur von den erklärten Feinden des Glaubens schlecht behandelt; mitunter erleiden sie auch von denen größte Schmach, die Glieder, ja Säulen der Kirche zu sein scheinen. Schriftgelehrte und Priester, von denen die Apostel verurteilt wurden, rühmen sich, von Gott zu Richtern der Kirche eingesetzt zu sein. Und ohne Zweifel lag die ordnungsgemäße Leitung der Kirche in ihrer Hand, stammte das Richteramt von Gott, nicht von Menschen. Aber mit ihrer Gewaltherrschaft hatten sie die von Gott eingesetzte Ordnung verdorben. So kam es, daß die ihnen zum Zwecke der Erbauung überlassene Macht zu nichts anderem diente als zur maßlosen Unterdrückung der Knechte Gottes; daß die Ausstoßung, die ein Mittel zur Reinigung der Gemeinde hatte sein sollen, im Gegenteil dazu diente, die Frömmigkeit aus ihr zu vertreiben. [...]

Ja, es kommt die Stunde. Jetzt spricht Christus von einem weiteren Ärgernis. Voller Anmaßung fühlen die Feinde des Evangeliums sich im Recht und glauben, Gott heilige Opfer darzubringen, wenn sie die Gläubigen töten. Es ist schon hart genug, wenn Unschuldige grausam gequält werden. Viel bitterer ist es aber, wenn Unrecht, das Gottlose den Kindern Gottes zufügen, als gerechte Strafe gilt, die ihren Vergehen angemessen sein soll. Doch muß unser reines Gewissen uns so viel Schutz bieten, daß wir eine zeitweilige Bedrängnis geduldig ertragen, bis vom Himmel her Christus als Rächer unserer und seiner Sache erscheint. [...]

V. 3: *Und solches werden sie darum tun ...* Nicht ohne Ursache weist Christus die Apostel wiederholt darauf hin, daß die Ungläubigen nur aus einem einzigen Grunde gegen sie wüten: weil sie Gott nicht kennen. Dennoch sollen sie damit nicht entschuldigt werden, sondern die Apostel sollen ihre blinde Wut hochgemut verachten. Denn das Ansehen, das die Gottlosen genießen, und der Glanz, der von ihnen ausgeht, machen auf bescheidene und fromme Gemüter oft einen tiefen Eindruck. Dagegen befiehlt Christus den Seinen, sich mit heiligem Hochmut zu erheben und die Gegner zu verachten, deren Triebfedern nur Blindheit und Irrtum sind. Das ist unsere eherne Mauer: wenn wir fest davon überzeugt sind, Gott stehe auf unserer Seite, unsere Widersacher aber seien ohne alle Vernunft. Außerdem zeigen die Worte uns, welch ein schwerwiegendes Übel mangelnde Erkenntnis Gottes ist, die selbst Mörder noch Ruhm und Beifall für ihr Verbrechen heischen läßt.

V. 4: *Aber solches habe ich zu euch geredet ...* Er wiederholt, was er schon gesagt hatte: seine Worte seien keine wesenlose Philosophie; sie müßten auf das wirkliche Leben angewandt werden. Er rede jetzt darüber, damit sie durch ihr Verhalten zeigen könnten, sie seien nicht vergeblich von ihm belehrt. Mit den Worten: *damit ihr daran gedenket* gebietet er ihnen erst einmal, das Gehörte sich unauslöschlich einzuprägen, dann im Notfall sich daran zu erinnern. Schließlich weist er auf die Bedeutung der Tatsache hin, daß er Weissagungen über künftige Geschehnisse vortrage.

Habe ich euch von Anfang nicht gesagt ... Da die Apostel noch ohne Kraft und Widerstandsfähigkeit waren, solange Christus im Fleisch bei ihnen weilte, schonte er sie als der beste und nachsichtigste Meister und ließ sie nicht über ihre Kräfte bedrängen. Deshalb hatten sie in jener Zeit Ermutigung nicht besonders nötig, weil ihnen ein ruhiges, von Verfolgungen freies Dasein gewährt wurde. Jetzt erklärt er ihnen, ihre Lage müsse sich ändern, und da ein neues Los sie erwartet, fordert er sie gleichzeitig auf, sich zum Kampf bereit zu machen.

Joh. 16,5–15: Abschiedsreden

LUTHER

WATR 3,267, Nr. 3322b: Frühjahr 1533, Konrad Cordatus
WA 46,371–379: Predigt am Sonntag Kantate, 19.5.1538
WA 17 I, 243–247: Predigt am gleichen Sonntag, 14.5.1525

V. 9: 46,371,6: Zum ersten: ‚Er wird die Welt strafen um die Sünde‘, und er deutet, was für eine Sünde das ist: der Unglaube ist die Sünde ganz und gar miteinander. Ist diese Sünde abgetan, (sind die andern Sünden nichts). Sie ist das Haupt aller Sünden.

17 I, 244,28: Der Unglaube gegen mich macht die Welt sündig. Ist denn Hurerei und Totschlag keine Sünde? Freilich sind sie's; aber die straft die Welt. Dazu ist der Heilige Geist nicht nötig. Sie sind Früchte und Werke des Hauptstücks, um deswillen der Heilige Geist (die Welt) straft. Wenn es so ist, daß ich dem Herrn Christus nicht traue, bin ich zu allem geneigt. So überführt also der Heilige Geist mit diesen Worten die ganze Welt und verklagt uns vor dem Richterstuhl Gottes, auch die, die so aussehen, als seien sie die Allerheiligsten, und findet in ihnen die allergrößte Sünde, nämlich den Unglauben. Er übersieht alle andern Sünden und hat nur dies eine im Sinn, daß er diese eine Sünde bessere; dann gibt es auch eine Besserung für alle anderen Sünden. Solange der Unglaube da ist, ist der Heilige Geist Gottes nicht da; also ist der böse Geist da, wo sicherlich nichts Gutes geschehen kann.

V. 10: 17 I, 245,15; ‚(Um die) Gerechtigkeit.‘ Eine wunderliche Gerechtigkeit, (genauso wunderlich) wie die Sünde. Daß unsere Gerechtigkeit von solcher Art ist, daß Christus zum Vater gegangen ist und wir ihn nicht sehen, sondern glauben sollen, daß es wahr ist, wenn er gesagt hat, er sei zum Vater

gegangen. Wer sieht, braucht nicht zu glauben. Das Hauptstück der Gerechtigkeit ist, daß ich glaube, daß Christus zum Vater gegangen ist, obwohl ich
es nicht sehe. Dann kommt ein anderes Licht in dein Herz, wo dies gepredigt
wird und ich (es) glaube. Ich will es nicht berühren und fühlen, (daß) ich
gerecht bin. Der Übergang (Hingang) ist, daß er gestorben und auferstanden
ist, zur Rechten (des Vaters sitzt) und ein Herr über alle Dinge ist. Man sieht
ihn nicht, dennoch glauben wir, daß es so (ist, wie es) gepredigt wird. Und
wer glaubt, ist vor Gott schon gerecht und empfängt durch dieses Wort den
Heiligen Geist. Das ist die Rechtschaffenheit des Christen: Jesus Christus,
gestorben und auferstanden, sitzt zur Rechten des Vaters als ein Herr über
alles – das ist unsere Gerechtigkeit. Die Welt zieht sie herunter in unsere Tat
und Werk. Sie gibt einem jeglichen, was sein ist, aber das bedeutet vor Gott
nichts. Vor ihm ist man gerecht nur dadurch, daß er (Christus) zum Vater
gegangen ist, d.h. daß er gestorben ist. Also ist meine Gerechtigkeit nicht auf
der Erde, sondern verborgen im Glauben. Darum sprich: Meine Gerechtigkeit
sitzt zur Rechten des Vaters, weil Christus mein ist, der gestorben ist. Dieser
ist mein Trost. Ich habe kein anderes Werk, keine andere Frömmigkeit. (Allein)
durch diesen Christus (bin ich gerecht). Wer (ihn) nicht erkennt, bleibt ohne
Gerechtigkeit.

V.11: WATR 3,267,29: Dies dritte Stück (der Heilige Geist wird die Welt
strafen um das Gericht) muß man auf die beiden vorangehenden (Sätze)
beziehen. Denn wenn der Heilige Geist die Welt über jene unerkannte Sünde
straft und alle Gerechtigkeit verwirft, sie sei denn die Gerechtigkeit Christi,
dann erhebt sich die Welt mit aller ihrer Weisheit, Macht, Heiligkeit und
ihrem Richten dagegen und will nicht, daß dies Sünde sei, will nicht, daß ihre
eigene Gerechtigkeit verdammt und Christus gepriesen werde. Dann kommt
das Evangelium und der Heilige Geist, strafen die Welt dafür und verwerfen
all ihr Richten. Darum sagt der Herr: ‚Der Fürst dieser Welt ist schon gerichtet.‘

ZWINGLI

S 6,1.682–766: Annotationes in Evangelium Joannis, 1528
Z II 1–457: Auslegen und Gründe der Schlußreden, 14.7.1523

V.8: S 6,1.758–759: Die Stelle ist dunkel und von den Auslegern auch schon
unterschiedlich dargestellt worden. Ich übersetze ‚elenchein‘ hier mit ‚offenbar machen‘, ‚beweisen‘ oder ‚mit Beweismitteln überführen‘. Der Heilige
Geist macht nicht nur den Juden, sondern den Menschen der ganzen Welt
offenkundig, was Sünde, was Gerechtigkeit, was Gericht und was Strafe sei.

V. 9: S 6, 1.759: In bezug auf die Sünde: Wie die Propheten seinerzeit dem jüdischen Volk dessen Frevel vorwarfen und sie zur Umkehr ermahnten, ansonsten sie zugrunde gingen, ebenso werdet auch ihr es überall auf der Welt tun: Ihr werdet offen aussprechen und ans Licht bringen, was Sünde ist. [...] Überall, wo Sünde aufgezeigt und Anklage dagegen erhoben wird, da redet Gott durch seinen Geist.

V. 10: S 6, 1.759: In bezug auf die Gerechtigkeit: Ich lege es so aus: Er (der Geist) beschuldigt (die Welt), daß sie weder Gerechtigkeit hat noch Gerechtigkeit will.

V. 11: S 6, 1.759–760: In bezug auf das Gericht: Daß der Teufel als Fürst dieser Welt verdammt und besiegt und das Böse verurteilt ist, das macht der Heilige Geist offenkundig durch die Verkündigung der Apostel. [...] Denn Gott sandte seinen eingeborenen Sohn in die Welt, daß er zu sich rufe, und daß er denen, die an ihn glauben, das Leben gebe. Die Menschen aber wollten lieber dem Teufel Gehör schenken. Darum ‚ist das das Gericht, daß das Licht in die Welt gekommen ist, die Menschen jedoch es vorzogen, in der Finsternis zu bleiben‘ (Joh. 3, 18–19).

V. 12: Z II 100, 30–101, 1: Bis die Jünger den Geist Gottes empfingen, waren sie stets schwer von Begriff. Noch unverständiger, als sie es sonst waren, sind sie es in dem Moment, als ihnen Christus im Anschluß an das Nachtmahl ... schwer zu fassende Dinge für die Zukunft voraussagte. Das verängstigte sie. Weil sie also unglücklich und betrübt waren, spricht er: ‚Ihr könnt im jetzigen Zeitpunkt das, was ich euch noch sagen will, nicht begreifen.‘

V. 13: Z II 23, 30–31: Alle Wahrheit kommt von Gottes Geist. Was anderswoher kommt, ist nicht wahr.

CALVIN

CO 47, 357–364

V. 5: *Nun aber gehe ich zu dem ...* Mit dem wirksamsten Trost lindert er den Schmerz, den sein Hinscheiden ihnen verursachen konnte. Das war nur zu notwendig; waren sie bis dahin geschont worden, so wurden sie für die Zukunft zu den schwersten Kämpfen aufgerufen. Was wäre also geschehen, wenn sie nicht gewußt hätten, Christus trete im Himmel für sie ein? *Zum Vater gehen* heißt nichts anderes, als in die himmlische Herrlichkeit aufgenommen werden, um der höchsten Macht teilhaftig zu sein. Das ist es daher, was ihnen als Balsam und Trost für ihre Traurigkeit vorgehalten wird: Christus wird zwar dem Leibe nach abwesend sein, dafür aber zur Rechten des Vaters sitzen, um den Gläubigen mit starker Hand seinen Schutz zu bieten. Außerdem rügt er hier zweierlei an den Aposteln: einmal hätten sie sich zu sehr an seine sichtbare, fleichliche Gegenwart gewöhnt; dann hätten sie, als er nicht mehr in menschlicher Gestalt bei ihnen war, von Kummer niedergedrückt, den Blick nicht mehr in die Höhe gerichtet. [...]

V. 7: *Aber ich sage euch die Wahrheit.* Er versichert, sie hätten von seiner Abwesenheit Nutzen. Damit will er sie von ihrem Wunsch, ihn persönlich vor Augen zu haben, abbringen. [...] Der Nutzen, von dem er spricht, besteht darin: nur dann sollten sie mit dem Heiligen Geist beschenkt werden, wenn er die Welt verließe. Viel nutzbringender und begehrenswerter ist aber die Form der Gegenwart Christi, in der er sich durch die Gnade und Kraft seines Geistes darbietet, als wenn wir ihn vor Augen hätten. Man werfe nun nicht die Frage auf, ob Christus den Geist nicht habe vom Himmel herabrufen können, als er noch auf Erden lebte. Christus nimmt ja alles als unabänderlich hin, was der Vater beschlossen hat. Hat nun Gott einmal erkennen lassen, was er will, so ist es sicher töricht und schädlich, über andere Möglichkeiten zu streiten.

V. 8: *Und wenn derselbe kommt.* Ich übergehe die Vielzahl der Erklärungen, die aus der Dunkelheit dieser Stelle entsprungen sind, und will nur das ausführen, was mir die eigentliche Meinung Christi zu sein scheint. Er hatte den Jüngern seinen Geist versprochen; nun hebt er den Wert dieser Gabe hervor, indem er auf seine Wirkung hinweist. Denn dieser Geist wird nicht nur sie, die Jünger, erhalten und stützen, dazu ihnen Schutz gewähren; er wird seine Kraft und Wirksamkeit auch in einem viel weiteren Bereich sichtbar werden lassen. Er wird *die Welt anklagen,* sagt Christus, das heißt, er wird nicht auf euch beschränkt bleiben; seine Macht wird von euch ausgehen und in die ganze Welt vordringen. Er verheißt ihnen also den Geist, der die Welt richten und ihre Predigt so lebendig und wirksam machen wird, daß sie die in Ordnung bringt, die vorher in zügelloser Willkür lebten und keinerlei Furcht und Achtung kannten. Doch sei betont: Christus spricht hier nicht von geheimen Offenbarungen, sondern von der Kraft des Geistes, die äußerlich in der Lehre des Evangeliums in Worten aus Menschenmund sich zu erkennen gibt. Denn wie kommt es, daß Worte aus Menschenmund ins Herz dringen, dort Wurzel schlagen und schließlich fruchten, indem sie steinerne Herzen fleischern machen und die Menschen selbst erneuern? Das geschieht doch nur darum, weil der Geist Christi diese Worte lebendig macht. Sonst wären sie toter Buchstabe und leerer Schall, wie Paulus (2. Kor. 3,6) trefflich erklärt. Er rühmt sich, Diener des Geistes zu sein, weil in seiner Lehre Gott mit Macht wirksam war. Der Sinn ist: die Apostel haben den Geist zum Geschenk erhalten, sie waren mit himmlischer und göttlicher Kraft ausgerüstet worden, durch die sie in der ganzen Welt Recht sprachen. Übrigens gilt das eher vom Geist als von ihnen selbst: sie werden keinerlei eigene Macht haben; nur Diener und Werkzeuge werden sie sein; allein der Geist wird sie leiten. Im Begriff *Welt* sind, meine ich, nicht nur die zusammengefaßt, die wirklich zu Christus bekehrt werden sollten, sondern auch die Heuchler und Verworfenen. Auf zweierlei Art tut ja der Geist in der Predigt des Evangeliums den Menschen die Augen auf: die einen fühlen sich ernstlich betroffen, so daß sie sich selbst demütigen, von selbst ihrem Verdammungsurteil zustimmen. Andere werden zwar auch ihrer Schuld überführt und können sie nicht abstreiten; aber sie lassen nicht ab von ihrem alten Sinn und unterwerfen sich nicht auf Gnade oder Ungnade dem Heiligen Geist, vielmehr toben sie innerlich, obwohl überwunden, und verharren in ihrem Trotz, obgleich sie besiegt sind. Nun wissen wir, weshalb der Geist die Welt durch die Apostel anklagen mußte: weil Gott sein Urteil im Evangelium offenbart hat. Damit nämlich werden die Gewissen erschüttert und fangen an, ihre Sünden und Gottes Gnade zu empfinden. Zum Verständnis dieser Stelle trägt nicht wenig bei, was sich 1. Kor. 14,24 findet. Dort sagt Paulus: Wenn alle weissagen und ein Ungläubiger und Uneingeweihter kommt herein, so wird er von allen ins Gericht genommen, und ihm wird das Urteil gesprochen, und so werden die Geheimnisse seines Herzens offenbar. Paulus spricht dort eigentlich nur von der einen Art der Anklage, in der der Herr seine Erwählten durchs Evangelium zur Buße führt. Doch wird hieraus ganz deutlich, wie Gottes Geist durch den Klang der menschlichen Stimme Menschen, die vordem nicht an sein Joch gewöhnt waren, zur Anerkennung seiner Herrschaft und zur Unterwerfung zwingt.

V. 9: *Über die Sünde.* Nun müssen wir noch sehen, was es heißt: wegen der Sünde *die Augen öffnen.* Anscheinend stellt Christus hier den Unglauben als einzige Ursache der Sünde hin, und diese Worte werden sehr unterschiedlich ausgelegt. Aber ich will, wie oben gesagt, nicht die Lehren oder Meinungen jedes einzelnen wiedergeben. Als erstes sei betont: das Gericht des Geistes hebt an mit dem Nachweis der Sünde. Der erste Satz der geistlichen Lehre ist nämlich: die Menschen werden in Sünde geboren und können nicht anders als sündigen. Weiter spricht Christus von Unglauben, um zu zeigen, wie die menschliche Natur an sich beschaffen ist. Weil das Band, durch das er sich mit uns vereint, der Glaube ist, sind wir von ihm getrennt, solange wir nicht an ihn glauben. Diese Worte bedeuten also ebensoviel, als hätte er gesagt: Wenn der Geist kommt, wird er euch zeigen: dort, wo ich nicht bin, herrscht die Sünde in der Welt. Daher wird der Unglaube hier erwähnt, weil er uns von Christus trennt; so bewirkt er, daß uns nichts als Sünde bleibt. Mit diesen Worten werden also Verdorbenheit und Verkehrtheit der menschlichen Natur verurteilt. Wir sollen nicht meinen, ohne Christus sei auch nur ein Fünkchen des Guten in uns.

V. 10: *Über die Gerechtigkeit ...* Die von Christus gewählte Stufenfolge muß man beibehalten. Jetzt sagt er, die Welt müsse wegen der Gerechtigkeit angeklagt werden. Nach der Gerechtigkeit nämlich werden die Menschen nicht hungern und dürsten, vielmehr alles, was man von ihr sagen wird, voller Hochmut verschmähen, wenn sie nicht den lastenden Druck ihrer Sünde verspüren. Vor allem die Gläubigen werden im Evangelium sicherlich nicht vorwärtskommen können, wenn sie sich nicht zuerst gedemütigt haben. Das ist aber nur möglich, wenn man seine Sünde erkennt. Das Gesetz hat die Aufgabe, das Gewissen vor Gottes Gericht zu laden und durch Schrecken zu verwunden; rechte Predigt des Evangeliums aber hat unausbleiblich zur Folge, daß es von der Sünde zur Gerechtigkeit, vom Tod ins Leben führt. Deshalb muß man jene erste Anklage, von der Christus sprach, zum Gesetz in Beziehung bringen. Übrigens verstehe man hier unter Gerechtigkeit diejenige, die uns durch Christi Gnade zuteil wird. Christus hat sie mit seiner Auffahrt zum Vater gewirkt, und das nicht ohne Grund. Denn wie er nach dem Zeugnis des Paulus (Röm. 4,25) auferstanden ist um unserer Rechtfertigung willen, so sitzt er nun zur Rechten des Vaters, um die ganze ihm gegebene Macht auszuüben und so alles zu erfüllen. So erfüllt er aus seiner himmlischen Herrlichkeit heraus die Welt mit dem Duft seiner Gerechtigkeit. Der Geist aber verkündet durch das Evangelium, allein so würden wir als gerecht angesehen. Ist deshalb die Welt der Sünde überführt, so ist dies der zweite Schritt: der Geist überzeugt die Welt davon, welches die wahre Gerechtigkeit ist. Christus hat ja durch seine Himmelfahrt ein Reich des Lebens aufgerichtet und sitzt nun zur Rechten des Vaters, um der wahren Gerechtigkeit Festigkeit und Stärke zu geben.

V. 11: *Über das Gericht ...* Denen, die *Gericht* als Verurteilung verstehen, kann man Scharfsinn nicht absprechen. Denn bald darauf sagt Christus, *der Fürst dieser Welt* sei gerichtet. Trotzdem scheint mir ein anderer Sinn besser zu passen: indem der Geist das Licht des Evangeliums angezündet hat, macht er klar: die Welt hat die rechte Ordnung durch den Sieg Christi erhalten, mit dem er das Reich des Satans niederwarf. [...] Der Sinn ist also: solange Satan an der Macht ist, verwirrt er alles, so daß die Werke Gottes ein unbeschreibliches Durcheinander bilden. Sobald ihn aber Christus seiner Gewaltherrschaft entkleidet, ist die Welt wie neu und erstrahlt im Glanz einer wohlgefügten Ordnung. So öffnet der Geist der Welt die Augen über das Gericht: nämlich daß Christus den Fürsten der Ungerechtigkeit bezwungen hat und alles, was vorher völliger Zerstörung anheimgefallen war, wieder in Ordnung bringt.

V. 12: *Ich habe euch noch viel zu sagen.* Christi Worte vermochten bei seinen Jüngern nicht allzuviel auszurichten: ihre mangelnde Einsicht mußte ihnen noch für vieles das Verständnis verschließen. Ja, sie hatten nur einen leichten Vorgeschmack von dem, was sie von Grund auf hätte neu machen müssen, wäre die Schwäche des Fleisches dem nicht entgegen gewesen. Sie mußten also unweigerlich ein Bewußtsein dafür haben, was ihnen fehlte, und darüber Furcht und Angst empfinden. Christus aber tritt ihnen entgegen mit dem Trost, sie sollten den Geist empfangen und wären dann neue, ganz andere Menschen. Er behauptet daher zwar, wenn er ihnen mehr und tiefere Geheimnisse mitteile, könnten sie die Kunde davon doch nicht ertragen; aber er will sie damit nur dazu antreiben, auf bessere Einsicht zu hoffen und nicht zu verzweifeln. Denn sie durften die Gnade, mit der sie beschenkt werden sollten, nicht danach einschätzen, was sie gegenwärtig davon merkten. Noch waren sie nämlich dem Himmel sehr fern. Er heißt sie also guten Mutes und tapfer sein, so schwach sie auch im Augenblick noch waren. [...]

Übrigens hat, damit kein Zweifel bestehen bleibe, Christus selbst mit eigenen Worten dargelegt, was denn das sei, was die Apostel noch nicht tragen konnten. *Was zukünftig ist, wird er euch verkündigen,* sagt er. Zwar schränken einige den Sinn dieser Worte so ein, daß sie nur den Geist der Weissagung betreffen. Doch meiner Ansicht nach bezeichnet Christus damit vielmehr den künftigen Zustand seines geistlichen Reiches, wie ihn die Apostel bald nach der Auferstehung zwar sahen, aber damals überhaupt nicht begreifen konnten. Er verheißt ihnen also keine Weissagung über Ereignisse nach ihrem Tod: er macht ihnen nur deutlich, sein Reich werde von anderer Art und dessen Herrlichkeit bei weitem erhabener sein, als ihnen jetzt erkennbar sei. Die Schätze dieser verborgenen Weisheit, die durch die Kirche auch die Engel des Himmels voller Bewunderung kennenlernen (Eph. 3, 10), entfaltet Paulus im Epheserbrief vom ersten Kapitel bis zum Ende des vierten. Es gibt demnach nichts, wonach wir in den Archiven und Kanzleien des Papstes suchen müßten.

Denn er wird nicht aus sich selber reden. Das ist eine Bekräftigung der Worte: *der wird euch in alle Wahrheit leiten.* Wir wissen, daß Gott die Quelle der Wahrheit ist und daß außer ihm keinerlei feste Gewißheit zu finden ist. Damit die Apostel darum den Worten des Geistes vollen und festen Glauben schenken, verkündet Christus, diese seien aus Gott: als sage er, was immer der Geist rede, komme von Gott selber her. Trotzdem mindern diese Worte nicht die Würde des Geistes, als sei er nicht Gott oder weniger als der Vater, sondern sie passen sich dem Fassungsvermögen unseres Geistes an. [...] Christus wollte also sagen, die Lehre des Geistes sei nicht von dieser Welt und gleichsam ein Luftgebilde, sondern gehe aus dem himmlischen Allerheiligsten hervor.

V. 14: *Derselbe wird mich verherrlichen.* Nun sagt Christus, es werde kein Geist kommen, der irgendein neues Reich aufrichte, sondern ein solcher, der der Herrlichkeit, die Christus vom Vater gegeben ist, Bestand verleihe. Denn viele bilden sich ein, Christus habe seine Jünger nur die Grundbegriffe lehren wollen, um sie später in eine bessere Schule zu tun. Damit messen sie dem Evangelium keine größere Bedeutung bei als dem Gesetz, das Gal. 3,24 als Erzieher des alten Volkes bezeichnet ist. [...] Es war daher falsch, daß sich die Welt unter Vorwand des Geistes derartig in den Bann schlagen ließ, daß sie von der einfachen und reinen Lehre Christi abwich. Sobald man nämlich den Geist von Christi Worten trennt, ist allen Verfälschungen der Lehre, mögen sie noch so ungereimt sein, Tor und Tür geöffnet. Ähnlich haben in unserem Jahrhundert viele Schwärmer die Menschen zu täuschen versucht. Die geschriebene Lehre erschien ihnen als tötender Buchstabe. Sie beschlossen daher, eine neue, aus Offenbarungen bestehende Theologie auszuarbeiten. Nun sehen wir, wie notwendig Christi Ermahnung war, er müsse durch den Geist, den er schicken wollte, verherrlicht werden. Er wollte uns ja wissen lassen, der Geist habe keine andere Aufgabe, als Christi Herrschaft zu festigen und alles, was diesem vom Vater gegeben wurde, für immer feierlich zu bekräftigen. Welchen Sinn hat also die Lehre des Geistes? Sie soll uns nicht aus der Schule Christi nehmen, sondern vielmehr jener Stimme Nachdruck verleihen, die uns befiehlt, Christus selbst zu hören: Sonst würde er ja die Herrlichkeit Christi herabsetzen.

Nun wird der Grund angegeben: *Von dem Meinen wird er's nehmen,* sagt Christus. Durch diese Worte gibt er zu verstehen, wir empfingen den Geist zu dem Zwecke, Christi Wohltaten zu genießen. Denn was bringt er uns? Daß wir durch Christi Blut rein werden, daß durch seinen Tod die Sünde in uns getilgt wird, daß seine Auferstehung dazu dient, unser Leben zu erneuern, schließlich daß wir an seinen Gütern teilhaben. Also bringt der Geist uns nichts, was nicht von Christus käme; vielmehr nimmt er etwas von Christus, um es dann uns zuzuwenden. Ebenso ist es mit der Lehre: sie erleuchtet uns nicht dazu, um uns auch nur einen Schritt von Christus wegzuführen, sondern um zu erfüllen, was Paulus (1. Kor. 1,30) sagt: Christus ist uns zur Weisheit gemacht. Ebenso macht er uns die Schätze zugänglich, die in Christus verborgen sind. Nur mit Christi Schätzen also macht der Geist uns reich, um mit allem immer nur Christi Herrlichkeit in hellem Licht erstrahlen zu lassen.

V. 15: *Alles, was der Vater hat, das ist mein.* Es konnte so scheinen, als raube Christus dem Vater, was er für sich in Anspruch nahm. Deshalb behauptet er, alles vom Vater zu haben, was er durch den Geist uns zuteil werden läßt. Außerdem redet er als Mittler, wenn er behauptet, alles, was dem Vater gehöre, sei sein: aus seiner Quelle müssen wir schöpfen. Immer nimmt er, wie gesagt, auf uns Rücksicht. Doch sehen wir, wie die meisten Menschen in die Irre gehen: sie gehen an Christus vorbei und suchen Gott auf weiten Umwegen. Andere legen es so aus: was dem Vater gehöre, sei auch des Sohnes Eigentum, insofern er derselbe Gott sei. Aber hier spricht er nicht so sehr von einer verborgenen und sozusagen inneren Macht, sondern über seine Aufgabe an uns, die ihm auferlegt ist. Schließlich redet er von seinen Schätzen deshalb, um uns einzuladen, sie zu genießen, und zählt unter die Gaben, die wir durch seine Hand vom Vater empfangen, den Geist.

Joh. 16,16–23: Abschiedsreden

LUTHER

WA 17 I, 193–195, Predigt am Sonntag Jubilate, 7.5.1525
WA 41,573–578, Predigt am gleichen Sonntag in der Schloßkirche, 7.5.1536
WA 49,255–268, Predigt in der Woche nach Jubilate, nach 30.4.1542

V.16: 17 I, 193,2: ‚Über ein kleines.' In diesem Evangelium hat Christus uns das christliche Leben abgemalt, wie (es) geht und wie es gestaltet sein soll. Er sagt, es bestehe darin, daß man ihn nur eine Weile sehen wird, weil er zum Vater gehen wird, und daraus folgt, daß sie betrübt werden und wiederum getröstet werden mit beständigem Trost. Er fügt noch das Beispiel der Frau in Kindesnöten hinzu. So geht es mit Mutter und Kind zu: Sie sind beide in Todesgefahr. Darauf folgt beständige Freude, wenn das Kind lebt. Das Hauptstück des christlichen Lebens ist Christus selbst. Auf ihn werden alle Christen erbaut.

V.17: 41,574,8: Oft hat er bei Tisch gesagt: ‚Ich bin in die Welt gekommen.' Vom Vater und zum Vater. Der Hingang (transitus) besteht darin, daß er aus diesem sterblichen Leben durch den Tod zum ewigen Leben geht. Diesen Hingang sehen wir nicht, und die Brücke sieht man auch nicht. Den Gänger hat man gesehen, aber wie er ging und kam von diesem Leben ins ewige Leben, sieht man nicht. So zerstört er das körperliche Leben und kommt ins ewige und ist unsterblich. Dieses ist nicht durch einen Sprung gen Himmel, sondern durch Mord und schändlichen Tod und Sprung in die Hölle (geschehen).

V.20: 49,262,9: Summa: Ihr sollt das Geheimnis recht verstehen lernen, weil ihr mich nicht ausstudieren werdet, denn das Werk (Gottes) ist zu groß, daß der Sohn Gottes für eure Sünden stirbt und auferstanden ist und hebt euch gen Himmel. Darum muß (ich euch) verloren werden, daß nicht euer Herz in lauter Sprüngen geht. Darum müßt ihr Traurigkeit haben, nicht nur äußerliche, sondern auch innerliche, und es soll heißen ‚ein kleines‘, und daher sage ich es euch vorher: Ihr müßt angefochten werden äußerlich und innerlich an Leib und Seele, aber wenn das Stündlein kommt, daß ihr nichts haben werdet, worauf ihr euch stützen könnt, weil ihr mich verloren habt, so haltet doch mein Wort und denkt daran, daß ich euch zuvor gesagt habe: es ist um kleines zu tun.

V. 21: 41,576,32: Darum ist dies die Weise Gottes, daß er nur durch den Tod zum Leben helfen will, (denn durch die natürliche Geburt) will er zu einem sterblichen Leben helfen. So ist die Geburt auf der Seite der Frau ein Gang aus dem Tode zum Leben. Und er ist nicht zufrieden damit, daß die ganze Welt voll Exempel dieser Lehre ist. [...]

V. 22: 41,577,17: Auf dieses Beispiel sollen wir schauen und den wunderbaren Übergang (Hingang) und das Werk. Diese Freundlichkeit hat (Christus) mit ihnen gehabt, sie zu stärken gegen den Tod, den sie nicht überwinden konnten ... Wenn wir mit ihm gestorben sind, so sind wir auch mit ihm (von neuem) geboren. Wie er selbst auferstanden ist und reißt aus dem Tode, so reißt er uns aus der Traurigkeit und gibt den Heiligen Geist, (macht uns) also keck. So habt ihr nun Traurigkeit, aber ich will euch wiedersehen, und dann wird sich euer Herz freuen, und dann wird keine Traurigkeit mehr sein, und ihr werdet all der Traurigkeit vergessen und (euch) ewig mit mir freuen. Das heißt die Freude, die die Christen haben, die anderen nicht. Ein wunderliches Leben, welches bedeutet, aus dem Tode ins Leben zu gehen. Viele sind es, die auf dem Bett (am Leben) verzweifeln, und doch (kamen sie) aus dem Tode ins Leben. Daher ist es vor Gott eine einfache Sache, daß er einen Menschen aus dem Tode (ins Leben ruft). Uns ist's schrecklich, und uns bricht der Schweiß aus. Daher spricht er: ‚Erschrecket nicht!‘ es ist nicht der Tod, sondern der Eingang zum Leben.

V. 23: ‚An jenem Tage werdet ihr mich nichts fragen‘, was das heißt ‚über ein kleines‘, sondern ihr werdet es selbst wissen. Wer in diese Schule (geht), weiß und kennt große Anfechtung, Traurigkeit und Schwermut, und kommt er heraus, so weiß er es. Ich war eine kleine Zeit traurig. Es ist vorübergegangen, und nun bin ich fröhlich. Sie selbst sind fröhlich, wenn sie ihn sehen und sagen: War das das Kleine? Zu solchen Menschen will ich euch machen, daß ihr nicht allein dieses ‚Kleine‘, sondern alles versteht und mich nichts mehr fragen werdet. Wer diesen Übergang (Hingang), den Christus offenbart, (begreift) und weiß, daß er aus dem Tode ins Leben und zum Vater geht. Das ist die wahre christliche Weisheit, nämlich, daß (wir) aus dem Tode durch Christus ins ewige Leben (kommen). Da hat man Christus, den Vater und den Heiligen Geist, Leben, Tod, Sünde, Gerechtigkeit und den Himmel erkannt.

CALVIN

CO 47, 364–367

V. 16: *Über ein kleines.* Mehr als einmal bereitete Christus die Apostel auf sein Abscheiden vor, damit sie bei seinem Tode größere Tapferkeit zeigen, aber auch inständiger um die Gnade des Geistes bitten sollten. Denn danach trugen sie kein sonderliches Verlangen, solange sie Christus leiblich bei sich hatten. Hüten wir uns aber, Überdruß zu empfinden, wenn wir diesen Hinweis des öfteren lesen. Christus spricht ihn ja nicht ohne Grund so nachdrücklich aus. Erstens sagt er, bald werde er ihnen genommen werden. Damit ruft er sie dazu auf, in ihrer Entschlossenheit nicht wankend zu werden, auch wenn sie auf seinen Anblick verzichten müßten, der das einzige war, worauf sie sich verließen. An zweiter Stelle verheißt er ihnen für die Zeit seiner Abwesenheit die Hilfe; ja, er versichert, daß er ihnen wiedergegeben wird, nachdem er ihnen genommen wurde, allerdings in andrer Weise, nämlich durch die Gegenwart des Heiligen Geistes. Allerdings erklären andere Ausleger diesen zweiten Teil des Satzes anders: Ihr werdet mich sehen, wenn ich von den Toten auferstanden bin, aber nur für kurze Zeit; bald darauf werde ich in den Himmel aufgenommen werden. Doch scheint mir, die Worte: *über ein kleines, dann werdet ihr mich nicht sehen* können diesen Sinn nicht haben. Vielmehr lindert und mildert er mit diesen Trostworten ihren Schmerz über seine Abwesenheit durch die Versicherung, diese Abwesenheit währe nicht lange; er preist damit die Gnade des Geistes: durch sie sei er beständig bei ihnen. Er verheißt ihnen gleichsam, bald wiederzukommen und sie nur kurze Zeit seines Anblicks zu berauben. Er behauptet also, den Jüngern sichtbar zu sein, wenn der Geist in ihnen wohne. [...]

Ich gehe zum Vater. Andere geben folgende Auslegung: Christus könne von den Jüngern nicht mehr gesehen werden, weil er im Himmel sei, sie aber auf Erden verweilten. Ich beziehe die in Frage stehenden Worte lieber auf den zweiten Teil des vorangehenden Satzes, also: Ihr werdet mich bald sehen; mein Tod ist ja kein Untergang, der mich von euch trennt, sondern Übergang zur himmlischen Herrlichkeit, von wo meine göttliche Kraft sich bis zu euch ausbreiten wird. Er wollte sie deshalb, meine ich, über das Los belehren, das ihn nach seinem Tode erwarte. Dieses Wissen sollte sie veranlassen, sich mit seiner geistlichen Gegenwart zu bescheiden und nicht zu meinen, es entgehe ihnen etwas, wenn er nicht mehr wie ein Sterblicher mit ihnen umgehe. [...]

V. 20: *Ihr werdet weinen und heulen.* Er verdeutlicht, warum er die Nähe seines Hinscheidens vorhergesagt und gleichzeitig seine baldige Wiederkehr verheißen habe: sie sollten besser darüber Bescheid wissen, wie notwendig die Hilfe sei, die der Geist ihnen bringe. Er sagt: Harte und gefährliche Versuchung erwartet euch; sowie der Tod mich von euch genommen hat, wird die Welt ihren Sieg feiern. Ihr werdet tiefste Trauer empfinden; die Welt dagegen wird sich als glücklich und euch als unglücklich ansehen. So wollte ich euch mit den Waffen ausrüsten, die für diesen Kampf erforderlich sind. Von einer Zwischenzeit aber zwischen seinem Tod und der Sendung des Geistes redet er deshalb, weil ihr Glaube sich da im Zustand einer gewissen Niedergeschlagenheit befand.

Eure Traurigkeit soll in Freude verkehrt werden. Er meint die Freude, die ihnen mit dem Empfang des Geistes zuteil wurde. Nicht als seien sie später nicht traurig gewesen; aber die geistliche Freude verschlang alle Trauer, die sie ertragen mußten. Wie wir wissen, kämpften die Apostel zeit ihres Lebens einen schweren Kampf, mußten empörende Beschimpfungen hinnehmen und hatten vielerlei Ursache zur Trauer. Aber durch den Geist erneuert, hatten sie das Gefühl der Schwäche verloren, das sie früher beherrschte, so daß sie in heldenhafter Größe alles Leid bestanden, das sie traf. So wird hier also ihre augenblickliche Schwäche mit der Kraft des Geistes verglichen, die ihnen bald geschenkt werden sollte. Im Augenblick wurden sie ja von Kummer fast erdrückt; später jedoch kämpften sie nicht nur eifrig, sondern feierten gar mitten im Kampf einen glänzenden Triumph. Zugleich aber ist festzuhalten: nicht nur die Zwischenzeit zwischen Christi Auferstehung und dem Tod der Apostel ist gemeint, nein, auch die später folgende. Christus sagt etwa: Für kurze Zeit werdet ihr gleichsam niedergestreckt am Boden liegen. Aber wenn der Geist euch aufrichtet, hebt eine neue Freude an. Diese wird in beständigem Fortschritt zunehmen, bis ihr, in die himmlische Herrlichkeit aufgenommen, ungetrübter Freude teilhaftig werdet.

V. 21: *Ein Weib, wenn sie gebiert.* Durch ein Gleichnis bekräftigt er den letzten Satz, ja, gibt er seine Meinung noch deutlicher zu verstehen. Ihre Trauer soll nämlich nicht nur in Freude verwandelt werden; sie trägt den Keim zu dieser Freude schon in sich. Wenn Glück dem Unglück folgt, vergessen die Leute oft den früheren Schmerz und geben sich ganz der Freude hin. Trotzdem ist der vorangehende Schmerz nicht die Ursache der Freude. Christus aber macht deutlich, die Trauer, die die Seinen um des Evangeliums willen erduldet haben, bleibe nicht ohne Frucht. Sicherlich kann es ein glückliches Ende aller Schmerzen nur geben, wenn sie in Christus gesegnet sind. Weil aber das Kreuz Christi seinen Sieg stets in sich trägt, stellt Christus den Schmerz, der von diesem Kreuz herrührt, mit Recht dem Schmerz der gebärenden Frauen gleich. Denn auch dieser wird durch seinen Lohn aufgewogen, wenn das zur Welt gebrachte Kind die Wöchnerin fröhlich macht. Das Gleichnis paßte aber nicht, wenn der Schmerz in den Gliedern Christi, die an seinem Leiden ja teilhaben, nicht Freude nach sich zöge. Der Geburtsschmerz der Frau ist ja auch die Ursache der Geburt. Noch ein anderer Zug des Gleichnisses ist zu berücksichtigen: der Schmerz der Frau ist zwar sehr heftig, vergeht aber schnell. Es war also kein kleiner Trost für die Jünger zu hören, ihr Schmerz solle nicht von langer Dauer sein. [...]

V. 22: *Und eure Freude wird niemand von euch nehmen.* Der Wert der Freude wird nicht wenig dadurch erhöht, daß sie nie aufhört. Alle Nöte, die nur einen Augenblick währen, sind ja infolgedessen unbedeutend und können mit Gleichmut ertragen werden. Ferner zeigt Christus mit diesen Worten, was eigentlich wahre *Freude* ist. Die Welt wird – das ist unvermeidlich – ihrer Freuden, die sie ausschließlich in irdischen Dingen sieht, schnell beraubt. So wollen wir zu Christi Auferstehung unsere Zuflucht nehmen, weil dort ewige, unvergängliche Freude zu finden ist. Daß er seine Jünger *wiedersehen* werde, ist so gemeint: die Gnade seines Geistes wird sie wieder besuchen, damit sie sich beständig seines Anblicks erfreuen können.

V. 23: *Und an demselben Tage* ... Christus hat also seinen Jüngern Freude verheißen, die aus unbezwinglicher Tapferkeit und Festigkeit erwächst. Nun verkündet er als zweite Gabe des Geistes, mit der sie beschenkt werden sollten, solche Fülle der Erkenntnis, daß sie bis zu himmlischen Geheimnissen vordringen würden. [...]

Joh. 16,23–33: Abschiedsreden

LUTHER

WA 28,43–479: Wochenpredigten über Joh. 16–20, 11.7.1528 und 1.8.1528
WA 34 I, 391–400, Predigt am Sonntag Vocem Jocunditatis, nachmittags, 14.5.1531

28,59,24: Summa: Eines Christenmenschen Gebet ist allmächtig. Also soll es dich locken, daß du gern betest. Nichts ist ihm unmöglich, weil der Text sagt ‚Alles, was (ihr den Vater bitten werdet)', nichts ist ausgenommen, sondern alles soll Ja sein.

V.23: 34 I, 395,13: Wer nicht betet, wird mit der Zeit den Glauben verlieren. Nächst dem Predigtamt ist das Gebet das größte Amt in der Christenheit. Im Predigtamt redet Gott mit uns, umgekehrt, im Gebet rede ich mit ihm.

34 I, 398, 13: Darum liebt er euch und spricht: weil du also den Namen (des Sohnes Gottes glaubst), spricht er: hebe an und bitte, und du wirst alles haben. (Christus ist es zuerst, der uns zum) Vater bringt, daß wir beten. Aber er geht nicht weg, wenn er mich vor den Vater gebracht hat und spricht (nicht): bete, du bedarfst (meiner) nicht mehr. So wie mein Glaube und meine Liebe in Christus bleiben, so auch (mein Gebet), daß ich durch ihn bete und zum Vater gehe.

V. 33: 28, 68, 1: Es ist ein über die Maßen schöner Text, desgleichen sich kaum im Evangelium (findet): Alles, was Christus hat, das schenkt er uns. Der Satan ist der Fürst dieser Welt. Er ist wider dich, und du und die ganze Welt (sind in seiner Macht). Aber das ist der Trost, daß du nicht in dir, sondern in mir Trost findest, daß du sagst: Auch wenn ich überwunden werde, so ist Christus dennoch nicht besiegt, nicht erschossen von den Geschossen (des Teufels), von der Pest. Wer das tun kann, der hat den rechten Griff. Es steht da, daß die Welt oben liegen und dennoch überwunden werden soll. So ist es mit Christus geschehen: Er ist am Kreuz gestorben und verachtet ist er unterlegen. Alle seine Lehre und Werk ist verloren, und er hängt als ein verfluchter Bösewicht (am Kreuz). Heißt das obgelegen? Und dennoch siegt er: Gerade darin, daß er in Nöten steckt, überwindet er. Und so spricht er ‚Seid getrost, ich (habe die Welt überwunden)‘. Das heißt, dann, wenn ihr Angst und Not erleidet, seht auf mich; so gewinnt ihr gewißlich und an anderer Stelle: ‚Ich lebe, und ihr sollt auch leben‘ d.h.: Trotz dem, was über euch geht, (es) soll euch nicht behalten, ihr sollt mit leben. So gibt er zu verstehen, daß der Tod kommen, uns fressen, (aber uns) nicht überwinden wird. Schreibe diese Worte mit goldenen Buchstaben in (dein) Herz, daß er uns heißt Frieden zu haben und guten Mutes zu sein, weil er (die Welt) überwunden hat. Da zieht er uns aus unseren Werken, Frieden, Trost und hängt uns an sich, damit wir sagen: obschon keine Zuflucht und der Friede dahin ist bei mir, so weiß ich den Trost bei Christus und will sagen: Solange Christus nicht stirbt, unterliegt und verzweifelt, solange will ich auch (nicht sterben und unterliegen). Und (das geschieht), weil er steht umwehrt. Das ist der christliche Glaube, der sich aus sich selber in Christus schwingen kann.

28, 69, 9: Das sind die letzten Worte des Herrn, damit er seinen Jüngern ein Valet gibt und uns allen, und wir haben keinen Trotz (gegen den Satan als diesen): Wenn du mir auch alles tust, du wirst Christus nichts tun. Ich will dir ein wenig aushalten, und endlich wirst du (sehen können), daß sein Sieg mein ist. (So) stecken Angst und Trost ineinander. Die Welt tröstet damit, daß sie das Böse aus dem Wege schafft. Christus aber nicht so, sondern er bekräftigt die Angst und legt sie (uns) auf, daß sie bleibt. Also soll jeder Christ fröhlich sein und sich durch diese Worte trösten lassen und Dank sagen, daß er diese Sprüche von Christus hat, daß er weiß, wie er sich hinhalten soll, daß er nicht vor Trübsal toll und ungeduldig wird, sondern sagt: es muß also gehen, wenn es dem Herzen nach übel geht, so geht es mir dennoch nach Christus wohl, welcher mich heißt auf seinen Sieg zu vertrauen: weil ich die Welt überwunden habe, daß also die Welt, die mich frißt ..., schon überwunden ist. Diese Worte gehören den armen elenden Christen, die wissen, daß sie in der Welt und in Angst leben und doch im Trost und im Siege ... Ich fühle, daß ich ein Sünder bin und sterbe, aber ich glaube, daß Christus es ist, der mich rechtfertigt, auch lebt. Also (brauche ich) keinen anderen Sieg, fahre hin, Welt!

ZWINGLI

S 6, 1. 682–966: Annotationes in Evangelium Joannis, 1528
Z V 453–547: Antwort über Straussens Büchlein, das Nachtmahl Christi betreffend, Januar 1527
Z VI/1 443–498: Die beiden Predigten Zwinglis in Bern, 19./30. I. 1528

V. 28: Z V 509,2–5: Christus hat gesagt: ,Ich werde die Welt verlassen‘, also wird er sie verlassen. Mit seiner Gnade und Gottheit jedoch kann er sie gar nicht verlassen; denn durch sie erhält und durchdringt er alle Dinge.

V. 31 f.: S 6,1.763: Jetzt führt ihr einen recht selbstsicheren Glauben im Munde, und bald werdet ihr auch erklären, wie fest ihr im Glauben steht – und doch werdet ihr euch davonmachen und mich allein zurücklassen. [...] Wenn die Dinge gut stehen, sind wir alle Christen. Bricht aber ein Unheil herein, bleiben wenige bei Christus.

V. 33: Z VI/I 496,9–27: Wir haben, (liebe Brüder), noch viele Widerspenstige unter uns, die Gottes Wort entweder gar nicht erst hören wollen oder es dann jedenfalls nicht annehmen wollen. Beiderlei Arten von Leuten werden auch euch viel zu schaffen machen. Denn erfahrungsgemäß sind sie nicht untätig, sondern verbreiten alle Tage neue Verunsicherungen und Drohungen. Ihr sollt sie aber nicht fürchten, wie Christus gesagt hat. Denn Christus hat die Welt überwunden. Wir werden noch sehen und erfahren, daß sie in seiner Gewalt steht, wenn nämlich er uns siegreich macht zu aller Zeit. Mißverstehen darf dies nun allerdings niemand in dem Sinn, als ob er nicht trotzdem jederzeit wachsam sein und mit Sorgfalt ans Werk gehen solle. Vielmehr heißt uns Christus allesamt wachsam zu sein (Mt. 24,42). Ja, ich will euch gerne vorausgesagt haben, daß ich meinerseits nicht daran zweifle, daß Gott auch euch solcher Art Gefahren aussetzen wird, damit ihr seht, mit welcher Kraft er euch hilft und euch behütet. Wenn die Gefahren also beginnen, so erschreckt nicht. Gott schickt sie allein zu eurer Bewährung und Stärkung, damit ihr, die ihr einzig und allein Gottes Ehre bekennt, auch seine verläßliche Hilfe um so besser erkennt. Führt er euch in Not, aus welcher heraus euch selbst zu helfen ihr euch nicht zutraut, Gott euch aber daraus hilft: erst dann seht ihr wirklich, daß alle Dinge von ihm abhängig sind und er dann ohne Zweifel euch hilft.

CALVIN

CO 47,368–374

V. 23: *Wenn ihr den Vater etwas bitten werdet.* Er erklärt, woher sie diese neuen Fähigkeiten erhalten sollen: sie werden aus Gott, dem Quell der Weisheit, soviel wie nötig in vollen Zügen schöpfen dürfen. Er sagt etwa: Ihr braucht nicht zu befürchten, daß ihr die Gabe der Erkenntnis entbehren müßt. Der Vater steht bereit, euch mit der ganzen Fülle seiner Güter reich zu machen, und zwar aufs freigebigste. Im übrigen will er damit sagen: Der Geist wird nicht dazu verheißen, daß die, denen er zugesagt ist, ihn untätig und sozusagen im tiefen Schlaf erwarten. Vielmehr sollen sie eifrig um die Gnade bitten, die ihnen angeboten wird. Er verkündet also, wie er als Mittler wirken wird; freigebig wird er vom Vater für sie alles erlangen, worum sie bitten, und mehr als das. [...]

V. 25: Der entsprechende hebräische Ausdruck bedeutet mitunter ‚Sprichwort‘. Da aber in Sprichwörtern die Worte meistens im übertragenen Sinne gebraucht werden, bezeichnen die Hebräer auch ‚Rätsel‘ und bedeutungsschwere Sätze mit diesem Wort. Der Sinn ist also: Jetzt rede ich, wie es scheint, in bildlichen Ausdrücken mit euch und nicht in einfachen, klaren Worten. Bald aber werde ich vertrauter mit euch reden, so daß euch kein Punkt meiner Lehre mehr verwickelt oder schwierig vorkommt. Nun sehen wir, was ich schon andeutete: die Jünger werden ermutigt, auf größere Fortschritte zu hoffen. [...] Der Herr läßt uns zeitweise in einen derartigen Stumpfsinn verfallen, um uns durch das Gefühl unseres eigenen Unvermögens zu demütigen. Die er aber durch seinen Geist erleuchtet, läßt er so weit fortschreiten, daß ihnen jedes Wort aufs innigste vertraut wird. Das ist der Sinn der folgenden Worte: *Es kommt aber die Zeit;* das soll nämlich heißen: die Stunde wird bald kommen, wo ich mit euch nicht mehr bildlich reden werde. Ganz sicher hat der Geist die Apostel nichts anderes gelehrt, als was sie aus dem Munde Christi selber vernommen hatten. Aber mit den Strahlen, die er ihnen ins Herz sandte, vertrieb er die Finsternis, so daß sie Christus gleichsam auf eine neue, andere Weise hören und den Sinn seiner Worte mit leichter Mühe erfaßten. Wenn er sagt, er werde *vom Vater verkündigen,* so gibt er damit das Hauptstück seiner Lehre an: er will uns zu Gott führen, auf dem alles Glück beruht, das beständig ist. [...]

V. 26: *An demselben Tage.* Noch einmal sagt er, weshalb sich in jener Zeit die himmlischen Schatzkammern so frei auftun werden: weil die Jünger im Namen Christi um alles bitten werden, was sie brauchen. Gott aber wird ihnen nichts vorenthalten, um das sie ihn im Namen seines Sohnes bitten. Doch scheint ein Widerspruch in den Worten zu liegen. Denn gleich anschließend sagt Christus, es werde gar nicht nötig sein, daß er den Vater bitte. Welchen Sinn hätte es aber, in seinem Namen zu bitten, wenn er das Amt des Fürsprechers gar nicht übernimmt? Dabei nennt Johannes ihn doch an anderer Stelle unseren Beistand (1. Joh. 2, 1). Auch Paulus bezeugt, jetzt trete er für uns ein (Röm. 8, 34); der Verfasser des Hebräerbriefes bestätigt es (Hebr. 7, 25). Ich antworte: Christus sagt an dieser Stelle nicht einfach, er trete nicht für die Jünger ein, sondern er will nur sagen, der Vater werde den Jüngern so geneigt sein, daß er ihnen ohne irgendeine Schwierigkeit von selbst geben will, was sie ihn bitten. Er sagt: Der Vater wird euch entgegenkommen und wird in seiner unendlichen Liebe zu euch dem Fürsprecher, der sonst für euch redete, zuvorkommen. [...]

V. 27: *Weil ihr mich liebt.* Diese Worte nennen uns das einzige Band, das uns mit Gott verbindet: die Gemeinschaft mit Christus. Mit ihm aber verbindet uns ein Glaube, der nicht geheuchelt ist, sondern aus einer aufrichtigen Empfindung erwächst, die er als *Lieben* bezeichnet. Denn reinen Glauben an Christus hat nur, wer ihn ganz ins Herz schließt. Darum hat er mit diesem Wort Kraft und Wesen des Glaubens treffend ausgedrückt. Die Worte scheinen zu besagen, daß Gott uns dann zu lieben beginnt, wenn wir Christus liebgewonnen haben. Daraus aber würde folgen, daß wir selbst den Anfang unseres Heils wirken, weil wir der Gnade Gottes zuvorkommen. Diesem Satz widersprechen sehr viele Zeugnisse der Schrift. Gottes Verheißung lautet: Ich werde bewirken, daß sie mich lieben. Und Johannes sagt: Nicht, als ob wir ihn zuerst geliebt hätten (1. Joh. 4, 10). [...]

V. 28: *Ich bin vom Vater ausgegangen.* Diese Worte weisen uns auf die göttliche Kraft hin, die in Christus wirksam ist. Denn der Glaube an ihn hätte keinen festen Bestand, wenn er sich nicht auf seine göttliche Macht richtete. Sein Tod und seine Auferstehung – die beiden Säulen des Glaubens – hülfen uns nichts, wohnte ihnen nicht eine himmlische Kraft inne. [...] Im zweiten Teil des Satzes, den Christus alsbald folgen läßt, ist von der beständigen Dauer dieser Kraft die Rede. Die Jünger hätten nämlich denken können, die

Sendung eines Erlösers für die Welt sei nur eine Wohltat von begrenzter Dauer. Das war es also, weshalb er sagte, er kehre zum Vater zurück: sie sollten zu der festen Überzeugung kommen, ihnen gehe keines der von ihm gebrachten Güter durch sein Hinscheiden verloren, weil er aus seiner himmlischen Herrlichkeit Kraft und Wirkung seines Todes und seiner Auferstehung sich in die Welt ergießen lasse. Er ließ also zwar die Welt hinter sich, als er, unsere Schwachheiten hinter sich lassend, in den Himmel aufgenommen wurde. Trotzdem ist seine Gnade zu uns noch lebendig, weil er zur Rechten des Vaters sitzt, um die Herrschaft über die ganze Welt in die Hand zu nehmen.

V. 31: *Jesus antwortete ihnen: Jetzt glaubet ihr?* Die Jünger waren zu selbstgefällig. Darum mahnt Christus sie, sich ihrer Schwäche bewußt zu sein und ihre beschränkten Kräfte nicht zu überschätzen. Doch erkennen wir nie deutlich genug, was uns fehlt und wie weit wir von der Fülle des Glaubens entfernt sind, bis wir auf eine ernsthafte Probe gestellt werden. Dann nämlich zeigt sich, wie schwach unser Glaube war, den wir für vollkommen hielten. Das bringt Christus den Jüngern wieder zum Bewußtsein, und außerdem kündigt er ihnen an, sie würden ihn bald verlassen. […]

V. 33: *Solches habe ich mit euch geredet.* Wieder einmal prägt er ihnen ein, wie nötig der Trost ist, den er ihnen zugesprochen hatte. Er beweist damit, daß in der Welt sehr viel Trübsal und Versuchung auf sie wartet. Zu beachten ist also erstens die Mahnung, alle Frommen sollten sich darauf gefaßt machen, daß sie viel Leid erdulden müßten: sie sollen sich an Geduld gewöhnen. Wenn die Welt uns daher wie ein sturmgepeitschtes Meer umbrandet, werden wir nur in Christus wahren Frieden finden. Ferner ist zu beachten, wie wir – nach seinen Worten – diesen Frieden genießen sollen. Er sagt, sie würden Frieden haben, wenn sie in seiner Lehre weiter verharrten. Liegt uns also daran, inmitten von Anfechtungen ein ruhiges und sorgenfreies Herz zu haben, dann wollen wir aufmerksam dieser Rede Christi lauschen, die uns den Frieden bringt, der in ihm liegt. […]

Joh. 17, 1–26: Das hohepriesterliche Gebet

LUTHER

WA 28, 43–479: Wochenpredigten über Joh. 16–20, am 8. 8., 15. 8., 22. 8., 29. 8., 12. 9., 17. 10., 31. 10. 1528

V. 1: 28, 79, 12: ‚Die Stunde (ist da, daß du deinen Sohn verklärest)'. D. h. jetzt stecke (ich) im Leiden, ich werde verdammt, und alles ist verfinstert.

Summa summarum: mein Name wird ausgetilgt. Christus hatte große Wundertaten getan, herrlich gepredigt, wurde aufs herrlichste gerühmt. Das ging unter, und seine Gnade wurde so finster, wie sonst keine Finsternis war. Er ist gestorben wie der ärgste Bube auf Erden.

28,81,5: Da geht ein Stück vom Dank daher. ‚Verkläre (deinen Sohn).' Dieses eine ist das beste, dessen er sich rühmt und bekennt, daß er Gottes Sohn ist und alles vom Vater hat. ‚Ewig' bin ich von dir geboren, und in der Welt bin ich dein Sohn, der Sohn, der leidet ... (Der Vater) hat ihn verklärt, weil er ihn von den Toten auferweckt hat und so herrlich gemacht wie alle Könige. Er dankt dem Vater als ein Sohn, und für das Übel, darinnen er steckt, bittet er um (Errettung). Einst waren mir diese Worte wie Stroh. Dies Verklären (heißt) Christus aus dem Tode ... hervorziehen und ihn zum Herrn über die Welt machen und (es) herausschreien durch die ganze Welt. Solche Verklärung ist am Tage der Auferstehung geschehen. ‚Auf daß dich (dein Sohn auch verkläre).' Da geht das dritte Stück (an). Ich begehre, daß ich verklärt werde, aber darum, daß du verklärt werdest durch mich. Wie ist das geschehen? Auf diese Weise: als er vom Tode auferweckt und ein Herr geworden ist, sandte er den Heiligen Geist und ließ durch die ganze Welt sich und den Vater predigen, wie der Vater durch den Sohn uns vom Tode und von den Sünden erlöste. Das ist, daß man ausrufe durch die (ganze) Welt, was wir durch Gott haben. Diese Verklärung schreibt ihm Christus zu d.h. ich werde den Heiligen Geist senden und geben, wenn ich von den Toten auferweckt bin, und will das Evangelium predigen lassen, durch das deine Gnade und Barmherzigkeit verkündigt wird. Gleichwie der Sohn steht in der Finsternis, ist verdammt, liegt in der Schmach, daß er nichts ist, so (auch) der Vater. [...] Und Gott war so trefflich in Finsternis seiner Ehre halben wie Christus am Kreuz.

V. 2: 28,92,7: Johannes hat den Spruch gesagt: Christus gibt allen, die an ihn glauben, das ewige Leben, also muß er Gott sein. (Er tut), was die Kreatur nicht vermag. Zugleich sagt er, daß das ewige Leben darin hange, daß man den Vater erkenne (und den, den er gesandt hat). Das ist: Christus macht sich dem Vater gleich, wenn er sagt: wer Jesus Christus erkennt, lebt ewig kraft dieser Erkenntnis. Also ist Christus ein solches Wesen: wenn man es erkennt, so wird man ewig leben. Also muß er Gott sein.

V. 3: 28,90,1: ‚Das ist (aber das ewige Leben, daß sie dich, der du allein wahrer Gott bist, und den, den du gesandt hast, Jesum Christum, erkennen).' Hier ist ausgedrückt wie und in welcher Gestalt er das ewige Leben gibt. Wollte einer fragen, (wie es zugeht) so lautet die Antwort: Christus gibt das ewige Leben darum, weil ihm der Vater die Macht gibt. Es geht also zu: ich (gebe euch das ewige Leben). So wird es zugehen und die Art und Weise (ist diese): es steht das ewige Leben darin, daß sie dich erkennen. So redet kein Evangelist wie Johannes. Einfältig redet er und schließt dennoch auf das gewaltigste, daß Christus Gott ist, weil das ewige Leben zu geben allein das Werk der ewigen Gottheit ist. So erklärt er: so will ich das ewige Leben auf die Weise geben, daß sie dich als den wahren Gott erkennen.

28,93,1: Er schließt es ineinander: es ist dasselbe, den Vater erkennen und Christus erkennen. Also folgt: wenn ich den Vater erkenne, erkenne ich auch den Sohn, und müssen beide in einer Erkenntnis begriffen (werden).

28,93,10: Das ewige Leben nämlich kommt durch die Erkenntnis Christi. In gleicher Weise kommt dadurch das ewige Leben, daß er selbst erkannt wird wie der Vater. Also folgt, daß Christus Gott ist.

V. 5: 28,107,14: Ihr habt gehört: solange Christus auf Erden wandelte, hat er den Vater verklärt, daß er ihn herrlich machte, sein Lob und Preis groß (machte). Das findest du überall im Evangelium, wie Christus predigt, er sei gesandt und wie er alle Werke und Worte und alles, was er lebt und hat, hinaufzieht und sagt, er habe es vom Vater. Diese erste Verklärung ist geschehen. Und das ist das christliche Leben, daß wir leben, um Gott zu ehren, daß er selbst durch uns verherrlicht wird. Diese Verklärung ist geschehen. Jetzt sagt er: verkläre mich wieder. Denn über der Ehre, die den Vater verherrlichte, ging er unter. Weil er das Evangelium gepredigt hat und in einem Wesen ging, das Gott gefiel, ward ihm die ganze Welt feind, ward verfinstert, unterdrückt, gekreuzigt. Ich habe dich verklärt, und darüber gehe ich unter, werde zuschanden, und so vollende ich das (Werk). Weil nun Christus über dem zuschanden wird, so bittet er, daß (der Vater) ihn wieder herrlich mache, damit er ihn wiederum verherrlichen könnte und ziehe ihn aus der Schande. Dann folgt die dritte Verklärung: ich ehre und lobe dich, darüber sterbe ich. Wenn ich auferstanden bin, will ich dich mehr preisen als vorher.

28,123,18: Er (der Satan) meinte, er werde ein Herz finden, das ledig wäre von Gottes Wort. Aber Christus hält ihm das Wort Gottes vor die Nase. So geschieht es jedem, der vom Wort abfällt. Er ist verloren. Es ist ein Gemsensteigen.

28,124,14: (zu Joh. 17,6) Dann sagst du: das ist nicht Christi Wort, sondern des Vaters, der göttlichen Majestät Wort. Ich weiß also von keinem andern Gott, als von dem, der Himmel und Erde gemacht hat, der durch diesen Mund spricht. Niemand bedenkt, wie hoch dieser Artikel ist, daß Christus Gott ist und daß Gott durch ihn redet. Fleisch und Blut hindern uns daran, daß wir erkennen, wieviel daran gelegen ist. [...]

V. 10: 28,135,1: ,Und alles, (was mein ist, das ist dein, und was dein ist, das ist mein).' Das heißt (frei) heraus geredet, das ist ein klarer Text. Das könnte ich auch sagen, daß Gottes sei, was ich habe, aber es wieder umkehren, das ist wohl (größer): nicht nur allein ‚habe es‘, sondern ‚es ist mein‘. Das ist mehr, weil jemand etwas haben kann, was ihm nicht gehört. Oben (hat er gesagt) ‚alles, (was mein ist, das ist dein)‘. Christus hat sie nämlich ‚sein eigen‘ genannt, die ihm (vom Vater) gegeben sind. So hat er gesagt: nun sind sie (mein), die du mir gegeben hast. Es ist von dir. Es ist das höchste, daß einer bei dem Mann bleiben kann. Wenn Christus dich annimmt, nimmt dich der Vater an; wenn Christus mit dir redet, spricht der Vater mit dir. Du hörst ihn nicht etwas tun (das der Vater nicht tut). Du siehst Christus und siehst den Vater, wie er dir predigt, sei es von der Taufe, sei es vom Abendmahl. (Es ist) der Vater. [...] Darum ist diese Stelle überschwenglich tröstlich für diejenigen, die an Christus glauben. Wenn sie nämlich Christus haben, treffen und erlangen sie Gott selbst.

28,137,9: Wenn du zum Vater kommen willst, mußt du vorher zu Christus kommen, denn er sagt hier: ‚Alles, was dein ist, das ist mein‘, d.h. nirgends ist Gott als in Christus. So tröstet (uns) diese Stelle, weil (wir) Christi eigen sind und weil wir in ihm auf das gewisseste den Vater finden.

V. 21: 28,183,7: ‚Gleichwie du in mir und ich in dir‘. Er gibt ein Gleichnis, wie er oben auch eins gegeben hat. Von der Einheit, die der Vater und der Sohn haben, hast du gehört. Wer den Sohn angreift, greift auch den Vater an, weil es ein Ding ist, wie die Christenheit und ihre Glieder ein Ding sind. Wie in der Christenheit ein Glied nicht leiden kann, (ohne daß der ganze Leib leidet). Das ist der hohe Artikel der Heiligen Dreifaltigkeit, von dem oben ausführlich (geredet wurde), d.h. es ist eine göttliche Majestät und ein göttliches Wesen. Ich habe in meinem Leben kein Buch mit einfältigeren Worten gelesen als dieses, und dennoch sind es unaussprechliche Worte. Daß ‚auch sie in uns seien‘. Die Christenheit ist solch ein Leib: Wenn man einen anrührt, so berührt man alles. Was (will ich) mehr? Wohlan, sei es so! Aber höre: ‚daß (auch sie) in uns seien‘. Wir sind eins, der Vater und der Sohn, und sie, die eines unter sich sind, sollen so eins sein, daß sie eins in uns sind, d.h. wer einen Christen angreift, greift die ganze Christenheit an. Und wenn ein Tyrann sagt: was liegt mir an einem Glied der Christenheit und der ganzen Christenheit? Christus (sagt): wenn du ein Glied angreifst, so greifst du mich und den Vater an. Wer will den angreifen? Ein Christ hängt an der Christenheit, die Christenheit an Christus, Christus am Vater. Wer uns trifft, der trifft nicht uns, sondern die Christenheit, Christus und den Vater. Höheres kann man nicht sagen. Wenn umgekehrt jemand einen Christen ehrt, so ehrt er die Christenheit, Christus und den Vater. Also hat Christus sich und uns aneinander gekettet.

V. 24: 28,192,7: ‚Vater, (ich will, daß, wo ich bin, auch die) bei mir seien, die du mir gegeben hast‘. Das ist der Schluß und das letzte Stück dieses Gebetes, sofern es uns angeht. Und diesen Text haben die Schwärmer jetzt jämmerlich zuschanden gemacht. Merkt auf das, was gesagt ist. Wir, die wir an Christus glauben, die sollen dessen sicher und gewiß sein, daß uns die Herberge bestellt ist, wo wir bleiben dürfen, wo er nämlich selbst ist. Weil ein Christ ein Fußtuch des Satans ist, müssen wir zu allen Stunden gewärtig sein, daß Leib und Gut in Gefahr sind. So ist der Tod schrecklich, und ich weiß nicht, wo meine Herberge ist. Da ist Christus ein treuer Heiland, Bischof und Meister. Er sagt: ich will's bestellen. So soll's zugehen. ‚Ich will (daß wo ich bin auch die bei mir seien, die du mir gegeben hast).‘ Wo er selbst sein wird, da werden auch die sein, die an ihn glauben, die sterben, wie sie wollen. Vertraut auf mich, sorgt nicht, wo ihr bleiben werdet: bist du im Kerker, will man dich verbrennen, sorge nicht darum, wo man dich aufnehmen wird. Ich will es bestellen. (Der Herr) sagt aber: ‚Die du mir gegeben hast.‘ Sie sind ihm gegeben, die ihm gehören. Das Wort, was du mir gegeben hast, habe ich ihnen gegeben.

28,193,15: Da ist der Glaube nötig, weil verzagte (Herzen sprechen): ich lebe, weiß nicht, wie lange. [...] Da sagt ein Christ: die sein Wort nicht haben, wissen nicht, wohin sie fahren. Aber ein Christ sagt nicht so: Wo soll mein Leben nun bleiben? Höre Christus, wie er hier spricht ‚(Ich will), daß, wo ich bin, (auch die bei mir seien, die du mir gegeben hast)‘. Da fahre ich hin, wo Christus ist. Wo ist er? Du sollst es nicht wissen, und ich kann es dir nicht benennen. (Er) liegt dem Vater im Schoß. Diesen Spruch sollten wir wohl lernen, weil es wenige Heilige gibt, die so glauben, wie man glauben soll.

28,194,11: ‚Daß sie (die Herrlichkeit) sehen, (die du mir gegeben hast)‘. Das ist es. Dahin sollen sie kommen, daß sie zu dem klaren Anschauen kommen und die Herrlichkeit sehen sollen, die du mir gegeben hast. [...]

28,195,15: Das müßte weiter ausgeführt werden: die Herrlichkeit zu sehen, was das mit sich bringt: alle Seligkeit soll darin bestehen, daß man nur sieht. Das ist so gering davon geredet, daß jemand meinen könnte, es sei nicht genug. Auf Erden genügt das Sehen nicht, wenn nicht das Schmecken und Essen (hinzukommt). Dort aber soll nur das Anschauen sein. Deswegen ist es nicht ein Wort, wie es die Vernunft verstehen kann. Also ist dieses Schauen das ewige Leben, wohin keine Sorge und Pest kommt, weil es die ewige Wirklichkeit schaut. Und jenes Schauen heißt, in aller Freude und Fröhlichkeit zu leben, die unaussprechlich sind. Dabei laß ich's bleiben. Diese Herrlichkeit sollen wir sehen, wie er mich geliebt hat, ehe die Welt gegründet war. Ich werde nicht allein Christus, geboren von der Jungfrau, sehen, sondern auch den, dem der Vater sein göttliches Wesen von Ewigkeit (her gegeben hat), wie das Glaubensbekenntnis (sagt). Von dieser Liebe predigt man jetzt, aber sie ist dunkel. Dann aber wird man sehen, daß er wahrer Gott mit dem Vater ist.

Das ist der Beschluß und der letzte Trost, den er allen den Seinen gibt. Obwohl er selbst gekreuzigt wird und stirbt, so hat es keine Gefahr: er selbst wird zur Herrlichkeit kommen und den anderen, die sein sind, die Herberge bereiten.

Zwingli

S 6, 1. 682–766: Annotationes in Evangelium Joannis, 1528
Z I 155–188: Eine göttliche Ermahnung an die Eidgenossen zu Schwyz, 16. 5. 1522
Z VIII 315–320: An Johannes Oecolampad und die Basler Prediger, 5. 4. 1525

S 6, 1. 763: In diesem Kapitel lehrt Jesus, daß er bisher mit den Seinigen gewesen ist, für sie gesorgt und außer Judas, den Verräter, keinen verloren habe. Da er nun aber weggehen muß, übergibt er sie dem Schutz des Vaters.

V. 1: S 6, 1. 763: Der Vater wird verherrlicht durch den Tod des Sohnes. [...] Laßt uns daraus lernen, daß Gott auch durch unseren Tod verherrlicht wird. Das gibt Mut und richtet einen auf in Versuchung und Niedergeschlagenheit, welche man um Christi willen auf sich nehmen muß.

V. 3: S 6, 1. 764: Erkennen ist glauben. Je mehr wir Gott in Christus erkennen, um so intensiver leben wir.

V. 11: Z I 168, 1–8: Den ersten Menschen hat Gott nach seiner Gestalt und seinem Bild geschaffen, Genesis 1. Er tat dies in der Absicht, daß – wie die drei Personen Vater, Sohn und Geist *ein* Gott sind, der mit sich selber nicht uneins oder in Spannung sein kann – so auch die Menschen in Einheit, im Frieden und in gutem Einvernehmen leben sollen. Darum hat Christus den himmlischen Vater auch sehr inständig gebeten: ‚Vater, heilige, behüte, die du mir gegeben hast, in deinem Namen, daß sie eins seien gleich wie wir eins sind.‘

V. 20: S 6, 1. 765: Vorher betete Christus für die Apostel. Jetzt betet er für alle Gläubigen, die durch die Verkündigung der Apostel bekehrt werden zum Glauben an den einen Gott. Er bittet, daß sie eins seien, das heißt: eins in Herz und Sinn, daß sie in brüderlicher Liebe geeint sind und zusammenhalten, daß sie geheiligt, gereinigt und geläutert würden von allem verderblichen Einfluß der Welt.

V. 21: Z VIII 315, 11–316, 5: Schon die Gelehrten unter den Heiden überliefern, ... wie durch Eintracht kleine Dinge groß werden, im Gegensatz dazu aber durch Zwietracht sie wieder einstürzen und zugrunde gehen. Wieviel mehr sollten wir, die wir doch die Diener eines und desselben Gottes sind, aus dem Gebet des Herrn zum Vater: ‚Ich bitte, daß sie eins seien, gleich wie ich und du eins sind‘ den Schluß ziehen, daß ebenfalls wir nichts so sehr meiden müssen wie die Uneinigkeit, und daß wir nichts so sehr wünschen sollen wie Einmütigkeit und gutes Einvernehmen!

V. 26: S 6, 1.766: Nicht nur Kenntnis von Gottes Namen gibt Christus den Seinen, sondern auch Liebe, damit diese auch in ihnen sei. Aus der Kenntnis und Erkenntnis Gottes ersteht die Erkenntnis auch unserer selbst, also daß der Mensch sich selbst erkennen lerne. Auf Grund solcher Selbsterkenntnis lernt er sich dann nämlich auch selbst als schuldig verurteilen und beginnt, ein neues Leben anzufangen. Wenn wir sehen, wie die Liebe in allen erkaltet (Mt. 24, 12), wie Luxus und Geiz regieren, Betrug, Verbrechen, Verlogenheit und überhaupt allgemeine Nachlässigkeit, wer soll uns da noch glauben, wir hätten begriffen, was wahre Gotteserkenntnis sei? Da hilft nichts, sich brüsten mit Namen und Titel, wenn wir nicht durch unsere Liebe und ein unbescholtenes Leben davon Zeugnis geben, Gott wirklich erkannt zu haben. ‚Denn daran‘, spricht Christus, ‚wird jedermann erkennen, daß ihr meine Jünger seid, so ihr Liebe untereinander habt‘ (Joh. 13, 35).

CALVIN

CO 47, 374–391

V. 1: *Solches redete Jesus.* Eben hat der Herr zu den Jüngern vom Erdulden des Kreuzes gesprochen. Jetzt hält er ihnen den Trost vor Augen, mit dessen Hilfe sie fest bleiben sollen. Er verhieß ihnen das Kommen des Geistes und stärkte damit ihre Hoffnung; und er redete von der Herrlichkeit und dem Glanz seines Reiches. Nun beginnt er zu beten, und das mit gutem Grund: die Lehre bleibt ohne Frucht, wenn Gott sie nicht wirksam macht. Er gibt deshalb allen Lehrern ein Beispiel dafür, daß sie nicht nur auf die Ausbreitung des Wortes Mühe verwenden sollen: auch das Beten sollen sie nicht vergessen und Gott um Hilfe anflehen, damit sein Segen ihre Anstrengung nicht vergeblich sein läßt. Dieses Gebet Christi war also gleichsam das Siegel auf seine vorher dargelegte Lehre und sollte sie einerseits an sich gültig, andererseits den Jüngern wirklich glaubwürdig machen. Wenn Johannes berichtet, Christus habe beim Gebet *die Augen zum Himmel erhoben,* so ist dies ein ungewöhnliches Zeichen seiner Glut und Eindringlichkeit. Mit dieser Geste zeigte Jesus, wie es auch wirklich der Fall war, er sei mit seinem Herzen eher im Himmel als auf der Erde, um, den Menschen weit entrückt, mit Gott vertraute Zwiesprache zu führen. [...]

Vater, die Stunde ist da. Christus bittet darum, sein Reich möchte sichtbar gemacht werden, damit er seinerseits die Herrlichkeit des Vaters preisen könne. Er sagt, die Stunde sei gekommen: zwar war er durch Wunder und Kräfte aller Art als Sohn Gottes offenbart worden; aber noch war sein geistliches Reich verborgen, das erst bald darauf in hellem Glanz aufleuchtet. [...]

V. 3: *Das ist aber das ewige Leben.* Nun macht er deutlich, wie das Leben geschenkt werden soll: indem er die Erwählten zur wahren Gotteserkenntnis erleuchtet. An dieser Stelle spricht er nicht vom Genießen des Lebens, auf das wir hoffen, sondern davon, wie die Menschen zum Leben gelangen. Um diesen Satz recht zu verstehen, müssen wir zunächst einmal festhalten, daß wir alle im Tode sind, solange uns Gott nicht erleuchtet, der allein das Leben ist. Sobald er uns aber erleuchtet hat, gehen wir zum Leben ein, weil wir Gottes im Glauben teilhaftig sind. Daher heißt die Erkenntnis Gottes mit gutem Grunde heilbringend. Außerdem ist fast jedes einzelne Wort von Bedeutung: nicht von jeder beliebigen Gotteserkenntnis ist hier die Rede, sondern von der, die uns aus Glauben in Glauben zum Bilde Gottes umgestaltet. Ja, es ist derselbe Glaube wie der, durch den wir in den Leib Christi eingepflanzt sind und durch den wir der Gotteskindschaft teilhaftig und Erben des Himmels werden. Weil aber Gott nur in der Gestalt Christi erkennbar ist, der Gottes lebendiges und deutliches Abbild ist, deshalb heißt es: *daß sie dich ... und den du gesandt hast ... Christus, erkennen.* Denn wenn der Vater an erster Stelle steht, so hat das nichts mit einer Rangordnung zu tun, die der Glaube etwa zu beachten hätte. Unser Sinn soll nicht etwa erst Gott erkennen, um dann später zu Christus hinabzusteigen. Der Sinn dieser Worte ist vielmehr: Gott wird erst dadurch erkannt, daß ein Mittler zwischen ihn und uns getreten ist. [...]

V. 4: *Ich habe dich verherrlicht.* Das sagt Christus deshalb, weil sowohl in seiner Lehre als auch in seinen Wundern Gott der Welt bekannt geworden war. Gottes Herrlichkeit besteht nun aber darin, daß wir erkennen, wer er ist. Weiter sagt er, *er habe vollendet das Werk,* das ihm auferlegt war. Damit will er ausdrücken, er habe den Weg, den seine Berufung ihn wies, nun ganz durchmessen. Denn die Zeit war gekommen, da er in den Himmel aufgenommen werden sollte. Er spricht aber nicht nur von seinem Lehramt, sondern denkt auch an andere Dinge, die zu seinem Dienst gehören. Zwar fehlte noch die Hauptsache, nämlich sein Opfertod, mit dem er die Sünden aller Menschen sühnen sollte. Doch war die Stunde seines Todes ja gekommen, und deshalb redet er so, als habe er auch diesen schon auf sich genommen. Sein ganzer Auftrag besteht also darin, daß er, vom Vater geschickt, sein Reich in Besitz nimmt. Denn hätte er seine Bahn durchmessen, so bliebe ihm nichts mehr zu tun, als durch die Kraft seines Geistes nun alle dem eine Frucht abzugewinnen, was er im Auftrage seines Vaters auf Erden getan hatte, nach dem Pauluswort (Phil. 2,7.10): Er entäußerte sich selbst und nahm Knechtsgestalt an ... Darum hat ihn auch der Vater erhöht und hat ihm den Namen gegeben ...

V.5: *Und nun verherrliche mich du, Vater.* Er will beim Vater verherrlicht werden, und zwar nicht so, daß der Vater ihn innerlich verherrlicht, also ohne Zeugen, sondern so, daß er in den Himmel aufgenommen wird und dort seine Größe und Macht herrlich offenbart, „daß ... sich beugen sollen aller derer Kniee", usw. Deshalb bezeichnen die im ersten Teil des Satzes stehenden Worte *beim Vater* den Gegensatz zur irdischen und vergänglichen Herrlichkeit. [...]

V.6: *Ich habe deinen Namen offenbart den Menschen.* Hier beginnt Christus, den Vater für seine Jünger zu bitten, und mit derselben Liebe, mit der er gleich darauf für sie in den Tod gehen sollte, tritt er jetzt für ihr Heil ein. Der erste Grund dafür ist: sie haben die Lehre in sich aufgenommen, die die Menschen in Wahrheit zu Kindern Gottes macht. Zwar ließ es Christus an treuer Sorge nicht fehlen, alle zu Gott zu rufen, doch war sein Mühen nur bei den Erwählten nutzbringend und wirksam. Alle hörten sie seine Predigt, die ihnen Gottes Namen offenbarte, und auch vor den Widerspenstigen sprach er unaufhörlich von der Herrlichkeit Gottes. Warum also behauptet er, sich nur wenigen offenbart zu haben? Einzig deshalb, weil nur die Erwählten vom Geist im Inneren belehrt werden und so weiter vordringen. Daraus folgt: nicht alle, denen die Lehre vorgetragen wird, werden in Wahrheit und wirksam belehrt, sondern allein die, deren Sinn erleuchtet wird. Den Grund dafür sieht Christus in der göttlichen Wahl. Daß er einigen den Namen des Vaters offenbarte, während er andere überging, begründet er einzig damit, daß sie ihm „gegeben" waren. Ein anderes Unterscheidungsmerkmal zwischen beiden Menschengruppen nennt er nicht. Daraus folgt: der Glaube entspringt aus Gottes äußerer Erwählung; er wird darum nicht allen ohne Unterschied zuteil, weil nicht alle zu Christus gehören. Nun setzt Christus hinzu: *Sie waren dein, und du hast sie mir gegeben.* Diese Worte zeigen erstens den ewigen Ursprung der Erwählung; ferner machen sie uns deutlich, was wir uns darunter vorstellen sollen. Christus behauptet, sie seien schon immer Erwählte Gottes gewesen. Gott trennt sie also von den Verworfenen nicht auf Grund ihres Glaubens oder irgendeines Verdienstes, sondern aus reiner Gnade. Denn während sie noch seine schlimmsten Feinde sind, sieht er sie in verborgenem Ratschluß schon als die Seinen an. Dieser Erwählung kann man darum gewiß sein, weil er alle, die er erwählt hat, dem Schutze des Sohnes unterstellt, damit sie nicht zugrunde gehen. Darauf müssen wir schauen, um gewiß zu sein, daß wir zu den Kindern Gottes gehören. Denn an sich ist Gottes Vorherbestimmung verborgen, allein in Christus wird sie uns offenbar.

Sie haben dein Wort behalten. Das ist die dritte Stufe. Die erste ist die an keine Bedingung geknüpfte Erwählung. Die zweite aber ist jene Schenkung, durch die wir unter den Schutz Christi gelangen. Werden wir von Christus angenommen, so kommen wir durch den Glauben in seine Herde. Die Verworfenen verlieren das Wort Gottes. Bei den Erwählten aber schlägt es Wurzel; daher heißt es, sie bewahrten es.

V.7: *Nun wissen sie.* Hier kommt zum Ausdruck, was das Wichtigste am Glauben ist: wenn man so an Christus glaubt, daß der Glaube nicht beim Anblick des Fleisches stehenbleibt, sondern Christi göttliche Kraft erfaßt. Seine Worte „Nun wissen sie, daß alles, was du mir gegeben hast, sei von dir", haben folgenden Sinn: Die Gläubigen empfinden, daß alles, was sie haben, vom Himmel und von Gott kommt. Und gewiß können wir nur dann einen festen Stand gewinnen, wenn wir Gott in Christus ergreifen.

V.8: *Sie haben's angenommen.* Er macht deutlich, wie sie diese Erkenntnisse gewonnen haben: sie nahmen die von ihm überlieferte Lehre an. Aber niemand sollte meinen, diese Lehre sei menschlichen oder irdischen Ursprungs. Darum sagt er: *Denn die Worte, die du mir gegeben hast, habe ich ihnen gegeben,* und erklärt damit Gott zu ihrem Urheber. [...]

Und sie haben erkannt wahrhaftig, daß ich von dir ausgegangen bin. Man beachte auch, daß er im ersten Teil des Satzes *erkennen* gebraucht, dann aber *glauben.* Damit sagt er, es gebe keine rechte Gotteserkenntnis außer durch Glauben; im Glauben aber liege solche Gewißheit, daß er mit Recht als „Wissen" bezeichnet werde.

V.9: *Ich bitte für sie.* Bis dahin hat Christus nur gesagt, er könne seinen Jüngern beim Vater Gnade erwirken. Jetzt folgt das eigentliche Gebet, in dem er zeigt, er bitte nichts, was dem Willen des Vaters widerspreche. Er legt dem Vater nämlich nur die ans Herz, die dieser schon von sich aus liebt. Offen spricht er aus, er bitte *nicht für die Welt.* Er sei nur um die eigene Herde besorgt, die er aus der Hand des Vaters erhalten habe. [...]

V.10: *Und alles, was mein ist, das ist dein.* Der erste Teil des Verses will sagen: der Vater werde ihn gewiß erhören. Er sagt: Nur die lege ich dir ans Herz, in denen du selbst die Deinen siehst. Denn ich weiche in keinem Punkte von dir ab; ich brauche also keine Abweichung zu befürchten. Im zweiten Teil läßt er erkennen, daß er guten Grund hat, sich der Erwählten anzunehmen: seit sie dem Vater gehören, sind sie auch die Seinen. Dies alles wurde gesagt, um unseren Glauben zu stärken. [...]

V. 11: *Und ich bin nicht mehr in der Welt.* Er gibt einen zweiten Grund dafür an, daß er so eifrig für seine Jünger betet: bald nämlich sollen sie seine leibliche Gegenwart entbehren, in deren Schutz sie bis dahin Ruhe gehabt hatten. Solange er bei ihnen weilte, hatte er sie geschützt wie eine Henne, die ihre Küchlein unter ihren Flügeln wärmt. Nun, da er von ihnen scheidet, bittet er den Vater, sie in seinen Schutz zu nehmen. Um sie von ihrer Angst zu befreien, rät er ihnen, sich auf Gott selbst zu verlassen, indem er sie gleichsam von seiner Hand in die des Vaters weitergibt. Es ist nun sehr tröstlich für uns zu hören, Gottes Sohn sei um das Heil der Seinen nur noch besorgter, als er sie leiblich verläßt. Daraus dürfen wir schließen: auch heute, während wir uns in der Welt abmühen, nimmt er auf uns Bedacht, um uns in unseren Nöten aus seiner himmlischen Herrlichkeit zu Hilfe zu kommen.

Heiliger Vater. Das ganze Gebet soll verhindern, daß die Jünger den Mut verlieren, weil sie glauben, ihr Los sei wegen der leiblichen Abwesenheit ihres Meisters schlechter. Denn der Vater hatte ihnen Christus nur für eine gewisse Zeit zum Wächter gegeben. Darum hat er jetzt sozusagen seine Aufgabe erfüllt und gibt seine Jünger in die Hand seines Vaters zurück, damit sie von da an unter dessen Kraft und Leitung gerettet werden. Wenn also den Jüngern der Anblick des Fleisches Christi genommen wird, dann erleiden sie darum keinerlei Verlust: Gott, dessen Kraft ohne Ende ist, nimmt sie in seinen Schutz auf.

Er beschreibt auch die Art der Rettung: *damit sie eins sind.* Die der himmlische Vater zu retten beschlossen hat, schließt er zu einer heiligen Einheit des Glaubens und des Geistes zusammen. Doch genügt es nicht, wenn die Menschen sich auf beliebige Weise verbinden. Deshalb werden die Worte *gleichwie wir* hinzugefügt (1. Joh. 1,3). Erst dann also wird unsere Einheit selig sein, wenn sie das Bild Gottes, des Vaters, und Christi Bild wiedergibt, so wie Wachs, in das man einen Ring gedrückt hat, dessen Gestalt annimmt.

V. 12: *Solange ich bei ihnen war.* Christus behauptet, sie im Namen des Vaters gerettet zu haben, denn er stellt sich lediglich als Diener hin, der nur durch Gottes Kraft und Leitung gewirkt habe. Er macht also deutlich, man könne durchaus nicht den Schluß ziehen, nun müßten sie zugrunde gehen, als sei durch sein Hinscheiden Gottes Kraft zunichte gemacht oder tot. [...]

Auf daß die Schrift erfüllt würde. Das bezieht sich auf die unmittelbar vorangehenden Worte: Judas ging verloren, damit die Schrift erfüllt würde. Doch wäre es falsch, daraus zu schließen, der Abfall des Judas sei nicht ihm, sondern Gott zuzuschreiben: die Weissagung habe ihn zu seinem Verhalten genötigt. Dieser Schluß wäre, wie gesagt, falsch: man kann ein Ereignis nicht auf Weissagungen zurückführen mit der Begründung, es sei dort vorausgesagt worden. Denn die Propheten verkünden wirklich nur das, was auch dann geschähe, wenn sie schwiegen. Hier darf man die Ursache für ein Geschehen also nicht suchen. Ich gebe zwar zu, daß nichts geschieht, was nicht von Gott vorherbestimmt wäre. Im Augenblick aber geht es nur um die Schrift und um die Frage, ob ihre Vorhersagen und Weissagungen den Menschen einen Zwang auferlegen. Das aber ist, wie ich schon zeigte, falsch. Christus hat wahrhaftig nicht die Absicht, der Schrift die Schuld am Untergang des Judas zu geben. [...]

V. 13: *Ich rede solches in der Welt.* Hier zeigt Christus, weshalb er so eifrig für seine Jünger gebetet habe: nicht, weil er um ihre Zukunft besorgt gewesen wäre, sondern um ihrer Angst abzuhelfen. Wir wissen, wie sehr wir auf Hilfe von außen bedacht sind. Bietet sie sich uns, greifen wir mit beiden Händen zu und lassen uns nur sehr schwer davon trennen. Christus betet nicht deshalb in Gegenwart seiner Jünger zum Vater, weil überhaupt Worte nötig wären, sondern er will ihnen ihre Zweifel nehmen. Er sagt: *Ich rede solches in der Welt,* d.h. vor ihren Ohren, damit ihr Herz Ruhe findet. Ihr Heil nämlich war schon in bester Hut, weil Christus es in Gottes Hand gelegt hatte. Die *Freude* bezeichnete er als die seine, weil seine Jünger sie von ihm erhalten sollten oder weil er selbst als ihr Geber, Grund und Unterpfand gilt. In uns nämlich wohnt nichts als Furcht und Unruhe, allein in Christus aber Friede und Fröhlichkeit.

V. 14: *Ich habe ihnen gegeben dein Wort.* Hier legt er seine Jünger mit einer anderen Begründung dem Vater ans Herz: sie hätten seine Hilfe nötig, weil die Welt sie hasse. Gleichzeitig gibt er den Grund für den Haß an: sie hätten Gottes Wort in sich aufgenommen, das der Welt unerträglich sei. Mit anderen Worten sagt er: Es steht dir zu, sie zu schützen, weil sie um deines Wortes willen der Welt verhaßt sind. Man vergesse nicht den Zweck dieses Gebetes, von dem wir vorhin hörten: Christi Freude soll in uns erfüllt werden. Darum wird die Welt zwar oftmals derart gegen uns wüten, daß unser Ende uns nahe scheint; wir aber wollen lernen, ihr dann stets als Schild entgegenzuhalten, daß Gott niemals die im Stich läßt, die für das Evangelium leiden. [...]

V. 15: *Ich bitte nicht, daß du sie von der Welt nehmest.* Er lehrt hier, worin das Heil der Frommen besteht: sie sollen nicht, erlöst von aller Mühsal, in angenehmer Ruhe leben, sondern inmitten von Gefahren dennoch durch Gottes Hilfe bewahrt bleiben. Er klärt nicht etwa den Vater darüber auf, was den Seinen nützlich sei; vielmehr setzt er sich für seine noch ungefestigten Jünger ein und wirkt darauf hin, daß sie ihre Wünsche, die meist über das Ziel hinausschießen, anhand des von ihm aufgestellten Maßstabes beschränken. Die Gnade des Vaters also, die er ihnen verheißt, soll sie nicht aller Sorge und Anstrengung entheben; sie soll sie mit unüberwindlicher Kraft gegen ihre Feinde ausrüsten und nicht zulassen, daß die lange Reihe von Kämpfen, die sie werden aushalten müssen, sie erdrückt. Wollen wir also gemäß der von Christus übermittelten Richtschnur gerettet werden, so dürfen wir nicht wünschen, von keinem Leid betroffen zu werden, und dürfen Gott auch nicht darum bitten, uns sofort in einen Zustand seliger Ruhe zu versetzen. Vielmehr wollen wir uns damit begnügen, fest darauf zu vertrauen, daß der Sieg unser sein wird. Und tapfer wollen wir inzwischen allem Bösen widerstehen. Denn Christus hat den Vater gebeten, wir möchten allem Leid schließlich glücklich entrinnen. Gott nimmt die Seinen also nicht von der Welt hinweg, weil er nicht will, daß sie weichlich und träge werden. Trotzdem macht er sie vom Bösen frei, damit es sie nicht überwältigt. Er will ja, sie sollen kämpfen, läßt aber nicht zu, daß sie tödlich verwundet werden.

V. 17: *Heilige sie in der Wahrheit.* Diese Heiligung umfaßt Gottes Herrschaft und Gerechtigkeit. Sie besteht nämlich darin, daß Gott uns durch seinen Geist erneuert und diese gnädige Erneuerung festmacht und bis ans Ende bestehen läßt. Seine erste Bitte ist also, der Vater möchte seine Jünger heiligen, d.h. gleichsam als heiligen Besitz ganz für sich beanspruchen und sich zusprechen. Darauf gibt er die Art der Heiligung an, und zwar mit gutem Grund. Denn die Schwärmer stellen viele nichtige Behauptungen über die Heiligung auf und lassen dabei Gottes Wahrheit, durch die er selbst uns für sich heiligt, unberücksichtigt. Andererseits plappern andere, die ebenso hirnverbrannt sind, von der Wahrheit und lassen dabei das Wort beiseite. Darum sagt Christus ausdrücklich, nur im Wort gebe es die Wahrheit, durch die Gott seine Kinder heiligt. *Wort* steht nämlich hier für die „Lehre des Evangeliums", die die Apostel schon aus dem Munde ihres Meisters gehört hatten, deren Verkündiger sie bald darauf bei anderen werden sollten. In diesem Sinne sagt Paulus (Eph. 5, 26), die Gemeinde sei gereinigt worden durch das Wasserbad, das im Wort des Lebens bestehe. Zwar ist es Gott allein, der heiligt; weil aber das Evangelium seine Macht ist, die für jeden Glaubenden zum Heil wirkt (Röm. 1, 16), wird jeder, der sich von diesem Mittelpunkt entfernt, unvermeidlich immer unreiner. *Wahrheit* steht hier, um das Gemeinte besonders deutlich auszuzeichnen, für das Licht der himmlischen Weisheit, in dem Gott sich uns offenbart, um uns nach seinem Bilde zu gestalten. [...]

V. 19: *Ich heilige mich selbst für sie.* Mit diesen Worten legt er noch deutlicher dar, aus welcher Quelle jene Heiligung fließt, die durch die Lehre des Evangeliums in uns bewirkt wird: er selbst hat sich dem Vater geweiht, damit seine Heiligkeit uns zuteil würde. Wie nämlich der Segen sich von den Erstlingsfrüchten über die ganze Ernte ausbreitet, so besprengt uns der Geist Gottes mit Christi Heiligkeit und gibt uns so Anteil an ihr. Das geschieht nicht nur auf dem Wege der Anrechnung – auf diese Weise ist er uns zur Gerechtigkeit gemacht, wie es 1. Kor. 1, 30 heißt –, sondern es heißt auch, er sei uns zur Heiligung geworden. Denn er hat uns in seiner Person gewissermaßen dem Vater dargebracht, damit wir durch seinen Geist zu wahrer Heiligkeit erneuert würden. Obwohl diese Heiligung Christi ganzes Leben umfaßt, wurde sie in seinem Opfertode doch am deutlichsten sichtbar. Da nämlich offenbarte er sich als der wahre Priester, der Tempel, Altar und alle Geräte und das Volk durch die Kraft des Heiligen Geistes weihte.

V. 20: *Ich bitte aber nicht allein für sie.* Sein Gebet, mit dem er bisher nur die Apostel erfaßt hatte, weitet er jetzt so aus, daß es einen größeren Kreis angeht: nämlich alle Schüler des Evangeliums, die es bis zum Ende der Welt geben sollte. Zweifellos ein guter Grund, zuversichtlich zu sein: wenn wir durch die Lehre des Evangeliums an Christus glauben, brauchen wir nicht im geringsten zu zweifeln, daß wir schon zusammen mit den Aposteln dem treuen Hüter anvertraut sind, damit niemand von uns zugrunde geht. Dies Gebet Christi ist der ruhige Hafen, in den man sich nur zurückzuziehen braucht, um vor jeder Gefahr, Schiffbruch zu leiden, sicher zu sein. Denn es bedeutet ebensoviel, als hätte Christus mit feierlichen Worten geschworen, er wolle sich mit allem Eifer unseres Heils annehmen. Wenn er aber bei seinen Aposteln anfing, so hatte das durchaus seinen Grund: ihr Heil, an dem wir nicht zweifeln, sollte unsern Glauben an unser eigenes Heil stärken. [...] Man beachte auch *glauben durch ihr Wort.* Dies macht ersichtlich, daß der Glaube aus der Predigt entsteht; denn das Mittel, wodurch uns Gott zum Glauben veranlaßt, ist die äußere Predigt von Menschen. Deshalb ist der eigentliche Geber des Glaubens Gott; die Menschen aber sind Diener, durch deren Vermittlung der Glaube entsteht. So lehrt auch Paulus 1. Kor. 3, 5.

V. 21: *Auf daß sie alle eins seien.* Wieder stellt er als Ziel unsrer Seligkeit die Einheit hin, und mit Recht. Das nämlich ist das Verderben des Menschengeschlechts, daß es von Gott abtrünnig geworden und darum auch in sich selbst verstümmelt und zerstreut ist. Im Gegensatz dazu besteht seine Erneuerung also darin, richtig zu einem Leib zusammenzuwachsen. So ist nach Paulus (Eph. 4, 3. 16) die Vollendung der Kirche darin zu sehen, daß die Gläubigen untereinander durch einen Geist verbunden sind. Apostel, Propheten, Evangelisten und Hirten, so sagt er, seien eingesetzt, um den Leib Christi aufzubauen, bis die Einheit des Glaubens erreicht sei. Deshalb mahnt er die Gläubigen, in Christus hineinzuwachsen; denn er ist das Haupt, von dem aus der ganze Leib durch sämtliche Gelenke fest zusammengehalten wird; gemäß der Wirksamkeit, die jedem Glied zugemessen ist, wächst er zum Zwecke des Aufbaus. [...]

Damit die Welt glaube. Das Wort *glauben* aber braucht der Evangelist nicht in seiner eigentlichen Bedeutung, sondern im Sinn von „erkennen". Denn zur Erkenntnis kommen die Ungläubigen, wenn sie, durch die Erfahrung überwunden, die himmlische und göttliche Herrlichkeit Christi wahrnehmen. So kommt es, daß sie glauben und doch nicht glauben, weil diese in uneigentlichem Sinn als „Glaube" bezeichnete Empfindung nicht bis in ihr Innerstes hinabreicht. Es ist Gottes gerechte Strafe, daß der Glanz der göttlichen Herrlichkeit den Augen der Verworfenen nur undeutlich sichtbar wird, weil sie nicht wert sind, ihn in seiner ganzen Fülle zu schauen. Später gebraucht er das Wort erkennen im selben Sinn.

V. 22: *Und ich habe ihnen gegeben die Herrlichkeit.* Man beachte, daß in Christus die vollkommene Seligkeit beispielhaft darin sichtbar wurde, daß er nichts für sich selber besaß, sondern seinen Reichtum vielmehr dazu verwandte, seine Gläubigen reich zu machen. [...]

Und liebst sie. Er macht klar, was das deutlichste Zeichen und sicherste Unterpfand der göttlichen Liebe zu den Frommen sei: auch die Welt, ob sie wolle oder nicht, müsse diese Liebe wahrnehmen, wenn der in den Frommen wohnende Geist die himmlischen Strahlen der Gerechtigkeit und Heiligkeit aussendet. Zwar bezeugt Gott uns täglich noch auf zahllose andere Arten, wie väterlich er uns liebt, doch überragt das Zeichen, das in der Sohnschaft besteht, mit Recht alle anderen. Außerdem läßt er unmittelbar darauf die Worte folgen: und liebst sie, gleichwie du mich liebst. Damit wollte er Grund und Ursprung seiner Liebe angeben. Denn das Wort, das einen Vergleich einführt, muß hier begründenden Sinn haben, als hätte Christus gesagt: „weil" du mich geliebt hast. Für Christus allein trifft es zu, daß er vom Vater geliebt wurde. In zweiter Linie beschenkt der himmlische Vater mit derselben Liebe, die er dem Haupt der Kirche zugewandt hat, auch alle Glieder. Er liebt also niemanden anders als in Christus. [...]

V. 24: *Die Herrlichkeit sehen* erklären manche als: die Teilhabe an der Herrlichkeit genießen, die Christus besitzt. Andere aber verstehen es so: durch Glaubenserfahrung das Wesen Christi und die Fülle seiner Majestät wahrnehmen. Ich selbst bin nach gründlicher Prüfung der Meinung, Christus spreche von der vollkommenen Seligkeit der Frommen, so als sage er, seinem Wunsche geschehe nicht eher Genüge, als bis die Seinen in den Himmel aufgenommen seien. Auf dasselbe will er meiner Meinung nach hinaus, wenn er vom „Anblick der Herrlichkeit" spricht. Die Herrlichkeit Christi sahen sie damals schon – wie nämlich durch schmale Ritzen ein schwaches, undeutliches Licht zu einem Menschen dringt, der im Finstern eingeschlossen ist. Nun äußert Christus den Wunsch, sie möchten dahin kommen, sich im Himmel am klaren Glanze dieses Lichtes erfreuen zu können. Mit einem Wort: er bittet, der Vater möge sie beständig fortschreiten und so endlich zum Anblick der ganzen Fülle seiner Herrlichkeit gelangen lassen. [...]

V. 25: *Gerechter Vater.* Er vergleicht seine Jünger mit der *Welt,* um sie daraufhin der Gnade des Vaters nachdrücklicher empfehlen zu können. Denn mit Recht nehmen die eine Sonderstellung ein, die als einzige Gott erkennen, während die ganze Welt ihn zurückweist. Mit Recht legt Christus mit besonderer Liebe die Gott ans Herz, die der Unglaube der Welt nicht daran hinderte, Gott zu erkennen. Wenn er den Vater *gerecht* nennt, so verspottet er damit die Welt und ihre Bosheit. Er sagt mit anderen Worten: auch wenn die Welt Gott noch so hochmütig und verachtungsvoll gegenüberstehe, erleide Gott darum doch keinen Schaden, und die Ehre, die ihm auf Grund seiner Gerechtigkeit zukomme, bleibe davon völlig unberührt. [...]

V. 26: *Und ich habe ihnen deinen Namen kundgetan und werde ihn kundtun.* Zwar hat Christus sein Amt als Lehrer ausgeübt. Aber um den Vater (den einzelnen Menschen) zu offenbaren, bedarf es einer verborgenen Offenbarung durch den Geist; der Schall der Stimme reicht allein nicht aus. Er meint, er habe die Apostel wirksam belehrt; aber weil ihr Glaube noch schwach war, verspricht er ihnen, daß sie in Zukunft größere Fortschritte machen werden. So macht er ihnen Hoffnung, daß sie die Gnade des Geistes in höherem Maße empfangen werden. [...]

Damit die Liebe ... Das heißt: damit die Liebe, die du mir zugewandt hast, auch ihnen zugute komme, oder: damit du sie in mir liebst. Denn die Liebe, die Gott uns widerfahren läßt, ist – genau genommen – dieselbe, mit der er seinen Sohn von Anfang an geliebt hat, um in ihm auch uns zu solchen Menschen zu machen, die ihm lieb und angenehm sind. Eines ist ja sicher: nur auf uns gesehen und außerhalb Christi sind wir Gott verhaßt; zu lieben beginnt er uns erst dann, wenn wir zum Leibe seines geliebten Sohnes zusammenwachsen. Unschätzbares Vorrecht des Glaubens: wir wissen, daß Christus um unsertwillen vom Vater geliebt wurde, damit wir derselben Liebe teilhaftig würden und für immer teilhaftig blieben. Doch beachte man die Worte *ich in ihnen:* sie lehren uns, daß wir von dieser Liebe nur dann erfaßt werden, wenn Christus in uns wohnt. Denn wie der Vater den Sohn nicht anschauen kann, ohne zugleich seinen ganzen Leib vor Augen zu haben, so müssen wir wirklich Christi Glieder sein, wenn Gott in Christus auch uns anschauen soll.

Apg. 2, 1–13: Die Pfingstgeschichte

LUTHER

WA 29, 344–351: Predigt am Pfingsttage, 16. 5. 1529

29, 348, 10: Wir wollen die Geschichte lesen, die Lukas beschrieben hat, wie die neuen Pfingsten angegangen sind. Die alten sind herrlich beschrieben in den Büchern des Mose … Da habt ihr ein Stück, wie das geistliche Regiment oder das Evangelium angegangen ist. Hier steht, daß das Evangelium so angefangen hat, mit solchen großen Wunderzeichen, wie sie in diesem Buch folgen. Denn das ganze Buch kannst du darauf beziehen. Zum ersten haben die Jünger zusammengesessen wegen der Furcht und haben keine Freude gehabt. Die Juden aber sind heute fröhlich gesprungen, und wer ein erstgeborener Sohn war, mußte zu Jerusalem sein, wie es hier heißt ‚Aus allerlei Volk, das unter dem Himmel ist'. Diese alle sind fröhlich, nicht aber der kleine Haufe. Jene 120 schließen sich ein und sind betrübt, konnten nicht fröhlich sein, und da kommt der Heilige Geist plötzlich und saust, wie der Text sagt ‚und setze sich (auf einen jeden von ihnen'), und die feurigen Zungen sind zerteilt und leuchten daher wie Feuer. Dies war das erste Wunder, daß die Zungen der Apostel gesehen wurden als wären es viele Zungen und feurige. [...] Das andere Zeichen ist noch größer. Sie gingen heraus unter das Volk. Die vorher in den Winkel gekrochen waren und sich vor Juden gefürchtet hatten, die sind nun so keck, daß sie auf den Markt gehen und anfangen, frei zu reden und zu predigen, und jeder konnte reden mit der Zunge, da er hinkam. Viele haben gesagt, sie hätten Hebräisch geredet, und doch ist der Klang lateinisch gewesen, je nachdem der Zuhörer war. [...] So redeten die Apostel mit einer jeden Sprache eines jeglichen Volkes, wie da sind Lateiner, Germanen, Griechen. Darum haben sie den Hohen Rat in Jerusalem nicht gefürchtet, geschweige denn die ganze Welt. Das war ein so großes Zeichen wie einen Toten auferwecken. Gewiß, wenn ein Mensch, der ein verzagtes Herz hat, zufrieden wird, so ist das eine gewaltige Kraft und größer als Tod, Sünde, Welt und Teufel. So ist das Regiment des Evangeliums angegangen mit diesem Wunder, daß die Blöden sind kühn geworden, die Laien sind auf einen Augenblick die Gelehrtesten geworden, die auf Erden gekommen sind. Hüte dich vor den Blöden, die kühn geworden sind, daß sie die Schrift verstehen und in allen Zungen redeten.

CALVIN

CO 48, 25–30

V. 1: *Als der Tag der Pfingsten erfüllt, das heißt herangekommen war.* Wiederum gibt Lukas der Beständigkeit der Jünger ein gutes Zeugnis, indem er berichtet, daß sie bis zur bestimmten Zeit beieinander blieben, und zwar einmütig. [...] Es läßt sich aber fragen, warum die Sendung gerade an diesem Tage erfolgte. [...] Gewiß erscheint mir aber, daß das Wunder an einem festlichen Tage, an welchem eine ungeheure Menschenmenge in Jerusalem zusammenzuströmen pflegte, geschehen und dadurch bekannter werden sollte. Sicherlich werde es durch diese Gelegenheit bis an die äußersten Grenzen der Erde ausgebreitet, wie wir bald sehen werden. [...]

V. 3: Die Erscheinung der *Zungen* entspricht der gegebenen Lage. Denn wie die Gestalt der Taube, die sich auf Christus niederließ, eine seinem Wesen und Amt entsprechende Bedeutung hatte, so wählte Gott auch jetzt ein Zeichen, das zur bezeichneten Sache paßte; er wollte die Wirkung des heiligen Geistes anschaulich machen, wie sie alsbald durch die Apostel offenbar wurde. Die Verschiedenheit der Zungen oder Sprachen war ein Hindernis für die weitere Verbreitung des Evangeliums. Hätten seine Verkündiger nur eine einzige Sprache besessen, so hätte jedermann geglaubt, Christus solle im Winkel von Judäa eingeschlossen bleiben. Gott aber fand einen Weg, hier durchzubrechen; er teilte die Zungen der Apostel, damit sie durch alle Nationen ausbreiteten, was ihnen anvertraut war. Darin leuchtet Gottes wunderbare Güte, welche in ein Mittel des Segens verwandelte, was eine Strafe für den Stolz der Menschen war. Hatte doch die Verschiedenheit der Sprachen eben darin ihren Anlaß, daß die gottlosen und verbrecherischen Anschläge der Menschen verwirrt sein sollten (Gen. 11,7). Nun rüstet Gott die Apostel mit verschiedenen Sprachen aus, um die hierhin und dorthin auseinanderstrebenden Menschen zur seligen Einheit zurückzurufen. [...]

Endlich bleibt noch zu sagen, was das *Feuer* bedeutet. Ohne Zweifel war es ein Zeichen der Wirkungskraft, die sich im Wort der Apostel offenbaren sollte. Denn hätten sie ohne solche Kraft ihre Stimme bis zu den äußersten Grenzen der Welt dröhnen lassen, so hätten sie lediglich ohne Frucht die Luft in Bewegung gesetzt. Darum deutet der Herr darauf hin, daß ihre Stimme feurige Kraft haben wird, die Herzen der Menschen zu entzünden. Sie wird das eitle Wesen der Welt verbrennen und verzehren und alles reinigen und erneuern. Die Apostel würden nicht gewagt haben, ein so schwieriges Werk anzugreifen, hätte nicht der Herr sie der Wirkungskraft ihrer Predigt gewiß gemacht. So geschah es, daß ihre Lehre nicht bloß durch die Luft schallte, sondern in die Herzen der Menschen drang und sie mit himmlischer Glut erfüllte. Und diese Kraft wurde nicht bloß im Wort der Apostel offenbar, sondern zeigt sich noch täglich. Um so mehr sollen wir uns hüten, daß wir nicht wie Stoppeln auf dem Feld seien, wenn das Feuer brennt. Übrigens hat der Herr den heiligen Geist seinen Jüngern einmal in sichtbarer Gestalt gegeben, damit wir mit Sicherheit urteilen können, daß der Gemeinde niemals seine unsichtbare und verborgene Gnadenwirkung fehlen werde.

Und er setzte sich. Weil plötzlich die Zahl geändert wird, ist es zweifelhaft, ob vom Feuer die Rede ist. Lukas hatte gesagt, Zungen wie aus Feuer wären erschienen. Bald folgt nun: Und er setzte sich auf sie. Ich beziehe das Wort „er" auf den Geist. Im Hebräischen ist es nämlich gebräuchlich, den Gegenstand, der im ersten Satzteil fehlt, im zweiten zu nennen. Hier ist ein Beispiel dafür: Er setzte sich auf sie und alle wurden vom Heiligen Geist erfüllt. Wir wissen, daß Lukas Hebraismen im Überfluß bringt, obgleich er griechisch schreibt. In der Schrift ist es gebräuchlich, den Heiligen Geist „Zungen" zu nennen.

V. 4: *Und fingen an zu predigen.* Der Satz gibt an, daß die Wirkung sofort sich zeigte, wie auch, zu welchem Zweck die Zungen gebraucht werden sollten. Wenn nun Lukas alsbald berichtet (V. 6), daß ein jeder der aus verschiedenen Gegenden gekommenen Fremdlinge die Apostel zu seiner Verwunderung *mit seiner Sprache* reden hörte, so halten manche Ausleger es für wahrscheinlich, daß sie nicht verschiedener Sprachen sich bedienten, sondern daß die verschiedenen Zuhörer, was in einer einzigen Zunge geredet ward, so vernahmen, als hörten sie ihre angeborene Sprache. So wäre ein und derselbe Wortlaut den Zuhörern in verschiedener Weise zugeteilt worden. Sie vertreten die Deutung: Petrus habe vor den vielen Leuten aus verschiedenen Völkern eine einzige Predigt gehalten. Sie hätten seine Rede nicht verstehen können, wäre nicht ein anderer Klang zu ihren Ohren gedrungen, als er von seinem Munde ausging. Ich behaupte aber, daß die Jünger tatsächlich in fremden Zungen geredet haben; denn sonst wäre das Wunder nicht an ihnen, sondern an den Zuhörern geschehen. Dann wäre auch das Beispiel, von dem wir hörten, unrichtig, da ja nicht ihnen der heilige Geist gegeben wäre, sondern den andern. [...]

V. 5: *Es waren aber Juden zu Jerusalem weilend.* Daß diese Juden als *gottesfürchtige Männer* bezeichnet werden, soll wohl andeuten, daß sie um der Verehrung Gottes willen nach Jerusalem kamen. Gott hat ja in allen Jahrhunderten nach der Zerstreuung, gleichwie durch eine erhobene Fahne, einen übriggebliebenen Samen in jener Stadt zusammengeführt, weil noch der Tempel seinen Nutzen hatte. Die Bezeichnung lehrt uns aber auch, bei welchen Leuten die Wunder Fortschritte bewirken und wirklichen Nutzen schaffen, die Gott zum Beweise seiner Macht tut. Denn gottlose und unheilige Menschen lachen darüber oder kümmern sich nicht darum, wie wir sofort sehen werden. Außerdem sollten die Zeugen als Leute beschrieben werden, die wegen ihrer Frömmigkeit glaubwürdig sind. [...]

V. 11: *Wir hören sie die großen Taten Gottes reden.* Zweierlei gibt Lukas an, welches die Verwunderung der Zuhörer hervorrief: Erstlich redeten die Apostel, die in einem verachteten Winkel geboren und zuvor ungelehrte Laien waren, großartig und mit himmlischer Weisheit von göttlichen Dingen: Zum andern waren sie plötzlich mit neuen Zungen begabt. So gibt man dem Herrn die schuldige Ehre, indem man verwundert aufmerkt. Als Hauptfrucht des Wunders wird aber angegeben, daß man zu fragen anfängt. Das ist ein Beweis, daß die Leute zu lernen bereit sind. Das bloße Erstaunen hätte sonst nicht viel genützt; vielmehr sollen sich mit der staunenden Bewunderung der Werke Gottes das Bedenken und der Eifer verbinden, sie zu verstehen.

V. 13: *Die andern aber hatten's ihren Spott.* Hier sieht man, wie ungeheuer gedankenlos und verkehrt die Menschen sind; Satan hat ihnen den Verstand genommen. Stiege Gott sichtbar vom Himmel herab, so könnte man seine Majestät kaum klarer schauen als in diesem Wunder. Wer auch nur einen Tropfen unverdorbenen Sinnes hat, muß schon durch bloßes Hören sich gepackt fühlen. Wie stumpf sind nun jene Leute, die mit den Augen sehen und doch spotten und mit ihren Witzen Gottes Macht beiseite schieben wollen! Aber so ist es. Nichts ist so bewundernswert, daß nicht Menschen, die durch keine Fürsorge Gottes berührt werden, es in Spott verkehren könnten. Absichtlich ziehen sie sich angesichts der klarsten Dinge eine Hornhaut von Unwissenheit über. [...]

Röm. 1, 1–7: Der Briefeingang

CALVIN

CO 49,7–9

V. 1: *Paulus.* Über den Namen Paulus würde ich am liebsten schweigen; denn die Sache ist so unbedeutend, als daß wir dabei länger verweilen müßten. [...]

Ein Knecht Jesu Christi usw. Er bezeichnet sich mit diesen Titeln, um durch sie die Autorität seiner Predigt zu betonen, und zwar in doppelter Weise: Paulus ist erstens zum Apostelamt überhaupt berufen, und zweitens kann er darauf hinweisen, daß sein Amt sich auch auf die römische Gemeinde erstreckt. Mit allem Nachdruck sagt Paulus beides: Man muß ihn, da er ja von Gott dazu berufen ist, als Apostel anerkennen, und man soll wissen, daß er auch für die römische Gemeinde bestimmt ist. Paulus nennt sich also einen Diener Christi und *berufen* zum priesterlichen Amte: er will damit sagen, daß er hier nicht willkürlich eingebrochen ist. So bezeichnet er sich als *ausgesondert*: er will damit bezeugen, daß er nicht als eine beliebige Persönlichkeit aus der Volksmasse auftritt, sondern als ein außerordentlicher Apostel des Herrn. In diesem Sinne hatte er ja auch den Gedankenfortschritt von dem umfassenderen Begriff „Knecht Jesu Christi" zu der engeren Bezeichnung „Apostel" vollzogen; denn zu den Knechten Jesu Christi zählt jeder, der ein Predigtamt verwaltet: aber die Ehre des apostolischen Dienstes ragt darüber noch weit empor. Jene Aussonderung, die er erwähnt, drückt zugleich den Zweck und die Tätigkeit des Apostolats aus. Er will nämlich kurz anzeigen, zu welchem Zweck er zu jener Tätigkeit berufen ist. Als Knecht des Herrn stellt Paulus sich mit allen Predigern auf gleiche Stufe. Mit dem Aposteltitel aber erhebt er sich über sie alle: weil aber eine geraubte Autorität nicht gelten würde, so behauptet Paulus, daß er von Gott in sein Amt gesetzt sei. So wird der Sinn sein: Paulus ist ein Diener Christi, und nicht nur das, sondern ein Apostel, und durch Berufung Gottes und nicht durch eigenmächtigen Versuch. Es folgt dann die genauere Beschreibung des Amtes eines Apostels: derselbe ist verordnet, *zu predigen das Evangelium*. Die hier gemeinte Berufung darf man nun nicht auf die ewige Erwählung Gottes beziehen, wie es einige Ausleger tun. Die Aussonderung verstehen sie entweder als die vom Mutterleibe an, auf die Paulus im Galaterbrief (1,15) hinweist, oder als die Bestimmung zum Werk unter den Heiden, die Lukas erwähnt (Apg. 13,2). Doch rühmt sich Paulus ganz einfach, daß Gott der Urheber seiner Berufung ist. Niemand soll denken, Paulus habe sich durch eigenen Ehrgeiz diese Ehre angeeignet.

Zu beachten ist hier, daß nicht alle geeignet sind zum Dienst der Wortverkündigung, zu der eine besondere Berufung nötig ist. Es sollten also gerade die, die sich selbst für besonders geeignet halten, sich nicht ohne die notwendige Berufung hervorwagen. [...] Beachtlich ist ferner, daß das Amt eines Apostels lediglich darin besteht, das Evangelium zu predigen. [...]

V. 2: *Welches er zuvor verheißen hat* usw. Weil eine Lehre, die im Verdachte der Neuheit steht, keinen Bestand hat, so stützt der Apostel die Glaubwürdigkeit des Evangeliums durch sein Alter. Es ist, als ob er sagen wollte: Christus ist nicht plötzlich vom Himmel gefallen oder hat irgendeine neue, nie gehörte Lehrweise eingeführt; vielmehr war er von Anbeginn der Welt samt seinem Evangelium verheißen und ist immer erwartet worden. Weil aber das Altertum von Fabeln umgeben zu sein pflegt, werden Zeugen hinzugefügt, und zwar unanfechtbare, um allen Verdacht auszuräumen, nämlich Gottes *Propheten*. Und drittens heißt es, daß deren Zeugnisse ordentlich aufgezeichnet wurden, nämlich in der *heiligen Schrift*. Aus dieser Stelle läßt sich schließen, was das Evangelium ist: Sie lehrt, daß dasselbe durch die Propheten nicht bekanntgemacht, sondern nur zuvor gesagt ward. Haben aber die Propheten das Evangelium verheißen, so folgt, daß es uns deutlich gegeben wurde erst im Fleisch durch den Herrn. Es gehen also irre, welche alle Verheißungen mit dem Evangelium vermischen. Denn das Evangelium ist, eigentlich geredet, die herrliche Predigt von dem deutlich gezeigten Christus, in dem die Verheißungen selbst dargeboten werden.

V. 3: *Von seinem Sohn* usw. Eine hervorragende Stelle, die uns lehrt, daß das ganze Evangelium in Christo begriffen ist! Wer also von Christo auch nur um eines Fußes Breite abweicht, der weicht vom Evangelium ab. Christus ist das lebendige und ausdrückliche Bild des Vaters: darum wird er allein uns vorgestellt, an welchen unser ganzer Glaube sich richtet und in welchem er bestehen soll. Wir haben hierin also eine Beschreibung des Evangeliums, in der uns Paulus sagt, was in demselben als Summa begriffen wird.

Der geboren ist usw. Zwei Stücke müssen wir in Christus suchen, um das Heil in ihm zu finden: Gottheit und Menschheit. Die Gottheit begreift in sich Macht, Gerechtigkeit, Leben; und das alles kommt durch die Menschheit zu uns. Darum stellt der Apostel diese beiden Stücke ausdrücklich fest, wenn er die Summe des Evangeliums erzählt: Christus ist im Fleische erschienen, und in demselben hat er sich als Sohn Gottes erwiesen. Ganz ebenso redet auch Johannes (1,14): erst sagt er, daß das Wort Fleisch geworden; dann fügt er bei: in diesem Fleische sei die Herrlichkeit als des eingeborenen Sohnes vom Vater erschienen. Daß nun der Apostel das Geschlecht und die Herkunft Christi von seinem Stammvater *David* genauer anmerkt, ist nicht überflüssig: diese Worte erinnern uns ja an die Verheißung, damit wir nicht zweifeln, Christus sei längst verheißen worden. Die dem David gemachte Zusage war so bekannt, daß der Messias unter den Juden kurzweg Davids Sohn hieß. Daß also Christus von David abstammt, zielt auf die Gewißheit unseres Glaubens. Paulus fügt hinzu: *nach dem Fleisch.* So verstehen wir, daß Christus noch ein höheres Teil hat als das Fleisch. Dasselbe hat er nicht von David empfangen, sondern vom Himmel gebracht: es ist die Herrlichkeit seines göttlichen Wesens, zu welchem die Rede sich nunmehr wendet. Paulus spricht mit diesen Worten Christus nicht nur das wahre Wesen des Fleisches zu, sondern er unterscheidet auch klar zwischen der menschlichen und göttlichen Natur Christi. [...]

V. 4: *Öffentlich bekanntgemacht als Sohn Gottes in Kraft* usw. Man kann vielleicht noch besser sagen: „eingesetzt". Es ist als wolle der Apostel sagen: die Auferstehung wirkt wie ein göttlicher Beschluß, daß dieser Mensch fortan als Gottes Sohn erkannt werden soll. So heißt es Ps. 2,7: „Heute habe ich dich gezeuget." Denn jene Zeugung besteht darin, daß er nun als Sohn Gottes erkannt werden kann. Es sind hier vor allem drei Eigentümlichkeiten, durch die die Gottheit Christi erkannt werden kann: durch die Kraft der Wunder, durch das Zeugnis des Geistes und durch die Auferstehung von den Toten. Diese drei lassen sich aber wie folgt zusammenfassen. Christus ist zum Sohn Gottes erklärt worden, als seine Auferstehung von den Toten seine wahrhaft himmlische, d.h. seine Kraft des Geistes öffentlich kundtat. Und diese Kraft wird in der Welt begriffen, wenn derselbe Geist sie den Herzen versiegelt. Mit diesem Verständnis stimmt gut auch das Wort zusammen: Christus wurde in Kraft erwiesen als Sohn Gottes. Gottes eigne Kraft strahlte in ihm wieder und bewies unzweifelhaft sein göttliches Wesen. Sie erschien aber in seiner Auferstehung. […]

V. 5: *Durch welchen wir empfangen haben* usw. Nachdem der Apostel die Beschreibung des Evangeliums beendet hat (die er einschieben mußte, um die Bedeutung seines Amtes zu erklären), lenkt er zu seiner eignen Berufung zurück, von deren Richtigkeit die Römer zu überzeugen ihm sehr am Herzen lag. Er nennt gesondert *Gnade* und *Apostelamt.* Beide Begriffe besagen nichts anderes als das aus Gnaden geschenkte Apostelamt oder die Gnade des Apostelamtes. Paulus deutet damit an, daß er zu diesem wichtigen Kreis der Apostel hinzugewählt wurde nicht um der eignen Würdigkeit willen, sondern ganz um der göttlichen Gnade willen. Erscheint auch das Apostelamt wegen seiner Kämpfe, Mühen, Verfolgungen und Verachtung in der Welt nicht begehrenswert: vor Gott und seinen Heiligen ist seine Würde nicht gewöhnlich oder bescheiden. Mit Recht gilt es demgemäß als eine Gnade, ein Apostel sein zu dürfen. Wer lieber übersetzen möchte, „ich habe Gnade empfangen, ein Apostel zu sein", hätte auch recht.

Daß weiter gesagt ist „für seinen Namen", legt Ambrosius so aus: Paulus ist an Christi Statt dazu eingesetzt, das Evangelium bekannt zu machen, gemäß dem Wort: „Wir verwalten das Amt für Christus" (2. Kor. 5, 20). Gesünder erscheint mir die Meinung jener, die den „Namen" als Inhalt der Erkenntnis verstehen. Wird doch das Evangelium gepredigt, damit wir glauben an den Namen des Sohnes Gottes (1. Joh. 3, 23). Und Paulus selbst heißt ein dazu auserwähltes Rüstzeug, daß er den Namen Christi zu den Heiden trage (Apg. 9, 15). „Für den Namen" heißt also soviel, wie wenn Paulus gesagt hätte: Ich bezeuge öffentlich, wer und was Christus ist.

Den Gehorsam des Glaubens aufzurichten. Das heißt: wir haben Befehl empfangen, das Evangelium zu allen Heiden zu bringen, und sie sollen demselben durch den Glauben gehorchen. Indem der Apostel den Zweck seines Berufes beschreibt, erinnert er die Römer zugleich an ihre Pflicht. Es ist, als ob er spräche: mir steht es zu, das mir befohlene Amt auszurichten, d.h. das Wort zu verkündigen; an euch ist es, dem Worte in allem Gehorsam zu lauschen, wenn anders ihr nicht die Berufung, die Gott mir gegeben, vergeblich machen wollt. Daraus schließen wir, daß der Herrschaft Gottes freventlich widersteht und deren ganze Ordnung verkehrt, wer die Predigt des Evangeliums unehrerbietig und verächtlich von sich stößt, deren Zweck doch ist, uns zum Gehorsam gegen Gott zu treiben. Hier läßt sich auch das Wesen des Glaubens erkennen: derselbe heißt Gehorsam, weil wir dem Herrn, welcher uns durch das Evangelium ruft, durch den Glauben Antwort geben. Umgekehrt ist das Hauptstück aller Auflehnung gegen Gott der Unglaube. Man übersetzt besser die Worte „zum Gehorsam des Glaubens" mit „um zu gehorchen". Denn die Hinzufügung „des Glaubens" kann nur uneigentlich und als Redensart verwandt werden, obgleich sie einmal in der Apostelgeschichte zu finden ist (6,7). Denn eigentlich ist es der Glaube, durch den man dem Evangelium gehorcht.

Unter allen Heiden ..., unter welchen ihr auch seid. Es reichte nicht hin, von einer Berufung des Paulus zum Apostelamte zu sprechen: sein Dienst muß auch auf Jünger ausgerichtet sein. Darum fügt er hinzu, daß sein Amt sich auf alle Heiden erstrecke. Und alsbald nennt er sich noch deutlicher den Apostel der Römer, indem er sagt, daß auch sie zur Zahl der Heiden gehören, zu deren Diener er bestellt ist. Allen Aposteln ist der Auftrag gemein, das Evangelium in der ganzen Welt zu predigen. Dadurch unterscheiden sie sich von den Pastoren und Bischöfen, die an bestimmte Gemeinden gebunden sind. Dem Paulus aber war neben dem allgemeinen Bereich des apostolischen Amtes durch besondere Weisung die Pflicht der Heidenmission übertragen. Gegen dieses Verständnis spricht auch das Verbot nicht, durch Mazedonien zu ziehen und in Mysien zu predigen (Apg. 16,6). Denn dort handelt es sich nicht darum, daß Paulus feste Grenzen gesetzt würden, sondern er wird vom Geist zur Eile getrieben um eines bestimmten Auftrags willen, der dringender war als der gerade vorliegende.

V. 6: *Berufene Jesu Christi.* Diese Benennung fügt einen näheren Grund für den Anspruch des Apostels hinzu: Gott hatte bereits den Römern durch ihre Berufung ein Zeichen gegeben, durch das er erklärt hat, er berufe sie zur Vorbereitung des Evangeliums. Daraus folgt: wenn diese Berufung Bestand haben soll, so durften sie den Dienst des Paulus nicht abweisen, welcher doch durch die gleiche Erwählung Gottes zum Dienste bestellt war. Ich verstehe also dieses Satzglied „Berufene Jesu Christi" als eine genauere Erklärung, die besagt: Durch die Berufung seien sie Christi teilhaftig. Denn in Christus werden sie vom himmlischen Vater zu Kindern erwählt, die Erben des ewigen Lebens sein werden. Und als Erwählte werden sie dem Schutze und der Treue Christi als ihres Hirten anbefohlen.

V.7: *Allen, die ihr zu Rom seid* usw. Hier steht in schöner Ordnung verzeichnet, was an uns des Rühmens wert ist. Zuerst: Gott hat uns durch seine Güte und Liebe zu Gnaden angenommen. Zweitens: er hat uns berufen. Endlich: er hat uns zur Heiligkeit berufen. Dies letzte gilt, wenn wir unserer Berufung uns nicht entziehen. In dem allen wird uns eine überaus reichhaltige Lehre dargeboten, die ich nur kurz anrühren und im übrigen dem Nachdenken jedes Lesers überlassen will. An uns findet Paulus nichts Lobenswertes, worauf er das Heil gründen könnte. Er leitet es vielmehr aus dem Quell der Vaterliebe Gottes alleine ab. Darin steht der Anfang, daß Gott uns liebt. Was aber wäre dieser Liebe Grund, als allein Gottes Güte? Von ihr hängt auch die Berufung ab, mit welcher Gott die Annahme zur Kindschaft bei denjenigen, die er sich zuvor aus Gnaden erwählt hat, zur gegebenen Zeit versiegelt. Übrigens schließen wir auch aus dieser Wahrheit, daß niemand sich zur Zahl der wahrhaft Gläubigen rechnen darf, wenn er nicht gewißlich vertraut, daß Gott ihm, dem elenden Sünder, ohne Verdienst gnädig sei, und wenn er nicht, durch Gottes Güte erweckt, nach Heiligkeit trachtet. Denn Gott hat uns nicht berufen zur Unreinigkeit, sondern zur Heiligung (1. Thess. 4, 7). Da der griechische Text in der zweiten Person spricht, sehe ich keinen Grund, dies zu ändern.

Gnade sei mit euch und Friede. Nichts besseres läßt sich wünschen, als daß wir einen gnädigen Gott haben: darauf deutet die „Gnade" hin. In zweiter Linie erscheint wünschenswert, daß uns von ihm Segen und Gelingen in allen Dingen zufließe: dies bedeutet der „Friede". Denn, wie glücklich auch alles stehen mag: wenn Gott sich wider uns kehrt, so wird auch der Segen in Fluch verwandelt. So ist das einzige Fundament unseres Glücks Gottes Wohlwollen: dieses allein schafft, daß wir wahres und bleibendes Wohlergehen genießen, und daß auch durch widriges Geschick unser Heil gefördert wird. Daraus aber, daß der Friede vom Herrn erbeten wird, merken wir, daß alles Gute, das wir erfahren, dem Wohltun Gottes als rechte Frucht entsprießt. Auch das dürfen wir nicht übergehen, daß die Bitte um diese Güter sich zugleich an den Herrn Jesus richtet. Solche Ehre gebührt ihm, welcher nicht bloß das göttliche Erbarmen uns eröffnet und austeilt, sondern welcher in allen Dingen an der Regierung des Vaters Teil hat. Recht eigentlich will der Apostel zu verstehen geben, daß alle Wohltaten Gottes uns durch Christum zufließen. Bei dem Worte „Friede" denken manche lieber an die Ruhe des Gewissens. Ich leugne nicht, daß dieser Sinn zuweilen in dem Worte liegen kann. Da aber der Apostel hier ohne Zweifel uns die Fülle aller Güter vorstellen will, so erscheint die oben vorgetragene, von Bucer entlehnte Auffassung weit passender. Der Apostel will den Frommen die Fülle des Segens wünschen: so wendet er sich an Gottes Gnade als an die letzte Quelle; diese aber spendet uns nicht bloß ewiges Heil, sie ist die Ursache aller Güter auch in diesem Leben.

Röm. 1,16f.: Die Gerechtigkeit Gottes

Luther

WA 56,169,28–173,18

56,171,27: In den menschlichen Lehren wird die Gerechtigkeit der Menschen offenbart und gelehrt, d.h. wer und auf welche Weise einer gerecht sei und werde vor sich selbst und vor den Menschen. Aber im Evangelium allein wird die Gerechtigkeit Gottes offenbart (d.h. wer und auf welche Weise einer gerecht sei und werde vor Gott), nämlich durch den Glauben allein, mit dem man dem Worte Gottes glaubt, wie es bei Markus im letzten Kapitel heißt: ‚Wer glaubt und getauft wird, der wird selig werden. Wer aber nicht glaubt, wird verdammt werden.‘ Die Gerechtigkeit Gottes nämlich ist die Ursache des Heils. Und hier wiederum darf man unter ‚Gerechtigkeit Gottes‘ nicht diese verstehen, wodurch er selbst gerecht ist in sich selbst, sondern die, durch die wir von ihm her gerecht gemacht werden, welches geschieht durch den Glauben an das Evangelium. Daher sagt der selige Augustinus im 11. Kapitel von „De spiritu et littera“: ‚Gerechtigkeit heißt daher Gerechtigkeit Gottes, weil er dadurch, daß er sie mitteilt, Gerechte schafft. Wie das Heil des Herrn ist, wodurch er des Heils Teilhaftige macht.‘ Und dasselbe sagt er im 9. Kapitel des gleichen Buches. Sie wird so bezeichnet im Unterschied zur Gerechtigkeit der Menschen, die aus den Werken kommt. So beschreibt es Aristoteles im dritten Buch seiner Ethik klar und deutlich, wonach die Gerechtigkeit folgt und geschieht aus den Werken. Aber bei Gott geht die Gerechtigkeit den Werken voraus, und die Werke geschehen aus ihr. So, um im Beispiel zu reden, kann niemand die Werke eines Bischofs oder Priesters tun, wenn er nicht vorher konsekriert und dazu geheiligt ist.

Zwingli

S 6,2.76–133: In Epistolam ad Romanos Annotationes, 1527
Z II 626–663: Eine kurze christliche Einleitung, 17.11.1523

V.16f.: S 6,2.78: Deshalb schäme ich mich des Evangeliums nicht, weil wir durch das Evangelium Gottes Gerechtigkeit kennenlernen. Sie bezeichnet, diese Gerechtigkeit Gottes, die Art und Weise, wie der Mensch überhaupt gerecht wird vor Gott. [...] (Man könnte es zwar auch so verstehen): Das Evangelium macht Gottes Gerechtigkeit hinsichtlich der Heiden offenbar, daß nämlich sie durch Christus gerettet werden; die Heiden, welche vorher weit von Gott entfernt waren Epheser 2 [2, 13]. Die erste Bedeutung gefällt mir allerdings besser, wonach durch das Evangelium ‚die Gerechtigkeit offenbar wird, die vor Gott gilt, dem Juden zuerst und auch dem Griechen‘. Nun ist diese Gerechtigkeit nichts anderes als der Glaube. Es wäre ein Pleonasmus, von einem glaubwürdigen, von einem unzweifelhaften Glauben zu sprechen. Mit andern Worten: Die Gerechtigkeit besteht ausschließlich darin, an den Glauben zu glauben. Ja, die Gerechtigkeit ist nicht mehr und nicht weniger als dem Glaubwürdigen Glauben zu schenken: Vertrauen zu haben in den treuen, wahrhaften und glaubhaften Gott. In Ihn, der gewißlich hält, was er verspricht. Wir lernen hier, was die Gewißheit und was die Zuverlässigkeit göttlicher Verheißung bedeutet. Was verheißen ist, trifft ein, wie alle Geschichten der Heiligen Schrift bezeugen.

V. 17: S 6, 2.78: ‚Der Gerechte‘ heißt hier: ‚der Gläubige‘. Er lebt allein durch den Glauben.

Z II 648, 10–14: Der Gläubige wird im Glauben leben: Lebendig ist allein der, welcher weiß, daß er selbst, von sich aus, tot ist und ein Nichts, und der sich allein auf Gottes Gnade verläßt. In ihm lebt jetzt Gott, während er selber tot ist. So ist fromm und gerecht allein der Mensch, welcher seine Ungerechtigkeit erkennt und sich allein auf den gerechten Jesus Christus verläßt.

Calvin

CO 49, 19–22

V. 16: *Ich schäme mich ... nicht.* Dies Wort kommt dem Spott der Ungläubigen zuvor und schiebt ihn achtlos zur Seite. Zugleich erhebt er den Wert des Evangeliums, damit niemand dasselbe den Römern verächtlich mache. Paulus deutet an, er selbst sei vor der Welt verachtet, wenn er sagt: ich schäme mich nicht. So bereitet der Apostel die römischen Christen vor, die Schmach des Kreuzes Christi zu tragen: sie mögen das Evangelium deshalb nicht geringer schätzen, weil sie sehen werden, wie es vom Hohn und Spott der Gottlosen überschüttet wird. Vielmehr wird der hohe Wert des Evangeliums für die Frommen enthüllt. [...]

Wir wollen dabei wohl beachten, welche unvergleichliche Würde Paulus der Predigt des Wortes zuschreibt, wenn er bezeugt, daß Gott eben durch sie die Kraft zu retten ausübt. Da ist nicht von irgend einer geheimen Offenbarung die Rede, sondern von der mündlichen Predigt. Wie verachtet man also mutwillig Gottes Kraft, wie stößt man Gottes erlösende Hand von sich, wenn man sich dem Hören der Predigt entzieht! Weil aber Gottes Kraft nicht

in allen wirksam ist, sondern nur dort, wo der Geist als ein innerlich unter-
weisender Lehrer die Herzen erleuchtet, darum fügt der Apostel hinzu: *alle,
die daran glauben.* Zur Seligkeit wird zwar das Evangelium jedermann angeboten, aber nicht überall erscheint seine Kraft. Daß es aber für die Gottlosen ein Geruch des Todes ist, das liegt nicht in seiner Natur, sondern an
ihrem bösen Willen. Indem es das eine Heil aufzeigt, schneidet es jede andere
Hoffnung ab. Wer dieser einzigen Seligkeit sich entzieht, empfängt im Evangelium die Bezeugung seiner Verlorenheit. Weil also das Evangelium ohne
Unterschied alle Menschen zur Seligkeit einlädt, so heißt es im eigentlichen
Sinne eine Heilsbotschaft. Denn Christus ist darin dargeboten, dessen eigentliches Amt es ist, selig zu machen, was verloren ist. Wer sich aber von ihm
nicht selig machen lassen will, wird ihn als Richter kennenlernen. Übrigens
bildet in der heiligen Schrift die Seligkeit immer den Gegensatz zur Verlorenheit. Es ist also eindeutig, um was es sich handelt. Weil das Evangelium uns
frei macht von der Qual und dem Fluch des ewigen Todes, so besteht sein
Heil im ewigen Leben.

Die Juden zuerst und auch die Griechen. Der Name „Griechen" umfaßt
hier alle Heiden, wie aus der Zweiteilung hervorgeht, welche doch die ganze
Menschheit umspannen soll. Es wird dieses Volk stellvertretend für alle Nationen erwähnt, weil es nach den Juden als erstes heidnisches Volk in die
Gemeinschaft des Bundes aufgenommen worden war, der auf dem Evangelium gründet. Außerdem waren die Griechen wegen der geographischen Nähe
und der Berühmtheit ihrer Sprache den Juden bekannter. Jedenfalls faßt
Paulus die Heiden generell mit den Juden zusammen, weil sie alle Anteil
haben am Evangelium. Dennoch macht er den Juden ihren Vorrang nicht
streitig, weil ihnen zuerst die Verheißung und Berufung galt. Aber die Heiden
werden als Teilhaber hinzugefügt, wenngleich erst in zweiter Linie.

V. 17: *Die Gerechtigkeit Gottes.* Dieser Satz erläutert und begründet die
vorige Aussage, daß das Evangelium eine Kraft sei, selig zu machen. Wenn
wir Heil, d. h. Leben in der Gemeinschaft Gottes suchen, müssen wir vor allen
Dingen Gerechtigkeit suchen: Durch die Gerechtigkeit sind wir mit Gott
versöhnt und besitzen aus seiner Gunst dieses Leben, das alleine in seinem
Wohlwollen besteht. Denn um von Gott geliebt zu werden, müssen wir zuvor
gerecht sein, da Gott die Ungerechtigkeit haßt. Es wird uns also eingeschärft,
daß sich Seligkeit nur aus dem Evangelium schöpfen läßt: denn nirgends sonst
hat Gott seine Gerechtigkeit geoffenbart, welche uns allein vom Verlorengehen erlöst. Diese Gerechtigkeit ist das Fundament der Seligkeit, und wird im
Evangelium offenbart. Darum heißt das Evangelium eine Kraft, selig zu
machen.

Es gilt aber, genauer zu erwägen, welch seltenen und kostbaren Schatz uns der Herr im Evangelium schenkt: die Mitteilung seiner Gerechtigkeit. Unter „Gerechtigkeit Gottes" verstehe ich diejenige, die auch in seinem Gericht bestehen wird. So heißt „Gerechtigkeit der Menschen" eine solche, die nur vor Menschenurteil als Gerechtigkeit erscheint, die aber vielleicht in Wahrheit eitler Dunst ist. Ohne Zweifel schweben diesem Worte des Paulus viele Weissagungen vor, mit welchen der Geist Gottes die Gerechtigkeit Gottes in Christi künftigem Königreiche preist. Andere übersetzen: „die Gerechtigkeit, die uns *von Gott* geschenkt wird". Nun kann ja dies zweifellos einen brauchbaren Sinn haben: weil Gott uns durch das Evangelium Gerechtigkeit schenkt, darum rettet er uns. Immerhin scheint unsere Übersetzung besser zu passen. Aber ich will darüber nicht lange streiten. Viel wesentlicher erscheint, daß viele diese Gerechtigkeit nicht bloß in der Vergebung der Sünden bestehen lassen, sondern zum Teil auch in der Gnade der Wiedergeburt. Ich aber verstehe die Sache so, daß uns Gott dem Leben wiedergibt, weil er uns aus Gnade mit sich versöhnt hat. Doch davon werden wir gegebenen Orts ausführlich handeln (zu 3,21; 4,6).

An die Stelle des früheren Ausdrucks „alle, die daran glauben" tritt jetzt der andere: *„aus Glauben"*. Denn das Evangelium bietet die Gerechtigkeit an und im Glauben wird sie empfangen. Und der Apostel fügt hinzu: *in Glauben*. Denn soviel unser Glaube wächst und in solcher Erkenntnis fortschreitet, um so viel wächst zugleich in uns die Gerechtigkeit Gottes und wird unser festes Eigentum. Wenn wir das Evangelium kennenlernen zeigt sich uns zwar Gottes freundliches Angesicht zugekehrt, aber nur wie aus der Ferne: je mehr aber die Erkenntnis der Frömmigkeit wächst, um so viel näher treten wir gewissermaßen herzu und schauen seine Gnade deutlicher und vertrauter. Einige wollen in der Wendung „aus Glauben – in Glauben" einen Vergleich zwischen dem Alten und Neuen Testament angedeutet sehen. Das ist aber mehr scharfsinnig als gesichert. Paulus vergleicht ja nicht mit uns die Väter, die unter dem Gesetz gelebt haben, sondern er spricht vom täglichen Fortschritt in jedem Glaubenden.

Wie geschrieben stehet. Jene Glaubensgerechtigkeit deckt der Apostel mit der Autorität des Propheten Habakuk. An einer Stelle, welche das Gericht über die Stolzen weissagt, fügt derselbe hinzu: der Gerechten Leben stehe im Glauben. Nun leben wir aber vor Gott nur in Gerechtigkeit. Daraus folgt, daß auch unsere Gerechtigkeit im Glauben beruhen muß. Er „wird" leben, heißt es, weil das Leben, von dem hier gesprochen wird, von zuverlässiger Dauer ist; es bleibt nicht allein in der Gegenwart, sondern hat in Zukunft Bestand. Auch die Gottlosen schmeicheln sich mit einem Trugbilde von Leben; aber wenn sie sagen: es ist Friede, es hat keine Gefahr, wird sie das Verderben schnell überfallen (1. Thess. 5,5). Ihr Leben ist also nur ein Schatten, das einen Augenblick währet: der Glaube dagegen allein ist es, der dem Leben Dauer verleiht. Das kommt daher, daß er uns zu Gott führt und unser Leben in ihm ruhen läßt. Denn der Apostel würde diesen Spruch nur höchst unpassender Weise anführen, wenn die Meinung des Propheten nicht wäre, daß wir dann erst einen festen Stand gewinnen, wenn unser Glaube sich auf Gott stützt. Und sicherlich bindet er nur das Leben der Frommen an den Glauben, sofern derselbe dem Stolz der Welt den Abschied gibt und allein unter Gottes Schutz seine Zuflucht sucht. Allerdings behandelt der Prophet diese Wahrheit nicht ausdrücklich, darum erwähnt er auch die aus Gnaden geschenkte Gerechtigkeit nicht. Aber aus dem Wesen des Glaubens läßt sich ersehen, daß der Prophetenspruch ganz wohl mit dem vorliegenden Gegenstande zusammenstimmt. Dieser Gedankengang ergibt auch, daß Glaube und Evangelium in Wechselbeziehung stehen. Weil es nämlich heißt, „der Gerechte wird kraft seines Glaubens leben". So folgt daraus, daß man jenes Leben durch das Evangelium empfängt.

Damit haben wir das Hauptthema des ersten Teiles des Briefes erreicht: wir werden gerecht gesprochen allein durch Gottes Erbarmen vermittelst des Glaubens. Dies sagen des Apostels Worte zwar noch nicht ausdrücklich. Aber der Zusammenhang wird alsbald ergeben, daß die auf den Glauben gegründete Gerechtigkeit sich ganz auf Gottes Erbarmen stützt.

Römer 4, 1–8: Die Glaubensgerechtigkeit Abrahams

ZWINGLI

S 6,2. 76–133: In Epistolam ad Romanos Annotationes, 1527
Z XIII 467–827: Übersetzungen der Psalmen und Erläuterungen zu einzelnen Stellen, 1525 und 1532

V. 2: S 6,2.89: Wäre Abraham aus Werken gerecht geworden, dann hätte er nichts erbracht zur Ehre von Gottes Gnade, zur Ehre von Gottes Wohlwollen und Wohltun. Er wäre ja aus eigener Kraft gerecht geworden. Denselben Grundsatz müssen wir auch auf uns anwenden: Wenn wir Verdienst, Gerechtigkeit, überhaupt das Heil unseren eigenen Werken zuschreiben wollen, dann berauben wir Gott seiner Ehre. Wir schreiben dann nämlich nicht alle empfangene Güte seinem Erbarmen zu. Welch unerhörte Gotteslästerung!

V. 7–8: S 6,2.89: Entweder ist Gottes Gnade nicht Gnade, oder aber aus Werken wird die Gerechtigkeit nicht erlangt. Wie kann Gott ein gnädiger

Gott heißen, wenn wir aus den Werken gerechtfertigt werden, wenn er uns nichts schenkt aus Gnade? Hiezu führt Paulus an, was bereits David bezeugt hat: ‚Selig, denen die Übertretungen vergeben sind‘ – durch Gottes Gnade nämlich. Selig, denen Gott sein Erbarmen anbietet, denen er umsonst vergibt und ihre Sünden zudeckt.

Z XIII 543, Anm. 4 (zu Ps. 32, 1f., resp. 31, 1f.): David zeigt an, wie wohl dem Menschen, dem seine Sünde verziehen ist, wie ganz anders jedoch dem, der ein zerschlagenes Gemüt hat, Röm. 4. Er zeigt, daß Gott uns aus seiner Gnade die Sünde vergibt und nicht um unserer Werke willen oder aus unserem Verdienst. Wir bedürfen dessen, daß Gott uns unsere Missetat nicht anrechnet; denn wir haben ja nichts, womit wir unsere Schuld abzahlen könnten.

Z XIII 543, 3–8 (zu Ps. 32, resp. 31): David beschreibt aus eigener Erfahrung, wie tröstlich es ist, von Sünden entlastet zu sein, wie mühselig es umgekehrt ist, ein verdorbenes Gewissen zu haben.

CALVIN

CO 49, 68–73

V. 1: *Was sagen wir denn von Abraham, unserm Vater ...?* Paulus bekräftigt seine Lehre mit einem Beispiel, das völlig zureicht, weil sich Sache und Person entsprechen. Denn Abraham ist der Vater aller Gläubigen, dem wir allesamt nachfolgen müssen. Und es besteht nur eine einzige Weise, Gerechtigkeit zu erlangen, nicht aber eine Mehrzahl von Wegen. Es gäbe gewiß Gesichtspunkte, unter denen uns das Beispiel Abrahams nicht als gemeingültige Regel dienen könnte. Aber in der Person Abrahams ist uns ein Spiegel und Urbild der Gerechtigkeit vor Augen gestellt, die der Gemeinde insgemein eigen sein soll. So tut Paulus recht daran, das, was von diesem einen geschrieben steht, auf den ganzen Leib der Gemeinde anzuwenden. Er trifft damit zugleich auch die Juden, die sich besonders darin gefielen, sich zu ihrem Ruhm auf ihre Abrahamskindschaft zu berufen. Sich freilich mehr Heiligkeit beizumessen als dem heiligen Erzvater, das hätten sie wohl kaum gewagt. Aber er ist ja unzweifelhaft allein aus Gnade gerechtfertigt worden, und seine Nachkommen müssen daher, wenn sie sich auf Grund des Gesetzes eine eigene Gerechtigkeit beilegen, vor Scham den Mund schließen.

Nach dem Fleisch. Bei Paulus findet sich eine Wortstellung, die es einigen Auslegern nahezulegen schien, zu übersetzen: „Was sagen wir denn von unserem Vater Abraham, daß er gefunden habe nach dem Fleisch?“ Das würde heißen: auf natürliche Weise, aus sich selbst heraus. Besser ist es jedoch, die letzten Worte mit dem Begriff Vater zu verbinden. Abgesehen davon, daß uns gewohnte Beispiele leichter beeindrucken, wäre damit die Würde des Volkes, deren sich die Juden so hochmütig rühmten, noch einmal ausdrücklich genannt. Andere Ausleger meinen, das „Finden" des Abraham „nach dem Fleisch" sei hier in verächtlichem Sinne gemeint, so wie sonst die fleischlichen Söhne Abrahams als jene erscheinen, die es im geistlichen Sinne und mit vollem Recht nicht sind. Nach meiner Ansicht richtet sich der Ausdruck auf die Besonderheit der Juden (Abraham, unser Vater nach dem Fleisch). Denn die Natur und die fleischliche Herkunft standen ihnen höher, als wenn sie einzig durch Annahme an Kindes Statt zu Söhnen Abrahams geworden wären, das heißt, wenn zugleich der Glaube hinzugetreten wäre! Paulus gesteht also den Juden zu, daß sie mit Abraham auf besonders enge Weise verbunden sind. Doch will er sie nur dazu bewegen, sich von dem Vorbild ihres Vaters nicht abzuwenden.

V. 2: *Ist Abraham durch die Werke gerecht, so hat er wohl Ruhm.* Dieser Satz ist das erste Glied einer nicht ganz zu Ende geführten Kette von Schlußfolgerungen. Der Sinn läßt sich so zusammenfassen: Ist Abraham durch die Werke gerechtfertigt worden, so kann er sich seines Verdienstes wohl rühmen; aber einen Grund, sich auch vor Gott zu rühmen, hat er gewiß nicht. Also ist er auch nicht durch seine Werke gerechtfertigt worden. Daher der Zusatz: *Aber nicht vor Gott.* Der Zusatz ist der zweite Satz innerhalb der Schlußfolgerung (Syllogismus). Paulus zieht die Folgerung – „also gibt es keine Gerechtigkeit aus den Werken" – hier nicht. Ein „Ruhm" würde für Paulus dann vorliegen, wenn wir von unserer Seite etwas anführen könnten, das vor Gottes Gericht Belohnung verdiente. Solchen Ruhm spricht Paulus dem Abraham ab. Wer unter uns könnte sich anmaßen, dann auch nur einen Tropfen Verdienst zu haben?

V. 3: *Denn was sagt die Schrift?* Jetzt beweist Paulus den zweiten Schritt in der Schlußkette. Er hatte gesagt, Abraham habe keine Ursache, sich zu rühmen. Wenn er gerechtfertigt wird, weil er Gottes Güte im Glauben ergreift, so war sein Ruhm nichts; denn er brachte nichts Eigenes vor außer dem Eingeständnis seines Elendes, das nach Barmherzigkeit suchte. Paulus setzt voraus, daß die Gerechtigkeit des Glaubens für den Sünder, dem die Werke nicht zur Seite stehen, eine Hilfe und sozusagen ein Zufluchtsort ist. Gäbe es eine Gerechtigkeit aus dem Gesetz oder aus den Werken, so hätte diese ihren Sitz in uns selbst. Der Glaube aber entlehnt von außen, was uns in uns selbst fehlt. Darum ist es richtig, wenn man die Glaubensgerechtigkeit als „zugerechnet" bezeichnet. Die von Paulus hier erwähnte Stelle steht Gen. 15, 6. Das Wort „Glauben" ist dabei nicht auf eine besondere göttliche Zusage eingeschränkt, sondern es meint den ganzen Heilsbund und die Gnade der Aufnahme in die

Kindschaft: dies hat Abraham im Glauben ergriffen. Unmittelbar geht es dabei um die Verheißung künftiger Nachkommenschaft; aber diese gründet in der gnädigen Annahme an Kindes Statt. Niemals wird Heil ohne Gottes Gnade, und niemals Gottes Gnade ohne Heil verheißen. Auf der anderen Seite werden wir nie zu Gottes Gnade oder zum Heil gerufen, ohne daß uns zugleich die Gerechtigkeit angeboten wird. Wenn manche meinen, Paulus gebe der von ihm zitierten Stelle (Gen. 15,6) gewaltsam einen anderen Sinn, so zeigen die eben angedeuteten Zusammenhänge, daß solche Ausleger die ersten Anfangsgründe der Theologie noch nicht kennen. Sie weisen darauf hin, Abraham habe doch eine andere Verheißung (nämlich die des Erben) empfangen; daher habe er mit seinem Glauben recht und ordentlich gehandelt und sei insofern von Gott anerkannt worden. Aber sie täuschen sich zum ersten darin, daß sie nicht auf den weitgreifenden Sinn des Wortes „glauben" achten, der es nicht gestattet, das Wort nur auf ein einziges Teilgeschehen zu beschränken. Zweitens aber und vor allem besteht ihr Fehler darin, daß sie in ihrer Selbsttäuschung nicht von dem Zeugnis der Gnade Gottes ausgehen. Gott geht es doch darum, den Abraham seiner Annahme in die Kindschaft und seiner väterlichen Gunst gewiß zu machen – und darin ist das ewige Heil schon enthalten, das uns durch Christus gewährt wird. Abraham nimmt also in seinem Glauben nur die ihm angebotene Gnade an; sie ergreift er nicht vergeblich. Wird ihm aber dies zur Gerechtigkeit gerechnet, so ergibt sich, daß er gerecht ist, weil er im Vertrauen auf Gottes Güte von ihm alles zu erhoffen wagt. Mose berichtet nicht, was die Menschen von ihm gehalten haben, sondern wie er vor Gottes Richterstuhl dastand. Abraham ergreift also im Blick auf die empfangene Verheißung die ihm angebotene Güte Gottes, und er erfährt, daß ihm damit die Gerechtigkeit zuteil werde. Diesen Zusammenhang von Verheißung und Glauben gilt es zu erkennen, wenn die Gerechtigkeit zustande kommen soll. Zwischen Gott und uns steht es so wie bei den Rechtsgelehrten zwischen Geber und Beschenktem. Denn wir empfangen die Gerechtigkeit nur so, daß wir sie als die in der Verheißung uns gewährte und dem entsprechend im Glauben uns gleichsam zum Besitz gegebene ansehen. [...] Wir halten fest: Der Mensch, dem (etwas zur) Gerechtigkeit zugerechnet wird, ist damit gerechtfertigt – beides sind für Paulus auswechselbare Begriffe. Es braucht daher nicht erörtert zu werden, wie die Menschen in sich selbst geartet sind, sondern einzig, wie sie vor Gott dastehen. Gewiß soll zwischen Gottes freier Gunst und der Reinheit des Gewissens oder der Untadeligkeit des Lebens nicht getrennt werden. Aber wo es um die Frage geht, weshalb uns Gott liebt und als gerecht anerkennt, da rückt notwendig Christus in die Mitte, damit er uns mit seiner Gerechtigkeit umkleide.

V. 4: *Dem aber, der mit Werken umgeht.* Damit ist nicht jeder gemeint, der sich mit guten Werken abgibt – der Eifer darum soll ja in allen Kindern Gottes lebendig sein –, sondern ein Mensch, der mit seinen Werken etwas verdienen will. Einer, der *nicht mit Werken umgeht,* ist jemand, dem aus Verdienst der Werke nichts zukommt. Paulus will nicht, daß die Gläubigen ein faules Leben führen. Aber er verbietet ihnen die Lohnsucht, vermöge deren sie etwas von Gott verlangen, als stünde es ihnen rechtmäßig zu. Ich habe schon zu bedenken gegeben, daß es hier nicht um die Art geht, wie wir unser Leben einrichten müssen, sondern einzig um das Heil, wie es begründet sei. Paulus geht in seiner Beweisführung von einem Gegensatz aus: Gott gewährt uns die Gerechtigkeit nicht als eine Gegenleistung, zu der er verpflichtet wäre, sondern als eine aus seiner freien Entscheidung hervorgehende Gabe. [...] Der Glaube wird nicht deshalb zur Gerechtigkeit angerechnet, weil er von uns aus irgendein Verdienst mit sich brächte, sondern weil er Gottes Güte aufnimmt. Die Gerechtigkeit kommt uns also nicht kraft göttlicher Verpflichtung, sondern kraft göttlicher Gnade zu. Denn weil uns Christus aus Gnade rechtfertigt durch den Glauben so betrachtet Paulus immer unsere Leere, unseren Mangel an Gerechtigkeit. Denn was glauben wir anders, als daß Christus für uns die Sühne ist, um uns mit Gott in Ordnung zu bringen? [...]

V. 5: *Glaubt aber an den, der die Gottlosen gerecht macht.* Das ist eine eindrucksvolle Umschreibung, mit der Paulus Wesen und Natur des Glaubens und der Gerechtigkeit darlegt. Er macht völlig klar, daß uns der Glaube nicht deshalb die Gerechtigkeit bringt, weil er eine verdienstvolle Tugend wäre, die uns Gottes Gnade erwirbt, sondern sofern er uns sie erreichen läßt. Denn Gott erscheint hier nicht bloß als der Geber der Gerechtigkeit; sondern wir werden zugleich wegen unserer Ungerechtigkeit verurteilt, so daß Gottes freie Gabe unserem Mangel zu Hilfe kommt. Fassen wir zusammen: Keiner gelangt zur Gerechtigkeit des Glaubens, der in sich selber nicht ein Gottloser wäre. Die Umschreibung, die uns Paulus gibt, muß mit dem zusammen gesehen werden, was hier im weiteren Zusammenhange erörtert wird: der Glaube schmückt uns mit einer fremden Gerechtigkeit, die er von Gott erbettelt. Gott wiederum erscheint als der, der uns rechtfertigt, indem er Sündern verzeiht und Menschen seiner Liebe würdigt, die er sonst nur mit Recht erzürnt von sich weisen könnte; er macht in seinem Erbarmen unsere Ungerechtigkeit zunichte.

V. 6: *... daß die Seligkeit sei allein des Menschen, welchem Gott zurechnet die Gerechtigkeit ohne Zutun der Werke.* Es wird hier vollends deutlich, was für eine törichte Ausflucht es ist, unter den Werken des Gesetzes die Zeremonien zu verstehen. Paulus sagt ja ganz allgemein „Werke" und läßt (sogar) den Zusatz – „des Gesetzes" – fallen. Gilt das hier, so hat es im Lauf der vorangehenden Erörterung gewiß nicht anders gestanden. [...] Schließlich wird betont, daß diese Vergebung aus freier Gnade geschieht; denn die Ge-

rechtigkeit wird uns ja „ohne Zutun der Werke" „zugerechnet" – wie es auch
der Begriff der Vergebung andeutet. Denn ein Gläubiger, der seine Zahlung
empfangen hat, „erläßt" oder vergibt nichts; von einem Erlaß kann nur da
die Rede sein, wo der Gläubiger aus freien Stücken den Schuldschein zerreißt.
Hinweg also mit solchen, die uns lehren, die Vergebung unserer Missetaten
mit genugtuenden Werken zu verdienen! Paulus geht ja von der Vergebung
aus, um zu zeigen, daß die Gerechtigkeit frei gewährtes Geschenk ist. Wie soll
das mit der Lehre von genugtuenden Leistungen zusammenstimmen? Nun,
man sagt, wir müßten Gottes Gerechtigkeit mit Werken Genüge tun, um die
Verzeihung für unsere Sünden von ihm zu erlangen. Paulus zeigt, daß das
Umgekehrte gilt: die Gerechtigkeit wird uns aus freier Gnade und ohne
Werke geschenkt, weil sie ja in der Sündenvergebung wurzelt. Das wäre
falsch gedacht, wenn bei der Vergebung der Sünden die Werke mitwirkten.
[...] Nein, es bleibt bei dem köstlichen Satz: der wird im Glauben gerechtfertigt, der durch die freigeschenkte Vergebung der Sünden vor Gott gereinigt
ist.

Es läßt sich daraus auch erkennen, daß die gnadenweise Gerechtigkeit das
ganze Leben hindurch andauert. Denn David spricht, als er (im Ps. 32), vom
ständigen Nagen des Gewissens erschöpft, den Menschen selig nennt, dem die
Sünde vergeben ist, ganz sicher von seiner eigenen Erfahrung. Damals aber
hatte er Gott schon durch lange Jahre hindurch gedient! So hatte er die Erfahrung eines langen Weiterschreitens (auf dem Wege des Gehorsams) hinter
sich – aber er rief doch auch aus, alle Menschen, die vor Gottes Richterstuhl gerufen werden, seien elend daran und es gebe nur den einen Weg, die Seligkeit zu
erlangen, nämlich daß uns der Herr in Gnaden aufnimmt, indem er uns unsere Sünden nicht zurechnet. Daß die Glaubensgerechtigkeit nur den Beginn
ausmache und wir dann hernach als Gläubige nur durch Werke die Gerechtigkeit in unserem Besitz hielten, die wir freilich ohne alles Verdienst erworben haben – das ist ein Fündlein, das in Ps. 32 gründlich widerlegt wird. Gewiß heißt es manchmal, Werke würden uns zur Gerechtigkeit gerechnet, wie
ja auch anderes (als die Vergebung) als „Seligkeit" aufgeführt wird; aber das
tut dem, was Paulus hier sagt, keinen Abbruch. Wir lesen Ps. 106, 31 von
Pinehas, daß er an Ehebrechern und Huren bittere Strafe geübt hat, und das
wurde ihm, heißt es, zur Gerechtigkeit gerechnet, weil er damit die Schande
Israels ausgelöscht hatte. Der Mann hat eine einzige rechte Tat getan; aber daß
durch diese eine Tat die Person gerechtfertigt worden sei, das ist nicht anzunehmen. Denn (unter dem Gesetz) bedarf eines vollkommenen und lücken-
losen Gehorsams, nach der Verheißung: „Wer das tut, der wird darin leben"
(Dtn. 4, 1). Wie kann daher ein einziger Vergeltungsakt dem Pinehas zur
Gerechtigkeit gerechnet werden? Nur dann, wenn er selbst schon zuvor gerechtfertigt war! Denn wer mit Christi Gerechtigkeit angetan ist, der hat

nicht nur für sich selbst, sondern auch für seine Werke einen gnädigen Gott: seine Reinheit deckt ihre Flecken und Mängel, so daß sie nicht mehr ins Gewicht fallen. So gelten die Werke als gerecht und unbefleckt. Aber anders als durch Gottes Nachsicht kann überhaupt kein menschliches Werk Gott wohlgefällig sein. Wenn aber den Werken einzig kraft der Glaubensgerechtigkeit ihrerseits Gerechtigkeit beigemessen ist, so ist es töricht, zu behaupten, die Gerechtigkeit sei nicht allein aus dem Glauben, weil sie doch auch Werken zugesprochen werde. Ich kann nur dagegen setzen: Alle Werke werden der Verdammnis verfallen, wenn nicht der Mensch allein durch den Glauben gerechtfertigt wird. Das läßt sich nicht widerlegen.

Ebenso steht es mit der „Seligkeit": gewiß werden die Menschen „selig" gesprochen, die den Herrn fürchten, die in seinen Wegen wandeln, die Tag und Nacht über sein Gesetz nachsinnen (vgl. Ps. 1 und Ps. 119); aber in Wirklichkeit vollbringt das niemand mit der schuldigen Vollkommenheit, so daß also auch niemand der göttlichen Weisung völlig entspricht; so sind also alle jene Seligpreisungen ungültig, wenn wir nicht, durch die Vergebung der Sünden gereinigt und abgewaschen werden. Nur so werden wir jener „Seligkeit" teilhaftig, die der Herr solchen Menschen zusagt, die sich um sein Gesetz mühen und gute Werke tun. Wie also die Gerechtigkeit der Werke nur die Wirkung der Glaubensgerechtigkeit ist, so ergibt sich eine „Seligkeit" aus den Werken einzig aus jener „Seligkeit", die (nach Ps. 32) in der Vergebung der Sünden liegt. Die Wirkung darf und kann vom Ursprung nicht getrennt werden, und darum ist es ein vergebliches Bemühen, die Glaubensgerechtigkeit (als Ursprung) unter Berufung auf die Werke (als Wirkung) beiseite zu schieben. Es könnte freilich jemand meinen: warum sollte man nicht unter Berufung auf die erwähnten Schriftzeugnisse behaupten, der Mensch werde gerade durch Werke gerechtfertigt und „selig" gemacht – da doch nach ihrem Wortlaut die „Seligkeit" aus den Werken und aus Gottes Erbarmen ebenso kräftig bezeugt wird wie die Glaubensgerechtigkeit? Aber da muß man auf die Folgeordnung der Gründe (zur Rechtfertigung) und auf die Gestalt achten, wie Gott seine Gnade austeilt. Was wir von einer „Gerechtigkeit" oder „Seligkeit" aus den Werken hören, das hat nur dann Bestand, wenn die Glaubensgerechtigkeit vorangegangen ist und allein ihren Platz einnimmt. Von ihr kann daher gültig nur in dem Sinne die Rede sein, daß sie, wie die Früchte aus dem Baum, aus der Glaubensgerechtigkeit sich gründet und erwächst.

Röm. 6,1–11: Gemeinschaft mit Christus durch die Taufe

LUTHER

WA 56, 320,9–328,26

V. 4: 56,324,4: *So sind wir mit ihm begraben.* In einem geistlichen Menschen müssen alle Dinge auf dieselbe Weise erscheinen in der Meinung der Menschen und in seiner eigenen, wie Christus begraben und gestorben erschien in den Augen der Juden. Denn er spricht uns vor, daß wir mit ihm durch alles antworten.

Erstens der gestorbene Christus fühlt nichts mehr von dem, was draußen vorging, auch wenn er noch bis dahin draußen war. So verhält es sich mit dem geistlichen Menschen. Auch wenn er mit seinen Sinnen in allem gegenwärtig ist, so ist er dennoch in seinem Herzen von allem abgewendet und gestorben. Das geschieht, wenn der Mensch aus ganzer und innerster Kraft alles verachtet, was zu diesem Leben gehört, ja, wenn er überdrüssig an allem, was in diesem Leben geschieht, die Geduld bewahrt und mit Freuden sich rühmt, daß er wie ein toter Leichnam ist und ‚ein Kehricht und Fegeopfer dieser Welt‘, wie der Apostel sagt. Aber es ist zu bemerken, daß es nicht nötig ist, daß alle sofort in diesem Stande der Vollkommenheit erfunden werden, wenn sie in seinen Tod hineingetauft sind. Sie sind getauft ‚in den Tod‘, d.h. zu dem Tode, das bedeutet, sie haben angefangen, sich darum zu bemühen, daß sie diesen Tod erlangen und dieses ihr Ziel erreichen. So haben sie, wenn sie auf das ewige Leben und das Himmelreich hin getauft werden, noch nicht gleich seine volle Summe, sondern sie haben angefangen sich zu bemühen, daß sie jenes erlangen. Die Taufe ist darum gesetzt, daß sie uns zu diesem Tode und durch ihn hindurch zum Leben führe. Darum ist es nötig, in dieser Ordnung erfunden zu werden.

V. 6: 56,325,1: *(Dieweil wir wissen, daß) unser alter Mensch (samt ihm gekreuzigt ist).* Ein ‚alter Mensch‘ ist, wie er aus Adam geboren ist, nicht gemäß der Natur, sondern gemäß dem Gebrechen der Natur. Denn die Natur ist gut, aber das Gebrechen ist böse. Denn der ‚alte Mensch‘ wird nur so genannt, weil er die Werke des Fleisches tut, mehr noch, wenn er gerecht handelt, nach Weisheit trachtet und sich in allen geistlichen Gütern übt, ja sogar in dem er Gott selbst liebt und ehrt. Der Grund ist, weil er in dem allen Gottes Gaben genießt und Gott gebraucht. Er kann von diesem Perversen des Mißbrauchs, das in der Schrift Verkrümmtheit, Ungerechtigkeit und Verkehrtheit genannt wird, nur durch Gottes Gnade aufgerichtet werden.

V.10: 56,327,26: Gott aber lebt nur, was ewig und geistlich lebt, weil Gott ewig und Geist ist, vor dem nichts gilt als nur, was geistlich und ewig ist. Vor ihm sind das Fleisch und die zeitlichen Güter nichts. Weil also dieses Leben ewig ist, so muß jeder nur einmal sterben, welcher der Sünde stirbt, da jenem Tode der Sünde nur das ewige Leben folgt, in welchem kein Tod sein kann, weil es sonst nicht ewig wäre. Und wer einmal der Sünde gestorben ist, kann nicht noch einmal der Sünde sterben, weil daraus die ewige Gerechtigkeit gefolgt ist, welche niemals weiter sündigt. [...] Jeder, der getauft ist und Buße getan hat, ist so schon der Sünde entronnen und hat die Gerechtigkeit empfangen, so daß es nicht nötig ist, in Ewigkeit einer anderen Sünde zu entrinnen oder eine andere Gerechtigkeit zu erlangen. Dieses einzige und alleinige ist genug in Ewigkeit. Das geschieht in der Gerechtigkeit der Menschen auf keine Weise, wo nach der Moral auf eine erworbene Tugend eine andere noch zu erwerbende übrig bleibt. Es ist auch nicht der Sinn, daß derjenige, der die Gerechtigkeit einmal erworben hat, sie fernerhin nicht mehr erwerben könnte, wenn er sie verliert, weil die Schrift diesem Irrtum widerspricht, so in den Sprüchen (24,16): ‚Siebenmal am Tage fällt der Gerechte und so oft steht er wieder auf.‘ Und der Herr sagt zu Petrus: ‚Ich sage dir: nicht siebenmal, sondern siebzigmal siebenmal‘ (Mt. 18,22).

ZWINGLI

Z III 590–912: De vera et falsa religione commentarius, März 1525
Z IV 188–337: Von der Taufe, von der Wiedertaufe und von der Kindertaufe, 27.5.1525
Z IX 108–115: An Haller und Kolb, 28.4.1527

V.3: Z IX 110,19–26: Paulus schreibt nicht gesetzlich vor, ... wie wir die Taufe üben sollen. Er setzt vielmehr ihren Stellenwert voraus und geht davon aus, Er versucht also, mit einem Vergleich klarzumachen, *daß* wir als neue Menschen leben sollen. Wer nämlich [so der Vergleich] seinen Körper im Wasser gebadet hat, wirft sich ja auch nicht gleich unmittelbar darnach wieder in Schmutz und Morast. Wieviel weniger dürfen diejenigen, die durch die Taufe dem Tod und der Auferstehung Christi ähnlich geworden sind, wieder zu den Taten zurückkehren, in denen sie einst tot waren.

V.4: Z IV 244,21–27: Hier wird die Bedeutung der Taufe umfassend dargelegt: Das Eingetaucht-Werden bedeutet den Tod. Wie Christus gestorben und begraben worden ist, so sterben auch wir der Welt. Das wiederum Aus-dem-Wasser-Herauskommen bedeutet die Auferstehung Christi. Wie er auferstanden ist und nicht mehr sterben kann, so sollen wir ein neues Leben führen. Auch wir werden also nicht mehr sterben, sondern ‚sind aus dem Tod ins Leben hinüber gegangen' Joh. 5 [5,24].

V. 11: Z III 704,28–33: In diesen Paulusworten, die klarer sind als die Sonne, findet sich nichts, was nicht jedermann verstehen könnte, außer dem Satz: ‚der Sünde tot sein'. Paulus braucht diesen Ausdruck nämlich auf verschiedene Weise. Wenn er darlegt, daß Christus der Sünde gestorben ist, dann will er sagen, daß Christus um der Sünde willen gestorben sei, damit die Sünde getötet werde. Wenn er aber sagt, daß *wir* der Sünde gestorben seien, dann will er sagen, daß wir von der Sünde befreit und bereits jetzt von ihr geschieden sind.

CALVIN

CO 49, 103–110

V. 1: *Was wollen wir hierzu sagen?* In diesem ganzen Kapitel redet der Apostel davon, wie Christus fälschlich auseindergerissen wird, wenn man behauptet, daß er uns seine Gerechtigkeit aus Gnaden schenke, ohne zugleich ein neues Leben zu wecken. Er kleidet diese fehlerhafte Ansicht in eine schroffe Form und stellt die Frage, ob man denn nicht der Gnade Raum eröffne, wenn man ruhig in der Sünde hängen bleibt. Nichts geschieht ja leichter, als daß das Fleisch es sich unter irgendeinem Vorwand bequem macht. Und dann ersinnt der Satan allerlei Verleumdungen, um mit leichter Mühe die Predigt von der Gnade in üblen Ruf zu bringen. Denn da es für die menschliche Vernunft nichts Fremdartigeres gibt als die Predigt von Christus, so kann es uns nicht überraschen, wenn unsere fleischliche Art die Lehre von der Rechtfertigung aus Glauben zwar annimmt, dann aber die verkehrtesten Folgerungen daraus zieht. Wir müssen aber dennoch fortfahren, und dürfen von Christus nicht stillschweigen, weil er für viele ein Stein des Anstoßes und ein Fels des Ärgernisses ist. Denn derselbe Christus, der den Gottlosen zum Fall wird, ist den Frommen zum Auferstehen gesetzt. Immerhin muß man unzeitigen Fragen zuvorkommen, damit nicht der Verdacht bestehen bleibt, daß die christliche Lehre Torheiten in sich schließt. Der Apostel beschäftigt sich nun mit dem geläufigsten Einwurf gegen die Predigt von der göttlichen Gnade. Wenn es nämlich wahr wäre, daß Gottes Gnade den größten Raum für ihre Verzeihung findet, wo die größte Last der Sünde ist, so könnte man ja nichts Nützlicheres ausdenken, als immer tiefer zu fallen und mit immer neuen Sünden Gottes Zorn zu reizen. Dabei müßten wir ja wohl am reichlichsten Gnade erfahren. Wie der Apostel diese Torheit widerlegt, werden wir alsbald sehen.

V. 2: *Das sei ferne!* Es könnte scheinen, als wollte dieser Ausruf den frevelhaften Unsinn ohne weitere Widerlegung einfach als solchen kennzeichnen.

Andere Stellen aber (Röm. 3,6; 9,14; Gal. 2,17; 3,21) zeigen, daß Paulus diese Redewendung auch gebraucht, wo er keineswegs auf einen mitunter sehr ausführlichen Beweis verzichtet. So wird er auch hier alsbald den verleumderischen Einwurf gründlich widerlegen. Zunächst aber soll der Ausdruck des Abscheus dem Leser eine Empfindung davon erwecken, wie ungereimt es ist, daß Christi Gnade, die doch unsere Ungerechtigkeit heilen will, uns im Laster bestärken solle!

Wie sollten wir noch in der Sünde leben wollen, der wir abgestorben sind? Paulus bringt einen Beweis aus der Behauptung des Gegenteils. Wer nämlich sündigt, der lebt unbestreitbar der Sünde. Wir aber sind durch Christi Gnade der Sünde gestorben. Also ist es falsch, der Sünde, die Christus tilgt, noch eine Lebenskraft zu belassen. Denn der Tatbestand liegt so: Wenn Gott die Gläubigen mit sich versöhnt, so schenkt er ihnen stets auch ein neues Leben. Ja, es ist der Zweck der Rechtfertigung, daß wir dann dem Herrn in Reinheit unseres Lebens dienen. Wenn uns Christus mit seinem Blute wäscht und durch sein Sühnopfer einen gnädigen Gott schafft, so gibt er uns zugleich Anteil an seinem Geist, der die Erneuerung zu heiligem Leben schafft. Es würde also eine schlimme Verkehrung des Werkes Gottes bedeuten, wenn die in Christus geschenkte Gnade Gelegenheit bieten sollte, der Sünde neue Kräfte zuzuführen. Die Arznei nährt die Krankheit nicht, gegen die sie gegeben wird. Übrigens müssen wir im Gedächtnis behalten, was schon zu 2,11 kurz festgestellt wurde, daß Paulus hier nicht davon redet, in welchem Zustand uns Gott zur Gemeinschaft seines Sohnes beruft, sondern wie wir werden sollen, nachdem die freie Gnade uns zu Kindern Gottes angenommen hat. Das Wörtchen ‚noch‘ deutet auf die Zukunft, auf die Veränderung, die im Gefolge der Rechtfertigung sich umstellen muß.

V. 3: *Wisset ihr nicht.* Der zuletzt ausgesprochene Gedanke, daß Christus in den Seinen der Sünde ein Ende mache, empfängt nun eine weitere Bestätigung durch die Wirkkraft der Taufe, die uns in den Glauben an Christus einführt. Denn das ist ja außer Frage, daß wir in der Taufe Christus anziehen und daß wir die Taufe empfangen, um mit Christus eins zu werden. Dazu fügt Paulus den anderen Grundsatz, daß wir wahrhaft mit Christi Leib zusammenwachsen, wenn sein Tod in uns seine Frucht bringt. Und er lehrt, daß man bei der Taufe ganz besonders diese Gemeinschaft des Todes ins Auge fassen soll; denn dort wird uns nicht nur die Abwaschung, sondern auch die Abtötung und das Sterben des alten Menschen vorgestellt. So ist offenbar, daß sich, sobald wir in Christi Gnade aufgenommen werden, die Wirkung seines Todes zeigen muß. Was aber diese Gemeinschaft mit dem Tode Christi bedeutet, folgt sofort.

V. 4: *So sind wir ja mit ihm begraben.* Jetzt beginnt der Apostel, vorläufig, wenn auch noch nicht vollständig, darzulegen, worauf unsere Taufe auf Christi Tod abzielt: daß wir nämlich uns selbst absterben und neue Menschen werden. Denn von der Gemeinschaft des Todes führt eine notwendige Verbindung zur Teilnahme am Leben hinüber. Der alte Mensch wird durch Christi Tod vernichtet, damit seine Auferstehung Gerechtigkeit begründe und uns zu neuen Kreaturen mache. Wurde uns Christus zum Leben geschenkt, was sollte es dann nützen, mit ihm zu sterben, wenn wir nicht mit ihm zu besserem Leben auferstünden? Was in uns sterblich ist, tötet Christus nur dadurch, daß er uns ein wahrhaft neues Leben schenkt. Weiter gilt es, festzustellen, daß der Apostel hier nicht eine einfache Ermahnung zur Nachfolge Christi ausspricht, als wäre Christi Tod ein bloßes Beispiel zur Nacheiferung für alle Christen. Die Meinung des Apostels geht viel tiefer: er trägt eine Predigt vor, aus der sich erst später die Ermahnung entfaltet. Diese Predigt lautet: Christi Tod hat Kraft, unser sündliches Fleisch niederzuhalten und zu töten, Christi Auferstehung aber, das neue Leben einer besseren Natur zu erwecken, und die Taufe gibt uns Anteil an solcher Gnade. Damit ist erst ein festes Fundament gewonnen, von dem aus die Christen ermahnt werden können, ihrer Berufung würdig zu wandeln. Daß die beschriebene Kraft nicht in allen Getauften wirkt, verschlägt nichts. Denn da Paulus zu Gläubigen spricht, so denkt er, wie er es immer tut, mit dem äußeren Zeichen dessen Wesen und Wirkung zusammen. Denn wir wissen ja, daß der Glaube zu Bestand und Geltung bringt, was Gott in sichtbarem Zeichen anbietet. Paulus lehrt also, was die recht empfangene Taufe wahrhaftig nützt. So heißt es auch Gal. 3,27 ganz allgemein: „Wieviel euer auf Christus getauft sind, die haben Christus angezogen." So läßt sich mit Recht reden, wo Gottes Ordnung und der Glaube der Frommen aufeinander treffen. Leere und bloße Zeichen sind nur da, wo unsere Undankbarkeit und böser Wille das Wirken der göttlichen Gnade hindert.

Durch die Herrlichkeit des Vaters, das ist seine unvergleichliche Kraft, durch die er seine Herrlichkeit und Majestät offenbart. In dieser erhabenen Weise rühmt die Schrift häufig Gottes Macht, die in der Auferstehung Christi kundgeworden ist. Wir brauchen einen so eindrücklichen Hinweis auf Gottes einzigartige Kraft, damit der Glaube nicht nur an die letzte Auferstehung, die alles Begreifen übersteigt, sondern auch an die übrigen Früchte der Auferstehung Christi bei uns mächtig wird.

V. 5: *Denn wenn wir in ihn eingepflanzt sind.* Der bisher vorgetragene Beweis wird mit deutlicheren Worten weitergeführt. Das jetzt gebrachte Gleichnis schließt jede Unsicherheit aus. Wo von „Einpflanzung" die Rede ist, handelt es sich nicht nur um Vorbild und Nachfolge, sondern um eine geheimnisvolle Verbindung, vermöge deren wir mit Christus so zusammenwachsen, daß sein Geist als unser Lebenssaft seine Kraft in uns wirksam werden läßt. Denn das kraftvolle Bild vom Einpflanzen zeigt deutlich, daß der Apostel nicht nur ermahnt, sondern vielmehr von der Güte Christi predigt. Der Lobpreis liegt nicht darauf, daß wir mit eigener Anstrengung leisten sollen, was Gott von uns fordert, sondern auf dem, was Gott tut, wenn er mit eigener Hand die Einpflanzung vollzieht. Wie das Pfropfreis mit dem Baum, in den man es einsenkt, Tod und Leben teilt, so verstehen wir, daß wir in gleicher Weise an Christi Leben und Tod teilhaben. Sind wir mit Christus gepflanzt zu gleichem Tode und ist Christi Tod nicht ohne Auferstehung geblieben, so wird auch unserem Tod die Auferstehung nicht fehlen. Die Worte können übrigens in doppelter Weise verstanden werden, entweder: Christus eingepflanzt, so daß dabei eine Ähnlichkeit mit seinem Tode zustande kommt; oder, was dem griechischen Wortlaut ungezwungener entspricht: eingepflanzt zur (das ist „in die") Ähnlichkeit seines Todes, mit demselben zusammengewachsen. Sachlich bedeutet dies aber keinen Unterschied. Von Ähnlichkeit oder Gleichgestalt des Todes soll nach Chrysostomus hier ganz in dem Sinn die Rede sein, wie es (Röm. 8,3; Phil. 2,7) von Christus heißt, er sei in der Gestalt des Fleisches oder gleich wie ein anderer Mensch erschienen. Ich glaube jedoch, daß der Sinn des Wortes hier noch eine besondere Schattierung aufweist. Das Wort „Ähnlichkeit" deutet an, daß nicht eine volle Übereinstimmung, sondern nur eine gewisse Parallele zwischen dem leiblichen Tod Christi und unserem Sterben besteht. Wie Christus in dem Fleisch starb, das er von uns angenommen hat, so sterben wir in uns, um in ihm zu leben. Es ist nicht derselbe, sondern ein ähnlicher Tod. Eine gewisse Gleichartigkeit zwischen dem Absterben des zeitlichen Lebens und der geistlichen Erneuerung soll ins Auge gefaßt werden. – Übrigens ist es unerlaubt, den Vergleich bis in seine letzten Konsequenzen durchzuziehen. Wollte man dies versuchen, so würde sich ein bedeutender Unterschied zwischen dem Pfropfen der Bäume und unserer geistlichen Einpflanzung in Christus ergeben. Natürlicherweise zieht das Pfropfreis seine Nahrung aus der Wurzel, behält aber die Eigenart seiner ursprünglichen Früchte. Geistlicherweise aber ziehen wir aus Christus nicht nur Kraft und Lebenssaft, sondern wir gehen aus unserer Natur in die seinige über. Der Apostel wollte nur im allgemeinen die Wirkungskraft des Todes Christi beschreiben, die in dem Absterben unseres Fleisches zur Erinnerung kommt, wie auch die Macht der Auferstehung, die neue geistliche Natur zu erwecken.

V. 6: *Daß unser alter Mensch.* Vom „alten" Menschen wie auch vom „Alten" Bunde spricht man im Gegensatz zum Neuen. Der alte Mensch fängt an, alt zu werden, wenn die beginnende Erneuerung ihn allmählich ums Leben bringt. Gemeint ist unser ganzes natürliches Wesen, das uns vom Mutterleib her anhängt, welches so wenig in Gottes Reich eingehen kann, daß es in demselben Maß vergehen muß, wie das wahre Leben in uns wächst. Dieser alte Mensch ist mit Christus *gekreuzigt*, weil er durch Christi Kraft und namentlich durch die Gemeinschaft seines Todes den Todesstoß empfängt. „Gekreuzigt" schreibt ja der Apostel nicht etwa, um weniger zu sagen als „getötet" und um auszudrücken, daß in irgendeinem Grade der alte Mensch noch lebt. Das würde einen an sich ganz richtigen, aber im vorliegenden Zusammenhang völlig unpassenden Gedanken ergeben. *Der sündliche Leib*, von dem Paulus redet, kommt nicht in Betracht, sofern er Fleisch und Bein ist, sondern nach seiner Natur: der seiner Natur überlassene Mensch ist ein Gebilde von lauter Sünde. Als Zweck der Abtötung wird verzeichnet: *daß wir hinfort der Sünde nicht dienen*. Daraus ergibt sich die Folgerung, daß wir, solange wir Kinder Adams und nichts als natürliche Menschen sind, dermaßen in der Knechtschaft der Sünde stehen, daß wir nicht anders können als sündigen. Erst die Einpflanzung in Christus befreit uns von diesem elenden Zwang, nicht als ob alle Sünde sofort ein Ende hätte, aber so, daß wir doch endlich den Sieg gewinnen werden.

V.7: *Denn wer gestorben ist*. Der Beweis gründet sich auf die Natur und Wirkung des Todes. Wenn der Tod alle Regungen des Lebens ablöst, so müssen wir, die wir der Sünde gestorben sind, von den Regungen frei sein, welche die Sünde verspüren ließ, solange sie noch lebte. *Gerechtfertigt* heißt soviel wie freigesprochen und von der Knechtschaft erlöst. Denn wie der Freispruch des Richters den Angeklagten aller weiteren Last entledigt, so befreit uns der Tod von allen Verbindlichkeiten dieses Lebens, von denen er uns löst. Was der Apostel hier schildert, findet sich nun freilich, wie er es beschreibt, nicht vor. Dennoch hören wir auch keineswegs nur eine leere Spekulation. Wir dürfen nicht verzagen, wenn wir nicht finden können, daß unser Fleisch schon völlig gekreuzigt sei. Denn dieses Werk Gottes wird nicht am ersten Tag, an dem es beginnt, auch schon zu Ende geführt, sondern es wächst allmählich und erreicht in täglicher Zunahme allmählich sein Ziel. Als Ergebnis wollen wir demgemäß festhalten: Wer ein Christ ist, an dem müssen Anzeichen seiner Gemeinschaft mit dem Tod Christi sichtbar werden, deren Frucht ist, daß wir unser Fleisch mit allen Lüsten und Begierden gekreuzigt haben. Im übrigen wollen wir diese Gemeinschaft nicht deshalb als nicht vorhanden ansehen, weil wir spüren, daß die Reste des Fleisches sich noch regen. Vielmehr sollen wir eifrigst auf Fortschritte bedacht sein, bis wir das Ziel erreicht haben. Es ist gut, daß unser Fleisch fortwährend getötet werde, und es ist kein geringer Fortschritt, wenn es sein Herrschaftsgebiet mehr und mehr dem Heiligen Geiste abtreten muß. Es gibt auch noch eine andere Gemeinschaft des Todes

Christi, von der Paulus öfters, namentlich 2.Kor.4 redet: das Tragen des Kreuzes, dem die Gemeinschaft des ewigen Lebens folgt.

V. 8: *Sind wir aber mit Christus gestorben ...* Diesen Gedanken wiederholt der Apostel, um eine Anknüpfung für den V.9 folgenden Ausspruch zu gewinnen, *daß Christus,* einmal *von den Toten erweckt, hinfort nicht stirbt.* Damit soll eingeprägt werden, daß das Streben für ein neues Leben einen Christen sein ganzes Dasein hindurch beherrschen muß. Denn wir sollen Christi Bild an uns tragen sowohl in der Abtötung des Fleisches als auch im Leben des Geistes. Die erstere muß einmal für alle Zukunft geschehen sein, das letztere muß in aller Zukunft Bestand behalten. Nicht, wie wir schon gesagt haben, als ob unser Fleisch in einem Augenblick stürbe. Aber wir dürfen in seiner Abtötung nicht wieder rückwärts gehen. Denn wenn wir wieder in unseren Unflat versinken, verleugnen wir Christus. Seine Genossen können wir nur durch ein erneuertes Leben sein, wie er denn selbst ein unauslöschliches Leben besitzt:

V.9: *der Tod wird hinfort über ihn nicht herrschen.* Darin scheint zu liegen, daß der Tod einmal über Christus geherrscht habe. Und in der Tat hat sich der Herr, als er sich in den Tod dahingab, demselben in gewisser Weise überlassen und seiner Macht unterworfen, doch so, daß die Todesschmerzen ihn nicht halten oder verschlingen konnten. Er hat selbst den Tod für alle Ewigkeit verschlungen, als er sich seiner Herrschaft für einen Augenblick unterwarf. Schlicht gesagt, obgleich sich die Herrschaft des Todes auf eine willentliche Übernahme des Todes bezieht, hat ihr die Auferstehung ein Ende gesetzt. Es gilt: Die Herrschaft des Todes hat er geduldet auf eine bestimmte Zeit. Christus, der jetzt seine Gläubigen mit seinem Geist lebendig macht und ihnen sein Leben durch geheimnisvolle Kraft vom Himmel her einflößt, hat durch seine Auferstehung die Herrschaft des Todes überwunden, um alle die Seinen vom Tode frei zu machen.

V.10: *Er ist der Sünde gestorben ein für allemal.* Wenn es soeben hieß, daß Christus uns ein für allemal vom Joch des Todes befreit habe, so wird diese Wahrheit jetzt in den Dienst des eigentlichen Hauptgedankens gestellt, daß wir mit der Knechtschaft der Sünde fortan nichts mehr zu schaffen haben. Zum Beweis für diesen Hauptgedanken dient nämlich die Erinnerung an den Zweck des Todes Christi: Christus ist gestorben, um der Sünde ein Ende zu machen. Die Form der Rede müssen wir nun so verstehen, wie es in Rücksicht auf Christus allein möglich ist. Der Apostel kann nicht sagen wollen, Christus sei der Sünde gestorben, so daß er nun zu sündigen aufhöre. Das würde nur auf uns zutreffen. In bezug auf Christus haben wir daran zu denken, daß er den Tod um der Sünde willen erlitten hat, damit er mit seinem

Lösegeld Kraft und Recht der Sünde zunichte mache. Sagt der Apostel nun: Christus *ist ein für allemal* gestorben, so denkt er daran, daß er mit *einem* Opfer eine ewige Erlösung erworben und mit dem Vergießen seines Blutes die Gläubigen in Ewigkeit geheiligt hat (Hebr. 10,12.14). Und dieses „ein für allemal" soll auch in unserem neuen Leben zur Erscheinung kommen. Mag das geistliche Absterben in uns immerhin in allmählichem Fortschritt vor sich gehen, die eigentliche Entscheidung fällt doch zu einem Mal, wenn Christus, der uns mit seinem Blut dem Vater versöhnt, uns durch die Kraft seines Geistes zugleich die Wiedergeburt zum neuen Leben schenkt.

Was er aber lebt, das lebt er bei oder in Gott. Man mag die eine oder die andere Verdeutlichung vorziehen, der Sinn ist in jedem Falle: Christus lebt in Gottes ewigem und unvergänglichem Reich ein über jeden Tod erhabenes Leben, dessen Abglanz in dem wiedergeborenen Leben der Frommen zur Erscheinung kommen muß. Hier müssen wir noch einmal an das paulinische Verständnis der „Gleichheit" erinnern. Paulus sagt nicht, wir werden im Himmel leben, wie Christus im Himmel lebt. Sondern: das neue Leben, das wir von der Wiedergeburt her auf Erden führen, macht er seinem himmlischen Leben gleichförmig. Und wenn Paulus sagt, wir sollten nach dem Beispiel Christi der Sünde absterben, so heißt das nicht, daß derselbe Tod gemeint ist. Wir sterben nämlich der Sünde, wenn die Sünde in uns stirbt; anders aber Christus, der durch seinen Tod die Sünde besiegt hat. Wie der Apostel schon in V. 8 sagte, sollen wir „glauben", daß wir ein Leben mit Christus zusammen haben. Mit dem Wort „glauben" zeigt er, daß die Gnade Christi verkündigt wird. Denn wenn er uns nur an die Pflicht erinnern wollte, wäre der Sinn: Wenn wir mit Christus gestorben sind, müssen wir auch ähnlich wie er leben. Das Wort Glaube hält aber fest, daß hier die Verkündigung zum Glauben behandelt wird, die sich auf die Verheißung gründet. Wie wenn gesagt wäre: Die Glaubenden sollen festhalten, daß sie so durch die Wohltat Christi nach dem Fleisch gestorben seien, daß Christus die Erneuerung unseres Lebens auch zu Ende führt. Heißt es aber (V. 8): Wir werden mit Christus leben, so will diese Zukunftsform uns nicht etwa nur auf die letzte Auferstehung vertrösten, sondern uns den stetigen Fortschritt unseres Lebens für alle Zukunft vor Augen stellen.

V. 11: *Haltet euch dafür* … Jetzt kommt unsere Gleichgestaltung mit Christi Tod und Leben zu besonders deutlichem Ausdruck. Ist Christus einmal der Sünde gestorben und lebt er nun in Ewigkeit für Gott, so wendet der Apostel diese beiden Stücke auf uns an und zeigt, wie wir in diesem Leben sterben können, wenn wir der Sünde entsagen. Und auch dies vergißt Paulus nicht zu betonen, daß, wenn unser Glaube nur einmal Christi Gnade ergriffen hat, die Macht der Sünde einen derartigen Stoß empfing, daß das von Gott geschenkte geistliche Leben in alle Zukunft Bestand behalten muß. Dabei mag immerhin die Abtötung des Fleisches nur anfangsweise vorhanden sein. Hätte aber Christus die Sünde in uns nicht ein für allemal getötet, so würde es seiner Gnade an Kraft und Beständigkeit fehlen. Die Worte wollen uns zurufen: Haltet dafür, daß auch in euch geschehen sei, was Christus erfahren hat! Er ist einmal gestorben zur Vernichtung der Sünde. So seid auch ihr gestorben, so daß ihr nun ablaßt, der Sünde zu dienen. Also müßt ihr in der begonnenen Abtötung täglich fortfahren, bis die Sünde gänzlich getilgt ist. Wie Christus zu unvergänglichem Leben erweckt wurde, so seid auch ihr durch Gottes Gnade in ein neues Leben hineingeboren, das ihr nun in Heiligkeit und Gerechtigkeit führen sollt. Denn die Kraft des Heiligen Geistes, die euch erneuert hat, ist ewig und unverwelklich. Ich möchte lieber sagen: Diese Erneuerung ist geschehen *in Jesus Christus,* als mit Erasmus *durch ihn.* Wir sollen bedenken, daß wir in Christus eingepflanzt und dadurch mit ihm eins geworden sind.

Röm. 7,14–25: Die Ohnmacht des Menschen gegen die Sünde

LUTHER

WA 56,339,4–347,14

56,339,5: Daß der Apostel von diesem Text bis zum Ende in eigener Person, und zwar des geistlichen Menschen und keinesfalls nur in der des fleischlichen Menschen redet, hat zuerst der selige Augustin ausführlich und beständig in seinem Buch gegen die Pelagianer verfochten.

56,340,5: Sondern wir wollen dieses aus den eigenen Worten des Apostels herausziehen. Zuerst, dieser gesamte Text zeigt ausdrücklich das Seufzen und den Haß gegen das Fleisch und die Liebe zum Guten und zum Gesetz an. Dieses aber erscheint für einen fleischlichen Menschen auf keine Weise als passend, der vielmehr das Gesetz haßt und verlacht und dem Fleisch nach seinem Gefallen folgt. Der geistliche Mensch nämlich kämpft mit dem Fleisch und seufzt, weil er nicht so viel kann, wie er will. Der fleischliche Mensch aber kämpft nicht, sondern er gibt nach und stimmt zu.

V.14: 56,340,24: Das erste Wort aber, welches beweist, daß diese Worte die eines geistlichen Menschen sind, ist dieses: ‚Ich bin aber fleischlich‘ (7,14). Denn zu dem geistlichen und weisen Menschen gehört es zu wissen, daß er sich selbst mißfällt. Er haßt sich selbst und befiehlt sich dem Gesetz Gottes, weil er geistlich ist. Umgekehrt gehört es zu dem unwissenden und fleischlichen Menschen, sich für geistlich zu halten und sich selbst zu gefallen und seine Seele in dieser Welt zu lieben.

V.15: 56,341,10: Als geistlicher Mensch sehe ich nur das Gute und dennoch tue ich, was ich nicht einsehe und will, nämlich das Böse. Aus der Intention und Absicht der Entscheidung tue ich nicht das Böse, sondern ich wähle das Gute, und dennoch geschieht es, daß ich das Gegenteil davon tue. Der fleischliche Mensch erkennt das Böse durchaus, weil er es aus Vorsatz und Fleiß sowie auf Grund der Entscheidung tut, tut er es als Wollender. Und wenn er Gutes tut, so tut er es nur zufällig.

V.16: 56,341,20: Zum vierten: ‚Ich stimme dem Gesetz Gottes zu, daß es gut sei‘ (7,16), weil das Gesetz das Gute will und er selbst Gutes will. Deswegen stimmen sie überein. Dieses tut der fleischliche Mensch nicht, sondern er ist stets anderer Meinung als das Gesetz und wollte lieber, falls es geschehen könnte, daß es kein Gesetz gäbe. Darum will er nicht das Gute, sondern das Böse. Und wenn er das Gute tut, wie ich sagte, so sieht er es nicht ein, weil er als ein von unterwürfiger Furcht Getriebener handelt. Ständig hat er das Verlangen nach dem Gegenteil, wenn er es ungestraft tun könnte.

56,342,4: Wer sich vorgenommen hat zu wachen, zu beten und dem Nächsten zu dienen, wird immer das rebellierende Fleisch finden, das etwas anderes Böses im Schilde führt und begehrt.

V.17: 56,342,33: Und dennoch sagt er: ‚Das Gute, das ich will, das tue ich nicht.‘ Denn dieselbe Person ist Geist und Fleisch; deswegen tut er im Fleisch, was vom ganzen Menschen zu tun gesagt wird. Und dennoch, weil er sich wehrt, wird mit Recht gesagt, daß nicht der ganze Mensch es tue, sondern ein Teil von ihm. Also ist beides wahr, daß er selbst und nicht er selbst handelt.

56,343,13: Also ist zu beachten, daß sich dieses Wort ‚ich will‘ und ‚ich hasse‘ auf den geistlichen Menschen bezieht; ‚ich tue‘ und ‚ich handle‘ dagegen auf den fleischlichen oder auf das Fleisch. Aber weil ein und derselbe Mensch als ganzer aus Fleisch und Geist besteht, deswegen teilt er dem ganzen Menschen beide gegenteiligen Aussagen zu, welche aus den einander widersprechenden Teilen seiner selbst stammen. So nämlich kommt die Gemeinschaft der Eigenschaften (communio idiomatum) zustande, daß der gleiche Mensch geistlich und fleischlich ist, Gerechter und Sünder, Guter und Böser, wie die eine Person Christi zugleich sterblich und lebendig, zugleich leidend und selig, zugleich handelnd und untätig ist usw. wegen der Gemeinschaft der Eigenschaften, auch wenn keiner der beiden Naturen das Besondere der anderen zukommt, sondern der schärfste Widerspruch zwischen beiden besteht, wie bekannt ist.

V. 24: 56,346,16: ‚Ich elender Mensch, wer wird mich erlösen von dem Leibe dieses Todes?' (7,24). Hier bezeichnet er deutlicher als im Vorausgehenden den geistlichen Menschen. Denn er seufzt und trauert und begehrt befreit zu werden. Aber sicher wird niemand behaupten, unglücklich zu sein, als nur der, welcher geistlich ist. Die vollkommene Erkenntnis seiner selbst nämlich ist die vollkommene Demut, die vollkommene Demut aber ist die vollkommene Weisheit, die vollkommene Weisheit aber ist vollkommene Geistlichkeit. Deswegen sagt der vollkommene geistliche Mensch: ‚Ich elender Mensch'. Der fleischliche aber begehrt nicht, befreit und erlöst zu werden, sondern er verabscheut aufs höchste die Auflösung durch den Tod und kann sein Unglück nicht erkennen. Dieser aber, wenn er spricht: ‚Wer wird mich erlösen von dem Leibe dieses Todes?' spricht anderswo: ‚Ich habe Lust abzuscheiden und bei Christus zu sein' (Phil. 1,23).

V. 25: 56,347,1: ‚So diene ich nun mit der Vernunft dem Gesetz Gottes, mit dem Fleisch aber dem Gesetz der Sünde' (7,25). Dies ist die deutlichste Stelle von allen. Siehe, wie hier ein und derselbe Mensch zugleich dem Gesetz Gottes und dem Gesetz der Sünde dient, zugleich ein Gerechter ist und sündigt! Er sagt nämlich nicht: mein Geist dient dem Gesetz Gottes und nicht: mein Fleisch dem Gesetz der Sünde, sondern: ich sagt er, der ganze Mensch, die gleiche Person bin beiden dienstbar. Deswegen dankt er auch, weil er dem Gesetz Gottes dient und Barmherzigkeit erbittet, weil er dem Gesetz der Sünde dient. Wer könnte dieses vom fleischlichen Menschen sagen, daß er dem Gesetz Gottes dient? So sieh nun, was ich oben gesagt habe, daß die Heiligen zugleich, während sie gerecht sind, Sünder sind; gerecht sind sie, weil sie an Christus glauben, dessen Gerechtigkeit sie bedeckt und die ihnen zugerechnet wird. Sünder sind sie, weil sie das Gesetz nicht erfüllen und nicht ohne Begierde sind, sondern wie Kranke unter der Obhut des Arztes, welche wirklich krank sind, aber anfangsweise der Hoffnung gesund oder besser gesund gemacht, d.h. solche, die dabei sind, gesund zu werden, denen die Vorwegnahme der Gesundheit am allerschädlichsten ist, weil sie dann einen schlimmeren Rückfall erleiden.

ZWINGLI

Z I 328–384: Von Klarheit und Gewißheit des Wortes Gottes, 6.9.1523
Z II 1–457: Auslegen und Gründe der Schlußreden, 14.7.1523
Z III 590–912: De vera et falsa religione commentarius, März 1525
Z V 359–396: De peccato originali declaratio ad Urbanum Rhegium, 25.8.1526

Z III 712,4–715,8: Ich nehme mich selbst als Beispiel: Ich lebte einstmals ohne Gesetz, als ich, meiner Jugend wegen, nicht einmal das Wort ‚Gesetz' kannte. Als jedoch das Gebot kam, da lebte sogleich die Sünde auf. [...] Nicht daß dadurch in mir selbst eine Änderung eingetreten wäre, sondern durch das Gesetz kam ich zur Einsicht, daß Unrecht sei, was ich zuvor nicht als Unrecht erkannt hatte. Sobald ich das sah, brach ich zusammen. [...] Doch, um es unverhohlen zu sagen: Dem Gesetz kommt an diesem meinem Fall keine Schuld zu ... Denn nicht das Gesetz hat mich getötet, sondern ich habe anhand des Gesetzes bemerkt, daß ich tot bin. [...] Obwohl ich jetzt zu Christus bekehrt bin, sehe ich noch immer in mir Reste der Sündenkrankheit, und zwar so viele, daß, wenn ich etwas zu tun beginne, sogleich von allen Seiten das Laster auf mich einstürmt und im Gegensatz zu dem, was ich durch den Glauben will, die böse Tat das Ergebnis ist. So kommt es, daß ich das, was ich tue, nicht gutheiße und nicht billige. Denn ich tue nicht das, was ich auf den Rat des Glaubens mir vorgenommen, sondern vielmehr das, was ich hasse. [...] Man verstehe mich aber nicht so, daß ich mit ‚Fleisch‘ das meine, was wir mit den Rindern gemeinsam haben ... Nein, ich rede vom ganzen Menschen, der, wenn er sich selber überlassen wird, bloß Fleisch ist und der nur auf das sinnt und das vornimmt, was böse ist. Naht sich dann aber der Geist Gottes, um den Menschen, damit er sich selbst und Gott erkenne, zu erleuchten, so zieht das Fleisch auf die seine Seite und verheißt eitel Lust; der Geist aber zieht auf die seine Seite und verheißt Mühsal und schließlich ewige Freude. Ein Kampf entsteht da: Leihe ich dem Geiste das Ohr, so entschließe ich mich, fromm zu leben; wiederum, höre ich auf das Fleisch, so regt es sich nicht und weigert sich, dem Geist zu folgen. [...] Das ist meine Erfahrung: Wenn ich mit dem inneren, von Gott gelehrten Menschen dem Gesetz Gottes zustimme und jetzt schon mich darnach zu richten anfange, so schießt sofort die Kraft des alten Menschen hervor und verleitet mich, von dem, was ich mir vorgenommen habe, wieder zu lassen und zur Partei des Fleisches abzufallen. So werde ich hin- und hergerissen, bin uneins mit mir, weiß nicht, bin ich Rabe oder Taube und habe großen Überdruß an mir selbst. [...] So erklärt es sich, daß das Christenleben – von den äußeren Zufällen des Lebens ganz abgesehen – ein immerwährender Kampf ist. Das macht mich dann jedesmal traurig und verwirrt meine frommen Absichten, so daß ich, wie schon gesagt, oft ungeduldig und der Verzweiflung nahe ausrufe: ‚Ich Unglücklicher, wer wird mich von diesem Elend befreien?‘ Nun aber will ich, damit euch nichts entgehe, auch zeigen, was mich in solcher Not tröstet. Wisset also: Wenn ich lange und viel innerlich so gekämpft und mich abgemüht habe, dann kann mir keine bessere Hilfe werden als die Erinnerung an Christus. Wenn ich ihn erfasse, so entkomme ich fröhlich schwimmend dem Schiffbruch, dem ich fast zum Opfer gefallen wäre. Ich sage mir nämlich: Der Gott, der seinen Sohn für dich gegeben hat, kann dir nichts abschlagen und kennt keine Schwachheit. Und da er dich einst, als du noch gar ferne von ihm und sein Feind warst, in Gnaden annahm, um so viel mehr wird er dich jetzt, nachdem sein Sohn auferstanden ist, selig machen. [...] Nun beginnen Angst und Hitze zu schwinden, die Seele wird ruhig und alles in mir atmet auf. Wenn es soweit ist, dann schicke ich mich an, meinem Gott und Vater Dank zu sagen durch unseren Herrn Jesus Christus.

V.12 und 14: Z II 232,2–233,5: Das Gesetz sagt nichts anderes, als was ewiglich recht und gut ist. ‚Denn es ist selber gut, gerecht und heilig! [...] Willst du wissen, warum? Weil es Offenbarung Gottes ist und den Willen Gottes anzeigt, so daß wir also an den Worten der Gebote sehen, was Gott will und was er fordert. Es müßte billigerweise besser Evangelium statt Gesetz heißen! Denn wie sollte es den, welcher in menschlicher Finsternis und Unwissenheit lebt, nicht freuen, daß Gott seinen Willen bekannt macht? Soll dies etwa keine gute Botschaft sein, wenn Gottes Willen dem Menschen kundgetan wird? Du mußt antworten: Doch! Das ist der Grund, weshalb ich weiter oben gesagt habe: Wer Gott liebt, dem ist das Gesetz ein Evangelium. Daß allerdings dieses heilige, gute und gerechte Gesetz uns dennoch nicht froh und mutig macht, kommt aus dem elenden Zustand unseres Fleisches, und nicht etwa davon, als ob das Gesetz seinem Wesen nach erschrecken, niedergeschlagen und traurig machen würde alle, die es vernehmen. [...] Das hat Paulus Röm. 7 zum Ausdruck bringen wollen mit den Worten: ‚Wir wissen, daß das Gesetz geistlich ist. Ich aber bin fleischlich und unter die Sünde verkauft.‘ Also: weshalb ist das Gesetz geistlich? Weil es der gute, heilige, gerechte Wille Gottes ist. Denn Gottes Geist ist das höchste, gerechteste und heiligste Gut. [...] Ob es nicht tatsächlich besser Evangelium hieße statt Gesetz? Ich sage dies, damit es im Guten verstanden werde, und will nicht etwa, daß man nun die Begriffe ‚Gesetz und Evangelium‘ durcheinanderbringe. Sonst kann man das eine nicht mehr vom andern unterscheiden.

V.14: Z III 661,3–4.10–19: Zur Selbsterkenntnis braucht der Mensch nicht weniger als zur Gotteserkenntnis Gott selber als Lehrmeister. [...] Denn wo der Glaube fehlt, durch welchen der Mensch daran glaubt, daß alles von Gott Gesprochene wahr ist, da ist der Mensch so weit von der Selbsterkenntnis entfernt, als wie Geist und Fleisch sich unterscheiden. ‚Denn durch das Gesetz kommt Erkenntnis der Sünde‘ [Röm. 3,20; 7,7]. ‚Das Gesetz aber ist geistlich, und wir sind fleischlich.‘ Würde nun der Geist nicht in uns zu wirken beginnen, dann blieben wir ewig fleischlich. Denn ‚wir sind verkauft unter die Sünde‘. Solange wir aber fleischlich sind, erkennen wir uns selbst nicht; sich selbst nämlich verwirft das Fleisch ja nicht; es hält sich alleweil für groß und wichtig, für Gott selbst hält es sich gar. Darum ist der Glaube dem Menschen zur eigenen Erkenntnis ebenso nötig wie zur Gotteserkenntnis.

V. 14 und 18: Z II 160,8–15: Das Gesetz lehrt uns, was Gott gefällt. Gefällt auch uns das Gesetz, so ist Gottes Geist in uns; anders würde es uns nicht gefallen, weil in uns nichts Gutes ist, wie Paulus sagt: ‚Ich weiß, daß in mir, das ist in meinem Fleisch, wohnt nichts Gutes.‘ Gefallen uns aber Gottes Gesetz und seine Lehre, dann sind wir geistlich und urteilen geistlich. Denn das Gesetz selber ist seinem Wesen nach geistlich.

V. 18: Z III 676,14–17: Die Lage des Menschen ist verzweifelt. Er ist tot, ein Sklave der Sünde. Von Natur aus liebt er niemanden so sehr wie sich selbst. So weit ist es mit ihm gekommen, weil er sich vom Guten abgewendet und zu sich selber hingewendet hat. Wir wissen: das Gute ist nicht in uns.

Z V 377,8–15: ‚Ich weiß, daß es nicht in mir wohnt, das heißt in meinem Fleisch, das Gute!‘ Die Sünde aber, die in uns wohnt, ist das böse Trachten des verdorbenen Fleisches; aus Eigenliebe gelüstet es unablässig wider den Geist. Denn der Geist, er will das öffentliche Wohl, das Fleisch aber will nur sein eigenes Privatwohl. Es zieht nicht Gott zu Rate ... alles bezieht es nur auf sich selbst.

V. 20: Z III 708,10–18: Sünde wird in der evangelischen Lehre in doppeltem Sinn verstanden: Erstens ist die Sünde die Krankheit, die wir vom ersten Menschen her an uns tragen. Sie besteht darin, daß wir der Eigenliebe sklavisch unterliegen. [...] Diese Krankheit meint Paulus Röm. 7, wenn er sagt: ‚Jetzt tue nicht ich es, sondern die in mir wohnende Sünde.‘ Diese Sünde also, die Sündhaftigkeit, ist eine uns angeborene Krankheit. Ihretwegen weichen wir dem aus, was uns schwerfällt und Schwierigkeiten bereitet, und suchen das Angenehme und Vergnügliche. Zweitens wird unter Sünde die Gesetzesübertretung verstanden. ‚Durch das Gesetz kommt die Erkenntnis der Sünde‘ [Röm. 3,20; 7,7]. Die Tat also, und zwar jede, die gegen das Gesetz verstößt, wird Sünde genannt.

V. 22–24: Z II 46,22–47, 14: In allen, die ihre Sünden erkennen, aber bei sich selbst Trost und Erlösung nicht finden, entsteht der heftige Kampf, von dem Paulus Röm. 7 bekennt, daß er in ihm auch tobt: nach dem inneren Menschen (nachdem er nämlich, glaubend an Gott, des Geistes und Gottes Gnaden gewiß geworden war) möchte er nach Gottes Willen leben. Wie er aber damit anfing, empfand er ein anderes Gesetz, geschrieben in seinen Gliedern. Dieses liegt im Streit gegen das Gesetz des Geistes. Das führt ihn gefangen in das Gesetz der Sünde, obwohl er im Herzen, das von Gott erleuchtet und unterwiesen worden war, etwas anderes möchte. Diese Angst bedrückte ihn so stark, daß er aufschreit: ‚Ich unseliger Mensch! Wer wird mich erlösen vom Leibe des Todes?‘ In einem solchen Leibe zu leben, in dem dieser Streit nicht aufhört, kommt ihm vor wie ein tägliches getötet werden.

Doch unmittelbar darauf tröstet er sich und sagt: ,Die Gnade Gottes durch Jesus Christus, unseren Herrn [wird mich erlösen].' Solchen Streit kennen alle wahrhaft Gläubigen. Wenn sie nun aber immer wieder zu Gott gehen durch Christum Jesum, dann werden sie von Gott durch Christus bewahrt, daß ihnen die Sünde nicht mehr schadet. Indem sie sich nämlich an Gott wenden, hat Gott sie bereits zu sich gezogen. Wer glaubt, der weiß zwar, daß die Sünde immer wieder wächst und ausschlägt wie Äste an einem Baum. Doch gerade der Glaube bewirkt, daß wir nichtsdestoweniger im Glauben leben. Er wirkt sogar mit, daß die täglichen Sünden uns zum Guten dienen, indem wir an ihnen lernen, wie so gar nichts wir sind. Je mehr dies geschieht, desto mehr hilft Gottes Geist uns wieder auf und hält uns von Sünden fern. Je weniger wir uns selber zu trösten wissen, desto mehr wächst der Trost in Gott. Je mehr Gnade, desto weniger Sünde. Weshalb allerdings Gott es zuläßt, daß wir einen solchen Kampf zu kämpfen haben, ist klar: damit wir nämlich in dieser unserer ausweglosen Situation, aus lauter Not, keine andere Wahl haben, als zu ihm zu finden, Proverbia 3 [3,11–12], Hebr. 12 [12,5–11].

V. 24 und 25: Z I 351,6–352,4: Paulus sagt deutlich, daß unser innerer Mensch – und zwar derjenige, der nach dem Bilde Gottes erschaffen ist – Neigung dazu hat, nach Gebot und Willen Gottes zu leben. Der äußere Mensch jedoch leistet dem Widerstand. […] O seht, wie so gar nichts wir sind und im Kampf mit dem Fleisch nichts ausrichten können! Darum schreit der heilige Paulus, nachdem er darüber geklagt hatte, von der Sünde gefangengeführt zu werden: ,O ich unseliger Mensch, wer wird mich erlösen vom Leibe des Todes?' Seiner Meinung nach ist die Gefangenschaft des inneren Menschen der Tod. Aber gleich darauf tröstet er sich wieder so: ,Ich sage Gott Dank durch Jesus Christus', daß er durch den Herrn Jesus Christus vom Verderben der Sünde erlöst worden ist, so daß die Sünde ihn nun nicht mehr verdammt. Er fährt dann weiter: ,Deshalb diene ich' – derselbe Paulus – ,mit dem Herzen dem Gesetz Gottes, mit dem Fleisch aber dem Gesetz der Sünde'. […] Wie kann beides so nebeneinander stehen? Folgendermaßen: Da wir nie ohne Sünde sind 1. Joh. 1 [1,8], vielmehr die Sünde überall in uns wohnt – (wiewohl sie besiegt und gefangen ist durch Christus Hebr. 9 [9,28], Röm. 6 [6,14]: Die Sünde wird nicht über euch herrschen) – wir aber schuldig sind, gemäß Gottes Willen zu leben, den wir jedoch nie erfüllen können, darum müssen auch wir, zusammen mit dem heiligen Paulus, ernstlich ausrufen: ,Ich unseliger Mensch, wer wird mich erlösen vom Leib des Todes?' und müssen alsdann uns selber antworten und sagen: „Die Gnade Gottes durch den Herrn Jesus Christus [wird uns erlösen]." Obwohl nun also der äußere Mensch dem Gesetz … der Sünde allezeit unterworfen ist, sollen wir dennoch darauf achten, daß dieser äußere Mensch nicht über den inneren Menschen obsiege.

CALVIN

CO 49, 123–134

V. 14: *Denn wir wissen, daß das Gesetz.* Damit stellt der Apostel das Gesetz und die menschliche Natur noch schärfer einander gegenüber, um noch deutlicher zu machen, woher der verhaßte Tod stammt. Dann stellt er uns das Beispiel eines wiedergeborenen Menschen vor Augen. In ihm streiten die Reste des Fleisches noch immer gegen Gottes Gesetz, wenn auch der Geist ihm gern gehorcht. Doch zunächst handelt es sich lediglich um den Gegensatz unserer Natur und des Gesetzes. Nichts kann härter miteinander streiten als Geist und Fleisch. Nun ist aber das Gesetz geistlich, der Mensch fleischlich. Beides ist ebenso gegeneinander wie Licht und Finsternis. „Geistlich" heißt nun das Gesetz nicht nur darum, weil es außer Händen und Füßen und äußerlichen Werken die Regungen des Geistes und Herzens beherrschen und eine innerlich aufrichtige Furcht Gottes einprägen will. Vielmehr will der Apostel einen viel durchgreifenderen Gegensatz von Geist und Fleisch bilden. Der Zusammenhang und frühere Stellen zeigen, daß unter „Fleisch" die gesamte Natur verstanden werden soll, die wir vom Mutterleibe her an uns tragen. So wie die Menschen geboren werden und ihren Geist und Sinn behalten, so sind sie „Fleisch". Denn dieser Sinn des Fleisches ist nur auf grobsinnliche, irdische Dinge gerichtet. „Geist" ist dagegen die Erneuerung der verderbten Natur, die Gott nach seinem Bild gestaltet. Dieser Sprachgebrauch kommt daher, daß Gottes Geist die Erneuerung bewirkt. So steht die Vollkommenheit der Gesetzespredigt der Natur des Menschen gegenüber. Der Sinn ist: Das Gesetz fordert eine überirdische, himmlische Gerechtigkeit ohne Makel und Flecken. Ich aber als fleischlicher Mensch vermag nichts, als mich dazu in Widerspruch zu setzen ...

Unter die Sünde verkauft. Dieser Ausdruck zeigt, was das Fleisch in sich selbst vermag. Von Natur ist der Mensch ganz ebenso ein Knecht der Sünde, wie erkaufte Sklaven ihrem Herrn gehören und von ihm genau wie Ochsen und Esel nach Belieben mißbraucht werden. So hängen wir ganz vom Willen der Sünde ab. Der ganze Sinn, das ganze Herz, alle einzelnen Handlungen stehen unter ihrer Herrschaft. Nur von Zwang und Widerwilligkeit ist bei dieser angeborenen Knechtschaft die Rede. Denn wir sündigen aus freien Stücken. Die eigene Beteiligung des Willens gehört zum Begriff der Sünde. Aber wir sind derartig in der Sünde verfangen, daß unser freier Wille gar nicht anders kann als sündigen. Dahin treibt uns die böse Verkehrtheit, die in uns herrscht.

V. 15: *Denn ich weiß nicht, was ich tue.* Jetzt wendet sich der Apostel zu dem besonders eindrücklichen Beispiel des bereits wiedergeborenen Menschen, das uns zweierlei anschaulich vor Augen stellt: wie groß der Gegensatz zwischen dem Gesetz Gottes und der Natur des Menschen ist und daß das Gesetz keineswegs die Schuld am Tode trägt. Wenn den natürlichen Menschen die böse Lust unter voller freudiger Beteiligung seines Willens zur Sünde treibt, so entsteht der Anschein, er sündige mit einem derartig freien Willen, daß er es auch in der Macht habe, sich zurückzuhalten. So ist ja auch ganz allgemein die verderbliche Ansicht aufgekommen, daß der Mensch ohne Hilfe der göttlichen Gnade vermöge seiner natürlichen Veranlagung zwischen Gut und Böse wählen könne. Wenn dagegen der Wille des gläubigen Menschen durch den Geist Gottes zum Guten getrieben wird, so drängt sich die Verderbtheit unserer Natur der Erkenntnis förmlich auf. Denn diese Natur widerstrebt noch immer und sucht den Menschen nach der anderen Seite zu ziehen. So enthüllt der Blick auf den wiedergeborenen Menschen den Widerstreit zwischen unserer Natur und der vom Gesetz geforderten Gerechtigkeit am schärfsten. Auch für das zweite Stück liegt hier ein deutlicherer Beweis, als wenn wir nur die Natur des Menschen an sich ins Auge fassen wollten. Denn weil bei dem noch ganz fleischlichen Menschen das Gesetz nur Tod hervorbringt, so fällt von hier aus leicht ein falscher Schein darauf. Der letzte Ursprung des Schadens läßt sich nicht ohne weiteres erkennen. Im wiedergeborenen Menschen aber bringt das Gesetz heilsame Früchte. So wird klar, daß nur das Fleisch seine lebenbringende Wirkung hemmte und daß es aus sich selbst durchaus nicht den Tod hervorbringt. Um aber die ganze zur Verhandlung stehende Frage in gesundem und richtigem Sinn aufzufassen, müssen wir feststellen, daß jener Kampf, von dem der Apostel redet, nicht eher im Menschen anfängt, als bis der Geist Gottes ihn geheiligt hat. Denn der seiner Natur überlassene Mensch wird ohne Widerstreit durch seine Lüste umgetrieben. Immerhin fühlen auch die Gottlosen den Stachel des Gewissens und können sich in ihren Fehlern nicht derartig schmeicheln, daß ihnen jeder bittere Nachgeschmack erspart bliebe. Aber daraus läßt sich doch nicht schließen, daß sie das Böse wirklich hassen und das Gute wirklich lieben. Gott sendet ihnen solche Qual nur, um sie ihre Verdammnis einigermaßen fühlen zu lassen, nicht um ihnen Liebe zur Gerechtigkeit oder Haß gegen die Sünde zu erwecken. Zwischen ihnen und den Frommen besteht also folgender Unterschied: Die Gottlosen sind niemals so blind und verhärtet in ihrem Sinn, daß ihr eigenes Gewissen nicht zustimmen müßte, wenn man ihnen ihre Untaten vorhält. Es ist ja nicht jede Einsicht in den Unterschied zwischen Gut und Böse erloschen. Zuweilen empfinden sie sogar Schauder über ihre Bosheit, und sie empfangen schon in diesem Leben einen Vorgeschmack der Verdammnis. Trotzdem haben sie ungebrochenes Wohlgefallen an der Sünde, und sie dienen ihr ohne wirklichen Widerstand ihres inneren Wesens. Ihre Gewissensbisse entspringen mehr dem Widerspruch gegen das Gericht als einer innerlich widerstrebenden Willensrichtung. Die Frommen dagegen, in denen die Erneuerung aus Gottes Kraft begonnen hat, sind innerlich in der Weise geteilt, daß die eigentliche Sehnsucht ihres Herzens zu Gott aufstrebt, die himmlische Gerechtigkeit sucht und sich haßerfüllt gegen die Sünde kehrt. Aber die Reste ihres fleischlichen Wesens ziehen sie wieder zur Erde zurück. In diesem Kampf tun sie deshalb ihrer Natur Gewalt an und erleiden umgekehrt Gewalt von ihr. Denn daß sie die Sünde verwerflich finden, entspricht nicht nur dem Urteil ihrer Vernunft, sondern kommt daher, daß sie sie von ganzem Herzen hassen und sich in ihr mißfallen. Das ist der Kampf des Christen, den Paulus (Gal. 5, 17) beschreibt, der Kampf zwischen Geist und Fleisch. Demgemäß ist es recht geredet, daß der natürliche Mensch sich mit voller Zustimmung und Einwilligung des Gemüts in die Sünde stürzt und daß der innere Zwiespalt erst anfängt, wenn die Berufung Gottes und die Heiligung durch seinen Geist einsetzt. Denn die Erneuerung geschieht in diesem Leben nur anfangsweise. Ein Überrest des Fleisches bleibt, folgt immer seinen Begierden und erregt dadurch den Kampf gegen den Geist. Unerfahrene Leute freilich, die nicht beachten, welche Frage der Apostel erörtert und welche Ordnung sein Gedankengang einhält, lassen ihn hier die Natur des Menschen beschreiben. Nun findet sich ja eine derartige Beschreibung des menschlichen Geistesvermögens bei den Philosophen. Aber die Schrift hegt viel tiefere Gedanken. Sie weiß, daß im Herzen des Menschen nur verkehrtes Wesen blieb, seit Adam das Ebenbild Gottes verlor. Die römischen Kirchenlehrer berufen sich auf unsere Stelle, wenn sie den freien Willen erläutern und die Kraft unserer Natur klarmachen wollen. Aber Paulus redet gar nicht von der bloßen Natur des Menschen, sondern beschreibt an dem Beispiel seiner eigenen Person Art und Umfang der Schwachheit der Gläubigen. Ich lege großen Wert darauf, dies festzustellen.

Ich weiß nicht, Dieser Ausdruck will besagen, daß Paulus die Taten, die ihm die Schwachheit seines Fleisches aufdrängt, nicht als die seinen anerkennt. Denn er haßt sie. Deshalb übersetzt Erasmus nicht schlecht: Ich billige nicht, was ich tue. Wir sehen also, wie die Predigt des Gesetzes in einem solchen Grad Zustimmung bei seinem gesunden Urteil findet, daß die Gläubigen eine Übertretung des Gesetzes als etwas ganz Unerhörtes empfinden. Dabei versteht Paulus als Gesetzesübertretung jeden Fehler der Frommen, neben dem doch die Furcht Gottes und die allgemeine Absicht, gut zu handeln, noch bestehen bleiben. Er sagt: Ich tue nicht, was das Gesetz und was eigentlich auch ich selbst will, weil er nicht alles vollkommen erfüllt und mitten auf dem guten Weg oft müde wird.

Denn ich tue nicht, was ich will. Das will nicht so verstanden sein, daß Paulus zu keiner Zeit habe irgend etwas Gutes ausrichten können. Vielmehr klagt er nur darüber, daß er nicht ausführen kann, was er sich vornimmt, das heißt, daß ihm die ersehnte Bereitwilligkeit fehlt, Gutes zu tun, weil er sich sozusagen gebunden sieht; und auf der anderen Seite, daß er einen Fall tut, wo er nicht will, weil er wegen der Schwachheit des Fleisches nur hinken kann. Ein frommes Herz tut das Gute nicht, das es will, weil ihm die gehörige Festigkeit fehlt. Es tut das Böse, das es nicht will, weil es gern stehen möchte und doch zum Fallen oder wenigstens ins Wanken kommt. Also dieses „Wollen" und „Nichtwollen" schreibt Paulus dem Geist zu, der in den Gläubigen die Führung hat. Freilich besitzt auch das Fleisch seinen „Willen". Aber als Willen im eigentlichsten Sinn bezeichnet der Apostel nur das, worein er die entscheidende Zustimmung des Herzens legte. Was dagegen streitet, davon sagt er, daß er es nicht wolle. Aus alledem wird noch einmal deutlich, was wir schon ausführten, daß dem Paulus hier die Gläubigen vorschweben, in denen die Gnadenwirkung des Geistes in irgendeinem Grad lebendig ist und das Zusammenstimmen eines gesunden Sinnes mit der Gerechtigkeit des Gesetzes zur Geltung bringt. Denn im Fleisch schlägt solcher Haß gegen die Sünde keine Wurzel.

V.16: *Wenn ich aber das tue.* Wenn mein Herz in der beschriebenen Weise im Gesetz Ruhe findet und an seiner Gerechtigkeit Wohlgefallen hat (was doch entschieden der Fall ist, wenn ihm die Übertretung hassenswert erscheint), so muß es ja fühlen und zugestehen, daß das Gesetz gut ist. So wird durch Erfahrung festgestellt, daß man dem Gesetz nichts Böses zuschreiben darf, ja daß es sogar den Menschen heilsam sein würde, wenn sie es nur mit rechtem und reinem Herzen aufnehmen wollten. ...

V.17: *So tue nun nicht ich es.* Das soll keine Entschuldigung sein, wie viele Schwätzer ihre Untaten gedeckt glauben, wenn sie sie auf das Fleisch abwälzen. Vielmehr will Paulus bezeugen, wie weit sich sein geistlich gerichteter Wille von der Bahn des Fleisches entfernt. Denn die Gläubigen haben einen brennenden Eifer, Gott zu gehorchen. Deshalb verleugnen sie ihr Fleisch. Dieser Ausspruch beweist von neuem, daß Paulus nur von bereits wiedergeborenen Frommen redet. Denn solange der Mensch sich selbst gleich bleibt, mag er so groß werden, wie er will, er bleibt doch durch und durch mit Sünde erfüllt. Paulus behauptet aber hier, daß ihn die Sünde nicht gänzlich ausfülle, ja er will sich über ihren Dienst erheben. Nur in einem Winkel des Herzens hat die Sünde noch ihren Sitz. Der Mensch selbst streckt sich mit ernster, herzlicher Begier der Gerechtigkeit Gottes entgegen und beweist tatsächlich, daß er Gottes Gesetz im Herzen trägt.

V.18: *Denn ich weiß.* Der Apostel sagt, daß in ihm, wenn man seine Natur ansieht, nichts Gutes wohnt. Er hätte auch sagen können: Aus mir selbst habe ich nichts Gutes. Dieser erste Ausdruck, daß „in mir" nichts Gutes wohnt, spricht ein unbegrenztes Verdammungsurteil. Dann aber läßt Paulus eine Art von Berichtigung erfolgen, um nicht undankbar gegen die Gnade Gottes zu erscheinen, die doch auch in ihm wohnt, nur nicht in seinem Fleisch. Dergleichen kann wiederum nicht von jedem beliebigen Menschen, sondern nur von einem Gläubigen gesagt werden, der wegen der Reste des Fleisches und der Gnadenwirkung des göttlichen Geistes in sich selbst geteilt erscheint. Was sollte denn jene Richtigstellung besagen, wenn da nicht irgend etwas im Spiel wäre, das von der Sünde frei und nicht Fleisch ist? Unter „Fleisch" versteht der Apostel stets die gesamte Naturanlage des Menschen, den gesamten Inhalt seines Wesens, abgesehen von der durch Gottes Geist gewirkten Heiligung. Dementsprechend ist der „Geist", der nach sonst geläufigem Sprachgebrauch das Gegenteil des Fleisches ist, ein Teil der Seele, den Gottes Geist vom Bösen gereinigt und so neu gebildet hat, daß in ihm Gottes Bild wieder aufleuchtet. Sowohl das Fleisch als der Geist greift also in die Seele hinein, der letztere, sofern sie wiedergeboren ist, das erstere, sofern sie noch ihre natürliche Art behalten hat.

Wollen habe ich wohl. Das soll nicht heißen, daß der Fromme nur eine ganz unwirksame Sehnsucht nach dem Guten hat, sondern nur: die Ausführung der Tat bleibt immer hinter dem Wollen zurück; denn das Fleisch hemmt uns und hängt unserem Tun allerhand Unvollkommenheiten an. So will auch der folgende Satz (V. 19) verstanden sein: *Das Böse, das ich nicht will, das tue ich.* Denn das Fleisch verzögert den Lauf der Gläubigen nicht nur, sondern drängt ihn auch durch mancherlei Hindernisse in eine falsche Bahn. [...] Wir können kein vollkommen schuldfreies Werk tun. Paulus redet nicht von einzelnen zufälligen Fehlern der Frommen, sondern allgemein von ihrer ganzen Lebensführung. Daraus müssen wir schließen, daß auch unsere besten Werke mit einem sündigen Beisatz befleckt sind und keinen Lohn zu erwarten haben, wenn sie Gott nicht mit seiner Verzeihung deckt. [...]

V. 21: Hier ist in vierfachem Sinn von „Gesetz" die Rede. Im eigentlichen Sinn gebührt dieser Titel nur dem *Gesetz Gottes* als der allein wahren Regel der Gerechtigkeit, nach der sich unser Leben gestalten soll. Damit verknüpft der Apostel das *Gesetz im Gemüte,* das heißt die Hinneigung der gläubigen Seele zum Gehorsam gegen das göttliche Gesetz, die eine gewisse Gleichförmigkeit unseres Wesens mit dem Gesetz Gottes bedeutet. Auf der anderen Seite steht ein Gesetz der Ungerechtigkeit, das aus der Herrschaft des verkehrten Wesens sowohl im noch nicht wiedergeborenen Menschen als auch im Fleisch des wiedergeborenen entspringt. So heißen auch die Rechtsordnungen der Tyrannen, so ungerecht sie sein mögen, mißbräuchlicherweise „Gesetze". Diesem *Gesetz der Sünde* entspricht das *Gesetz in den Gliedern,* das heißt die böse Lust, die an unseren Gliedern ihre beste Entsprechung findet …

V. 22: *Denn ich habe Lust an Gottes Gesetz.* Hier tritt uns die innerliche Zerteilung im Gläubigen deutlich vor Augen, aus der jener Kampf zwischen Geist und Fleisch hervorgeht, den Augustin einmal sehr schön „das Ringen der Christenseele" nennt. Gottes Gesetz ruft den Menschen zu wahrer Frömmigkeit; seine verkehrte Art aber, die ihn wie ein tyrannisches Gesetz Satans regiert, treibt zu nichtswürdigen Taten. Der Geist zieht zum Gehorsam gegen das göttliche Gesetz, das Fleisch zieht nach der entgegengesetzten Seite. So wird der Mensch zwiespältig, zwischen verschiedenen Strömungen des Willens umgetrieben. Aber weil der Geist das Übergewicht behalten soll, so betrachtet sich Paulus nach diesem entscheidenden Element seines Wesens. Er fühlt sich von seinem Fleisch gefangen, weil er die noch immer wirksamen bösen Lüste im Hinblick auf den ganz anders gerichteten Geistestrieb als einen fremdartigen Zwang empfindet ... Als *inwendigen Menschen* bezeichnet der Apostel nicht etwa einfach die Seele, sondern den von Gott geistlich erneuerten Teil des Menschenwesens. Für den übrigbleibenden Teil sagt er dann *Glieder* (V. 23). Denn wie die Seele der vorzüglichere Teil des Menschen ist, der Leib der mehr untergeordnete, so ist der „Geist" mehr als das „Fleisch". Unter diesem Gesichtspunkt, daß der Geist die Stelle einnimmt, die die Seele im Menschen hat, das Fleisch aber als die verderbte und sündig verkehrte Seele die Stelle des Leibes, heißt der erstere der „inwendige Mensch", der letztere „die Glieder". In einem ganz anderen Sinn ist (2. Kor. 4, 16) vom äußerlichen Menschen die Rede. Hier aber führt der Zusammenhang notwendig auf unsere Auslegung. Der Geist ist der inwendige Mensch, weil sich in seinem Besitz das Herz und die tiefsten Willensregungen befinden, während die Neigungen des Fleisches keine bleibende Wurzel schlagen können und mehr außerhalb des Menschen bleiben. Hier ist ein Unterschied wie zwischen Himmel und Erde. „Glieder" sagt der Apostel etwas verächtlich zur Bezeichnung alles dessen am Menschen, was äußerlich sichtbar ist. Im Gegensatz dazu entgeht die verborgene Erneuerung unseren Sinnen und übersteigt alle unsere Begriffe. Man muß sie im Glauben fassen. Wenn nun unter dem „Gesetz im Gemüte" die rechte Ausrichtung unserer Willensregungen verstanden wird, so merken wir von neuem an, daß dergleichen im noch nicht wiedergeborenen Menschen keinen Raum findet. Dieser hat nach der Lehre des Paulus die rechte Gesinnung verloren, weil er die Bahn der Vernunft verließ.

Gal. 5, 16–24: Der Kampf zwischen Fleisch und Geist

LUTHER

WA 40 II, 78, 4 –122, 24

V. 16: 40 II, 81, 26: Darum zeigt Paulus mit diesen Worten: ‚Wandelt im Geist' usw. auf welche Weise er seinen Satz verstanden wissen will, als er sagte: ‚Durch die Liebe dient euch untereinander', ebenso, daß die Liebe die Erfüllung des Gesetzes sei usw., nämlich folgendermaßen: Wenn ich euch gebiete, euch gegenseitig zu lieben, so will ich dieses von euch, daß ihr im Geist wandelt. Ich weiß nämlich, daß ihr das Gesetz nicht erfüllen werdet, weil die Sünde in euch hängt, solange ihr lebt. Deswegen ist es unmöglich, daß ihr das Gesetz erfüllt. Inzwischen aber seid sorgfältig darauf bedacht, daß ihr im Geist wandelt. Das heißt, kämpft im Geist gegen das Fleisch und trachtet nach den geistlichen Antrieben usw. Denn der Grund der Rechtfertigung ist nicht in Vergessenheit geraten; denn wenn er gebietet, daß sie im Geist wandeln, verneint er offenbar, daß die Werke gerecht machen, gleichsam als sagte er: Wenn ich von der Erfüllung des Gesetzes rede, so will ich nicht, daß ihr durch das Gesetz gerechtfertigt werdet, sondern dieses sage ich, daß ihr zwei entgegengesetzte Führer in euch habt, Geist und Fleisch. Gott hat in eurem Leibe Aufruhr und Streit erweckt. Der Geist kämpft nämlich mit dem Fleisch und umgekehrt das Fleisch mit dem Geist. Hier verlange ich nichts von euch, und mehr könnt ihr auch nicht leisten, außer daß ihr als diejenigen, die dem Geist als Führer folgen, dem Führer Fleisch widersteht.

V. 17: 40 II 88, 29: Und diese Stelle bezeugt klar, daß Paulus dieses den Heiligen schreibt, d. h. der Kirche, die an Christus glaubt, die getauft, gerechtfertigt und erneuert ist und die vollkommene Vergebung der Sünden hat, und dennoch sagt er, in ihr kämpfe das Fleisch gegen den Geist. Auf die gleiche Weise sagt er von sich Röm. 7 (14.23 f.): ‚Ich bin fleischlich, unter die Sünde verkauft' und ferner: ‚Ich sehe ein anderes Gesetz in meinen Gliedern, das dem Gesetz meines Geistes widerstreitet' usw. und ferner: ‚Ich elender Mensch' usw. Hier haben nicht nur die Sophisten ängstlich herausgearbeitet, sondern auch einige von den Vätern, auf welche Weise sie Paulus entschuldigen könnten. Sie erklären es nämlich für unwürdig, wenn gesagt wird, daß jenes auserwählte Glied Christi Sünde habe. [...]

40 II, 92, 24: Ich erinnere mich, daß Staupitz zu sagen pflegte: Ich habe mehr als tausendmal Gott gelobt, daß ich fromm sein will. Aber ich habe niemals gehalten, was ich gelobt habe. Jetzt will ich Derartiges nicht wieder geloben, weil ich auf das genaueste weiß, daß ich dieses nicht halten werde.

Wenn nicht Gott mir, durch Christus versöhnt und gnädig, ein seliges Stündlein geben würde, wenn ich aus diesem elenden Leben gehen muß, so könnte ich mit meinen Gelübden und guten Werken nicht bestehen. Das war nicht nur eine wahre, sondern auch eine fromme, heilige Verzweiflung, die mit dem Munde und Herzen alle, die selig werden wollen, bekennen müssen. [...]

V.18: 40 II, 99,29: Insgesamt lehrt Paulus in dieser Disputation über den Kampf des Fleisches und des Geistes, daß die Versöhnten oder Heiligen das nicht vollbringen können, was der Geist will. Gern nämlich möchte der Geist ganz rein sein, aber das mit ihm verbundene Fleisch gestattet es nicht. Gerettet sind sie dennoch und werden sie durch die Vergebung der Sünde, welche in Christus ist. Darauf, weil sie im Geist wandeln und geführt werden, sind sie nicht unter dem Gesetz, d.h. das Gesetz kann sie nicht anklagen und erschrecken usw., und wenn sie dieses auch anficht, so kann es sie dennoch nicht zur Verzweiflung führen.

V.24: 40 II, 122,16: Auf diese Weise heften diejenigen, die dem Fleisch widerstehen, dieses mitsamt seinen Lüsten und Begierden mit Nägeln an das Kreuz, so daß es, obwohl es noch lebendig ist und sich regt, dennoch nicht vollenden kann, was es will, weil es an Händen und Füßen gebunden ans Kreuz geschlagen ist. Die Frommen also, solange sie hier leben, kreuzigen sie das Fleisch, d.h. sie fühlen zwar seine Begierden, aber sie gehorchen ihnen nicht. Angetan nämlich mit der Waffenrüstung Gottes, mit ,Glaube, Hoffnung und mit dem Schwert des Geistes' (Eph. 6,16f.), kämpfen sie mit dem Fleisch und schlagen es mit diesen dreien wie mit Nägeln an das Kreuz, so daß es, wenn auch unfreiwillig, dem Geist untertan sein muß. Wenn sie später sterben, so ziehen sie es völlig aus, und als die Auferweckten werden sie ein reines Fleisch ohne Lüste und Begierden haben.

ZWINGLI

Z III 590–912: De vera et falsa religione commentarius, März 1525
Z IV 188–337: Von der Taufe, von der Wiedertaufe und von der Kindertaufe, 27.5.1525

V.17: Z IV 230,4–16: Hielten wir uns für sündlos, so wäre dies die allergrößte Vermessenheit. Da nun aber der Mensch, solange er im Fleische wohnt, nicht ohne Sünde ist – denn das Fleisch und der Geist streiten dermaßen miteinander, daß wir nicht tun, was wir nach dem Geiste tun wollen, Gal.5 und Röm.7 – da nun also der Mensch nicht ohne Sünde ist, einer jedoch überheblich anhebt, er wolle nunmehr ohne Sünde leben, dann redet er nichts anderem als gesetzlicher Heuchelei das Wort. Denn wer sich für einen solchen sündlosen Mann ausgibt, muß sich vor den Leuten dann ja auch entsprechend verhalten. Auf diese Weise aber führt er ein bloß äußerlich gerechtes Leben; denn inwendig ist auch er des Fleisches Art, wie alles Fleisch, und er ist und bleibt nicht ohne Sünde. [...] Also lebt einer auch dann fleischlich, wo er's nach außen verbergen kann.

V. 19–21: Z III 659,6–15: Es kann anders gar nicht sein, solange wir Fleisch sind, als daß wir beständig nach dem trachten, was des Fleisches ist, und das heißt: nach all dem, was die Bosheit als solche ist, die dann auch die übelsten Früchte treibt, wie Paulus Gal. 5 lehrt. Böse ist des Menschen Gesinnung, böse auch sein Denken von Jugend auf [Gen. 8,21], eben weil er Fleisch ist, weil er sich selber liebt, weil er gierig ist nach Ehre, Vergnügen und Geld, mag er dies noch so bestreiten, mag er es noch so beschönigen. Jes. 9 [9,17]: ‚Wir alle sind Heuchler, Nichtsnutze, und aller Mund redet Torheit.' Auch der Prediger kann nicht genug ausrufen, wie eitel und nichtig wir sind: ‚Nichtigkeit der Nichtigkeiten', spricht Pred. 1 [1,2], ‚alles ist nichtig'.

CALVIN

CO 50,252–256

V. 16: *Ich sage aber: Wandelt im Geist!* Damit folgt ein Fingerzeig auf das Heilmittel. Gilt es doch, einem so schweren Übel, welches den Untergang der Gemeinde bedeutet, mit allen Kräften zu steuern. Doch wie geschieht dies? Wenn in uns nicht das Fleisch regiert, sondern wir uns durch Gottes Geist regieren lassen. Der Ausdruck gibt übrigens zu verstehen, daß die Galater fleischlich sind und des göttlichen Geistes bar, weil sie ein für Christenmenschen unwürdiges Leben führen. Denn worin sonst hatten ihre Streitigkeiten ihren Grund als in der Herrschaft fleischlicher Leidenschaft? Das ist also ein Zeichen, daß sie nicht nach dem Geiste wandeln. Beachtenswert ist der Ausdruck: ihr werdet *die Lüste des Fleisches nicht vollbringen.* Wir entnehmen demselben, daß Gottes Kinder, solange sie die Last dieses Fleisches tragen, zwar noch allerlei sündhaften Neigungen unterworfen sind, daß sie aber an dieselben nicht völlig gebunden und verkauft sind, sondern angespannten Widerstand leisten. Freilich ist der geistliche Mensch gegenüber den Begierden des Fleisches nicht so immun, daß sie ihn nicht oftmals reizten; aber er unterliegt nicht, noch überläßt er ihnen die Herrschaft, – kurz, er „vollbringt" sie nicht (vgl. Röm. 8, 1 ff.).

V. 17: *Das Fleisch gelüstet wider den Geist.* Der Apostel erinnert an die Schwierigkeiten, damit sie wissen, daß ohne Kampf niemand geistlicher Sieger

werden kann. Die Schwierigkeit aber liegt darin, daß unsere Natur dem
Geiste Gottes widerstrebt. Will doch unter dem „Fleisch", wie wir zu
Röm. 7,18; 8,3.7 dargelegt haben, die ganze Art und Natur des Menschen
verstanden sein. Ist „Geist" die erneuerte Natur oder die Gnadenkraft der
Erneuerung, so kann das Fleisch nichts anderes sein als der alte Mensch.
Wenn eben die ganze Natur des Menschen sich wider Gottes Geist auflehnt
und ihm widerstrebt, so bedarf es harten und schweren Kampfes und der
gewaltsamsten Anstrengungen, wenn wir dem Geiste gehorchen wollen. Der
Anfang muß mit der Selbstverleugnung gemacht werden. Hier können wir
sehen, wie Gottes Wort unseren Geist einschätzt: unser Geist und göttliches
Wesen stimmen zusammen wie Wasser und Feuer. Daraus läßt sich entnehmen, daß der freie Wille keinen Tropfen des wahrhaft Guten in sich birgt.
Oder soll etwa gut heißen, was das Widerspiel des Geistes Gottes ist? So heißt
es auch Röm. 8,7: „fleischlich gesinnet sein ist eine Feindschaft wider Gott."

Daß ihr nicht tut, was ihr wollet. Dies bezieht sich ohne Zweifel auf die
Wiedergeborenen. Denn fleischliche Menschen haben keinen Kampf mit
bösen Begierden, kein rechtes Verlangen, in welchem sie sich nach Gottes
Gerechtigkeit sehnen. Und da Paulus die Gläubigen anredet, so deutet dieses
„Wollen" nicht auf die natürliche Neigung, sondern auf die heiligen Gedanken und Absichten, welche Gott uns durch seine Gnade einhaucht. Paulus
sagt also, daß die Gläubigen trotz alles guten Strebens dennoch in diesem
irdischen Leben sich nicht so weit emporringen, daß sie Gott vollkommen
dienen. Ein Wollen und Begehren haben sie wohl, aber die volle Wirkung
entspricht dem nicht. Diesen Gedanken haben wir zu Röm. 7,15 genauer
erörtert.

V.18: *Regiert euch aber der Geist.* Wenn also die Gläubigen auf Gottes
Wege nur hinkenden Schrittes vorwärts kommen, so mögen sie doch nicht
den Mut darüber verlieren, daß sie dem Gesetze Gottes noch nicht Genüge
tun. Darum spendet ihnen Paulus hier (wie auch Röm. 6,14) den Trost: *ihr
seid nicht unter dem Gesetze.* Denn daraus folgt, daß ihnen, was noch fehlt,
nicht angerechnet wird, sondern ihre Werke Gott so angenehm sind, als wenn
sie fehlerfrei und ganz vollkommen wären. – Übrigens bewegt sich dieser
Gedanke zugleich in der Bahn der begonnenen Erörterung über die Freiheit.
Den Geist, von welchem Paulus hier redet, nannte er ja vorher (4,5.6 vgl.
Röm. 8,15) den Geist der Kindschaft: er ist es, welcher die Menschen frei
macht, indem er ihnen das Joch des Gesetzes abnimmt. Paulus will sagen:
Wollt ihr endlich einmal die Streitereien beendigen, mit denen ihr euch selbst
am meisten quälet, so wandelt im Geist! Denn dann werdet ihr der Herrschaft des Gesetzes entrinnen: das Gesetz wird euch dann nur noch eine
freundliche Lehre bedeuten, die euch erinnert und mahnt, die aber das Gewis-

sen nicht weiter gebunden hält. Sind wir aber dem Gesetz nichts mehr schuldig, so leben wir auch frei von den Zeremonien, die ja doch nur Symbole der Knechtschaft sind.

V. 19: *Offenbar sind aber die Werke des Fleisches.* Nachdem der Apostel den Christen im allgemeinen das Ziel vorgehalten hat, nach welchem sie streben müssen, um dem Geiste zu gehorchen und dem Fleische zu widerstehen, malt er jetzt ein Bild einerseits des Fleisches und auf der andern Seite des Geistes. Wenn die Menschen sich selbst kennten, würden sie dieser Erläuterung nicht bedürfen: denn sie sind in der Tat nichts als Fleisch. Aber unsere angeborene heuchlerische Art läßt uns die eigne Häßlichkeit erst sehen, wenn der Baum an seinen Früchten kenntlich wird. Darum gibt der Apostel einen Fingerzeig, gegen welche Laster wir kämpfen müssen, wenn wir nicht nach dem Fleische leben wollen. Er nennt zwar, wie er auch am Schluß andeutet, nicht alle Laster: aber der Leser kann die Reihe leicht selbst vervollständigen. *Ehebruch* und *Hurerei* stehen an erster Stelle, dann folgt die *Unreinigkeit*, unter welcher jegliche Art von Schamlosigkeit begriffen sein will. Gleichsam das Mittel zu ihrer Ausübung ist die *Unzucht* im weitesten Sinne, Zügellosigkeit aller Art. An diese vier zusammengehörigen Stücke schließt sich dann (V. 20) der Götzendienst an, worunter hier grober offensichtlicher Aberglaube verstanden wird. Eine Reihe der weiter sich anschließenden Laster hängt aufs engste untereinander zusammen. *Feindschaft* und *Zorn* unterscheiden sich vornehmlich darin, daß der Haß lange währt, der Zorn schnell verraucht. Seine Wurzel hat der Haß in Eifersucht und Neid. [...] Zorn und Neid aber sind wiederum die Wurzeln von Zank, Parteiungen und Spaltungen. Dann folgen Mord und Zauberei, Trinkgelage und Völlerei. Zu beachten ist doch, daß Paulus auch die Spaltungen zu den Werken des Fleisches zählt. Er gebraucht also das Wort Fleisch nicht nur von grobsinnlichen Verirrungen wie die Sophisten, sondern in einem umfassenderen Sinn. Von allen diesen Sünden sagt Paulus, daß sie (V. 19) offenbar sind. So vermag niemand sich einen besonderen Vorzug anzudichten. Denn was nützt es, des Fleisches Herrschaft leugnen zu wollen, wenn doch die Frucht den Baum verrät?

V. 21: Von welchen ich euch habe zuvor gesagt. Diese strenge Drohung soll nicht nur die Galater erschrecken, sondern auch in versteckter Weise die falschen Apostel treffen, welche unter Zurückstellung solcher weit nützlicheren Lehre über die Zeremonien stritten. Zugleich wollen wir aus diesem Verfahren des Apostels lernen, daß man nicht müde werden darf, zu mahnen und zu drohen, nach dem Wort des Propheten (Jes. 58, 1): „Rufe getrost, schone nicht und verkündige meinem Volke ihr Übertreten." Was aber den Inhalt der Drohung angeht, so läßt sich kaum etwas Erschreckenderes sagen als: *die solches tun, werden das Reich Gottes nicht erben.* Wer wird nun doch wagen, Sünden leicht zu nehmen, die vor Gott ein so schwerer Greuel sind? Freilich scheint dieser Ausspruch jedem Menschen die Hoffnung der ewigen Seligkeit abzuschneiden. Denn wer würde nicht von irgendeinem der genannten Fehler angefochten? Doch gilt es zu bedenken, daß Paulus nicht jedem die Abschneidung aus Gottes Reich androht, der einmal solche Sünden begangen, sondern nur denen, die unbußfertig darin zu beharren gedenken. Auch die Heiligen haben zuweilen große Mühe, aber sie kehren auf den rechten Weg zurück. Sie sind also bei dieser Aufzählung nicht mit gemeint, weil sie nicht gegen sich falsche Nachsicht üben. Kurz, es rufen alle Androhungen des göttlichen Gerichts uns zur Selbstbesinnung, für die Gott immer Vergebung bereit hat; aber sie werden zu einem Zeugnis gegen uns, wenn wir verstockt bleiben. – Daß wir das Reich Gottes „erben", sagt Paulus, weil wir nach dem Rechte der Kindschaft das ewige Leben erlangen können (vgl. Röm. 8,17).

V. 22: *Die Frucht aber des Geistes ist Liebe.* Hatte der Apostel soeben der ganzen Menschennatur ihr Urteil gesprochen, weil sie nur verderbte und abscheuliche Früchte hervorbringt, – so leitet er jetzt alle Tugenden wie alle guten und edlen Gedanken aus dem Geiste ab, d.h. aus der Gnade Gottes und der Erneuerung, die uns durch Christum zuteil wird. So gibt er uns zu verstehen, daß vom Menschen nur Böses, alles Gute aber vom Geiste Gottes kommt. Mögen unwiedergeborene Menschen noch so viele treffliche Beispiele von Sanftmut, Treue, Mäßigung und Selbstlosigkeit sehen lassen, – so wird sich alles doch als trügerischer Schein erweisen. Cusios Tugend ist berühmt, ebenso die Fabricius, Cato besitzt Mäßigkeit, Scipio Freundlichkeit und Güte, Fabius Geduld. Aber das alles gilt nur in der Sicht der Menschen und gemessen am Maßstab bürgerlicher Ehrbarkeit. Vor Gott bleibt nichts rein, wenn es nicht aus dem Quell aller Reinheit stammt. Unter *Freude* ist hier (anders wie Röm. 14,17) jene heitere Freundlichkeit im Verkehr mit dem Nächsten zu verstehen, die sich von allem mürrischen Wesen freihält. *Treue* ist Wahrhaftigkeit im Gegensatz zu List, Trug und Lüge. *Friede* steht im Gegensatz zu Zank und Streit. *Geduld* ist die Sanftmut der Seele, die alles gut aufnimmt. und sich nicht sofort reizen läßt. Das weitere wird keiner Erklärung bedürfen. Paulus beschreibt aber die Früchte, aus denen man auf eines Menschen Geist zurückschließen kann. Nun könnte jemand fragen: können dann aber die Ungläubigen und Götzendiener überhaupt dem Gericht verfallen, welche sich durch den Schein besonderer Tugenden auszeichnen? Denn ihren Werken nach scheinen sie Geistesmenschen zu sein. Ich antworte: wie nicht alle Fleischeswerke bei einem fleischlichen Menschen sichtbar sind, sondern nur dieses oder jenes Laster die Fleischesart verrät, so ist der Mensch nicht wegen *einer* Tugend als geistlich zu achten. Denn seine übrigen Untugenden offenbaren, daß das Fleisch in ihm herrscht. Es läßt sich dies auch an allen teilweise tugendhaften Ungläubigen wohl sehen.

V. 23: *Wider solche ist das Gesetz nicht.* Paulus will sagen: wo der Geist regiert, hat das Gesetz keine Herrschaft mehr. Denn indem Gott unsere Herzen nach seiner Gerechtigkeit bildet, befreit er uns von der Strenge des Gesetzes, so daß er nicht mit uns nach dessen Satzungen handelt und nicht unsere Gewissen unter der Schuld bleiben läßt. Zwar hört das Gesetz nicht auf, lehrend und mahnend seine Pflicht zu tun, aber der Geist der Kindschaft macht von der Unterjochung frei. [...]

V. 24: *Welche aber Christo angehören.* Dies fügt Paulus hinzu, um zu zeigen, daß solche Freiheit allen Christen gilt, die dem Fleisch abgesagt haben. Zugleich mahnt er die Galater, worin das wahre Christentum besteht, damit niemand sich als ein Christ ausgebe, der es nicht ist. Heißt es aber, daß Christi Glieder ihr *Fleisch „kreuzigen"*, so entnehmen wir daraus, daß die Abtötung des Fleisches nur eine Wirkung des Kreuzes Christi sein kann. Hier ist kein Menschenwerk: vielmehr pflanzt uns Gottes Gnade in die Gemeinschaft des Todes Christi, so daß wir fortan nicht mehr uns selber leben (Röm. 6,5). Nur dann können wir das Vorrecht der Kinder Gottes genießen, wenn wir in wahrer Selbstabsage und Abtötung des alten Menschen mit Christo begraben sind. Freilich wird ja das Fleisch noch nicht völlig abgestorben sein: aber es muß keine Herrschaft mehr ausüben und weicht eher dem Geist. Das Fleisch *samt den Lüsten und Begierden* führt uns der Apostel vor Augen wie die Wurzel mit ihren Früchten. „Fleisch" heißt ja die Verderbnis der Natur selbst, aus welcher alles Böse hervorquillt. Welches Unrecht nach alledem, Christi Glieder noch an das Gesetz fesseln zu wollen, von welchem doch alle durch den Geist Wiedergeborenen frei sind!

Hebr. 10,19–25: Festhalten am Bekenntnis der Hoffnung

LUTHER

WA 57 III 222,10–225,6

V. 19: 57 III, 222,10: ‚Weil wir nun, Brüder, durch das Blut Jesu die Freiheit haben zum Eingang in das Heilige.' Durch diesen Text, der etwas dunkel ist, zugleich aber besonders geschmückt und beredt, will der Apostel nämlich

dies, daß wir den leidenden Christus nachahmen, der durch den Tod zur
Herrlichkeit des Vaters hinüberging. Der Sinn ist jedenfalls kurz und klar,
nämlich das, was in Kol. 3 geschrieben steht: ‚Ihr seid mit Christus gestorben,
und euer Leben ist verborgen mit Christus in Gott.‘ Aber es ist darauf zu
achten, auf welche Art und mit welchem Nachdruck der Apostel es hier behandelt. Zum ersten: Der Vorhang des Tempels war das sinnbildliche Zeichen des Fleisches Christi, wie hier der Apostel zeigt. Das Wegnehmen des
Vorhangs durch den Eintretenden, nämlich den Priester, bezeichnet den Tod
des Fleisches Christi, womit er von uns aufgehoben und in das unsichtbare
Heiligtum eingetreten ist. Jener Weg oder Eingang des alten Priesters war vor
Zeiten alt und tot, deutet aber hin auf den ‚neuen und lebendigen Weg‘ und
Eingang Christi. Und so hat er das (alte) Bild erfüllt und den Schatten weggenommen. Es bezeichnet dies aber zugleich die Erfüllung und das Abbild
(denn fein verbindet er zugleich beides und behandelt es mit den gleichen
Worten). Ferner ist es ein göttliches Zeichen (sacramentum) für die Nachfolge Christi. Sein Fleisch, das er annahm, bedeutet ja die Schwächen unseres
Fleisches, welche wir mit den Sünden angenommen haben und durch welche
es geschieht, daß wir den alten und tödlichen Weg gehen durch das Befolgen
der Lüste des Fleisches. [...]

Um diesen neuen Weg zu beschreiten, ermuntert er uns mit einer doppelten
Ermahnung. Es ist eine beschwerliche und sehr harte Sache, besonders für die
Anfänger in Christo, alles, auch das Leben zu lassen. Daher stellt er uns zuerst das Beispiel Christi als unseres Führers und Vorkämpfers vor Augen.
Obwohl er es nicht nötig hatte, ist er, um unser Vertrauen aufzurichten, allein
voran hinübergegangen und hat den sehr beschwerlichen Weg gebahnt. Daraus hat er nicht allein ein Beispiel des Herübergehens gegeben, sondern er
reicht auch denen, die nachfolgen, die Hand. Darum sagt er, ‚daß wir haben
die Freudigkeit zum Eingang‘, weil er selbst diesen Weg für uns eröffnet hat
und uns zugleich ein Hoherpriester sei, der mit unseren Schwachheiten leiden
und den Angefochtenen helfen kann. So geschieht es, daß es für uns keine
Entschuldigung des Verweilens gibt, da er für uns gar nicht mehr tun kann,
als er tut. Lehren und ermahnen können die anderen auch, aber zum Übergang (transitus) ist hier Christus nicht allein der Begleiter, sondern der Führer
des Weges, nicht allein der Führer, sondern der Helfer, ja der Träger, wie es
Deut. 32(,11) heißt: ‚Wie ein Adler ausführt seine Jungen zum Flug und über
ihnen schwebt, breitete er seine Fittiche aus und nahm ihn und trug ihn auf
seinen Flügeln‘. Wer sich im Glauben auf Christus verläßt, wird auf den
Schultern Christi getragen, und der wird zugleich glückselig hinübergehen mit
der Braut, wie geschrieben steht ‚hinaufsteigen durch die Wüste, angelehnt an
ihren Freund‘ (Hhld. 8,5).

ZWINGLI

Z II 1–457: Auslegen und Gründe der Schlußreden, 14.7.1523

V. 19–22: Z II 173,7–33: Das Haus Gottes ist Gottes Volk. […] Schaue hier, wie der Weg in den Himmel durch das Blut Jesu Christi erbaut und verdient worden ist. Paulus erklärt selber, was er meint, indem er sagt: Christus hat den Weg erbaut durch den Vorhang seines Fleisches. Im Fleische war die Gottheit Christi zwar verborgen, aber doch gegenwärtig, und sie hat sich dann auch zu seiner Zeit offenbart. Damit wir ebenfalls verstehen, daß es Christi Verdienst ist, sagt er, daß wir nun eigens einen Priester haben, der mit seinem Opfer uns den Himmel verdient hat. Seinerzeit waren die Priester dazu verordnet, zu vermitteln zwischen Gott und den Menschen. Mit dem Opfer befleißigten sie sich, Gott gnädig zu stimmen, zuerst jeweils opfernd für sich, sodann für das Volk. Doch all das war nur ein Schatten gewesen auf die zukünftigen Dinge hin Heb. 10 [10, 1]. Nun hat auch Christus für uns sich geopfert, jedoch viel wirksamer als es die Priester im Alten Testament taten. Selber hatte er es zwar nicht nötig, sich zu opfern, da er ohne Sünde war. Aber er hat die Seelen all derer rein gemacht, die glauben, und hat für sie bezahlt. Die alten Priester hatten nur das Fleisch gereinigt; er aber hat alles geleistet, was vorher verheißen und angedeutet war. Er hat auch nicht nur das Blut von Tieren, sondern sein eigenes Blut für uns geopfert. Deshalb ist Er unser sicherer und gewisser Heiland. Deshalb dürfen wir mit wahrem Herzen und voller Vertrauen in vollkommenem Glauben zu Gott kommen. Er hat mit seinem Blut für uns bezahlt.

CALVIN

CO 55, 128–133

V. 19: *So wir denn nun haben.* Der Apostel faßt den vorhergehenden, lehrhaften Abschnitt kurz zusammen und knüpft daran eine eindringliche Ermahnung und sodann eine besonders ernste Drohung gegen die, die Christi Gnade verwerfen würden. Der lehrhafte Abschnitt hat dargetan, daß alle Zeremonien, ohne die es unter dem Gesetz keinen Zugang zum Heiligtum gab, nur Sinnbilder der ewigen, in Christus erschienenen Wahrheit gewesen sind. Wer Christus hat, bedarf also ihrer nicht mehr, ihre Beachtung ist ihm schädlich. Bei der Beschreibung des Zugangs, den Christus uns eröffnet hat, bedient sich der Apostel zum besseren Verständnis bildlicher Ausdrücke. Den Himmel vergleicht er mit dem Allerheiligsten im Tempel, und die geistlichen Güter, die Christus uns erworben hat, stellt er unter ähnlichen Bildern dar. Bisweilen wird durch solche bildliche Redeweise der Sinn eher verhüllt als verdeutlicht. Hier aber ist die Einkleidung des Werkes Christi in die Sinnbilder des Gesetzes ebenso sinnig wie einleuchtend, weil dadurch hervorgehoben ist, daß jetzt wahrhaft erfüllt sei, was im Gesetz nur schattenhaft angedeutet war. Jedes Wort ist hier von Bedeutung und soll uns zum Bewußtsein bringen, daß die alten Sinnbilder notwendig der in Christus erschienenen Wahrheit weichen müssen.

Wir haben die *Freudigkeit zum Eingang in das Heilige.* Die alttestamentlichen Frommen hatten dieses Vorrecht nicht. Dem Volk war der Eingang in das Heiligtum verwehrt. Nur sinnbildlich war sein Einzug dadurch angedeutet, wenn der Hohepriester auf seinen Schultern die Namen der zwölf Stämme und auf seiner Brust zu ihrem Gedächtnis die zwölf Edelsteine trug. Jetzt aber verhält es sich ganz anders. Es gibt für uns durch Christi Wohltat einen wirklichen Eingang in den Himmel; er hat uns zu königlichen Priestern gemacht (1.Petr. 2,9).

Durch das Blut Jesu. Nur durch Blut durfte der Hohepriester bei dem feierlichen Gang am Versöhnungstag ins Allerheiligste eingehen. Wie groß aber ist der Unterschied zwischen dem Blut von Tieren und diesem Blut! Jenes gerann sofort und büßte bald auch die wirksame Kraft ein, Christi Blut aber verdirbt nicht, sondern fließt in immerwährender reiner Farbe, so daß es uns genügt bis ans Ende der Welt. Kein Wunder, wenn die Opfer geschlachteter Tiere keine lebenbringende Kraft hatten, da sie ja etwas Totes waren. Aber Christus, der vom Tode Auferstandene, bringt uns das Leben, indem er sein Leben in uns überströmen läßt. So ist denn der Weg für immer bereitet und geweiht durch sein Blut, das vor des Vaters Angesicht sozusagen beständig fließt als Besprengungsmittel für Himmel und Erde.

V. 20: *Durch den Vorhang.* Der Vorhang verdeckte die Geheimnisse des Allerheiligsten und diente zugleich als Eingang dorthin. So verhüllte Jesu Knechtsgestalt im Fleisch Gottes Herrlichkeit und führt uns doch bis in den Himmel. Niemand kann zu Gott kommen, ohne daß ihm der Mensch Christus Jesus Weg und Tür geworden ist (1.Tim. 2,5). Wir dürfen die Herrlichkeit Christi nicht nach seiner äußeren Erscheinung im Fleisch beurteilen und doch auch wieder diese nicht darum, weil sie Gottes Herrlichkeit verhüllt, verachten. Ist sie uns doch der Wegweiser zum Genuß aller himmlischen Güter.

V. 21: *Und haben einen Hohenpriester.* Wir müssen uns hier in Erinnerung rufen, was zuvor über die Abschaffung des alttestamentlichen Priestertums ausgeführt war. Mit Christi Eintritt in das Priestertum müssen notwendig jene früheren Priester, die einer andern Ordnung angehören, zurücktreten.

Was durch Christi Kommen aufgehoben ist, darf nicht mehr festgehalten werden. Ist er jetzt über das ganze Haus Gottes gesetzt, so muß jeder, der seiner Gemeinde angehören will, sich ihm unterwerfen und ihn zum Führer und Herrn erwählen und keinen andern sonst.

V. 22: *So lasset uns hingehen mit wahrhaftigem Herzen.* Dem geistlichen und himmlischen Wesen von Christi Hohenpriestertum muß auch unsere Stellung zu ihm entsprechen. Bei den Israeliten gab es einst verschiedene Arten der Besprengung, um sich zum Gottesdienst zu reinigen. Weil der Gottesdienst selbst nur in äußerlichen Sinnbildern bestand, so ist es nicht zu verwundern, daß auch die Reinigungen rein fleischlich waren. Der Priester, der für eine gewisse Zeit den Dienst im Heiligtum zu verrichten hatte, war ein sterblicher, sündiger Mensch; sein Kleid, wiewohl kostbar, ein vergänglicher, irdischer Schmuck. Um vor Gott zu erscheinen, dazu trat er bloß bis vor die Bundeslade hin; um sich für diesen Gang zu heiligen, nahm er sich jeweils aus der Herde ein Opfertier. Wie ganz anders Christus! Er ist nicht nur selbst heilig und unschuldig, sondern der Quell aller Heiligkeit und Gerechtigkeit, durch göttlichen Spruch und Eid zum Priester eingesetzt, nicht nur für die kurze Zeit eines Menschenlebens, sondern ewiglich. Er tritt sein Priesteramt an, ausgerüstet mit den allervollkommensten Gaben des heiligen Geistes; er bewirkt die Versöhnung zwischen Gott und Menschen durch sein eigenes Blut und steigt empor über alle Himmel, um als unser Mittler vor Gott zu erscheinen. Darnach soll sich unser Verhalten richten, da ja zwischen Priester und Volk Übereinstimmung herrschen muß. So sollen denn jene äußerlichen Waschungen des Leibes verschwinden, und der ganze Aufwand von Zeremonien soll ein Ende haben. Jenen äußeren Sinnbildern wird das wahrhaftige Herz gegenübergestellt, die Gewißheit des Glaubens und die Reinigung von allen Sünden. Hier lernen wir auch, auf welchem Wege wir des Segens Christi teilhaftig werden. Man kann zu ihm nur kommen mit wahrhaftigem, aufrichtigem Herzen, mit gewissem Glauben und reinem Gewissen. Wahrhaftig und rein ist das Herz, das frei ist von Verstellung und Zwiespältigkeit. Der Ausdruck „in der Fülle des Glaubens" zeigt, welches die rechte Art des Glaubens ist, nämlich eine feste und gewisse Überzeugung, ohne die man der Gnade Christi nicht teilhaftig werden kann. Die Reinigung des Herzens vom bösen Gewissen kann man auf den Trost der Sündenvergebung oder auf die Überwindung der bösen Lüste des Fleisches beziehen. Am besten denkt man an beides.

Das folgende: *gewaschen am Leibe mit reinem Wasser,* verstehen die meisten Erklärer von der Taufe. Es ist aber wahrscheinlicher, daß der Ausdruck bloß mit Rücksicht auf die gesetzlichen Waschungen gewählt ist. Unter dem Wasser ist der heilige Geist zu verstehen, wie in der Weissagung des Hesekiel

(36,25): Ich will rein Wasser über euch sprengen, daß ihr rein werdet. Kurz zusammengefaßt: wir werden Christi teilhaftig, wenn wir, nach Leib und Seele geheiligt, zu ihm hingehen. Diese Heiligung besteht aber nicht in der Vornahme äußerer Zeremonien, sondern im festen Glauben, im reinen Gewissen und in der Unbeflecktheit von Leib und Seele, die durch den Geist Gottes in uns zustande kommt. So ermahnt auch Paulus die Gläubigen (2. Kor. 7,1), sie sollten sich reinigen von aller Befleckung des Fleisches und des Geistes, da Gott sie zu Kindern angenommen hat.

V. 23: *Lasset uns halten an dem Bekenntnis der Hoffnung.* Weil die Juden zur Standhaftigkeit ermahnt werden sollen, tritt hier an die Stelle des Glaubens die Hoffnung. Hoffnung ist des Glaubens Frucht, aber auch seine Kraft und Stütze bis ans Ende. Vom Bekenntnis ist die Rede, weil der Glaube, wenn er rechter Art ist, sich den Menschen gegenüber Ausdruck verschaffen muß. Es liegt in dieser Ermahnung zum Bekennen ein versteckter Tadel ausgesprochen gegen die Verstellung derjenigen, welche, mehr nur ihren Volksgenossen zuliebe als aus eigenster Überzeugung, allzu ängstlich an den gesetzlichen Zeremonien festhielten. Ihnen wird befohlen zu bedenken, daß es mit dem Herzensglauben noch nicht getan ist, sondern daß man mit der Tat zeigen und bekennen muß, wie hoch man Christus schätze.

Beachtenswert ist die Begründung der Ermahnung durch den Zusatz: *Gott ist treu, der verheißen hat.* Unser Glaube beruht darauf, daß Gott wahrhaftig ist. Diese Wahrheit ist in der Zusage enthalten. Wir können ja überhaupt nicht glauben, ohne daß Gott sein Wort an uns richtet. Doch ist nicht jedes Wort geeignet, Glauben in uns zu wecken, sondern durch die Verheißung erst erhält dieser Glaube sein wahres Fundament. So geht aus dieser Stelle hervor, daß zwischen dem Glauben der Menschen und Gottes Verheißung ein inniger Zusammenhang besteht; ohne Gottes Verheißung kein Glaube.

V. 24: *Lasset uns untereinander unser selbst wahrnehmen.* Diese Ermahnung ist wohl hauptsächlich im Blick auf die jüdische Herkunft der Leser gesprochen. Das stolze Volksbewußtsein der Juden ist ja bekannt. Sie rühmen sich, als Nachkommen Abrahams die einzigen Menschen zu sein, die Gott in den Bund des ewigen Lebens aufgenommen habe. Mit anmaßender Verachtung aller übrigen Völker nahmen sie allen Ernstes für sich allein das Vorrecht in Anspruch, die Gemeinde Gottes darzustellen. Zur Bekämpfung dieses Hochmuts mußten die Apostel viel Mühe aufwenden. So soll meines Erachtens auch hier der jüdische Unwille über den gleichberechtigten Anteil der Heiden am Leben der Gemeinde zurechtgewiesen werden.

Mit Reizen zur Liebe. Gott sammelte sich damals eine Gemeinde aus Juden und Heiden, zwischen denen immer eine erbitterte Feindschaft geherrscht hatte, so daß ihre Vereinigung so unmöglich schien wie die Verbindung von

Feuer und Wasser. Wenn nun die jüdischen Christen die Gleichstellung mit den heidnischen unter ihrer Würde hielten, so stellt der Apostel solcher eifersüchtigen Gereiztheit die wetteifernde Anreizung zur Liebe gegenüber. Statt durch die Gefühle des Neides sich zum Streit hinreißen zu lassen, sollen sie sich vielmehr in frommem Eifer gegenseitig zur Liebe anspornen.

V. 25: *Und nicht verlassen unsere Versammlung.* Im griechischen Urtext deutet das Wort Versammlung nach seiner Zusammensetzung hin auf die Vermehrung, die eine Gemeinschaft durch den Hinzutritt neuer Glieder erfährt. Nach der Entfernung der Scheidewand zwischen Juden und Heiden (Eph. 2, 14) hat Gott die, die fern waren, in die Gemeinschaft seiner Kinder aufgenommen. Die durch diesen Zuwachs eingetretene Vermischung betrachten viele Juden für sich als entehrend und glaubten daher hinreichenden Grund zu haben, sich von der Christengemeinde zu trennen. Es war wirklich nicht leicht, sie zum Aufgeben ihres ausschließlichen Standpunktes zu bringen. Daher die Ermahnung des Apostels, sich durch jene Gleichstellung nicht zum Verlassen der christlichen Gemeinde bestimmen zu lassen. Aber abgesehen von dieser dem Apostel vorschwebenden Gefahr, hat die Ermahnung für uns eine allgemeine Bedeutung. Weit verbreitet ist unter den Menschen die krankhafte Sucht, sich über andere zu erheben, und zumal solche, die in irgendeiner Beziehung vor andern einen Vorzug zu haben scheinen, lassen sich nur widerwillig mit den niedriger Stehenden in ein Band fassen. Ja, sie möchten sich wohl lieber ein jeder seine eigene Gemeinde gründen, wenn es anginge; so groß ist fast bei allen der Eigensinn, der die Anpassung an fremde Anschauungen erschwert. Die Reichen sind unter sich schon eifersüchtig, und unter hundert fände man kaum einen, der einen Armen als seinen Bruder anerkennte. Wenn uns nicht Übereinstimmung der Sitten und höfliche Rücksichten gegenseitig nahe brächten, so wäre nichts schwieriger, als untereinander auf die Dauer ein freundliches Verhältnis aufrecht zu erhalten. Daher tut uns allen jene Ermahnung überaus not, uns mehr durch Liebe als durch Eifersucht reizen zu lassen und uns nicht loszutrennen von denen, die Gott uns zur Seite gestellt hat, sondern mit brüderlichem Sinn und Wohlwollen alle zu umfassen, die durch gemeinsamen Glauben mit uns verbunden sind. Weil der Satan darauf ausgeht, uns auf jede Weise, sei's durch offenen Bruch oder durch innere Entfremdung, auseinander zu bringen, so müssen wir um so mehr mit allem Eifer auf die Einigkeit der Kirche bedacht sein. Zu dem Ende darf keiner von sich selber allzusehr eingenommen sein, vielmehr müssen wir alle nur von dem Bestreben beseelt sein, uns gegenseitig zur Liebe anzuspornen und unter uns keinen andern Eifer aufkommen zu lassen als den, Gutes zu tun. Wenn wir aber die Brüder verachten, eigensinnig und eifersüchtig sind, zu viel von uns selber halten oder sonst einander kränken, so ist das ein sicheres Zeichen von Erkaltung oder gar Abwesenheit der Liebe.

Sondern untereinander ermahnen. Es ist Pflicht aller Frommen, auf jede mögliche Weise das Ihrige beizutragen, daß die Gemeinde Christi sich von überall her sammle. Der Ruf, der vom Herrn an uns ergeht, schließt ohne weiteres die Pflicht ein, daß jeder hinfort trachte, andere herbeizuführen, Irrende zurecht zu bringen, Strauchelnden die Hand zu reichen, Ungläubige zu gewinnen. Solche Mühe sollen wir uns geben um die, die der Herde Christi noch nicht angehören; wie groß muß dann erst der Eifer sein, die Brüder zu ermahnen, mit denen Gott uns schon verbunden hat.

Wie etliche pflegen. Nicht ohne Grund ermahnt der Apostel die Leser. Die Krankheit ist schon ziemlich fortgeschritten, für die er das nötige Heilmittel vorschreibt. Wir vernehmen, daß es schon zur Zeit der Apostel unter den Christen solche gab, die sich von der Gemeinde absonderten. Um so weniger darf es uns beunruhigen und verwirren, wenn wir heutzutage ähnlichen Abfall erleben; dies ist keine neue Erscheinung. Ein ernstes Ärgernis ist es immerhin, wenn Menschen, die eine gewisse Frömmigkeit gezeigt und mit uns den gleichen Glauben bekannt haben, vom lebendigen Gott abfallen. Alle Spaltungen in der Kirche sind immer aus der stolzen Selbstüberhebung der Menschen entstanden.

Und das so viel mehr ... Es ist hier die Rede von der Wiederkunft Christi, deren Erwartung uns mächtig antreiben soll, sowohl auf unsre persönliche Heiligung bedacht zu sein (Röm. 13, 11 f.; 2. Petr. 3, 11 f.), als die Sammlung und Einigung der Kirche mit Sorgfalt und brennendem Eifer zu betreiben. Wenn Christus kommen wird, will er uns nicht aus der gegenwärtigen Zerrissenheit zur Einigkeit zusammenbringen? Je näher daher der Tag seines Kommens ist, desto mehr muß uns die Einigung der zerstreuten Glieder am Herzen liegen, damit *eine* Herde und *ein* Hirt werde (Joh. 10, 16). Man könnte sich darüber verwundern, daß der Apostel zu solchen, für die die Erscheinung Christi noch in weiter Ferne lag, sagt, sie sehen den Tag nahen, ja er stehe unmittelbar bevor. Aber von Anfang an handelte es sich für die Glieder der Christengemeinde darum, das baldige Kommen des Richters zu erwarten. Sie waren nicht in einem falschen Wahn befangen, wenn sie jeden Augenblick auf Christi Ankunft gerüstet waren. Denn seit das Evangelium in die Welt gekommen ist, wird mit Recht und im eigentlichen Sinn die ganze christliche Epoche als die letzte Zeit bezeichnet. So haben auch die vor Jahrhunderten Verstorbenen so gut wie wir in den letzten Tagen gelebt. Die naseweisen Spötter freilich lachen über unsre Einfalt und begreifen es nicht, wie man an eine Auferstehung des Fleisches und an ein letztes Gericht glauben kann. Aber unser Glaube wird durch solchen Spott nicht erschüttert: lehrt uns doch die Schrift, daß tausend Jahre vor Gott sind wie *ein* Tag (Ps. 90, 4). Im Hinblick auf die Ewigkeit des himmlischen Reiches kann für uns die Dauer einer wenn auch langen Zeit nicht ins Gewicht fallen. Zudem ist uns seit jenem Tag, da Christus nach vollbrachtem Erlösungswerk gen Himmel gefahren ist, die Zeit seiner Wiederkunft verborgen, so daß wir recht tun, sie jederzeit zu erwarten und jeden Tag anzusehen, wie wenn er der letzte wäre.

Grundrisse zum Neuen Testament

Herausgegeben von Gerhard Friedrich

Vandenhoeck & Ruprecht · Göttingen und Zürich